La Philosophie

POUR LES NULS

La Philosophie pour les Nuls

Édition du Club France Loisirs, Paris
Avec l'autorisation des Éditions First

Éditions France Loisirs,
123, boulevard de Grenelle, Paris
www.franceloisirs.com

ISBN : 2-7441-9711-4
N° éditeur : 46525
Dépôt légal : novembre 2006

Ouvrage dirigé par Benjamin Arranger
Production : Emmanuelle Clément
Mise en page : Marie Housseau
Illustrations : Marc Chalvin
Couverture (de gauche à droite et de haut en bas) : Jean-Jacques Rousseau, Platon, Thomas d'Aquin, Réné Descartes, Friedrich Nietzsche, Jean-Paul Sartre, Bertrand Russell.

Imprimé en France

Nous nous efforçons de publier des ouvrages qui correspondent à vos attentes et votre satisfaction est pour nous une priorité. En avant-première, nos prochaines parutions, des résumés de tous les ouvrages du catalogue. Alors, n'hésitez pas à nous faire part de vos commentaires :

Éditions Générales First
27, rue Cassette
75006 Paris – France
Tél. : 01 45 49 60 00
Fax : 01 45 49 60 01
E-mail : firstinfo@efirst.com
Site internet : www.efirst.com

La Philosophie pour les Nuls

Christian Godin

ÉDITIONS FRANCE LOISIRS

À propos de l'auteur

Christian Godin, philosophe, est maître de conférences de philosophie à l'université de Clermont-Ferrand. Auteur d'une vingtaine d'ouvrages, il a notamment publié *La Totalité* (sept volumes, Champ Vallon, 1997-2003), *Au bazar du vivant* (en collaboration avec Jacques Testart, Seuil, 2001), *Dictionnaire de philosophie* (Fayard/Éditions du temps, 2004), *Le Nouveau Cours de philosophie* (Éditions du temps, 2004).

Dédicace

Trouvant le genre de la dédicace faux et artificiel, je ne m'y suis jamais adonné. Pour cette fois, je fais une exception.

Cet ouvrage est dédié à Marie-Christine, ma sœur bien-aimée, morte scandaleusement jeune l'an passé, d'un cancer. Elle qui aimait la pensée critique et enjouée aurait eu sur ce travail un regard qui me manque.

Remerciements

Mes remerciements à Benjamin Arranger, des Éditions générales First, qui a su me convaincre de mener à bien ce projet, en abattant une par une, avec une discrète insistance, les barrières dont j'avais cru me protéger.

Mes remerciements à l'ami de longue date qui, en refusant la proposition qui lui avait d'abord été faite et en suggérant mon nom, m'a permis de l'accepter à sa place.

Mes remerciements à tous les « nuls », présents, passés et futurs, connus et inconnus, parce que c'est à eux que j'ai pensé en rédigeant cette histoire de la philosophie – un pari dans lequel je ne me serais jamais lancé sans eux.

Mes remerciements enfin à tous les censeurs sévères de la philosophie, vrais ayatollahs de la pensée, car l'idée de les exaspérer a suscité en moi une réelle délectation.

Sommaire

Introduction

Imaginons un homme assis à la table d'un restaurant. On lui présente la carte. Il commence par remarquer à la ligne « bavette » qu'il y a une faute d'orthographe à « échalote » écrite avec deux t, puis observe attentivement l'écriture et l'encre, plonge sa cervelle, qu'il croit innocente comme celle d'un agneau, dans la magie des termes qui, comme en amour, fait venir l'eau à la bouche, rêve sur le beau mot équivoque de « Menu » gravé sur la couverture en similicuir. Lorsque le serveur vient prendre la commande, notre penseur reste muet, parce que le langage lui a tenu lieu de réalité et que, en spéculant sur la matérialité et le symbole du texte, il en a oublié de manger.

N'allons pas croire que cet étrange client est un cas unique de son espèce. Il ressemble à tant de nos professeurs en philosophie qui n'aiment rien tant que d'oublier et de faire oublier la chose au profit de ses conditions. C'est peu de dire que ceux-là restent sur leur faim et nous laissent sur la nôtre (certains croient s'en tirer en nous soûlant…). Le grand public des curieux a une faim de philosophie que les exégètes du même nom n'ont pas rassasiée.

Platon pensait que l'esprit de n'importe qui, fût-il esclave, contenait déjà tout le savoir possible, le travail du dialogue consistant dès lors à le mettre au jour. Descartes écrivit son *Discours de la méthode* en français, et non en latin, la langue savante de l'époque, de manière à être compris même des femmes. Leibniz, qui fut avec Newton le cerveau le plus productif de son temps, se faisait fort d'expliquer les grandes lignes de sa pensée (pourtant complexe) à n'importe quel honnête homme de son temps en un quart d'heure.

Le siècle écoulé aura eu tendance à oublier cette leçon : une pensée n'existe vraiment que si elle est comprise. Dépouillée petit à petit par la science des secteurs du savoir qui faisaient d'elle depuis les Grecs la connaissance par excellence, la philosophie a souvent eu pour réaction de se réfugier dans les ténèbres de ses abstractions. Elle cultiva avec un soin tout particulier la manie du négatif ; l'impossible sous toutes ses formes (l'incompréhensible, l'incommunicable, l'intraduisible…) devint son maître mot, le fin fond de sa pensée.

Contre ce préjugé de l'impossible, qui agit comme la plus impitoyable des censures, car dans le totalitarisme aussi, la pensée franche est impossible, il faut dire et répéter que la philosophie est, comme la musique et comme l'amour avec lesquels elle a tant de points communs, l'affaire de tous. La connaissance, le plaisir, le sens de la vie, la communauté politique, la beauté des êtres, l'inattendu des événements, la faute, la mort, l'espoir : il n'est pas absolument indispensable d'avoir fait dix ans d'études, ni de connaître le grec et l'allemand, pour avoir une idée de ce qu'ont pu en dire les plus grands philosophes de l'histoire.

L'univers de la philosophie, dont le big-bang eut lieu presque en même temps en Grèce, en Inde et en Chine, il y a vingt-cinq siècles, est loin de constituer une unité homogène. S'il partage avec l'univers physique cette caractéristique d'être en expansion, il se disperse rapidement en lieux qui n'ont pratiquement pas de relations d'échange entre eux. Les hommes, les doctrines font bien davantage que différer : ils se contredisent. Qui dira jamais la vérité sur l'art, le sentiment, le gouvernement des hommes ou la croyance religieuse ? Des questions que l'homme ne peut pas s'empêcher de poser tout en étant dans l'incapacité de les résoudre de manière définitive – voilà l'espace symbolique dans lequel se déploie le monde de la philosophie.

À propos de ce livre

C'est à cette formidable aventure, qui pour une bonne part a constitué l'histoire, que le lecteur est convié. Ce livre n'a pas la prétention de présenter une vision personnelle ou originale de la philosophie et de son histoire. Bien des ouvrages, rédigés par des spécialistes reconnus, remplissent avec plus ou moins de bonheur cette fonction.

La Philosophie pour les Nuls a pour ambition d'offrir dans une langue accessible à tous une approche de la philosophie à travers son histoire. Elle possède, du moins je l'espère, les qualités du panorama (la vision large et le plaisir de l'instant), mais aussi ses limites : la généralité des grandes lignes qui estompent les détails.

Nous allons ainsi parcourir vingt-cinq siècles d'histoire de la pensée philosophique, non pas à la façon des collectifs de chercheurs spécialistes, chacun attaché à un auteur et assez indifférent à ceux qui le précèdent et qui le suivent ; non pas à la manière de ceux qui ne se déplacent plus qu'à la vitesse de la lumière et prétendent faire le tour de toutes les questions avec seulement quelques flashes d'informations. Nous allons plutôt tâcher de caractériser le plus simplement mais aussi le plus fidèlement possible les grandes philosophies dans leur originalité propre.

Dans cette *Philosophie pour les Nuls*, une place importante sera réservée aux images et aux comparaisons : c'est grâce à elles que les idées prennent des couleurs. Ainsi ne sera-t-on pas étonné d'y entendre l'âne de Buridan braire, ni d'y voir voler la colombe de Kant. Et comme les philosophes ne sont pas des esprits sans corps ni des noms séparés d'une vie d'homme et qu'il est souvent instructif ou amusant de rappeler tel détail de leur existence ou de leur caractère, nous avons également fait la part belle aux portraits.

Comment ce livre est organisé

Trente-et-un chapitres constituent ce livre. Ils sont regroupés en six parties dont les cinq premières se suivent selon un ordre chronologique depuis l'homme de Neandertal, qui pense mais n'a pas pensé à écrire ce qu'il a pensé, jusqu'aux philosophes d'aujourd'hui et de demain, qui ont encore fort à faire, comme nous le verrons.

Première partie : La période antique (VIe siècle av. J.-C.-IVe siècle)

Dix siècles d'un coup ! C'est sûr, le rythme ne sera pas tenu jusqu'au bout ! Mais les philosophes ne vivent pas dans le même temps que les autres : un ordinateur d'il y a dix ans est très vieux, une pensée 250 fois plus ancienne peut être très actuelle !

Les premiers philosophes, ceux qui ont d'ailleurs inventé le terme de philosophie, sont les présocratiques – on les appelle ainsi parce qu'ils ont vécu avant Socrate. Socrate constitue donc un tournant dans la manière de penser : c'est lui, en effet, qui concentra la réflexion sur les problèmes pratiques du bien et de la justice, se détournant des spéculations cosmologiques auxquelles ses prédécesseurs s'étaient tous adonnés.

Deuxième partie : La période médiévale (Ve-XIVe siècles) et la Renaissance (XVe-XVIe siècles)

Les historiens datent la fin de l'Antiquité et le début du Moyen Âge de la chute de la Rome antique. Ils fixent la fin du Moyen Âge à la chute de Byzance, en 1453. Les dix siècles du Moyen Âge ont pour bornes l'effondrement de deux capitales d'empire.

La périodisation des philosophes garde ces désignations (Antiquité, Moyen Âge) mais prend d'autres événements repères. Pour les philosophes, ce ne sont pas les barbares qui mettent fin à l'Antiquité mais… les chrétiens ! La pensée, en effet, prend une tout autre tournure avec le Dieu créateur, la foi, l'espérance, la charité, le péché, la rédemption, termes dont il serait difficile de trouver des équivalents chez Platon et Aristote.

La philosophie du Moyen Âge, c'est aussi un ensemble de pensées qui n'ont pas un lien direct avec les bondieuseries : les grands philosophes chrétiens, juifs et musulmans sont des gens qui s'intéressent à tout et qui savent à peu près tout ce que l'on pouvait savoir à leur époque. Pour cette raison d'ailleurs, ils ont presque tous eu des ennuis avec les autorités religieuses. Bref, n'allons pas imaginer que ces dix siècles qui séparent la fin de l'Antiquité du début de la Renaissance ne sont qu'un long tunnel – c'est le siècle des Lumières qui a créé le mythe du Moyen Âge obscur.

Nous avons choisi d'associer au Moyen Âge les deux siècles de la Renaissance (XVe et XVIe siècles). C'est un parti pris contestable, car il atténue l'effet de rupture opérée par la Renaissance – mais la philosophie, qui est toujours en retard par rapport au reste (c'est Hegel qui en a fait la remarque) effectue sa révolution au début du XVIIe siècle. Aussi originaux soient-il, les philosophes de la Renaissance prolongent le Moyen Âge plutôt qu'ils ne rompent avec lui.

Troisième partie : L'âge classique (XVIIe-XVIIIe siècles)

Trois hommes marquent l'entrée de la philosophie dans la période moderne, qui met fin à la Renaissance – un Français, Descartes, et deux Anglais, Francis Bacon et Thomas Hobbes. Historiquement parlant, ils sont les témoins de bouleversements qui ont en partie (en partie seulement car, en matière d'histoire des idées, il faut se garder des schémas trop simplistes) leur traduction dans leur philosophie : l'émergence de l'individu libre, l'apparition de véritables sciences de la nature fondées sur l'observation et l'expérience (et non plus sur la seule spéculation), la souveraineté de l'État, la constitution d'une société sur d'autres bases que religieuses... Bref, les cadres généraux qui sont encore ceux de notre monde d'aujourd'hui. Cet âge classique, que l'on associe un peu vite à l'ordre immuable des châteaux et jardins royaux, est aussi celui des révolutions en tous les domaines : science, morale, politique. Ce n'est pas un hasard si les révolutionnaires de 1793 reconnaîtront en Descartes et en Bacon des frères.

Quatrième partie : La philosophie moderne (XIXe siècle)

Un polémiste de droite a écrit il y a une centaine d'années un livre sur « le stupide XIXe siècle ». Pour un philosophe, ce siècle fut, à l'inverse, l'un des plus intelligents qui soit. Il va de Hegel à Nietzsche en passant par Auguste Comte, Kierkegaard, Marx et Schopenhauer. Ces penseurs ont évidemment marqué notre temps de manière plus directe que leurs prédécesseurs. Symboliquement, ce sont les premiers philosophes dont on ait des photographies (et pas seulement des portraits) : l'effet de réalité n'est plus le même. Ces philosophes sont presque nos contemporains. En fait, si l'on y regarde bien, aucun philosophe du XXe siècle, même très grand comme Bergson ou Husserl, n'a eu un impact aussi grand qu'Auguste Comte, Marx ou Nietzsche. Génial XIXe siècle !

Cinquième partie : La philosophie contemporaine (XXe-XXIe siècles)

Un contemporain, c'est celui que l'on peut voir et entendre. Mais sa proximité ne nous le rend pas forcément plus familier. S'il est encore trop tôt pour faire le bilan du terrible XXe siècle, du moins est-il possible de donner une idée des idées qui ont animé des philosophes tels que Bergson, Husserl, Sartre, Merleau-Ponty ou Derrida. Nul progrès au demeurant : la philosophie n'est pas une marche dans le désert et il n'y a aucune oasis en son point d'arrivée.

Notre histoire débouchera donc non sur une lumière mais sur une interrogation (mais la même pourrait être posée en art) : le temps est-il encore à la philosophie ? Cette aventure commencée avec les sages de la Grèce, de l'Inde, de la Chine et de la Palestine est-elle à lire comme une histoire déjà finie, à admirer comme un musée, un patrimoine, ou bien peut-elle continuer de vivre en nous, et surtout par nous ? Au lecteur de trancher (en prenant garde de ne pas se couper).

Sixième partie : La partie des dix

Les lecteurs, utilisateurs, habitués et maniaques de cette collection connaissent bien cette partie des dix qui est son signe distinctif, sa marque de fabrique. Plutôt que comme une récapitulation, une révision en vue d'un examen, nous l'avons conçue comme une espèce de session de repêchage : seront évoqués des noms et des idées qui n'ont pas trouvé place dans les chapitres précédents. Savez-vous ce qu'est le sophisme de l'homme de paille ou le paradoxe des jumeaux de Langevin ? Non ? Eh bien, vous avez tort, mais pas pour longtemps, car ce livre vous donnera bientôt la réponse !

Les icônes utilisées dans ce livre

La philosophie n'est pas un film burlesque, on s'y lance des arguments plutôt que des tartes à la crème. Elle n'est pas pour autant ce plateau aride et désolé comme certains voudraient nous le faire croire et dont ils nous donnent sérieusement l'impression par leur écriture desséchée. Thalès tombé dans un puits, Socrate refusant de s'évader de prison, Aristote chevauché par une prostituée – tels sont quelques-uns des tableautins dont l'histoire de la philosophie nous réserve la surprise.

Une tortue, un âne, une chouette, une colombe, un lion – si l'on excepte le raton laveur de Prévert, la philosophie pourrait constituer une ménagerie à peu près complète. N'allons pas croire que les philosophes ne manipulent que des idées abstraites : ils ont volontiers eu recours aux symboles pour rendre plus accessibles leurs idées. Servons-nous d'eux, profitons-en.

On a comparé les citations aux diamants d'une couronne. Qui n'a jamais éprouvé le plaisir de citer ? C'est un plaisir comparable à celui de dérober accompagné d'un sentiment de fierté. Parmi les citations, on a choisi les plus belles et les plus représentatives ; elles ne sont pas forcément les plus connues, même si parmi elles figurent un certain nombre de phrases célèbres. Ces citations sont à prendre, donc éventuellement à apprendre. Notre civilisation a beau n'être plus celle du livre, des citations bien placées dans un texte écrit ou dans une conversation ne manquent pas de produire encore leur effet. Soyez donc sans pudeur ! Pillez ce livre !

Saviez-vous que c'est Aristote qui nous a donné ce proverbe qu'une hirondelle ne fait pas le printemps, que c'est à cause d'un jeu de mots que la pomme est devenue le fruit du péché, que c'est Kant qui a forgé l'expression de « société des nations », que c'est Auguste Comte qui a inventé le terme de sociologie ? La philosophie est volontiers là où on ne l'attend pas !

La Somme théologique de Thomas d'Aquin, *La Critique de la raison pure* de Kant, *La Généalogie de la morale* de Nietzsche – on n'entre pas dans un livre de philosophie comme on entre dans un moulin. Les grands classiques de la philosophie sont souvent épais et difficiles. Grâce à *La Philosophie pour les Nuls*, le jour remplace la nuit. Vous allez éprouver ce plaisir délicat et durable : le plaisir de comprendre !

Voulez-vous savoir à quoi ressemblait Socrate ? Pourquoi Spinoza a-t-il passé sa vie à polir des verres ? Est-ce que les philosophes sont aussi fous qu'on l'a dit ? Par ici l'entrée !

Patience et longueur de temps font plus que force ni que rage, disait un fabuliste dont la sagesse coulait de source (La Fontaine). La philosophie a cet avantage considérable sur les mathématiques ainsi que sur les romans et les films qu'on peut sauter un chapitre sans pour autant perdre le fil de l'histoire. *Primo* parce qu'il n'y a pas d'histoire, *secundo* parce qu'il y a beaucoup de fils (on est sûr d'en tenir toujours au moins un dans la main). « Note technique » signifie : plus que nul, moins que nul, passe ton chemin ! Ne t'acharne pas sur la différence entre les jugements déterminants et les jugements réfléchissants. Tu ne perdras rien pour attendre ! Ce passage est délicat, mouillé, verglacé. *La Philosophie pour les Nuls* n'est pas une table de Monopoly : il n'y a pas de case prison et, à la différence du jeu de l'oie, le retour en arrière n'est pas une pénalité.

Par où commencer

L'ordre chronologique nous a paru être la présentation la plus claire : il permet de suivre le fil des idées ainsi que de parcourir la galerie des penseurs. Mais ce fil n'est ni assez rigide ni assez continu pour devoir être nécessairement tenu d'un bout à l'autre : liberté est laissée au lecteur de voyager plutôt que de marcher et même de vagabonder plutôt que de voyager.

Pour reprendre l'image du repas utilisée au début de cette introduction : tous les plats sont présentés comme dans un buffet, libre à chacun de se resservir du poisson ou de sauter l'entrée. L'histoire de la philosophie ressemble à une partie d'échecs : on peut comprendre le jeu en prenant la partie en cours, il suffit de regarder l'échiquier et de connaître les règles.

Première partie

La période antique : du VIe siècle av. J.-C. au IVe siècle

Dans cette partie…

Vous allez assister en direct à la naissance de la philosophie et la suivre dans sa jeunesse, déjà remarquable de maturité. La réalité produit un choc sur la cervelle des hommes, une étincelle surgit : la pensée. Et à partir du moment où, grâce à l'écriture notamment, qui a donné aux idées à la fois la vie et l'immortalité, cette pensée constitue un ensemble cohérent, on peut parler de philosophie. Le miracle se produit à quatre reprises en Grèce, en Inde, en Chine et en Palestine. Nous nous occuperons ici essentiellement de l'origine de la philosophie occidentale, mais la sagesse est le maître mot de toute la philosophie antique, qui s'étend sur dix siècles. Bien des voies y mènent, bien des voix s'y mêlent. Et cela dure jusqu'à ce que l'idée d'un Dieu unique, donc absolu, conduise la réflexion sur d'autres chemins…

Chapitre 1

Aux origines de la philosophie

Dans ce chapitre :

- L'acte de naissance de la philosophie
- La pensée en marche
- L'importance de la mort et du rêve

L'homme de Neandertal avait-il une philosophie ? La réponse à cette question dépend de la définition que l'on donne de la philosophie.

Si « faire de la philosophie » consiste à enseigner un programme de philosophie dans les lycées ou à l'université, à écrire des articles ou des livres comme *La Philosophie pour les Nuls*, ou encore à passer le plus clair (et même le plus sombre) de son existence à commenter les grands anciens (Platon, Descartes, Kant), alors, clairement, l'homme de Neandertal ne faisait pas de philosophie.

Si, en revanche, « faire de la philosophie » consiste à penser sur les grands problèmes de l'existence, la vie et l'au-delà, l'animal et l'homme, la naissance et la douleur, alors il n'y a pas de raisons de refuser à un être qui enterrait ses morts et se révélait être un grand artiste l'aptitude à « avoir une philosophie ».

Professeur sévère et professeur bonasse

Toute définition de la philosophie balance entre un pôle sévère (la rigueur jusqu'au risque de la rigidité) et un pôle ouvert (la tolérance au risque de la mollesse). La plupart des spécialistes de la philosophie aujourd'hui sont portés plutôt vers le pôle sévère : pour eux, la philosophie de café est une philosophie de trottoir. Alors, pensez : une philosophie du temps de la préhistoire ! À une époque où il n'y avait même pas de café !

Si pendant longtemps, on a fait des Grecs les inventeurs de la philosophie vers les VIIe et VIe siècles av. J.-C., c'est parce qu'on leur attribuait aussi l'invention de la rationalité. À l'opposé du mythe, qui se déploie dans l'espace du merveilleux et de l'invérifiable, et n'implique que la croyance, la raison analyse et critique, cherche à convaincre et pas seulement à persuader. Selon une conception progressiste de l'histoire, l'être humain commence par les mythes et termine par la connaissance rationnelle. N'est-ce pas d'ailleurs ainsi que chemine l'individu depuis l'enfance jusqu'à l'âge adulte ? Il commence par des contes à dormir debout et termine par le calcul différentiel et intégral qu'il pratique allongé dans son lit.

Dans cette optique du cheminement vers plus de raison, les figures de l'enfant et de l'homme préhistorique ont formé avec celle du primitif une véritable chaîne analogique : jusqu'à une date récente, on voyait chez les sauvages de la Nouvelle-Guinée ou d'Amazonie à la fois des enfants et des représentants très attardés de la préhistoire de l'humanité. La philosophie est chose trop sérieuse et compliquée pour être cultivée par ceux que l'on disait justement sans culture. Cet argument, que les hommes de la préhistoire n'avaient pas de philosophie parce qu'ils n'avaient pas accédé au stade de la pensée rationnelle, n'est plus recevable de nos jours. Il ne nous apparaît plus que comme un préjugé.

Qui a « raison » ?

D'abord, il convient de reconnaître dans le mythe une véritable pensée et dans les mythologies, de véritables systèmes. Le mythe est bien ce chaos prolifique dont parlait Ernst Cassirer, à partir duquel le langage, la magie, l'art, la science, la médecine, les mœurs, la morale et les religions se différencient petit à petit – une espèce de soupe primitive symbolique comme il y a une soupe primitive physique d'où l'univers avec ses structures est issu.

Ne faut-il pas en effet user de la raison pour organiser des chasses collectives, vivre avec un minimum d'entente, se faire comprendre et deviner ce que l'autre a dans l'esprit ? Imagine-t-on ce que représente d'intelligence le choix des végétaux comestibles parmi des centaines d'autres toxiques ? L'invention de l'aiguille à chas, il y a une vingtaine de milliers d'années, fut à la fois l'une des plus importantes et l'une des plus extraordinaires de l'histoire de l'humanité. Rien, dans l'expérience quotidienne ne la prépare. Ce génie, typiquement humain, est le travail de la pensée.

Depuis un siècle, l'anthropologie nous montre que partout, même dans les endroits les plus reculés et les mieux cachés de la planète, les hommes ont classé et hiérarchisé les choses et les êtres selon de grandes divisions logiques (dieu/homme, homme/femme, nature/culture, ciel/terre, etc.) et que partout ils ont cherché à rendre compte à travers leurs mythes et leurs rituels de la totalité de ce qui existe. Il n'est pas excessif de parler à leur sujet d'esprit de système puisque ce sont ces deux traits repérables qui le caractérisent : la catégorisation (unifier la diversité infinie des êtres et des choses sous des noms de classes) et la volonté de totalité.

Certes, les primitifs ne sont pas les préhistoriques mais certains traits repérables chez les premiers ont dû exister chez les seconds.

La tête et les jambes

Selon une hypothèse aujourd'hui communément acceptée par les spécialistes, le langage articulé et la pensée sont nés d'un développement spécifique du cerveau, lequel est lui-même en grande partie un effet indirect de la station debout adoptée par Homo erectus, l'un de nos lointains ancêtres. La station droite que l'homme est le seul de tous les mammifères à avoir acquise est donc peut-être la particularité physique qui, par toute une série d'événements et de bouleversements dérivés, a fini par faire d'un certain primate un être parlant, intelligent, et donc un philosophe.

Le mammifère ne vit pas seulement près du sol ; il est comme plaqué sur lui. L'homme est le seul à faire face au monde, à le considérer comme un objet à comprendre et un défi à relever. Le langage articulé – c'est-à-dire la capacité à émettre des sons qui combinent des voyelles et des consonnes de manière à former les mots d'une phrase et les phrases d'un discours, capacité dont l'homme est le seul détenteur – ne serait sans doute jamais apparu si le cerveau n'avait réservé certaines zones spécialisées pour elle. Or, cette spécialisation est le résultat d'une suite de mécanismes physiologiques dont l'être humain a été le bénéficiaire mais non bien sûr l'auteur.

Jeu de mains, jeu de malins

La station verticale n'a pas libéré seulement la tête, elle a aussi libéré la main. Anaxagore, le philosophe présocratique, disait que l'homme est le plus intelligent des animaux parce qu'il a une main. À quoi Aristote, toujours désireux d'expliquer les phénomènes par leur fin, objectera que c'est parce qu'il est le plus intelligent des animaux que l'homme a une main. Les chercheurs actuels donneraient plutôt raison à Anaxagore qu'à Aristote. L'intelligence est un terme général et abstrait que l'on ne peut fixer à une activité spécifique.

La main, en revanche, est un organe qui symbolise le travail et la technique parce qu'elle en est l'instrument immédiat. La main avec le pouce opposable (les singes ont des mains, mais pas de pouce opposable) est un outil polyvalent qui peut frapper et caresser, percer et polir, tirer et enfoncer, etc. Les outils matériels sont d'abord conçus comme des prolongements ou des prothèses, plus forts, plus efficaces, plus précis. La pensée entretient avec le travail du corps des relations que l'on peut dire *dialectiques*, c'est-à-dire bilatérales : il n'y a pas de travail sans pensée préalable, mais corollairement, par voie de conséquence, la pensée est stimulée dans et par le travail.

La philosophie, fille de l'étonnement

Socrate, puis son élève Platon, puis l'élève de celui-ci, Aristote, répéteront que la philosophie est fille de l'étonnement. Il est caractéristique que les livres et les films qui s'efforcent, sans doute de manière schématique et appuyée, de représenter la vie de nos ancêtres de la préhistoire font de l'étonnement – parce qu'il a un caractère spectaculaire, pathétique (dans la langue classique, le terme avait le sens fort de bouleversement radical) – leur expérience mentale principale. Étonnement devant le feu qui brûle, étonnement devant le jour et la nuit, étonnement devant la naissance et la mort (le cadavre qui ne bouge pas), etc. L'étonnement enclenche le travail de la réflexion. Pourquoi ça ? Comment ça ? Ici ? Maintenant ?

La conscience de la mort

L'un des principaux marqueurs d'humanité, et l'un des plus anciens, est le comportement face au mort. « La mort » est une expression bien générale et bien abstraite et il n'est pas du tout sûr que Homo sapiens sapiens, le dernier rejeton de la famille Homo, ait eu tout de suite une idée de « la mort ». En revanche, ce dont nous sommes certains, grâce aux sépultures dont nous avons pu découvrir les vestiges, c'est que Homo sapiens sapiens, il y a une centaine de milliers d'années, a été le premier à prendre un soin particulier des corps des morts.

Ce souci, cette sollicitude n'ont pas d'équivalent chez les animaux. Les « cimetières » d'éléphants appartiennent à la légende et même s'il est vrai que des animaux peuvent dans une certaine mesure avoir le pressentiment de leur mort, nous n'en avons jamais vu s'occuper de manière réglée du corps inerte de leurs congénères. L'attitude de crainte et de respect vis-à-vis des cadavres (comment comprendre autrement les rites funéraires ?) est sans doute liée à des croyances métaphysiques dont nous ne pouvons rien savoir de précis, faute de textes. Il n'en reste pas moins vrai que l'hypothèse selon laquelle il y a une centaine de milliers d'années, l'homme croyait à un monde invisible est plausible.

Un philosophe allemand, Heidegger, dira ainsi que l'homme est l'être des lointains : lointains dans l'espace (nos ancêtres se déplaçaient sur des distances considérables, des milliers, voire des dizaines de milliers de kilomètres), lointains dans le temps (la pensée du passé, grâce à la mémoire, et la pensée du futur, grâce à l'imagination). À la différence de l'animal, en effet, l'homme est l'être qui ne se contente pas de vivre dans le lieu et l'instant présents.

Le pays du rêve

Ici encore, nous sommes réduits aux conjectures. Mais représentons-nous l'étonnement de nos ancêtres face au phénomène du rêve, que nous savons universel. Un dédoublement de réalité, qui fait du monde de la nuit, lorsque le dormeur y est plongé, un monde aussi véritable que celui qu'il a quitté. Les paradoxes des poètes et les arguments des philosophes (puisque nous vivons le rêve comme une réalité, il se pourrait bien que notre réalité ne fût qu'un rêve) étaient sans doute déjà présents dans l'esprit de nos ancêtres chasseurs de bisons. La question du réel, celle de la nature vraie des choses, est la première question de la philosophie. Il est douteux que les Homo sapiens qui prenaient tant de soin de leur mort et dessinaient avec tant d'art ne se la soient pas posée.

Hasardons encore deux hypothèses raisonnables. Il est possible que l'expérience du rêve ait conduit l'homme vers l'idée après tout étonnante que ce monde n'est pas le seul, et peut-être pas le plus « réel ». Il est possible aussi qu'elle ait été le véhicule de l'idée d'âme – laquelle correspond à la fois à un principe de vie et à un double indivisible. Rêver d'un disparu, c'est voir comme véritable, dans une présence physique bien qu'immatérielle, quelque chose d'autre que son corps dont on sait qu'il est sous terre lorsqu'il n'a pas été dévoré par quelque fauve. La philosophie est peut-être tout autant fille du rêve que fille de l'étonnement.

La magie de l'art

La notion de l'art est moderne. Elle était absente de la préhistoire. Les Anciens eux-mêmes l'ignoraient, qui n'avaient pas de mots spécifiques pour le dire.

En dehors des vestiges matériels (squelettes et fragments d'os surtout), les gravures, peintures et sculptures sont les seuls témoignages que les hommes de la préhistoire nous aient laissés. De nombreuses hypothèses ont été émises par les spécialistes concernant le sens qu'il convient d'attribuer à ces objets et à ces œuvres. Il n'est pas évident d'ailleurs que l'on ait à choisir parmi ces hypothèses, des théories différentes pouvant être admises conjointement au lieu de s'exclure.

Très tôt, dès le début du XXe siècle, soit une cinquantaine d'années après leurs découvertes, ces plus anciens témoignages du génie esthétique de l'humanité étaient interprétés en fonction des croyances et pratiques magiques supposées. C'est ainsi que les chevaux, bisons et mammouths dessinés et peints étaient compris dans le cadre de rites d'envoûtement : de même qu'un sorcier est censé provoquer à distance la mort de son ennemi en transperçant d'aiguilles une figurine qui le représente, les chasseurs du paléolithique croyaient pouvoir immobiliser leurs proies en les fixant sur les parois des cavernes. Ainsi expliquait-on que nombre de ces figures sont hérissées de traits.

Une autre théorie explique à l'inverse ces images non comme l'expression propitiatoire (destinée à favoriser une entreprise) d'un rituel de chasse à venir mais comme l'expression apotropaïque (destinée à écarter la vengeance) d'un rituel de chasse déjà accomplie. Tuer un bison ou un cheval n'était certainement pas pour le chasseur une entreprise anodine, non seulement à cause de sa difficulté propre mais surtout à cause du pouvoir mystérieux et sacré qui était attribué à la bête. Dans ce contexte, le dessin, la gravure et la peinture auraient constitué des moyens de se prémunir magiquement contre la vengeance toujours possible de l'animal mort – c'est-à-dire de son fantôme.

Une troisième théorie garde le sens magique et religieux de ces figures, mais les interprète dans le cadre d'un rituel initiatique. La paroi de la caverne devait être considérée par ces hommes comme l'écran séparant les deux mondes (appelons-les le monde visible et le monde invisible), en même temps que comme la membrane permettant le passage d'un monde à l'autre. Les parties ornées des grottes ne correspondaient en effet jamais à des lieux d'habitation, elles étaient toujours situées le plus loin de l'entrée. D'où l'idée que ces lieux étaient des sanctuaires où ne pouvaient pénétrer que des chamanes, des « prêtres » initiés et aptes à effectuer le voyage dans l'autre monde.

Apparence ou présence ?

Quoi qu'il en soit de ces différentes thèses, toutes s'accordent à voir dans ces images non pas des représentations – ce que sont pour nous, spontanément, des images « réalistes » – mais des *présences*. Le propre de l'art sacré que devait être l'art de la préhistoire, c'était qu'il était un art de l'apparition et non un art de l'apparence. Une statue de dieu a cette même fonction et ce même pouvoir en Inde : elle ne représente pas le dieu, elle est ce dieu sous cette forme-là.

Une très longue histoire

La plus grande révolution de l'histoire humaine est celle que nul ne penserait appeler ainsi. Car plus encore que la révolution industrielle préparée par les sciences et les techniques modernes au moment de la Renaissance, plus encore que la révolution démocratique dont on peut trouver des signes précurseurs dans l'Antiquité, la révolution du néolithique a introduit dans l'histoire d'Homo sapiens sapiens une rupture dont toute l'histoire ultérieure a été l'effet.

Certes, le premier outil, l'invention du feu, le premier mot articulé, le premier cadavre enterré, le premier animal dessiné ont représenté des changements qui, à chaque fois, ont éloigné l'homme de la bestialité et de la nature. Mais c'est la révolution du néolithique qui a jeté les bases de ce que nous entendons par culture ou civilisation.

Il y a un peu plus de 10 000 ans, la fin de la dernière glaciation permet à l'homme de se lancer dans l'aventure de l'élevage et de la culture des terres. Les conséquences en ont été autant de bouleversements : de nomade, l'homme est passé à l'état sédentaire, bientôt des villes ont surgi de terre. L'agriculture, c'est aussi l'invention de la poterie et de la métallurgie, donc la formation d'un capital et, Rousseau l'avait très justement deviné, les premières guerres. La philosophie n'est pas seulement fille de l'étonnement et du rêve, elle est fille de ce travail et fille aussi de la violence qui s'ensuit.

Chapitre 2

Naissance de la philosophie grecque : les présocratiques

Dans ce chapitre :

- La Grèce, berceau de la philosophie
- Des hommes universels
- Thalès, Pythagore, Héraclite et les autres
- Les sophistes réhabilités

Une bien belle aurore

Si la préhistoire, malgré ses découvertes et son courage, reste dans une espèce de nuit, les deux siècles qui s'écoulent de Thalès à Socrate apparaissent comme une aurore. Il y eut en ce temps une pléiade de penseurs singuliers, à la fois philosophes et poètes, savants et chefs de secte. Ce sont eux qui ont écrit, en Europe, les premiers livres de réflexion personnelle, ce sont eux qui, les premiers, ont essayé de répondre à cette question à la fois très stupide et très profonde : qu'est-ce que la nature des choses ?

Tous les hommes pensent, tous les hommes ont des représentations de la vie et de la mort, de la liberté et du bonheur, du vrai et de l'erreur, etc. Mais pour que cette conception du monde (les Allemands disent *Weltanschauung*) prenne la forme d'une philosophie, il faut que soient réunies des conditions particulières. De même que l'art est la mise en forme de certaines sensations, la philosophie est la mise en forme de certaines pensées. Les conditions nécessaires de cette mise en forme sont l'écriture et la division sociale du travail.

Pourquoi une pensée philosophique ?

L'écriture

On ne fait pas de philosophie, pas plus qu'on ne fait de mathématiques (ou n'importe quelle autre science), avec de simples paroles. Et même si la philosophie est née du dialogue, elle ne commence réellement qu'avec le texte écrit.

Certes, on pourrait objecter à cette thèse le fait que Socrate, considéré dès l'Antiquité comme le véritable père de la philosophie, n'a pas écrit une ligne. Mais on pourrait objecter à cette objection le fait que Socrate n'a pour nous d'existence philosophique qu'à travers les dialogues *écrits* de son disciple Platon. Pareillement, ce sont les bons mots et les anecdotes sur sa vie de clochard tels qu'ils nous ont été rapportés par Diogène Laërce qui font à nos yeux le caractère de philosophe de Diogène le cynique.

Pourquoi la philosophie a-t-elle besoin de l'écriture ? Parce que la pensée est captive de la parole, de ses hasards, de ses détours et de ses incertitudes. Prisonnière aussi de la dimension affective de l'échange : dans le feu d'une conversation, la rigueur n'est pas de rigueur. On veut faire plaisir à l'interlocuteur ou bien, à l'inverse, le démolir. L'écriture donne à la pensée une forme objective (donc communicable au-delà de l'ici et du maintenant) et définitive. La parole, même maîtrisée, est toujours un peu irresponsable. De plus, seule l'écriture peut donner à la pensée cette structure *systématique* sans laquelle il ne saurait y avoir proprement de philosophie. Car s'il y eut des philosophies contre le système (le scepticisme, l'empirisme), il n'y en eut pas en dehors du système.

Qu'est-ce qu'un système ?

Un système est un ensemble d'idées ou de faits qui sont entre eux en relation d'interdépendance. Le système philosophique obéit à trois exigences fondamentales : la non-contradiction des idées, l'unité de la pensée et le désir d'embrasser par l'intelligence la totalité du réel.

La division du travail

La division sociale du travail, qui assigne à certaines classes de la société le soin de pourvoir aux travaux matériels (les esclaves en Grèce) et à d'autres les tâches nobles de la réflexion et du commandement, doit être considérée comme l'autre condition fondamentale de la philosophie. En ce sens, on peut dire de la philosophie qu'elle est en même temps fille de l'esclavage et fille de la liberté, car il a fallu que certains individus soient libérés de leurs immédiats soucis pratiques pour se livrer à la spéculation sur la nature des choses. En effet, la philosophie est une affaire individuelle, personnelle, qui ne tire pas ses idées de la tradition sociale et religieuse. Les sociétés traditionnelles ont une loi et une cohésion si puissantes qu'elles interdisent l'émergence d'une libre pensée.

La philosophie : une activité qui n'était pas sans risque !

On devine quel courage dut être celui manifesté par Anaxagore lorsqu'il ne vit dans le Soleil que du feu (et non, comme les Grecs le croyaient, un dieu). Le philosophe dut s'exiler pour échapper à une condamnation certaine. On sait que Socrate paya de sa vie l'audace provocante dont il fit preuve en mettant ses concitoyens face à leur ignorance et ses juges face à leurs contradictions.

Même les plus grands penseurs de l'islam (Averroès, Avicenne, Ibn Arabi) ou de l'Inde (Shankara, Madhva) ne seront pas aussi indépendants de leur contexte social et religieux.

Alors que les hommes généralement se contentent de croire, les philosophes veulent savoir ; mais, pour savoir, il faut juger, critiquer, mesurer, exclure, imaginer, bref effectuer un travail de l'esprit dont les religions et les idéologies permettent l'économie.

L'originalité et la diversité de la philosophie

Dès l'origine, la philosophie aura des caractères qu'elle conservera jusqu'à nos jours.

La diversité de la philosophie n'est pas sans faire songer au monde de l'art. Un trait, assez tôt, sépare la philosophie et la science. Alors que la science tend vers une solution unique pour chaque problème donné (car il ne saurait y avoir qu'une seule vérité sur une question déterminée), la philosophie éclate en une multitude d'écoles et de courants divers, voire contradictoires. Chaque philosophie est un point de vue. Alors qu'une statue n'a qu'une seule masse, il y a mille manières de la regarder : tandis que la science la mesure, la philosophie la regarde. La mesure dépend de l'instrument, le regard dépend du point de vue.

Le savoir pour lui-même

La philosophie est une pratique et un amour du savoir et de la théorie pour eux-mêmes. À la différence des penseurs des époques précédentes et des autres cultures, les premiers philosophes ont pratiqué une recherche désintéressée qui n'était soumise ni à l'impératif technique ou économique, ni au pouvoir religieux.

La simplicité

Il y a dans la philosophie une volonté de réduire l'infini bariolage des choses et des êtres à la simplicité de l'idée. Il est peu de philosophes qui n'aient été hantés par le rêve d'unité et de totalité. Les premiers philosophes grecs étendent leurs investigations à l'ensemble du réel (qu'ils appellent « nature »).

Alors que le technicien est l'homme d'une pratique unique (le forgeron ne s'occupe pas d'habits, le tisserand ne travaille pas le fer…), le philosophe, lui, dispose d'une théorie universelle. Ainsi les plus anciens philosophes cherchèrent-ils l'élément primordial de toutes choses, celui qui semble disparaître derrière les apparences mais qui en réalité s'exprime à travers elles et qui a été leur origine (l'eau chez Thalès, l'air chez Anaximène, le feu chez Héraclite, l'infini chez Anaximandre, l'esprit chez Anaxagore, l'atome chez Démocrite, l'élément chez Empédocle, l'être chez Parménide).

Une activité de la raison

La philosophie est une activité de la raison (*logos* en grec). Elle soumet à sa critique – et donc met en crise – la plupart des énoncés tenus pour vrais par l'opinion de l'époque. C'est des présocratiques que date la rupture entre le mythe et la vérité, entre l'opinion et le savoir. La philosophie vise la cohérence de la représentation (par la démonstration) en cherchant un principe d'ordre des phénomènes. La raison des Grecs est en effet moins une faculté personnelle qu'un principe d'ordre objectif repérable dans les phénomènes, planètes ou êtres vivants.

De grandes alternatives

Les questions philosophiques peuvent être mises sous la forme de grandes alternatives : la réalité est-elle matérielle ou idéelle ? Le mouvement est-il réalité ou apparence ? Le non-être existe-t-il ou pas ?

Les écoles philosophiques vont par couples de contraires, il n'y a en effet pas de pensée sans dialectique, sans le jeu d'opposition entre des concepts, des paroles, des thèses contraires.

Les hommes de l'art

Qui sont les présocratiques ?

On appelle ainsi les philosophes grecs qui ont vécu avant Socrate. Leur période s'étend sur deux siècles (VIe et Ve siècles av. J.-C.) et leurs centres sont disséminés autour du bassin oriental de la Méditerranée.

Il ne nous reste malheureusement presque rien de leurs textes, seulement quelques fragments épars. D'Anaximandre, par exemple, nous ne disposons que d'*un* paragraphe de trois ou quatre lignes, connu sous le nom de « Parole d'Anaximandre ». Les livres des présocratiques ont disparu dans les incendies successifs de la bibliothèque d'Alexandrie qui centralisait la quasi-totalité du savoir antique. Imaginons que tous les livres de Montaigne aient brûlé et que de Montaigne, outre le nom et les rumeurs colportées autour de sa vie, il ne nous reste que les citations faites par Pascal, Voltaire, Balzac… Ce serait les fragments de Montaigne. C'est sous cette forme que nous sont connus les fragments des présocratiques : comme des citations effectuées par leurs successeurs.

L'inconnu est propice aux légendes. Ces hommes qui ont vécu dans les franges du monde grec, Thalès en Ionie (Asie Mineure, l'actuelle Turquie), Pythagore dans l'île de Samos, Empédocle en Sicile, Parménide dans le sud de l'Italie sont rapidement apparus aux yeux des Grecs eux-mêmes comme des êtres surnaturels, aux paroles divines et aux pouvoirs magiques. Aristote dira d'eux qu'ils parlent comme des hommes ivres. Héraclite était surnommé l'Obscur, parce que ce qu'il écrivait était réputé incompréhensible.

Des hommes universels

Ces hommes étaient inséparablement des philosophes, des poètes, des savants et des esprits religieux. On n'imagine pas aujourd'hui un même individu écrire en alexandrins rimés une théorie de la communication, fonder une secte et découvrir un important théorème, car notre culture aime et cultive l'analyse. Elle sépare tout, en particulier la pensée de la poésie, la réflexion de la religion et la philosophie de la science. Chez les présocratiques, tout cela est mélangé, d'où la stupeur qui nous prend lorsque nous considérons ces figures de légende.

Des poètes

La poésie est écriture magique, car par elle la présence des choses nous est donnée et sa beauté semble venue d'ailleurs. La pensée philosophique tendra plus tard à remplacer cette présence par son reflet en idée – ce que l'on appelle justement *représentation*, littéralement seconde présentation. Certes, l'usage de la poésie avait aussi à cette époque un sens esthétique et une fonction pratique (il est plus facile d'apprendre par cœur un texte en vers qu'un texte en prose). Mais la dimension magique et religieuse ne doit pas être sous-estimée, que ce soit en Inde ou en Europe, car lorsque les dieux sont censés dire la vérité et la justice aux hommes, c'est en vers qu'ils le font. Les présocratiques sont des inspirés, et même des illuminés.

Ce dont la génération procède pour les choses qui sont est aussi ce vers quoi elles retournent sous l'effet de la corruption selon la nécessité ; car elles se rendent mutuellement justice et réparent leurs injustices selon l'ordre du temps.

– Anaximandre

Des éclairés ? Des illuminés ? Des allumés ?

Philosophe, mathématicien et guru, voilà Pythagore, le plus célèbre mais aussi le plus mystérieux de tous les présocratiques. Il a fondé une école qui était en même temps une secte (à moins que ce ne fût l'inverse…). Il imposait aux nouveaux arrivants un silence de plusieurs mois et ne leur parlait qu'à travers un rideau. Comme il se faisait passer pour un dieu, on le considérait comme tel. On croyait notamment qu'il avait une cuisse en or. Imaginons qu'un professeur à la Sorbonne ou à Oxford dise à ses étudiants que sous son pantalon, il y a une cuisse en or. Personne ne le croirait – des nerfs d'acier, un moral de fer, un caractère de bronze, oui, à la rigueur, mais certainement pas une cuisse en or !

Une histoire, limite supercherie, concerne Empédocle. Lui aussi avait fondé une communauté, plus politique dirions-nous que celle de Pythagore. La tradition raconte qu'il s'est jeté dans le cratère de l'Etna et que le volcan a recraché l'une de ses sandales. On serait bien léger d'interpréter ce geste comme un suicide de désespoir.

D'abord parce que le suicide de désespoir n'existe pratiquement pas dans l'Antiquité (un désespéré est un sentimental, c'est-à-dire quelqu'un qui vit par rapport à ses affects personnels et les Grecs ne sont pas des sentimentaux). Ensuite parce qu'un sacrifice n'est pas la même chose qu'un suicide. Il est possible qu'en se jetant dans la fournaise de l'Etna, Empédocle ait voulu prouver à ses disciples et aux membres de sa communauté son caractère divin.

Un mort sans cadavre impressionne toujours plus qu'un cadavre. Un dieu ne meurt pas dans son lit. Une tradition interprète le détail de la sandale recrachée par le feu comme le signe du caractère humain d'Empédocle. Selon une variante, cela voudrait dire que le dieu a refusé de l'admettre dans son monde. Le poète Hölderlin, qui fera de la mort d'Empédocle une tragédie, voit dans cette mort le désir du poète philosophe de retrouver l'unité intime de la vie et de la nature – toute séparation étant vécue comme une souffrance et un échec.

Thalès, l'homme du théorème

Le tout premier philosophe connu

Les Ioniens (Thalès, Anaximandre, Anaximène) sont les premiers à avoir orienté la réflexion vers l'ontologie (discours sur l'être). Ils se sont posé la question de savoir quel est l'être derrière l'apparence, ils ont cherché une matière première originelle et originaire, ce qui présuppose un ordre et des limites.

Certes, les philosophes, à commencer par Platon, ne se priveront pas de raconter des mythes et de donner aux dieux une large place, mais là où la philosophie se constitue comme discipline autonome, c'est dans sa volonté de chercher des réponses rationnelles là où la tradition ne faisait qu'apporter des « vérités » révélées. En d'autres termes, quand Thalès, à la question de savoir en quoi consiste la nature des choses, répond « l'eau », c'est une formidable remise en question d'une image du monde gouvernée par le religieux. La philosophie naît de cette rupture. Plus tard, lorsque Anaxagore, un autre présocratique, dira que le Soleil est une boule de feu, le sens de son énoncé est à comprendre comme : ce n'est pas un dieu (Hélios, soleil en grec, est le nom du dieu Soleil).

L'intuition de Thalès était juste. Sans eau, il n'y a pas de vie et sans vie il n'y a pas de pensée. Aujourd'hui, lorsque des sondes prennent des clichés et des mesures sur les objets célestes, satellites ou planètes extérieures à la Terre, c'est d'abord pour détecter une possible présence de l'eau.

Thalès est l'auteur de cette formule : « Tout est plein d'âmes » – qui est à entendre comme : la nature est vivante.

Pour les Grecs, l'âme n'est pas d'abord ce principe d'immortalité personnelle qu'en ont fait les chrétiens, elle est principe de vie et, à ce titre, elle est présente dans n'importe quel mouvement (si les Grecs croyaient que les astres étaient des dieux, c'est parce qu'ils bougent dans le ciel).

Mais l'intuition de Thalès que l'eau est l'élément primordial de la nature était juste à un autre niveau : c'est dans et avec l'eau que la vie est apparue sur la Terre, et peut-être ailleurs. Certes, Thalès ne peut pas être considéré comme un précurseur de la théorie de l'évolution. Il n'en reste pas moins vrai qu'existe chez lui, comme chez les autres présocratiques, cette pensée de l'origine de toutes choses.

La puissance de la pensée

Thalès est connu des enfants pour être un inventeur de problèmes, beaucoup plus que comme un inventeur de solutions. Le théorème de Thalès porte sur les triangles semblables (leurs côtés sont différents mais leurs angles sont identiques). On raconte que, au cours d'un voyage en Égypte, Thalès épata ses hôtes en évaluant la hauteur de la grande pyramide sans la mesurer, uniquement par calcul. Pour ce faire, le savant philosophe planta dans le sable un bâton de telle manière que l'extrémité supérieure de celui-ci atteignît le triangle d'ombre tracé par le soleil à partir du monument.

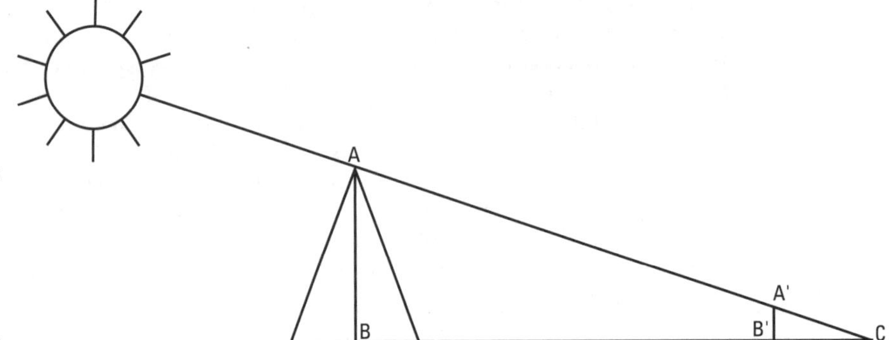

Figure 1-1 : La mesure de la hauteur de la grande pyramide.

Le petit triangle A'B'C (le côté A'B' correspondant au bâton) est semblable au grand triangle ABC, AB représentant la hauteur de la pyramide. Le rapport entre la hauteur du bâton et celle de la pyramide est le même que celui qui existe entre la base B'C et la base BC. Comme ces deux dernières mesures sont connues et que la hauteur du bâton est connue, Thalès en déduira la hauteur de la pyramide.

Cette anecdote a longtemps servi à illustrer deux conceptions opposées des mathématiques. Les Égyptiens étaient de formidables arpenteurs : après les inondations provoquées par le Nil, il fallait remesurer les parcelles de terre cultivée, et les constructions cyclopéennes dont la pyramide est la plus connue exigeaient des calculs nombreux et parfois sophistiqués. Les Égyptiens disposaient de tables de nombres qui les aidaient dans leurs travaux. Ils avaient une conception utilitaire des mathématiques. Ils ne se souciaient guère d'exactitude (ils se contentaient, par exemple, pour *pi*, rapport de la circonférence d'un cercle à son diamètre, de la valeur approchée de 3), du moment que cela marchait, ils étaient satisfaits.

Ce que les Grecs ont apporté de nouveau, c'est l'idée d'un énoncé vrai en tout temps, en tout lieu et quelles que soient les applications : l'idée de l'énoncé universellement vrai parce que démontré. Ainsi dépasse-t-on le plan de la recette empirique. Pour les Égyptiens, mesurer la hauteur de la pyramide, c'est grimper sur elle en y appliquant une toise – une entreprise inimaginable. Pour un mathématicien comme Thalès, c'est appliquer par la pensée une relation déjà connue. Point n'est besoin de monter au sommet d'un peuplier pour connaître sa hauteur, il suffit de son ombre et d'un bâton.

Une anecdote rapportée par Platon raconte qu'un jour Thalès, absorbé par la contemplation du ciel, ne vit pas un puits qu'il avait sous les pieds et y tomba. Une servante de Thrace, qui était à proximité, éclata de rire: «Voilà bien ces philosophes qui prétendent connaître les étoiles et qui ne savent même pas où poser les pieds!» L'air est bien connu. Il a été chanté sur tous les tons depuis vingt-six siècles. Le mécanisme est inévitable: lorsque l'on est très absorbé par une tâche, l'esprit entier y est concentré, il n'y a plus d'attention pour le reste.

Pas d'attention sans distraction !

La distraction du penseur est l'envers, et non le contraire, de son attention. L'envers, comme on dit de l'ombre qu'elle est l'envers, et non le contraire, de la lumière (il n'y a pas d'ombre sans lumière). Hegel, assez énervé contre l'anecdote de Thalès tombé dans le puits, dira que la servante a beau rire du philosophe, en fait, ce dont elle ne se rend pas compte, c'est qu'elle, comme tous les ignorants de son acabit, est déjà dans le puits. Nous tombons, c'est le cas de le dire, sur cette symbolique: tandis que l'âme s'élève, le corps chute. Enfin, car nous n'en avons jamais vraiment fini avec les images symboliques, c'est la vérité elle-même sous sa forme allégorique que la tradition placera au fond du puits: y tomber devrait donc dire la trouver.

La première spéculation connue

«À quoi sert la philosophie, la science, la pensée?

– À rien!»

Qui n'a pas déjà entendu cela? Ainsi croient raisonner ceux qui s'arrêtent en chemin. Demandons-leur: à quoi sert l'utilité? À quoi sert ce qui sert? Qu'est-ce que servir?

Il est amusant, et significatif aussi, de constater que les penseurs de l'Antiquité ont été en butte à ce reproche d'inutilité. Les sophistes sont même allés jusqu'à se moquer des enfantillages de Socrate qui «s'amuse» à coincer ses interlocuteurs avec ses petits mots et ses petites questions. Thalès a entendu cette rengaine, et l'on imagine que les baignades improvisées dans le fonds des puits n'étaient pas précisément de nature à désarmer les critiques. Aussi, pour montrer que la science pouvait avoir des effets pratiques, il se livra à ce qui est volontiers considéré comme le premier exemple de spéculation économique de l'histoire.

Ayant deviné, à la suite d'une observation, l'arrivée d'une sécheresse importante en Ionie, et donc d'une mauvaise récolte d'olives, il acheta et loua tous les pressoirs de la région. La sécheresse eut lieu, les récoltants en difficulté durent passer, pour n'être pas entièrement ruinés, par les pressoirs de Thalès qui avait acquis un monopole. Ainsi notre philosophe mathématicien gagna-t-il beaucoup d'argent – qu'il s'empressa de rendre, dit-on, parce que son objectif n'était que de gagner les esprits.

Le verbe « spéculer » et le substantif « spéculation » viennent d'un mot latin, *speculum*, qui signifie « miroir ». Spéculer, c'est regarder comme dans un miroir l'image de la réalité. Il y a encore implicitement cette image dans « réflexion ». « Réfléchir » en français a ces deux sens : dans *La Belle et la Bête*, le film de féerie de Jean Cocteau, le miroir enchanté dit à la Belle : « Réfléchis pour moi, je réfléchirai pour toi. » La pensée réfléchit le monde dont elle est le miroir. Spéculer obéit à cette même idée.

La force de la pensée

Certes, l'histoire de la spéculation de Thalès contient une bonne part de fiction. Thalès ne disposait évidemment d'aucun moyen sérieux pour prévoir une sécheresse plusieurs mois à l'avance. Il a donc bénéficié d'un heureux concours de circonstances. Toujours est-il que, comme dans l'histoire du calcul de la hauteur de la grande pyramide, cette anecdote illustre le pouvoir que la pensée peut avoir sur le réel. De quoi contredire ceux qui ne jurent que par l'utilité et qui imaginent que la seule façon d'agir sur les choses, c'est de les manipuler.

Pythagore, le mathématicien à la cuisse en or

L'invention du mot « philosophie »

Pythagore a dans l'histoire de la philosophie une importance particulière, même si la vie et le personnage sont noyés dans la légende. Selon la tradition, c'est lui qui aurait inventé le mot « philosophie » en disant que seuls les dieux ont droit au beau nom de sage (*sophos* en grec), l'homme, quant à lui, ne peut qu'aimer la sagesse (*philo*, en grec, signifie « aimer » et *sophia*, « sagesse »), tendre vers elle, s'efforcer de l'atteindre.

Derrière cette humilité de l'amour de la sagesse, il y a tout de même un grand orgueil. Car la sagesse en Grèce n'avait pas encore son sens affaibli. Elle englobait à la fois la dimension théorique (la pensée, le savoir) et la dimension pratique (l'action, le comportement) de l'existence et, de plus, toutes les modalités du théorique (le philosophe grec s'intéresse à tout) et du pratique (le philosophe grec ne sépare pas la pensée de l'éthique, ni l'éthique du politique). La sagesse unit le savoir total et l'action accomplie. Pythagore était à la fois mathématicien (tout le monde connaît le théorème du carré de l'hypoténuse du triangle rectangle), physicien, musicologue (on doit à Pythagore une gamme qui porte son nom), mais aussi chef d'école et maître de secte. En disant que tout est nombre, il libérait l'être (ou la Nature ou le Tout) de sa matérialité et lançait une thèse aux implications infinies.

Les nombres gouvernent le monde

Si aujourd'hui des phénomènes aussi complexes qu'un son ou une image peuvent être numérisés (traduits électroniquement par une suite de 1 et de 0), on peut dire que c'est grâce à toute une série de développements techniques et scientifiques dont les premiers germes ont été diffusés par l'école pythagoricienne. Il se trouve qu'en grec le même mot, *logos*, signifie « nombre » et « raison », si bien que, en disant : « Les nombres gouvernent le monde », les Pythagoriciens disaient très exactement que les nombres sont les raisons des choses.

En outre, il faut être prudent lorsque l'on parle de raison à propos des Pythagoriciens en particulier et des philosophes grecs en général. On attribuait à Pythagore des miracles comme à un prophète ou à un dieu. Sa philosophie des nombres n'appartient pas seulement aux mathématiques, elle est davantage une arithmosophie (on dirait aujourd'hui numérologie) qu'une arithmétique. Pythagore croyait au sens symbolique, et donc au pouvoir magique, de certains nombres et en particulier des quatre premiers (entiers positifs) dont la somme, égale à 10 (1 + 2 + 3 + 4), était appelée *tétraktys*.

Les limites de la raison des nombres

La crise intellectuelle que provoqua la découverte de l'irrationalité de racine de 2 (comment une quantité finie – la diagonale d'un carré de côté 1 – peut-elle n'avoir pas d'expression finie – elle n'est ni un entier ni une fraction – ?) est caractéristique de la limite de la raison alors entendue. Pour une philosophie du fini comme l'était celle de Pythagore, cet infini logé au creux du réel comme une vipère sous une pierre était un scandale incompréhensible.

La légende rapporte qu'un philosophe pythagoricien s'est jeté dans la mer après avoir découvert ce qui, dans sa représentation, était proprement innommable : l'existence des nombres irrationnels. Une autre tradition dit qu'il a été jeté dans la mer pour avoir révélé le secret de l'insupportable découverte… Suicide ou exécution, en tout cas la découverte des nombres irrationnels a fait aussi un beau ramdam.

L'harmonie du tout

La notion d'harmonie est l'une des plus riches qui soient : elle renvoie à l'idée mathématique calculable aussi bien qu'à l'expérience immédiate de la beauté. Pythagore n'a pas seulement inventé le terme « philosophie ». C'est lui qui le premier eut l'idée d'appliquer au monde le terme de *kosmos* qui, en grec, renvoyait à l'idée d'ordre et de beauté et désignait le bon ordre des soldats en rang de bataille. Pour les siècles futurs, le cosmos sera l'ordre harmonieux du monde gouverné selon les lois mathématiques.

Le monde est beau, la beauté est cosmique. C'est à partir du sens de « beauté » contenu dans le terme grec *kosmos* que nous avons tiré en français le mot « cosmétique ».

On raconte qu'un jour Pythagore fut frappé par les sons que rendaient des enclumes de tailles différentes sous le marteau d'un forgeron. Rentré chez lui, il eut l'idée de répéter l'expérience sur des cordes tendues de longueurs différentes, les plus grandes, comme les plus grosses enclumes, rendant les sons les plus graves. Pythagore remarqua que les hauteurs des notes obéissaient à une loi de proportionnalité mathématique. Ainsi est née la gamme dite, justement, pythagoricienne.

Le monde résonne juste

L'idée de la musique des sphères naîtra de la transposition dans l'espace du ciel des rapports harmoniques entre les notes de la gamme, comme si les planètes étaient, dans les sphères qui les font tourner, les notes d'une partition cosmique. La gamme est un univers sonore, l'univers, une musique céleste.

Le caractère à la fois magique et poétique de cette intuition aura une influence profonde. On en trouve trace jusque dans l'ouvrage de J. Kepler *L'Harmonie du monde*, écrit au tournant de la Renaissance et des temps modernes.

L'unité du monde vivant

Pythagore ne croyait pas seulement à l'harmonie du monde. Il était tellement convaincu de l'unité du monde de la vie qu'il croyait à la métempsycose et avait adopté un régime végétarien. La métempsycose est une circulation d'âme de corps à corps, une suite de réincarnations. Cette absence de barrière entre l'homme et l'animal ou entre les espèces peut conduire, ainsi qu'on le constate aussi en Inde, à l'interdit de consommer de la viande : qui, en effet, prendrait le risque en mangeant du bœuf d'avaler l'âme de sa grand-mère ?

Rencontrant des pêcheurs au bord de la mer qui venaient de ramener un filet bien chargé, Pythagore donna le nombre exact de poissons, à l'unité près, les acheta tous et les fit rejeter à l'eau.

Héraclite, le philosophe du nez qui coule

Évidemment, la formule n'a pas été imaginée par un disciple ni par un adepte… C'est parce qu'Héraclite fut par excellence le philosophe du devenir et de la contradiction que Hegel verra en lui le père de la dialectique.

L'oracle ne révèle ni ne cache mais signifie.

La Nature aime à se cacher.

– Héraclite

Le devenir universel

« On ne se baigne jamais deux fois dans le même fleuve », disait Héraclite, car à chaque instant une autre eau vient remplacer la précédente. La phrase pose le problème de l'identité : pour exister, faut-il qu'une chose reste éternellement ce qu'elle est ? Si oui, comment se représenter le mouvement et le devenir ?

Héraclite pensait qu'à aucun moment une chose ne restait identique à elle-même : son identité, par conséquent, consiste à être toujours différente. De même, disait celui que l'on surnommait l'Obscur et qui passait pour un illuminé, c'est un nouveau soleil qui se lève chaque matin. Phrase qu'il convient d'entendre dans toute sa radicalité : le soleil d'aujourd'hui est autre que le soleil d'hier. La science moderne confirme cette intuition : à chaque instant, notre étoile dissipe en lumière et en chaleur une masse colossale de matière.

Le temps est un enfant qui joue au trictrac : royauté d'un enfant !

– Héraclite

Le jeu des contraires

Si les choses restaient en l'état – ce fleuve, ce soleil – alors tout serait immobile. Si tout est en mouvement, et pas seulement en déplacement mais en changement (pour les Grecs, en effet, ce n'est pas tant le déplacement qui fait le mouvement que le changement), c'est que tout est pris dans un jeu perpétuel de contraires. Héraclite introduit dans la pensée la relation des contraires, ce que Hegel appellera l'affirmation de la négation.

« La guerre est la mère de toutes choses », écrivait encore Héraclite. Aux antipodes de la vision harmonieuse de Pythagore, dont il raillait la « polymathie », c'est-à-dire la prétention encyclopédique, Héraclite, qui était pour ses contemporains une figure farouche et qui aura plus tard la réputation d'être un terrible, avait une conception polémique et même, comme Nietzsche sera le premier à le souligner, *tragique* des choses. Vie et mort ne sont pas seulement contraires, elles sont sœurs – d'où ces expressions oxymoriques qu'Héraclite se plaît à forger dans sa langue : on meurt-la-vie comme on vit-la-mort. Les choses ne cessent de s'inverser, dans un jeu perpétuel de bascule. C'est le même chemin qui monte et qui descend.

L'éternel retour : tout passe mais tout repasse

Lorsque l'on dit que tout coule, est-ce que l'on veut dire que c'est le tout qui coule avec tout ? Car s'il est vrai que les eaux du fleuve ne cessent de s'enfuir, l'immobilité des rives nous fournit tout de même une certaine stabilité. Si réellement tout disparaissait dans un flux incessant, nous ne pourrions même plus, à la limite, fixer de rendez-vous. Bergson fera remarquer que, pour que quelque chose change, il faut que quelque chose ne change pas. Si tout change, il y a alors substitution, mais pas changement. Si notre ami, après vingt ans d'absence, a énormément changé, il faut qu'il soit resté le même (et qu'il ne soit pas, par exemple, l'enveloppe d'un extraterrestre). Si un homme et une femme se rencontrent dans un bar de TGV, ils peuvent se retrouver une heure plus tard *au même endroit* bien qu'ils roulent à plus de 200 km à l'heure.

On peut concevoir l'univers d'Héraclite comme une espèce de cadre fixe à l'intérieur duquel les mouvements sont incessants. Par ailleurs, cet univers connaît un certain ordre : sous l'action du feu, qui est aux yeux d'Héraclite son élément primordial et constitutif, la vie de l'univers est rythmée par des conflagrations qui permettent sa renaissance ultérieure.

Les stoïciens s'inspireront plus tard de cette idée d'éternel retour gouverné par le feu universel.

De même que l'araignée immobile au milieu de la toile sent, dès qu'une mouche rompt un fil, comme si elle éprouvait une douleur, de même l'âme de l'homme se précipite lorsqu'une partie du corps est blessée.

– Héraclite

Un-tout et tout-un, c'est tout un !

Parmi les expressions forgées par Héraclite, il y a celles qui associent l'un et le tout. L'un-tout, plus tard symbolisé par le serpent égyptien ouroboros, sera l'un des signes centraux de l'alchimie: il représente la profonde unité de toutes choses. Cette unité du tout, bien que traversée par les contraires ou parce que traversée par les contraires, a plusieurs noms chez Héraclite: nature, feu, *logos*, Zeus, justice. Chacun de ces mots vaut pour tous les autres. Ils ont tous un sens cosmique, universel. Même la justice qui est l'expression d'un ordre qui ne dépend pas des hommes: si par exemple, et Héraclite prévoit le coup, il prenait fantaisie au Soleil d'aller se balader hors de sa trajectoire habituelle, la justice irait bien vite remettre le galopin dans le droit chemin.

Ce qui donne à tous ces mots leur sens d'englobement et d'ordonnancement, c'est que, à la différence des phénomènes visibles de notre vie quotidienne, ils n'ont pas de contraire.

Parménide, la vérité au bel arrondi

À l'opposé d'Héraclite qui voyait dans la coexistence ou la succession des contraires la texture même de la nature, Parménide d'Élée, fondateur de l'école dite éléate, pose l'existence de l'Être unique, immobile, absolu, et la non-existence du non-être.

L'être est, le non-être n'est pas

Apparemment, cette formulation n'est qu'une double tautologie, c'est-à-dire une inutile répétition. Aller donc dire dans une réunion d'équipe, sur un chantier, « l'être est, le non-être n'est pas », et vous allez voir le succès que vous allez remporter! La chose pourtant est plus sérieuse et profonde qu'il y paraît. Elle signifie rien de moins que la relativisation du mouvement comme apparence et le primat de la stabilité sur le devenir, donc de l'éternité sur le temps.

Souvenons-nous: pour qu'il y ait changement, il faut une tension entre des contraires. Par exemple, l'être humain change jour après jour – cela signifie qu'il est ce qu'il n'était pas et qu'il n'est plus ce qu'il était. Son identité s'est maintenue à travers la suppression de son identité. C'est ce que disait Héraclite: la mort est dans la vie, la vie est dans la mort. À une pensée de l'exclusion, il faut substituer une pensée de l'inclusion. Parménide s'oppose radicalement à ce point de vue. Le négatif, c'est-à-dire le contraire, la mort, le temps qui effrite toutes choses n'ont plus de place au sein d'un Être parfait, immobile et pur comme une sphère de cristal.

Vois pourtant comme les choses absentes du fait de l'intellect imposent leur présence.

– Parménide

L'être est rond et le penseur ivre

La sphère est le symbole conjoint de la totalité et du fini. Parménide utilise le mot « sphère » pour dire l'être ou la nature. Pour lui, comme pour presque tous les Grecs, la perfection est finie, pas infinie. Anaximandre, un philosophe de l'école ionienne, avait fait de l'infini ou de l'indéterminé la matière même de l'univers. Pour Parménide, à l'inverse, l'être est déterminé, d'où l'image (qui est plus qu'une image) de la sphère.

Dans cette réalité sans déchirure, sans tragédie, les oppositions n'existent plus, ou bien elles n'existent pas encore. « C'est la même chose que d'être et que de penser », dit Parménide en l'un de ses énigmatiques fragments. Certains, plus tard, y reconnaîtront l'expression parfaite car très simple de leur idéalisme – comme si Parménide, par la pensée, entendait la pensée de quelqu'un qui pense comme la pensée de Descartes lorsqu'il dit « je pense ». C'est oublier que, pour les présocratiques, la subjectivité personnelle du pauvre et orgueilleux *moi* – qui est la nôtre depuis quelques siècles tout de même – n'était guère plus connue que le principe d'inertie ou la mécanique céleste. La pensée pour les Grecs n'était pas intérieure à l'esprit humain mais extérieure à elle, et c'est pourquoi, faisons cette habile parenthèse, ils la prenaient tellement au sérieux.

Zénon d'Élée, le paradoxe sans complexe

Disciple de Parménide, Zénon d'Élée est connu pour avoir imaginé une série d'arguments paradoxaux destinés à conforter la thèse centrale de son maître, à savoir que le mouvement n'est pas la nature profonde de l'être.

Achille et la tortue : dépassement impossible

Le plus célèbre de ces arguments est celui d'Achille et la tortue. Achille, le héros de *L'Iliade* est dit par Homère « aux pieds légers ». De tous les guerriers grecs, il était celui qui courait le plus rapidement. Quant à la tortue, inutile de la présenter sous sa carapace.

Zénon imagine la situation suivante : la tortue piétine devant Achille et celui-ci court pour la rattraper. Si l'on se représente les intervalles que le héros devra parcourir, force est de conclure que jamais il ne rattrapera l'animal. Comment une telle folie est-elle possible ?

Zénon raisonne ainsi : pour qu'Achille rejoigne la tortue, il devra d'abord atteindre le point d'où celle-ci est partie, mais pendant ce temps, l'animal aura parcouru une certaine distance. Pour qu'Achille rejoigne ce nouveau point, il lui faudra un nouveau laps de temps durant lequel la tortue aura avancé de quelques mesures. Et ainsi de suite à l'infini. Certes, la distance séparant le champion de vitesse et la championne de lenteur ne cessera de s'amenuiser, mais jamais elle ne coïncidera avec zéro. Et tel est le point décisif de l'argumentation de Zénon : il y aura éternellement un écart entre Achille et la tortue, qui empêchera le premier de rejoindre la seconde.

La flèche suspendue à jamais

La deuxième argument appelé la flèche repose sur un raisonnement analogue au précédent : pour qu'une flèche atteigne une cible, elle doit d'abord parcourir la moitié de la distance qui la sépare d'elle, puis la moitié de la moitié de cette distance, puis la moitié de la moitié de la moitié de cette distance, et ainsi de suite à l'infini. Comme il lui est impossible de parcourir une infinité d'intervalles en un laps de temps fini, la conséquence que l'on peut déduire de cela est qu'elle ne vole pas !

Faut-il prendre au sérieux les paradoxes de Zénon ?

En entendant cela, un citoyen d'aujourd'hui, bon père de famille, époux attentionné, honnête contribuable de surcroît, se demandera si l'on ne se moque pas de lui. La réaction n'est d'ailleurs pas si nouvelle.

On raconte que passablement énervé par les arguments de Zénon contre le mouvement, Diogène le cynique se mit à marcher pour prouver par l'exemple l'inanité de la pensée du philosophe et, au-delà, la vacuité de toute philosophie. Il nous est resté de cette anecdote une expression : prouver le mouvement en marchant.

Cela dit, il ne faudrait pas se méprendre sur les intentions du disciple de Parménide. Zénon savait très bien que la flèche finit par atteindre sa cible et qu'Achille finit par dépasser la tortue (avant de se moquer des philosophes, il convient de leur présupposer un minimum de bon sens). Seulement, il voulait dire que la chose (le dépassement) était proprement *impensable*. Le mouvement existe apparemment mais il n'est pas intégrable par la pensée.

Les paradoxes de Zénon révèlent également un trait d'esprit typiquement grec. Nous sommes habitués, depuis les petites classes, à l'idée qu'une série infinie d'éléments puisse donner au bout du compte une quantité finie. Ainsi, si l'on additionne un quart à la moitié puis un huitième puis un seizième puis un trente-deuxième, et ainsi de suite en doublant à chaque fois le dénominateur, on obtient une quantité finie égale à $\pi/4$. Pour les Grecs qui ignoraient l'idée de série convergente, aucune suite infinie d'éléments ne saurait donner au bout du compte une somme finie. Les paradoxes de Zénon tiennent à cette impossibilité.

Xénophane de Colophon, les dieux ne meuglent pas

Parménide avait un autre disciple nommé Xénophane de Colophon. Nous savons très peu de choses de ce dernier, presque rien, mais il nous est resté tout de même une phrase pittoresque qui, comme tant d'autres fragments des présocratiques, a bouleversé durablement les esprits : si les bœufs et les chevaux, disait-il, avaient des dieux, ils se les représenteraient sous la forme de bœufs et de chevaux. Manière amusante de dire que les hommes s'imaginent les dieux tels qu'ils sont eux et non pas tels que des dieux.

C'est la première fois qu'on faisait d'une manière aussi percutante la critique de l'anthropomorphisme, cette tendance universelle qui pousse les hommes à se figurer le non-humain (divin ou animal) sous des formes et des traits de caractère humain – par exemple un dieu avec une barbe ou un dieu très en pétard.

Xénophane est également connu pour avoir pensé l'unicité de la divinité (tirée de l'être de Parménide) et donc, contre le polythéisme de la société grecque, pour avoir été le premier à professer le monothéisme.

Empédocle, l'inventeur des quatre éléments

Ce philosophe d'Agrigente, au tempérament volcanique (voir dans ce chapitre p. 24), a marqué durablement la philosophie occidentale en établissant dans son poème la liste des quatre éléments qui se partagent la nature : la terre, l'eau, l'air et le feu. À la différence de ses prédécesseurs, Empédocle refuse de réduire l'infinie variété de la nature à une matière unique. À la différence des atomistes, il refuse d'émietter à l'infini les éléments dont les choses sont faites. Sa théorie des quatre éléments apparaît comme un moyen terme entre les pensées de l'un (les Ioniens, Héraclite) et les pensées du multiple (les atomistes).

Je fus autrefois jeune homme et jeune fille, et aussi arbuste, et oiseau, et muet poisson de la mer.

– Empédocle

Une théorie qui a duré plus de vingt siècles

La théorie des quatre éléments a eu une fortune considérable. Elle a marqué plus de vingt siècles – en fait, jusqu'à ce que la chimie moderne, au XVIIIe siècle, y mettre fin – non seulement la spéculation théorique sur les choses mais aussi l'imagination occultiste et poétique. Pratiquement tous les philosophes après Empédocle ont repris cette quadripartition. Les éléments seront regroupés deux à deux en éléments secs (l'air et le feu) et en éléments humides (la terre et l'eau). Aristote les a hiérarchisés en pesanteur décroissante : tout en bas la terre, puis au-dessus l'eau (la mer est sur la terre), puis l'air, enfin, tout en haut, le feu. Cet étagement correspond à la structure physique de l'univers.

L'alchimie s'est fondée en grande partie sur cette quadripartition. Nombre d'auteurs ont établi à partir de ce quaternaire des séries analogiques interminables : quatre étant le chiffre de l'espace, de la terre (à cause des quatre directions) et de l'homme (à cause des quatre lettres de l'alphabet hébreu servant à écrire « Adam », qui signifie « homme » en cette langue), cette théorie des quatre éléments sera le cœur, le noyau des encyclopédies organisées.

La chimie n'a pas supprimé les quatre éléments

Dans les années 1930-1950, Gaston Bachelard fait l'analyse philosophique de l'imaginaire poétique à partir des images de l'eau (*L'Eau et les Rêves*), de l'air (*L'Air et les Songes*), de la terre (*La Terre et les Rêveries de la volonté, La Terre et les Rêveries du repos*) et du feu (*La Psychanalyse du feu*). Les passerelles et passages entre les rêves des individus et les mythes collectifs étant nombreux, il ne sera pas trop difficile de retrouver dans les autres cultures, même les plus éloignées, la présence de ce qui sera volontiers présenté comme une structure universelle (ou un schème) de la pensée.

L'Amitié et la Haine, forces cosmiques

Les éléments s'associent ou se séparent, les corps se forment ou se disloquent. Empédocle appelle amitié et haine ces deux forces contraires qui se partagent la nature. Pour les différencier des noms de sentiments, on leur met généralement une majuscule : l'Amitié, la Haine.

Les Grecs, rappelons-le, ne sont pas des sentimentaux. Certes, ils éprouvaient des sentiments, mais ils ne les rapportaient pas, comme nous le faisons, à l'intimité d'un moi, pour la raison qu'ils ignoraient cette intimité. Chez eux, mais la remarque vaut pour toutes les cultures anciennes et traditionnelles, tout est extériorisé, tout prend l'apparence d'une forme ou d'une force objective.

Soit le secret : certes, il existe des secrets politiques, militaires ou commerciaux, surtout commerciaux aujourd'hui, mais lorsque nous parlons de « secret », c'est d'abord à la dimension cachée de notre moi que nous nous référons. Il n'en allait pas de même jadis et ailleurs. Les secrets – que l'on songe aux mystères religieux qu'il était interdit de dévoiler sous peine de mort – n'étaient pas détenus par un *moi* particulier mais représentaient un savoir sacré, divin, supérieur aux hommes.

Revenons à Empédocle. Certes, le sentiment d'amitié et celui de haine n'étaient pas inconnus (il n'est que de lire la littérature tragique), mais ils étaient rapportés à des forces objectives, naturelles. On pourrait presque dire que ces sentiments étaient conçus comme la manifestation particulière de ces forces – alors que nous autres modernes, à l'inverse, nous voyons dans cette idée de force cosmique de l'Amitié (l'union) et de la Haine (la séparation) une projection (inconsciente) du sentiment vécu.

L'Amitié et la Haine doivent donc être compris comme les symboles des deux tendances contraires qui se partagent la nature : association et dissociation, ordre et chaos, organisation et dislocation.

Empédocle inspirateur de Freud !

À la fin de sa vie, Freud, lorsqu'il s'est finalement arrêté sur la désignation des deux pulsions fondamentales qui se partagent selon lui l'espace de la psyché humaine, la pulsion sexuelle (la libido) et la pulsion de mort, s'est souvenu du vieil Empédocle et il les a nommément rapportées à l'Amitié et à la Haine. Car, même si les pulsions de la psychanalyse ne sont pas des forces cosmiques (mais Wilhelm Reich n'hésitera pas, quant à lui, à revenir à cette espèce de mythologie), il n'en reste pas moins vrai qu'elles sont, aux yeux de Freud, des réalités objectives et non de simples représentations personnelles.

Postérité de l'Amour et de la Haine

Dans la deuxième moitié du XVIIIe siècle, au moment où la chimie scientifique commence son histoire, les savants retrouveront cette dualité des forces d'attraction et de répulsion que le phénomène du magnétisme connu dès l'Antiquité permettait de visualiser immédiatement. Certains corps s'attirent, d'autres se repoussent. La littérature a pris la métaphore au mot : les corps et les esprits des hommes s'attirent et se repoussent. C'est ainsi que Goethe pour son roman *Les Affinités électives* reprend l'image de la chimie et la transpose au domaine humain.

Anaxagore, la noirceur secrète de la neige

Aristote rapporte qu'on demanda un jour à Anaxagore de Clazomène pour quelles raisons on devrait choisir de naître plutôt que de ne pas naître : « Pour connaître le ciel et l'ordre de l'univers entier », répondit le philosophe.

Quelqu'un d'autre lui demanda : « Ta patrie ne t'intéresse-t-elle pas ? » Le philosophe répondit, montrant le ciel : « Tu ne saurais mieux dire car justement je ne fais que m'occuper de ma patrie ! »

Ce fut Anaxagore qui, le premier, sépara l'esprit de la matière au point qu'on dit de lui qu'il fut le premier philosophie dualiste. L'Esprit, qu'Anaxagore place au centre d'organisation de la nature, fut la première impulsion philosophique de Socrate. Cette Intelligence n'est pas le dieu de Xénophane ni l'Être de Parménide car elle agit, elle ne se contente pas d'être.

Tout est dans tout, disait Anaxagore, et réciproquement, ajoutera malicieusement Pierre Dac. Le philosophe de Clazomène ne pouvait admettre l'idée qu'une substance première comme l'eau pût se transformer en terre ou en feu – telle était, on le sait, l'implication nécessaire de ceux qui, comme Thalès, faisaient de l'eau l'élément primordial. Aussi admit-il comme nécessaire le principe que tout est dans tout. Quatre éléments (Empédocle) ne suffisent pas à expliquer la variété des choses et des êtres ; il faut donc supposer l'existence d'un nombre infini de germes différents quant à la forme, à la couleur et au goût. Aristote les appellera homéoméries, c'est-à-dire parties semblables. De grandeur infiniment petite, ils étaient, selon Anaxagore, à l'origine tous mélangés. C'est l'Esprit qui a mis de l'ordre dans ce chaos. Mais toutes choses doivent contenir toutes les autres, bien que de manière imperceptible. C'est pourquoi il doit y avoir de la nuit dans la neige et de l'or dans la boue. Chaque chose est dénommée d'après la qualité qui prédomine en elle ; mais l'infinité des autres qualités y est présente, bien qu'indistincte.

Démocrite, la joie des atomes

Si les livres d'Aristote avaient été perdus et si ceux de Démocrite avaient été conservés, Aristote ne serait aujourd'hui pas davantage connu que Démocrite et Démocrite serait aussi connu qu'Aristote. Si les imbéciles qui ont mis le feu à la bibliothèque d'Alexandrie avaient su qu'ils orientaient ainsi l'histoire de la philosophie !

Enfin un philosophe rigolard !

Pendant l'âge classique, les peintres représentaient volontiers, suivant l'antique tradition, deux figures de philosophes en contraste : l'un hilare, l'autre en pleurs. L'hilare est Démocrite, l'éploré est Héraclite.

Il convient de considérer avec sérieux ce contraste. Comment la philosophie peut-elle faire rire ? Comment peut-elle faire pleurer ? Faut-il voir là deux effets divergents d'une même attitude ou bien deux manières opposées de concevoir ou de pratiquer la philosophie ? Spinoza renverra Héraclite et Démocrite dos à dos en disant qu'il ne faut ni pleurer ni rire mais comprendre…

Si Héraclite pleure, c'est parce qu'il est un philosophe tragique, c'est-à-dire, on s'en souvient, un philosophe du devenir et de la guerre. Peut-être son feu cosmique lui brûle-t-il les yeux, peut-être la fumée qui empêche de voir le vrai contour des choses les lui pique-t-il (aux deux sens du verbe : picoter et, sur un registre plus enlevé, voler). Tout cela n'est pas impossible.

Difficile en revanche de faire de l'inventeur des atomes un philosophe comique. Comment dès lors expliquer cette contraction zygomatique ? Un spécialiste suggère que le rire de Démocrite serait l'effet compensateur d'une angoisse philosophique : l'atome dissout le sens du monde. Et nous pouvons même dire, nous qui sommes les contemporains du nucléaire, que mis en bombe, c'est le monde lui-même que l'atome peut dissoudre. En somme, le rire de Démocrite aurait été de type nerveux.

La jubilation de celui qui sait tout

Nous croyons à une autre explication : Démocrite était un savant encyclopédiste, il savait tout ce qu'il était possible de savoir à son époque. Dans l'histoire de la philosophie, ceux qui ont réellement détenu un savoir encyclopédique ne sont pas si nombreux : Aristote, Leibniz, Hegel. On dit que Démocrite consulta Hippocrate en personne, le père de la médecine. Diagnostic : Démocrite souffrait d'un excès de science ! On l'appelait d'ailleurs Démocrite-la-Science avec un brin d'ironie. Un jour, il déclara crânement qu'il préférait découvrir une cause nouvelle plutôt que de ceindre la couronne du roi des Perses ! Démocrite n'aurait pas cru aux paroles de l'Ecclésiaste (qu'il ne connaissait évidemment pas) : qui accroît sa science accroît sa douleur. C'est son savoir qui le mettait en joie. Heureuse époque que celle où le savoir pouvait encore faire rire ! Une légende rapporte que Démocrite se laissa mourir de faim à l'âge de 109 ans. Sans doute cela signifiait-il qu'il se sentait rassasié !

Les atomes avec un trou autour

Avec Démocrite, la Nature ou l'Un tombe en poussière. L'atome – en grec « ce qui ne peut être divisé » – est le grain solide auquel on parvient lorsque l'on casse de manière compulsive un morceau de matière jusqu'à ce que l'on ne puisse plus. Il est si petit qu'on ne peut ni le voir ni le toucher. D'où ce paradoxe pour la pensée : comment les choses visibles et tangibles peuvent-elles être faites d'éléments eux-mêmes insensibles ? Les touts ont donc des qualités que leurs parties n'ont pas.

Par ailleurs, il faut supposer entre les atomes du vide. Révolution considérable dans l'histoire des idées – et qui a fait de la théorie atomique une théorie explosive : la Nature est trouée, mitée, moins littérairement nous dirions que sa structure est discontinue. Parménide pensait que le non-être n'est pas, qu'il n'y a que de l'Être. Avec Démocrite, le non-être existe : c'est le vide qui sépare les atomes. Le vide, ce n'est pas rien (si vous avez sous la main un spécialiste de physique quantique, il vous le confirmera, le vide possède une énergie terrible).

Les atomes en nombre infini s'agrègent les uns aux autres pour former des corps. La Nature est un ensemble d'agrégats et une succession d'agrégations et de désagrégations. Évidemment, les dieux et l'Esprit passent à la trappe. Pour un matérialiste, c'est toujours ça de gagné.

Avec un tel tableau, on est loin de la sphère unique qui pour Parménide figurait l'Être total. Pour Démocrite, les atomes en nombre infini forment des mondes eux-mêmes en nombre infini.

L'invention du microcosme

C'est à Démocrite que l'on doit le terme de microcosme, promis à belle fortune, à partir de l'expression grecque, « petit monde », que le philosophe a utilisée pour désigner l'être humain, par opposition au grand monde (« macrocosme ») dont parlait Leucippe, l'autre philosophe matérialiste de ce temps, mais beaucoup moins connu que lui. La qualification de microcosme pour l'homme signifie d'abord que celui-ci est intégré dans le monde et non pas séparé de lui. Mais, plus profondément, elle renvoie au fait que l'être humain est constitué des mêmes éléments que la nature tout entière (si vous avez un chimiste et un biologiste sous la main, demandez-le leur, ils vous le confirmeront).

Mais ce n'est pas en cela que la pensée de Démocrite est la plus novatrice : somme toute, les autres présocratiques avaient déjà reconnu en l'homme la présence des mêmes éléments que dans la nature (le feu, c'est la chaleur du sang, l'air, la respiration, la terre, les os et la chair, l'eau, les liquides). Ce qui est nouveau chez Démocrite, c'est la position de l'homme face à l'univers objectivé, connu (et pas seulement pensé), débarrassé de ses dieux – et l'émergence de la préoccupation éthique. C'est cela qui séduira tant le jeune Marx qui rédigera son travail de thèse sur Démocrite : l'objectivation du réel et la préoccupation éthique. Il est capital que cette préoccupation suive l'effacement du divin.

On comprendra aussi que Démocrite ait été le premier philosophe à s'être intéressé au problème de l'éducation : le microcosme n'est pas seulement fait, il doit se faire. Dès l'origine, comme on le voit, il y a une dimension prométhéenne du matérialisme que l'on repérera bien plus tard chez les matérialistes français du XVIIIe siècle et, bien sûr, chez Marx.

La terre tout entière s'ouvre à l'homme sage, car l'univers entier est la patrie de l'âme de valeur.

– Démocrite

Les sophistes, mieux qu'on ne pense

Il n'est pas d'usage dans les histoires de la philosophie de ranger les sophistes dans le groupe des présocratiques. D'une part parce que la plupart de ceux qu'on l'on appelle ainsi sont les contemporains de Socrate, et non ses prédécesseurs. D'autre part parce que, avec les sophistes, nous entrons dans un univers de pensée qui, par rapport à celui des présocratiques, change radicalement de couleur et de musique. Si nous englobons les sophistes dans l'ensemble présocratique, c'est parce que la rupture de pensée effectuée par Socrate fut avec eux aussi radicale que celle qu'il effectua par rapport aux présocratiques.

La manipulation de Platon contre les sophistes

Le nom de sophiste a été de la part de Platon l'objet d'une manipulation qui a particulièrement bien réussi puisqu'elle continue de fonctionner de nos jours. En grec, « sophiste » est un terme qui, dérivé de celui de sage (*sophos*, le radical qui figure dans *philosophos*) signifie à peu près la même chose que lui. Un terme valorisant, par conséquent. Aujourd'hui, un sophiste est quelqu'un qui, par ses paroles et ses écrits, cherche à tromper les autres pour obtenir un avantage moral ou matériel. Un sophisme est un paralogisme (un faux raisonnement) volontaire, délibéré, donc conscient (le sophisme est au paralogisme ce que le mensonge est à l'erreur). On ne se reportera au chapitre 30 du présent ouvrage pour prendre connaissance des dix sophismes les plus connus.

Comment est-on passé du sage au tricheur ? La faute en revient à Platon qui poursuivait les sophistes d'une véritable haine. Ces hommes ont été dans l'histoire de l'Antiquité les premiers professeurs d'art oratoire et de philosophie. Certains d'entre eux ont acquis une renommée et une fortune considérables. Aujourd'hui cette place est prise par les chanteurs et les sportifs. On venait de très loin pour suivre les leçons des sophistes.

Les préjugés de Platon

Platon est un aristocrate qui a une vision inspirée, quasi mystique de la philosophie. Pour lui, faire de la philosophie un objet d'enseignement – payé, qui plus est – est un avilissement, un véritable crime contre l'esprit. Le débat, on le sait, est loin d'être clos entre ceux qui font de la philosophie un exercice gratuit de l'esprit et ceux qui y voient un métier. Il y a ceux par exemple qui font une conférence sur le bonheur payée 3000 euros devant 500 personnes et ceux qui font une communication gratuite devant leurs collègues sur l'idéalisme transcendantal.

Pour les sophistes, la parole et la pensée sont des pratiques qu'une technique appropriée peut entraîner, au sens également sportif du terme. De plus, ces hommes – Protagoras, Gorgias, Hippias, Prodicos – que Platon met en scène dans ses dialogues en prenant soin de forcer le trait jusqu'à la caricature, avaient des prétentions d'habileté et de connaissance exorbitantes. Ainsi Hippias se vantait-il de pouvoir tout faire et de tout savoir (voir p. 46-47).

Mais Platon avait un autre grief contre les sophistes, et peut-être était-ce le plus important : politiquement, les sophistes appartenaient au camp des démocrates. Ils croyaient sincèrement que n'importe quel citoyen pouvait accéder aux plus hautes charges de la cité comme accéder au savoir le plus noble. Platon avait une conception que l'on dirait élitiste et hiérarchique de la connaissance et du pouvoir ; pour lui, un démocrate est forcément un démagogue et seul un philosophe mérite réellement de gouverner la cité.

Enfin Platon, qui dans ses dialogues fait de Socrate non seulement le personnage central mais son porte-parole, a besoin pour l'économie de sa propre pensée de séparer radicalement son maître Socrate du groupe des sophistes auxquels les contemporains l'assimilaient sans difficulté. Il y a d'ailleurs plus d'un trait commun entre le Socrate, même idéalisé, que Platon met en scène dans ses dialogues et les sophistes présentés comme des repoussoirs, des modèles d'anti- et de non-philosophie.

Les sophistes réhabilités

Des travaux récents ont rendu justice à ces hommes qui, pour les modernes, présentent cette originalité d'avoir été les premiers à considérer la pensée comme un fait de langage et non comme une force métaphysique qu'il s'agirait de capturer dans un moment d'illumination. Le relativisme et le scepticisme des sophistes, que Platon combattait avec la dernière énergie, en font à nos yeux des contemporains.

Deux idées les rendent particulièrement actuels : celle de la séparation de la loi humaine et de la nature et celle du caractère conventionnel de la loi. Y a-t-on suffisamment songé ? Avec les sophistes, les mythes ne servent plus qu'à illustrer les idées, ils ne les disent plus.

Protagoras, l'homme est la mesure de toutes choses

C'est Platon qui nous a fait connaître cette citation, qui sera répercutée de siècle en siècle et qui n'a pas toujours été prise à sa juste mesure. Platon y voyait l'expression condensée du relativisme qui dissout toute valeur : la vérité, le bien, la justice… Avec Protagoras, qui tire d'Héraclite l'idée que le monde est évanescent, il n'y aurait plus de science, mais seulement des opinions, plus de bien, mais seulement des manières de faire.

Enfin, la phrase cache deux pièges redoutables. Qui est l'homme ? Que sont les choses ? L'homme, est-ce un homme (moi, toi, lui) ou bien l'homme en général ? Pour Platon, cette distinction n'avait aucune importance car, dans le cadre d'une philosophie (la sienne) qui fait de la vérité un absolu, c'est détruire pareillement cet absolu que de dire que les choses sont relatives à un individu et de dire qu'elles le sont à la particularité humaine. Aux yeux de Platon, la vérité existe en soi ou pas du tout.

Pour nous, à l'inverse, ce n'est pas la même chose de dire que tout est relatif à chacun de nous et de dire que tout est relatif à l'être humain en général. Prenons l'exemple de ce que les sciences expérimentales appellent « l'observateur ». Cet observateur est un homme quelconque – ce peut même être, du moins au départ, un objet comme l'œil électronique d'un appareil. Mais énoncer, comme dans la théorie de la relativité, que la mesure du temps est relative à « l'observateur » n'est pas prétendre que chacun a sa mesure du temps à la manière dont chacun a son rythme de sommeil. L'objectivité n'existe que par rapport à un sujet, qui ne peut, et cela à nos yeux est évident depuis Kant, qu'être humain et qui est n'importe qui. Protagoras n'était pas subjectiviste ; pour lui, c'est l'homme en général qui est la mesure de toutes choses.

Mais « toutes choses », qu'est-ce à dire ? Platon les interprète comme la totalité du réel. Or, le mot grec utilisé par Protagoras renvoie plutôt aux actions et aux œuvres humaines, donc au domaine pratique. Selon cette lecture, le soleil, par exemple, ne fait pas partie des « choses » mais la décision d'engager une guerre, oui. Nous retrouvons ici l'une des idées fondatrices des sophistes : le domaine pratique est humain, rien qu'humain, il n'est ni naturel ni divin et l'homme est le seul juge de ce qu'il fait.

Le mythe de Prométhée

Dans le dialogue qui porte son nom, Platon fait raconter par Protagoras le fameux mythe de Prométhée.

Les dieux avaient chargé deux frères, deux titans, Épiméthée et Prométhée, d'attribuer aux êtres vivants nouvellement sortis de terre les qualités spécifiques qui leur permettraient de vivre. Épiméthée donne aux oiseaux la faculté de voler, aux lions les griffes, aux chevaux la rapidité à la course, etc. Arrive l'homme, tout nu et démuni, mais tous les dons ont déjà été distribués, il ne reste rien pour le dernier arrivé. Constatant la bourde de son frère, Prométhée décide alors de donner en compensation à l'homme un bien qui lui permettrait de survivre (faible et nu comme il est, l'homme n'aurait pas fait de vieux os et les dieux auraient été mécontents du travail). Mais de quel bien pourrait-on gratifier l'homme puisque les animaux ont tout pris ?

C'est alors que Prométhée a l'idée d'aller voler le feu au ciel, la demeure des dieux. Grâce au feu, en effet, l'homme pourra non seulement se protéger du froid et des fauves mais fabriquer toute une série d'outils et d'objets qui lui feront surpasser infiniment le plan de la vie animale (on ne peut qu'admirer la façon dont les Grecs, qui n'avaient évidemment aucune connaissance positive de la préhistoire, ont deviné le rôle civilisateur du feu – que l'on songe à la cuisine, à la poterie, à la construction, à la métallurgie...).

Ainsi Prométhée est-il plus tard devenu le héros de la culture humaine, celui qui symbolise la volonté des hommes de rivaliser avec la puissance des dieux – d'où les termes « prométhéisme » et « prométhéen ». Il est caractéristique que Platon place ce mythe dans la bouche de Protagoras. Si l'on ne redoutait pas les anachronismes, on pourrait dire que, avec les sophistes, l'humanisme fait son entrée dans l'histoire de la philosophie. Un antihumaniste (autre anachronisme) comme Platon ne pouvait donc que s'insurger contre cette manière de sentir.

Il est arrivé que le maître en belles paroles et raisonnements subtils a été mis en difficulté. Protagoras donnait des cours qu'il se faisait payer cher. Une fois, il accepta que l'un de ses élèves, trop pauvre pour lui payer tout de suite ses leçons, le réglât à la fin lorsqu'il aurait gagné son premier procès. Protagoras, en effet, était si certain de l'excellence de son magistère qu'il ne doutait pas que ses disciples, formés à la persuasion du beau langage, ne l'emportassent dans tous les procès qu'ils auraient à plaider. Seulement, cette fois-là, le disciple fut plus retors que le maître : il n'avait pas du tout l'intention de payer. Alors, Protagoras décida de l'assigner en justice : « De toute manière, tu devras me payer ! lui déclara-t-il. Car, ou bien tu gagneras ce procès, et alors tu devras me payer en vertu de notre convention passée, qui stipulait que tu me paierais après ton premier procès gagné, ou bien tu perdras ce procès, et alors tu devras me payer en vertu de la décision du juge qui me donnera gain de cause !

– Pas du tout ! répliqua l'élève. Dans aucun cas, je n'aurais à te payer ! Car, ou bien je gagne ce procès, et alors le juge me dispensera de payer, ou bien je le perds, mais en ce cas, en vertu de notre accord antérieur, je ne te paierai rien car nous avions convenu que je n'aurais à te payer qu'après ma première plaidoirie gagnée ! »

Il arrive, en effet, que la parole du sophiste se trouve prise dans ses propres filets.

Gorgias, un autre épouvantail

Dans le dialogue platonicien qui porte son nom, Gorgias apparaît comme un personnage passablement ridicule auquel Platon fait dire des bêtises et des banalités. Difficile d'y reconnaître cet homme célébrissime qui avait sa statue de son vivant et dont la légende rapporte qu'il se laissa mourir de faim à 109 ans (comme Démocrite) en demandant au sommeil le soin de le confier à la garde de son frère (chez les Grecs, Hypnos, le Sommeil, était le frère de Thanatos, la Mort).

Dans un ouvrage consacré au non-être, Gorgias prend l'exact contre-pied de la thèse éléate (l'être est, le non-être n'est pas). Quand bien même l'être serait, argumente Gorgias, il serait inconnaissable ; quand bien même il serait connaissable, il serait incommunicable. La singularité absolue de l'Être étant ôtée, la multitude indéfinie des étants peut proliférer. Ainsi s'explique, probablement, l'articulation entre la thèse que le non-être est et l'encyclopédisme que Gorgias cultivait, comme tous les sophistes.

Hippias, l'homme-orchestre

Longtemps, Hippias n'a été connu que par le portrait ridicule qu'en brosse Platon, son pire ennemi, qui l'a mis en scène deux fois dans des dialogues qui portent son nom. La conversation roulant sur le beau, Hippias lance cette apparente énormité : le beau, c'est une belle fille ! À quoi Socrate a beau jeu de répondre, justement, que le beau peut être aussi une belle marmite ! Platon voulait montrer que la sotte érudition du sophiste le rendait inapte à saisir la nature d'une généralité (ici, la beauté en soi).

Pour mieux ruiner les compétences universelles des sophistes, auxquelles il ne croyait pas une seconde, Platon exhibe un Hippias grotesque se vantant à Olympie de n'avoir rien sur lui qui ne fût l'œuvre de ses mains : il a tissé sa tunique, fabriqué ses chaussures, forgé son anneau. Viennent ensuite les productions de l'esprit : les poèmes et les discours en prose. Et Platon ne dit pas tout : Hippias fut peut-être aussi peintre et sculpteur. Une semblable polytechnicité ne peut que mettre en péril cette division du travail que Platon justifie dans *La République*. Non seulement, Hippias est démocrate mais il prétend qu'un seul homme peut être à lui seul une société entière. Pour un aristocrate comme Platon, soucieux d'ordre et de hiérarchie, c'est plus qu'il n'est supportable.

Dotée d'une fabuleuse mémoire qu'il ne cessait de travailler (il se vantait de pouvoir retenir cinquante noms après les avoir entendus une seule fois), Hippias n'était pas l'imbécile érudit caricaturé par Platon. Il était un réel savant qui, même en mathématiques, fit progresser les connaissances. Internet a été bien inspiré d'appeler de son nom l'un des principaux moteurs de recherche en philosophie.

L'animosité de Platon n'était pas seulement due à une question de définition. Hippias professait en morale une sorte de retour à la nature, il opposait au sentiment jugé étroit de la citoyenneté la parenté naturelle de tous les hommes et à l'orgueil de caste, l'égalité sociale. Il recommandait aux hommes de s'affranchir des désirs de luxe et de se suffire à eux-mêmes, ce qui était préfigurer à la fois le cosmopolitisme et l'idéal autarcique du stoïcisme.

Également éloigné du relativisme de Protagoras et du scepticisme de Gorgias, Hippias, qui avait rassemblé ses idées et connaissances dans un livre simplement intitulé *Somme*, estimait non seulement possible mais nécessaire, non seulement nécessaire mais réalisée la connaissance de la nature du tout.

Chapitre 3

Socrate, l'exemple devenu modèle

Dans ce chapitre :

- Le père de la philosophie
- Ses provocations et ses ennemis
- Son entrée dans la légende

Le père de la philosophie

Socrate est un cas singulier dans l'histoire de la philosophie : il est le seul philosophe parmi les plus connus à n'avoir rien écrit, parent en cela de Bouddha et de Jésus, qui ne furent pas des philosophes. Platon a été son évangéliste. C'est lui, en effet, qui a fait de Socrate son maître et le père de la philosophie grecque.

Pourquoi cette position originaire ? Parce que Socrate fut le premier à centrer sa réflexion sur l'humain, et seulement sur l'humain : rien de ce qui est humain ne lui fut étranger. En ce sens, c'est bien Socrate, et non les présocratiques, qui fixe la philosophie dans le cadre de la pensée occidentale : la philosophie répond moins à la question de la nature des choses (la science se chargera de cette « physique ») qu'à celle du bien-vivre. Si la reproduction de l'épinoche en milieu confiné et la variation saisonnière du pelage de la taupe en Haute-Provence ne sont pas des problèmes philosophiques, c'est parce que ces phénomènes ne dépendent en rien de l'homme pour exister.

Comme plus tard les cyniques (d'ailleurs impensables sans lui), Socrate dépréciait la culture générale au nom même de la philosophie. Il pensait que les spéculations sur la nature étaient vaines car, selon lui, l'âme n'est pas faite pour comprendre ce genre de choses. Avec Socrate, le champ de la philosophie subit donc un radical rétrécissement, il se réduit à un ensemble de questions pratiques (éthique et politique, les deux ordres n'étant pas distingués). Socrate est le premier penseur sans cosmologie.

Mon caractère est ainsi fait que je ne me rends jamais qu'à la raison.

– Socrate

Un homme sage-femme

Socrate prétendait ne rien savoir, il parcourait les rues d'Athènes, sa ville, à la recherche de la vérité, interrogeant les différents spécialistes sur leur spécialité : un général sur la guerre et le courage, un poète sur la poésie, un homme politique sur le bien public, etc. Cette façon d'interroger, de répliquer, d'objecter, de contredire, bref de tarauder avec des mots s'appelle maïeutique. En grec, ce mot signifie « art d'accoucher ». Socrate aimait à rappeler que sa mère était sage-femme, qu'elle accouchait des corps, tandis que lui accouche des esprits.

L'ironie socratique

Cet art de l'interrogation s'appelle *ironie*, parce qu'aussi la feinte n'en est pas absente.

« La seule chose que je sais, c'est que je ne sais rien ! Mais eux, les « spécialistes » qui prétendent savoir, ils en savent moins que moi, parce qu'ils ne savent même pas qu'ils ne savent rien ! », disait Socrate. En d'autres termes, celui qui dit savoir ignore tandis que celui qui dit ignorer sait, car le premier ne sait même pas qu'il ignore tandis que celui qui dit ignorer sait au moins cela. Ce n'est là que l'un des paradoxes qui émaillent les ouvrages de Platon qui, presque tous, font de Socrate le personnage principal.

Il y a des hommes qui peuvent plus facilement compter leurs moutons que savoir qui sont leurs amis.

– Socrate

Les paradoxes socratiques

Pour apprendre, il faut déjà savoir

Comment, en effet, celui qui ne saurait rien pourrait-il chercher ce qu'il ignore? On peut confirmer cette thèse par l'expérience du dictionnaire: pour prendre connaissance d'une définition d'un mot dont on ignore le sens, il faut connaître le sens des mots de la définition (si j'ignore le chinois, par exemple, je ne peux saisir la moindre définition en cette langue).

Il est meilleur de subir l'injustice que de la commettre

Les sophistes qui sont les interlocuteurs de Socrate pensent que celui-ci se paie leur tête en affirmant cela. Tout dépend évidemment du sens que l'on donnera à l'adjectif «meilleur». Veut-on dire par là le plus avantageux personnellement ou le plus conforme à l'idéal moral du bien? Socrate prend «meilleur» en ce second sens.

Le tyran est le moins libre de tous les hommes

Pour les interlocuteurs de Socrate, comme pour l'opinion commune, la liberté consiste à faire ce que l'on veut, faire ce qui plaît. Dès lors, le tyran qui peut d'un signe envoyer n'importe qui à la mort ou en exil est le plus libre des hommes. Socrate objecte à cette opinion que le tyran est l'esclave de ses passions: il n'est, littéralement parlant, même pas maître chez lui. Il est donc le moins libre des hommes.

Ménon, dans le dialogue platonicien qui porte ce nom, compare Socrate à une torpille. Socrate lui-même au cours de son procès se compare à un taon. Les deux animaux ont des effets inverses. La torpille engourdit et immobilise, le taon stimule et fait avancer. Tels sont les deux effets conjugués de l'ironie socratique: en faisant prendre conscience de l'ignorance, elle conduit à chercher la véritable connaissance. Placé devant l'évidente ineptie de sa réponse première, l'interlocuteur de Socrate est d'abord tétanisé comme s'il avait été anesthésié par une torpille avant d'être incité à proposer une seconde réponse, à aller de l'avant, comme s'il était agacé par un taon.

Le philosophe marche à l'essence

En toutes choses, Socrate cherche l'essence, c'est-à-dire la nature profonde des choses, au-delà des apparences et des évidences : qu'est-ce que la beauté ? Qu'est-ce que la justice ? Derrière le cas particulier, l'exemple contingent, il faut trouver le concept : si un corps et un vase peuvent être dits beaux, c'est bien qu'ils possèdent un élément commun, la qualité d'être beau, qu'il faudra déterminer. Socrate fut le premier à lier de façon aussi explicite et systématique le vrai à l'universel : si une idée est vraie, elle doit l'être dans toutes les applications de même type.

Lorsqu'il demande à Hippias le sophiste ce qu'est le beau, Hippias répond : « Le beau, c'est une belle femme. » Au lieu de déterminer le sens universel du beau, Hippias ne fait que citer un exemple. Mais cet exemple lui-même est incompréhensible si l'on ne sait pas ce qu'est le beau : ce n'est pas le fait qui qualifie l'idée mais, à l'inverse, l'idée qui qualifie le fait. Il faut bien savoir au préalable ce qu'est le beau (quelle est son essence, son idée) pour reconnaître en cette femme une belle femme. Les membres du jury de Miss Univers, dressés à cet effet, doivent bien disposer de critères pour juger en leur âme et conscience. Ils admettront, par exemple, qu'un nez droit est plus beau qu'un nez tordu et qu'en matière de seins, mieux vaut des formes rondes que des formes avachies en gants de toilette.

Nul n'est méchant volontairement

L'une des paroles fortes de Socrate rapportées par Platon, son disciple, constitue peut-être le centre ou l'âme de sa pensée : il y a une telle liaison entre la pensée et l'action, entre la théorie et la pratique, que c'est véritablement ignorer ce qu'est le bien que mal agir. Connaître le bien, c'est le faire ; l'ignorer, c'est faire le mal. « Nul n'est méchant volontairement » ne signifie pas que l'on doive disculper le criminel ou le délinquant mais que l'action mauvaise n'est pas perverse. Au fond, Socrate ne croit pas que l'on puisse faire le mal pour le mal. Il y a selon lui une domination du bien qui l'emporte à jamais : en fait, on agit toujours pour le bien, ne serait-ce que pour le sien propre.

Plus tard, le poète latin Ovide ne partagera pas cet optimisme lorsqu'il dira voir le bien et l'approuver mais néanmoins faire le mal. Plus tragique encore, saint Paul, l'apôtre fondateur du christianisme, déplorera : je fais le mal que je ne veux pas, je ne fais pas le bien que je veux.

L'unité des valeurs

Pour Socrate, comme pour les Grecs d'une manière générale, les valeurs idéales entretiennent entre elles des liens d'équivalence: le bien, le beau, le vrai sont échangeables. Il n'y a pas de disparité entre réussir, être heureux et bien agir, ce dont rend compte une expression grecque qui signifie effectivement ces trois choses à la fois. L'ironie a voulu que ce fût celui qui a affirmé avec constance l'unité des valeurs morales, théoriques et esthétiques, qui a incarné l'inverse dans son apparence physique.

Il existe une expression grecque qui colle ensemble les adjectifs «beau» et «bon» et que l'on pourrait rendre en français par «bellébon». Le grec était pénétré par l'idée que la beauté devait avoir nécessairement une forme extérieure et, inversement, qu'une beauté apparente devait nécessairement manifester une beauté interne. La laideur de Socrate, qui était déjà légendaire en son temps, est une manière de scandale en chair et en os: comment le plus sage des hommes peut-il avoir une apparence aussi repoussante (yeux exorbités, nez camus, front et cou de taureau)?

Platon, qui bâtira sa philosophie sur la dualité contradictoire du sensible et de l'intelligible, ne sera pas en peine pour intégrer la laideur de Socrate dans l'économie de sa pensée. Il la comparera à ces sculptures de Silène qui, sous des dehors peu ragoûtants, renferment des trésors de beauté et de sagesse (ces statuettes exposées dans les ateliers de sculpteurs s'ouvraient par le milieu et contenaient des figurines de dieux). Rabelais cite ce passage lorsqu'il justifie le caractère burlesque de ses écrits en invitant ses lecteurs à en atteindre la «substantifique moelle».

Nietzsche, qui fera de Socrate une manière d'ennemi personnel (ce qui, évidemment, implique une secrète fascination), ne l'entendra pas de cette oreille. Socrate, diagnostiquera l'auteur d'*Ainsi parlait Zarathoustra*, est responsable de la mort de la tragédie grecque et sa ratiocination a tué la belle inspiration ivre et rêveuse de ses prédécesseurs, ceux que l'on appelle justement les présocratiques. Passer d'Empédocle et d'Héraclite à Socrate, selon Nietzsche, c'est passer de la grande culture libre, joyeuse, cruelle, innocente, à la mesquinerie calculatrice. Socrate ou le petit boutiquier du comptoir philosophique. Une remarque: le comptoir, aujourd'hui, ce serait celui du café. D'ailleurs, n'est-ce pas sous le patronage de Socrate que les cafés-philo se sont ouverts? Socrate, philosophe de patronage!

Socrate est-il aussi raisonnable qu'on l'a dit ?

Il a longtemps été entendu que si Socrate a été à la philosophie ce que Hippocrate a été à la médecine et Hérodote à l'histoire, à savoir le *père*, c'est parce que, en écho à la voix hallucinée des grands ancêtres, il fut le premier à faire entendre celle de la raison.

Et pourtant ! Il y aurait beaucoup à dire sur cet allumé que la tradition fit passer pour un illuminé. Jeune homme, Socrate ne fit-il pas le voyage à Delphes pour aller consulter l'oracle, une femme assise sur un trépied de bois, mâchonnant à longueur de journée des plantes stimulantes voire hallucinogènes, censée être la voix d'un dieu et recevant la visite de tout ce que le monde grec produisait de meilleur en termes de savoir et de pouvoir ? Il désirait savoir qui était le plus sage des hommes et s'entendit dire, comme il le souhaitait, *qu'il était* le plus sage des hommes. Cela a peut-être décidé de son destin de philosophe et, par voie de conséquence, du destin de la philosophie elle-même.

Une telle annonce en aurait ébranlé plus d'un – car on ne consulte pas un oracle sans y croire. Mais le propre des annonces, du moins de certaines annonces (les Américains parlent à ce propos de *self-fullfilling prophecy*, de prédiction autoréalisatrice), c'est qu'elles font exister ce qu'elles sont censées prévoir. Une annonce forte produit, en effet, une telle dynamique psychique que celui qui y croit fera tout pour la confirmer. On peut penser que si Socrate devint le plus sage de tous les hommes, c'est parce qu'il était convaincu, dès sa jeunesse, qu'un dieu le croyait.

Muni de cette surnaturelle confiance en lui, Socrate passa son existence entière à faire la chasse dans la rue aux célébrités d'Athènes, aux hommes de savoir, comme Gorgias et Protagoras, et aux hommes de pouvoir, comme Alcibiade et Lachès. Il demande, inlassablement, à ces experts et docteurs le sens de ce qu'ils croient savoir et faire. Le résultat est invariable : les questions de Socrate, puis les questions sur les réponses données, placent les interlocuteurs devant leur propre bêtise.

Évidemment, ce n'est pas en ennuyant les gens ainsi, par la pensée, le doute, la critique, que l'on se fait des amis. Athènes, vers 400 av. J.-C., est beaucoup plus petite que Clermont-Ferrand aujourd'hui, surtout si l'on considère que les neuf dixièmes de sa population (les esclaves, les femmes, les enfants et les métèques) ne comptent pas dans l'une des sociétés les plus machistes de toute l'Histoire. Si Socrate entraîne derrière lui un groupe d'amis et de disciples éperdus d'admiration, il se fait également un certain nombre d'ennemis qui vont causer sa perte.

Le procès de Socrate

À la fin du Ve siècle av. J.-C., Athènes traverse une crise profonde dont elle ne se relèvera jamais réellement. La guerre contre Sparte (guerre dite du Péloponnèse) l'a ruinée. Le parti démocratique accusé de la défaite et de la corruption a été balayé momentanément par une camarilla d'aristocrates où Socrate comptait un certain nombre de relations. Lorsque ce gouvernement est balayé à son tour et que le parti démocratique revient au pouvoir, Socrate devient prisonnier d'un règlement de comptes où les motifs politiques se mêlent aux motifs moraux et religieux. Des accusateurs portent alors sur la place publique des plaintes contre lui. Trois chefs d'accusation lui furent adressés :

- Socrate ne reconnaît pas les dieux de la cité :
- il veut en introduire de nouveaux ;
- il corrompt la jeunesse.

Aux yeux d'un historien moderne, le procès de Socrate est de nature incontestablement politique : le philosophe paie pour son influence et ses relations avec un parti qui a profité des troubles dans lesquels la cité se débat pour asseoir une insupportable tyrannie. Mais les chefs d'accusation lancés contre Socrate sont moraux et religieux. L'accusation de corruption de la jeunesse vise directement l'influence, jugée pernicieuse, du philosophe auprès d'un certain nombre de jeunes gens de riches familles. Quant aux deux chefs d'accusation à contenu religieux, ils font allusion au « démon » que Socrate disait entendre.

Mes accusateurs ont le pouvoir de me tuer ; ils n'ont pas celui de me nuire.

Je ferai taire les médisants en continuant de bien vivre ; voilà le meilleur usage que nous puissions faire de la médisance.

– Socrate

Le démon de Socrate

Socrate disait entendre en lui la voix d'un démon, c'est-à-dire d'une puissance supérieure (le mot en Grèce n'a aucune dimension diabolique), lorsqu'il était tenté de commettre une action mauvaise. La psychologie classique traduirait par « conscience morale » le démon de Socrate, la psychanalyse parlerait de « surmoi ».

Cela étant, il convient de ne pas « psychologiser » à l'extrême ce démon. La notion de conscience morale, qui n'apparaîtra véritablement qu'avec le christianisme, était étrangère aux Grecs qui ignoraient, rappelons-le, l'intériorité du sujet, les profondeurs et l'intimité du « moi ». Les mouvements internes de la pensée et de la volonté étaient alors (mais cela est vrai de n'importe quelle société ancienne et traditionnelle) systématiquement rapportés à des forces extérieures, personnifiés sous la forme ou figure de dieux. Rappelons que le célèbre « Connais-toi toi-même » inscrit sur le fronton du temple d'Apollon à Delphes et que Socrate avait justement pris pour devise n'avait pas le sens moderne de l'introspection (« Regarde en toi-même pour savoir qui tu es ») mais qu'il ordonnait aux hommes de ne pas oublier qu'ils ne sont pas des dieux, qu'ils sont voués à la mort, à la différence des dieux.

Toujours est-il que ce démon socratique dut paraître assez inquiétant aux yeux des contemporains pour que ceux-ci croient y reconnaître quelque chose d'impie.

La mort de Socrate

L'émouvant récit que Platon fit des derniers instants de son maître dans *Phédon* prouve que l'on put, dans l'Antiquité, être un génie et un héros sans cesser d'être un sage. Plus tard, le christianisme verra en Socrate une espèce de saint païen ou laïc et le parallèle avec Jésus sera souvent établi : voilà deux hommes sans œuvre écrite, qui ont bouleversé l'histoire grâce à leurs paroles et à leur enseignement, deux modèles parfaits qu'une mort injuste a grandis aux yeux de tous. Avec Socrate, la philosophie a son martyr : vingt-cinq siècles plus tard, la projection imaginaire fonctionne avec une certaine efficacité. Combien d'intellectuels, pourtant assez choyés par l'État, ont revêtu les oripeaux des marginaux pourchassés, combien de professeurs chahutés de classes de terminales de lycée pensent à l'injustice suprême subie par Socrate pour se réconforter ?

Comme à propos de Jésus, c'est peu de dire que Socrate n'a rien fait pour échapper à la mort : son orgueilleuse attitude devant les juges est même pour beaucoup dans la sentence finale. Alors que, jugé coupable (à une faible majorité), il lui est demandé de fixer lui-même la peine, il répond crânement qu'il désirerait être nourri au prytanée, c'est-à-dire en somme devenir rentier de l'État comme ceux qui ont le mieux mérité !

En prison, dans les jours précédant sa mort, des amis lui annoncent que son évasion a été réglée dans ses moindres détails. Socrate refuse et leur tient un beau discours consigné (mais aussi, évidemment, rédigé) par Platon dans *Criton* : dans ce morceau de bravoure connu sous le nom de « prosopopée des lois », Socrate imagine le reproche que les lois de la cité lui feraient si lui, leur fils, leur désobéissait. Un homme doit sa vie, littéralement, aux lois de la cité. Il doit par conséquent leur obéir, quoi qu'il en coûte. Fidèle aux principe selon lequel il vaut mieux subir une injustice que la commettre, Socrate boit la ciguë (le mode d'exécution d'alors) calme et confiant devant ses amis éplorés. Pour lui, la mort est une délivrance. C'est ainsi qu'il faut interpréter le dernier chant du cygne, car cet oiseau a la prescience de l'au-delà.

Qu'est-ce que craindre la mort, sinon se prétendre en possession d'un savoir que l'on n'a pas ?

– Socrate

« Un coq à Esculape »

Le dernier mot de Socrate, « Nous devons un coq à Esculape », a été diversement interprété. En disant cela juste avant d'expirer, il ferait preuve de piété envers les dieux et montrerait par là combien l'accusation d'impiété qui lui valut son procès puis sa mort était injuste.

Nietzsche interprète tout différemment cette phrase. Esculape est le dieu de la médecine en Grèce. Socrate, qui représente la pensée retournée contre la vie, la volonté de théorie retournée contre les instincts de vie (tel est le point de vue de Nietzsche), devait la considérer comme une maladie dont la mort le guérirait enfin. D'où le mot de reconnaissance envers Esculape.

Chapitre 4

Platon, l'homme aux douces paroles

Dans ce chapitre :

- Le plus insaisissable des philosophes
- Le mythe de la caverne
- L'âme et le corps séparés
- L'anneau de Gygès
- Le Bien et rien d'autre
- Le monde des Idées

L'art et les idées au galop

Le plus insaisissable des philosophes

Il y a une énigme Platon que les lecteurs et les exégètes (interprètes) n'ont pas fini de débrouiller après vingt-quatre siècles. Ces œuvres si belles, si littéraires, si limpides, nous ne savons pas exactement quel est leur statut. L'homme Platon, avec sa pensée, se cache en effet dans son œuvre sous les noms des interlocuteurs de ses dialogues, celui de Socrate en particulier. Il ne parle jamais en son nom propre, excepté dans des lettres dont l'authenticité a été contestée. Le cas est unique dans l'histoire de la philosophie : lorsque Descartes écrit le *Discours de la méthode*, Kant, la *Critique de la raison pure*, Nietzsche, *La Naissance de la tragédie*, on sait que ces auteurs parlent en leur nom propre et qu'ils sont derrière chacune des pensées exprimées dans ces ouvrages. Rien de tel avec Platon.

Il aimait le pastiche, se plaisait à caricaturer le discours de tous ceux qu'il considérait comme des ennemis de la sagesse, vrais antiphilosophes (des « phobosophes » si l'on nous permet cette nouveauté).

Un historien, spécialiste de la Grèce ancienne, a écrit un ouvrage intitulé *Les Grecs ont-ils cru à leurs mythes ?* C'est une question délicate, en effet, que celle du degré d'adhésion d'une conscience à ses idées : quelle est la part de jeu ? Celle du sérieux ? Dans la vie courante, nous croyons pouvoir répondre à cette question en observant les mimiques et attitudes, en prêtant attention au ton de la voix, en tenant compte du contexte général (on n'accordera pas la même importance à ce qui se dit lors d'une soirée bien arrosée et pendant une réunion un peu sèche d'un conseil d'administration). Mais avec un texte écrit, comment savoir ? D'autant que Platon a lui-même instruit le procès contre l'écriture : à la différence de la parole vivante, qui sait se défendre, l'écriture est quelque chose d'inerte – une manière de cadavre.

Platon, comme de nombreux Grecs, savait que la plus vieille écriture était égyptienne. Or, l'Égypte est la terre de la mort, une civilisation qui semble tout entière orientée vers la pensée de la mort. D'où ce rapprochement : l'écriture est une sorte de momie ; avec l'écriture, la pensée est dans un sarcophage.

La légende dit qu'à la mort de Platon des abeilles vinrent se poser sur ses lèvres – manière poétique de dire que ses paroles devraient être douces comme le miel… Si les écrits sont des momies de pensées, les paroles s'envolent comme des abeilles.

L'ésotérisme de Platon

Nombre de chefs d'école dans la Grèce ancienne, à commencer par Pythagore (qui exerça sur Platon une influence décisive) dispensaient deux types d'enseignement : l'un, dit exotérique, était destiné à tous, l'autre, dit ésotérique, était adressé aux seuls initiés.

Certains interprètes de Platon ont émis l'hypothèse que la véritable pensée du philosophe nous est inconnue car elle n'était transmise que par la parole. Les écrits de Platon ne seraient que des jeux exercés à partir de cet enseignement. Plus aucun commentateur sérieux n'abonde dans ce sens aujourd'hui. Il n'en reste pas moins vrai qu'avec Platon nous tombons constamment sur ce paradoxe d'un auteur qui se dérobe derrière son texte sans avoir eu besoin pour cela de prendre de pseudonyme.

Un écrivain contrarié

De même qu'il faut croire, au moins un peu, en Dieu pour blasphémer (un athée n'éprouve pas le besoin de dire merde à Dieu), qu'il faut être tenaillé par le désir sexuel pour vouloir l'éliminer dans l'ascétisme, il a bien fallu que Platon soit un passionné d'écriture pour ainsi la rejeter.

La rencontre de Socrate décida de son destin. Le jeune Platon, aristocrate de naissance, brûla alors les tragédies qu'il avait écrites. La philosophie serait sa voie et sa vie. Mais si la fréquentation du maître détourne le jeune Platon d'une carrière de poète tragique, n'allons pas croire que l'appel de la dramaturgie ait été complètement étouffé. L'art chassé ne revient pas à un moindre galop que le naturel. Les dialogues écrits de Platon sont d'admirables mises en scène dramatiques de cet autre théâtre qu'est la controverse philosophique, avec des personnages géniaux (Socrate) ou ridicules (Hippias), une galerie unique de portraits de célébrités de l'époque, voire de personnages imaginaires (le sophiste Calliclès).

Platon n'a qu'une vingtaine d'années lorsque son maître bien-aimé est condamné à mort. Il est tellement malade qu'il ne peut assister aux sublimes derniers moments du sage dans sa prison et qu'il rapporte lui-même dans *Phédon*. Cette condamnation et cette mort furent pour Platon un traumatisme qui décida peut-être de toute sa pensée : que faut-il faire pour qu'un tel scandale (l'homme le plus sage et le plus respectueux des lois assassiné par les lois de la cité) ne puisse plus se reproduire ?

Un politique contrarié

Comme Pythagore, comme Empédocle, Platon pense que la philosophie ne peut exister que dans une communauté d'hommes bien dirigée. Il n'est pas impossible de lire Platon comme un philosophe essentiellement politique car, même lorsqu'il est question de sujets aussi théoriques que la nature de la beauté ou la possibilité de l'erreur, la dimension politique – qui touche l'organisation de la cité – est présente. L'opposition constante, radicale, personnelle de Platon aux sophistes – ces phobosophes – est peut-être d'abord et avant tout politique : les sophistes sont démocrates, or la démocratie, aux yeux de Platon, est le régime qui met les ignorants au pouvoir, c'est un régime de pure apparence (une campagne électorale américaine n'eût pas surpris Platon !).

Platon avait caressé un rêve : celui de devenir le conseiller du prince, celui de faire du prince un philosophe. Le hasard aura voulu que Platon tombe sur un tyran, Denys de Syracuse. Expérience amère (la première d'une longue série) que celle des déboires des philosophes en politique : Platon fut vendu comme esclave par celui qu'il prétendait transformer en sage ! Plus tard, Voltaire se plaindra d'être traité en domestique par le roi de Prusse. Les philosophes ne se sont jamais vraiment rendus compte à quel point ils pouvaient énerver les gens de pouvoir ! Ce n'est pas parce qu'une pensée est nécessaire que son auteur est indispensable – au contraire !

Platon eut de la chance dans son malheur. Reconnu parmi les esclaves qu'on menait en bateau, il fut bientôt sorti de sa servitude. Heureux temps où la philosophie n'allait pas sans quelque risque !

Retour à la totalité : un bon disciple trahit toujours

Il y a un point sur lequel Platon a été infidèle à son maître Socrate : alors que celui-ci dédaigne les spéculations qui n'ont pas un sens immédiatement pratique (moral et politique), Platon renoue avec la dimension cosmique de la pensée. Le *Timée*, qui décrit la formation du monde par un démiurge (un être supérieur de nature divine) relègue significativement Socrate au second plan. La théorie des Idées, que Platon met littéralement dans la bouche de Socrate, est de lui, pas de son maître. L'impressionnante construction théorique de *La République* menée de bout en bout par Socrate est de lui aussi. Alors que les préoccupations de Socrate étaient exclusivement pratiques, la philosophie de Platon est inséparablement métaphysique, éthique, politique et cosmologique.

Les trouvailles de Platon

Le soleil est immobile mais l'eau coule

Parménide avait dit : « L'être est, le non-être n'est pas », ce qui revenait à affirmer que le mouvement est une apparence illusoire. Héraclite avait dit à l'inverse qu'on ne se baigne jamais deux fois dans le même fleuve et qu'un nouveau Soleil se lève chaque matin, ce qui revenait à affirmer que l'immobilité des êtres et des choses est une apparence illusoire. D'un côté, tout est foncièrement stable, d'un autre côté, tout est foncièrement mouvant. Platon est au confluent de ces deux courants de pensée.

Il intègre l'ontologie statique de Parménide et le mobilisme d'Héraclite. Mais comment le faire sans contradiction ? En séparant de manière radicale la réalité en deux : il existe d'un côté un monde sensible où tout est changeant, fuyant, ce monde est évanescent comme celui des reflets dans l'eau ou des images dans le miroir ; et, d'un autre côté, plus exactement au-dessus, infiniment supérieur à l'autre, il existe un monde suprasensible, intelligible, qui échappe au temps et au mouvement, et qui est fait de formes stables.

Prenons pour exemple la différence entre le rond et le cercle. Le rond (sensible) n'est pas le cercle (intelligible) : le rond fait par la pierre dans l'eau ou par la bouche avec la fumée va bientôt disparaître. Le rond de la section d'un arbre coupé est moins fugace ; il va durer un certain temps mais il ne durera pas toujours. Même le rond du soleil qui apparaît dans le ciel, la science nous apprend aujourd'hui qu'il est destiné à disparaître un jour, dans cinq milliards d'années. Le cercle, lui, est indestructible. Aucune bombe nucléaire ne pourra jamais détruire le cercle. Il y a même des mathématiciens (et Platon, qui était aussi mathématicien, était évidemment de ceux-là) pour croire que le cercle continuerait d'exister quand bien même plus aucun esprit ne serait là pour le penser. Car, et c'est le point capital de cette délicate affaire, la Forme ou l'Idée (c'est ainsi que Platon l'appelle) est non seulement infiniment au-dessus de la forme (sensible) ou de la chose, mais elle détermine la pensée – au lieu d'être déterminée par elle.

En d'autres termes, selon Platon, ce n'est pas parce que nous pensons que l'Idée existe, mais c'est parce que l'Idée existe que nous pensons.

Le mythe de la caverne

Dans le livre VII de *La République*, Platon raconte une histoire fantastique destinée à illustrer sa théorie des Idées. Des prisonniers sont assis enchaînés dans une caverne. Ils ont toujours vécu dans cet état. Derrière eux, brûle un feu. Entre le feu et eux, sans qu'ils s'en aperçoivent, passent des hommes qui tiennent au-dessus d'eux des images découpées, à la manière des montreurs de marionnettes. Les prisonniers voient les ombres de ces objets projetées sur la paroi de la caverne et leur donnent des noms : ainsi nomment-ils « cheval » l'ombre de l'image du cheval projetée sur le mur. Comme ces prisonniers ont toujours vécu de cette manière, dans cette caverne, ce qu'ils voient est leur monde, ce qu'ils vivent est pour eux le monde.

L'un d'entre eux est délivré de ses liens. Il se met debout, se retourne, regarde le feu qui brille puis, au bout d'un chemin en montée (qui a un sens évidemment symbolique), il remarque une clarté qui l'attire : la lumière du jour, qu'il ne connaît pas encore. Le prisonnier gravit ce chemin et se retrouve ainsi à l'air libre.

La lumière du jour l'éblouit avant de l'éclairer. Aussi, pour habituer progressivement ses yeux, le prisonnier de Platon les pose-t-il tout d'abord sur les reflets que les choses et les êtres font dans l'eau, puis sur les choses et les êtres mêmes. Ainsi notre héros reconnaît-il bientôt la forme du cheval dont il ne connaissait jusqu'à présent que l'image d'ombre dans la caverne. Ce cheval court, hennit, sa crinière flotte au vent. C'est un *vrai* cheval, pas comme l'autre, qu'on ne pouvait pas monter. Enfin, levant peu à peu les yeux vers la fontaine d'où ruisselle toute cette lumière qui donne aux êtres et aux choses leur forme reconnaissable, notre héros découvre le soleil dont aucune image ne saurait donner l'idée.

Ivre du bonheur de sa découverte, l'ancien prisonnier court rejoindre ses compagnons d'infortune pour leur annoncer l'heureuse nouvelle : il y a au-dessus de la caverne un vrai monde de lignes, de couleurs et de sons. Mais les compagnons, au lieu de recevoir leur camarade avec joie et reconnaissance, se liguent pour le tuer, car ce qui leur est ainsi dit leur est proprement insupportable.

Cette fin tragique donne la clé de l'ensemble du mythe imaginé par Platon. On dit, à juste titre, allégorie de la caverne plutôt que mythe. Une allégorie est une image composée de plusieurs éléments symboliques. Ainsi l'allégorie du temps associe-t-elle les symboles de la mort (squelette, sablier, faux). Dans l'allégorie de la caverne, tous les éléments ont un sens symbolique :

- la caverne symbolise le monde sensible, le monde du jour symbolise le monde intelligible ;
- les prisonniers symbolisent les hommes prisonniers de l'opinion qui n'est qu'une apparence d'idée ;
- le prisonnier libéré symbolise le philosophe – et plus particulièrement Socrate – assassiné à cause de sa sagesse même ;
- l'ascension hors de la caverne symbolise la dialectique de l'âme qui quitte le monde des apparences pour atteindre celui de la réalité ;
- les images et les ombres de la caverne symbolisent les apparences trompeuses du monde sensible ;
- les êtres et les choses du monde du jour symbolisent les Idées ;
- le soleil symbolise ce qui, aux yeux de Platon, représente la première des Idées, la plus importante : l'Idée du Bien.

On ne dort que dans un lit sur trois

Lorsqu'un menuisier fabrique un lit, il le fait d'après un modèle qu'il a dans la tête. Selon Platon, ce modèle, intelligible, est une Idée : c'est l'Idée de lit.

Lorsqu'un peintre peint un lit, il le fait d'après un modèle qui est le lit du menuisier. Le lit du menuisier est à celui du peintre ce que l'Idée de lit est au lit du menuisier. (Vous suivez ? Ce n'est pas le moment de vous endormir, car nous sommes ici au cœur de la pensée platonicienne.) On ne dort pas dans le lit du peintre (d'où le caractère burlesque de cette scène des Marx Brothers où l'on voit Harpo prendre une toile de maître comme couverture pour dormir). On ne dort pas non plus dans l'Idée du lit. On dort dans le lit matériel, solide, du menuisier – c'est-à-dire, en somme (c'est le cas de le dire), dans le lit du milieu, qui n'est ni une idée ni une image mais une chose, un objet.

Pour Platon, un objet, une chose comme le lit dans lequel on dort est l'image de l'Idée, tout comme la peinture du lit est l'image de cet objet, de cette chose. N'est-ce pas d'après une idée qui joue le rôle de paradigme, c'est-à-dire de modèle, que le menuisier fabrique le lit dans lequel on pourra dormir ?

Il y a donc trois lits : le lit idéel, le lit sensible et le lit peint. On ne dort que dans celui du milieu, mais celui dans lequel on dort n'aurait jamais existé, d'après Platon, s'il n'avait pas été précédé et déterminé par le lit idéal, intelligible, qui est son modèle. Le lit sensible est une *image* du lit intelligible comme le lit peint est une image du lit sensible. Le lit peint est donc une image d'image.

Pour Platon, la réalité ou la vérité (c'est tout un pour lui) est dans l'Idée, la Forme, le modèle, le paradigme, et non dans les choses et les êtres sensibles que l'on voit, touche, entend dans la vie de tous les jours. Ce que les gens (l'opinion) appellent « réalité » n'est donc qu'une apparence, un mensonge, une illusion : le cheval réel n'est pas celui que l'on voit brouter dans un pré et faire son crottin, mais le modèle dont ce brave canasson tire l'existence, de même que le cercle n'est pas ce rond dans l'eau que je fais en y jetant un caillou mais une Idée éternelle qui, inversement, me conduit à reconnaître comme rondes les choses qui y ressemblent.

Quant à l'art qui s'ingénie à imiter le plus fidèlement possible la réalité sensible, il est un mensonge d'autant plus dangereux qu'il est séduisant. Dans sa cité idéale, Platon prévoit de *remercier* les poètes aux deux sens que ce verbe a en français : félicitations et renvoi. Comme le sophiste, le poète est un phobosophe.

La République est un ouvrage découpé en dix livres qui traite de la justice. Mais, tous les plans étant liés chez Platon, il comprend une dimension métaphysique et pas seulement, comme on pourrait s'y attendre, morale et politique.

Platon est un aristocrate qui tient la démocratie pour le signe et la cause de la décadence d'Athènes. N'est-ce pas la démocratie qui a provoqué la mort du plus sage des hommes, Socrate ? *La République* dessine les grandes lignes d'une cité idéale, la belle cité (*Callipolis*) où la justice sera enfin incarnée.

Les conceptions empiriques de la justice (donner à chacun son dû, l'avantage du plus fort…) sont écartées. Dans le livre II, Glaucon, contradicteur de Socrate, montre par un mythe (le mythe de Gygès) que la justice n'existerait pas sans la crainte du châtiment.

Le mythe de Gygès

Un jour d'orage, le berger Gygès vit s'ouvrir la terre devant ses pas. Il entre dans la crevasse et y trouve un cadavre muni d'un anneau. Il prend l'anneau et remonte. Un peu plus tard, alors qu'il se trouve au milieu d'une assemblée, il s'aperçoit que, en tournant la bague autour de son doigt, il acquiert la propriété de devenir invisible. Exalté par ce pouvoir magique, il en profite pour coucher avec la reine et tuer le roi pour prendre sa place. Le don surnaturel de Gygès lui assure l'impunité. Aussi le berger devient-il un criminel. Glaucon suggère ainsi que c'est parce que nous sommes dans l'incapacité de commettre des injustices que nous appelons « justes » nos actions. Nul n'est juste par choix.

La fiction de l'homme invisible est une redoutable épreuve pour ceux qui croient que l'homme est naturellement juste. Pour défendre la thèse que la justice est une réalité en soi, Socrate la décrit au niveau de la cité tout entière. Celle-ci comprend trois groupes :

- celui des producteurs et des commerçants, qui s'occupent de la partie matérielle de la vie collective ;
- celui des gardiens qui assurent la défense de la cité ;
- celui des dirigeants qui exercent le commandement.

La justice est cet ordre d'ensemble lorsque chaque élément accomplit sa fonction propre. À l'opposé de notre conception démocratique, égalitariste, de la justice, Platon défend une théorie rigoureusement hiérarchique (la justice, c'est l'ordre, l'injustice, le désordre) d'autant que cette tripartition dirigeants-guerriers-producteurs et commerçants (où Georges Dumézil reconnaîtra la marque distinctive des sociétés indo-européennes) correspond chez Platon aux trois parties de l'âme – la raison qui commande, le « cœur » (*thumos*), qui correspond à la force, et le désir.

De même que l'âme juste est celle dont la partie rationnelle commande aux autres, la cité juste est celle où les dirigeants accomplissent leur fonction, et les deux autres groupes, les leurs.

Le régime idéal

Puis Platon traite de l'éducation des dirigeants qui doivent être philosophes, c'est-à-dire connaître le Bien. Ainsi le traité politique débouche-t-il sur une théorie de la connaissance illustrée au livre VII à travers le célèbre mythe de la caverne et conjointement sur une métaphysique.

Le régime idéal aux yeux de Platon est aristocratique (le terme, dans son étymologie, signifie « gouvernement par les meilleurs ») et monarchique (le philosophe roi dirige la cité comme la raison dirige l'âme). Puisqu'elle réserve le pouvoir à ceux qui savent, la pensée politique platonicienne peut être considérée comme l'ancêtre de l'idéologie technocratique moderne.

Quatre formes corrompues de pouvoir menacent la cité :

- la timocratie, dans laquelle les dirigeants sont mus par l'appât des honneurs ;
- l'oligarchie, qui est une aristocratie dégradée : le petit nombre qui dirige n'est plus constitué par les meilleurs mais par les plus riches ;
- la démocratie, qui est toujours (selon Platon) de nature démagogique, c'est le pouvoir de la foule ignorante ;
- la tyrannie, qui est le régime où règnent le caprice et l'arbitraire d'un seul.

L'excès de liberté ne peut tourner qu'en un excès de servitude, pour un particulier aussi bien que pour un État.

– Platon

Platon analyse la façon dont les régimes se convertissent les uns dans les autres. C'est parce que la démocratie, elle-même née d'une réaction contre l'oligarchie, sombre dans l'anarchie qu'elle finit par déboucher sur la tyrannie, le peuple passant ainsi du désordre à l'esclavage.

À ces quatre antithèses de la Callipolis, Platon rapporte quatre types d'homme injuste :

- le timocrate mû par le goût de l'honneur ;
- l'oligarque qui n'aime que l'argent ;
- l'homme démocratique gouverné par l'irrationalité de ses désirs ;
- le tyran, violent et ballotté entre ses passions effrénées.

Il existe un Bien idéal, objectif, que le philosophe roi réalisera dans la cité. Mais celle-ci devra bannir les illusions et les mensonges des arts et de la poésie, qui ne font qu'imiter les apparences et faire oublier la véritable nature des choses.

Tant que les philosophes ne seront pas rois dans les cités ou que ceux que l'on appelle aujourd'hui rois et souverains ne seront pas vraiment philosophes, il n'y aura de cesse au maux des cités.

– Platon

Le mythe d'Er

La République s'achève sur un troisième mythe, le mythe d'Er, qui illustre l'idée de choix et de responsabilité.

Mort sur le champ de bataille, Er le Pamphilien a eu le privilège d'assister à l'événement du choix fait par les âmes, dans les Enfers, de leur destinée future. Lorsque le moment d'une nouvelle incarnation est arrivé, l'âme a le pouvoir de prendre l'existence de son choix, entre, par exemple, une vie brève mais glorieuse, comme celle d'Achille, et une vie longue mais obscure. Les âmes en fait se déterminent en fonction de leur vie antérieure. Ainsi l'existence juste ou injuste trouve-t-elle une sanction plus tard, dans une vie ultérieure.

Le vrai, le réel, le Bien

Le réel, c'est le vrai ; le vrai, c'est le réel

Le platonisme est le modèle de tous les dualismes philosophiques : le monde est cassé en deux parts inégales : d'un côté l'être, de l'autre l'apparence ; d'un côté la réalité, de l'autre l'illusion ; d'un côté la vérité, de l'autre le mensonge.

Il y a chez Platon un parallélisme exact entre l'ordre de la réalité et celui de la connaissance, et c'est pourquoi chez lui le réel et le vrai sont identifiés. Le cercle est vrai et il est réel, le rond est faux et il n'est qu'apparent.

La langue courante est sur ce plan spontanément, naïvement platonicienne. Lorsque nous disons des hommes politiques ou des journalistes qu'ils nous « cachent la vérité », nous voulons dire en fait qu'ils nous cachent la réalité. Lorsque nous disons un « faux Picasso » ou des « faux seins », nous attribuons le caractère de faux non pas à des jugements issus de notre manière de penser mais à des réalités indépendantes de nous. En fait, si nous analysons le sens de ces expressions, nous voyons bien qu'elles concernent des jugements et non des choses.

« Un faux Picasso » signifie : je vois un tableau qui est du style de Picasso et qui est signé Picasso ; si je pense que ce tableau est de Picasso, alors je me trompe. Le faux, l'erreur n'est pas dans la toile, mais dans le jugement que je peux établir sur elle. De même, « des faux seins » signifient : je vois des courbes de poitrine qui sont habituellement celles des seins ; si je pense que ces seins (en réalité siliconés ou avantagés par un matelas de mousse faisant partie du soutien-gorge) sont ceux que le hasard génétique a donnés à cette personne, alors je me trompe (le faux, l'erreur n'est pas dans les seins, mais dans mon jugement non judicieux). Certes, Platon ne connaissait pas Picasso et les soutiens-gorge de son époque n'étaient pas aussi perfectionnés que ceux de la nôtre, mais ces exemples illustrent sa pensée.

Une jeune femme nue : séduisante image de la vérité

Les grandes valeurs fondatrices de notre civilisation – l'amour, la justice, la liberté, la république – ont été symbolisées et représentées par des jeunes femmes. Platon a été le premier à établir, dans *Le Banquet*, un lien étroit entre la recherche intellectuelle et le désir amoureux. Freud confortera cette idée en voyant dans la curiosité sexuelle chez l'enfant le prototype (le premier exemple) et l'archétype (le modèle) de la curiosité en général. Tous les hommes, en théorie, recherchent la vérité ; la vérité est objet de désir. La compréhension de la connaissance (posséder la vérité) et l'image de l'union sexuelle (posséder une femme) sont marquées par le vocabulaire même : dans la Bible, *connaître* signifie s'unir à une femme (« Adam connut Ève »).

La nudité de la jeune femme ne signifie pas seulement l'érotisme. Il existe, dans la tradition philosophique, depuis les Grecs, telle qu'elle reste inscrite dans le vocabulaire le plus courant, toute une symbolique du voile et du dévoilement renvoyant à la recherche de la vérité. Il est habituel de parler d'une réalité ou d'une vérité *nue* (l'expression ferait même pléonasme). De même évoque-t-on le voile des apparences pour dire que la vérité est cachée derrière elles. En grec, vérité se dit *alèthéia*, qui signifie « dévoilement ». « Découvrir », en français, a deux sens, l'un, intellectuel, qui renvoie à la trouvaille (Christophe Colomb découvre l'Amérique, Pasteur découvre le vaccin contre la rage), l'autre, matériel, qui signifie « ôter le voile », « déshabiller ». Découvrir une statue, c'est retirer le drap qui cachait encore ses formes aux yeux de tous ; se découvrir, c'est se déshabiller.

Le Bien, soleil auquel on n'échappe pas

On connaît le beau mot de La Rochefoucauld : « L'hypocrisie est un hommage que le vice rend à la vertu. » L'hypocrisie coule en effet à sens unique, elle a le mal pour source et le bien pour embouchure, jamais l'inverse. On n'a jamais vu, sinon par jeu ou par provocation, l'honnêteté contrefaire la malhonnêteté. Si, dans le monde d'aujourd'hui, les dictatures mêmes se sentent contraintes de se dire démocratiques, c'est que les valeurs de liberté l'ont déjà emporté sur les valeurs de servitude dans les discours, sinon dans les faits. Il n'y a entre le bien et le mal pas de symétrie : entre les deux, la balance n'est pas égale.

C'est dans ce contexte qu'il convient de comprendre le paradoxe socratique que Platon reprend à son compte : nul n'est méchant volontairement. On ne fait jamais, à proprement parler, que le bien, en ce sens qu'on ne fait jamais que ce que l'on pense être bon pour soi ; le voleur, par exemple, fait quelque chose dont il pense que cela lui procurera un bien, que cela lui fera du bien. Ce faisant, il est dans l'illusion. Pour Platon, un méchant est en réalité un ignorant.

Dans l'allégorie de la caverne, l'idée de Bien est symbolisée par le soleil qui accorde au monde lumière et chaleur. De même que le soleil par sa lumière donne leurs formes aux êtres et aux choses (que nous ne percevons plus dans l'obscurité), l'Idée de Bien est l'Idée suprême qui donne leurs formes aux idées qui lui sont subordonnées.

Pour Platon, toutes les valeurs idéales (le vrai, le beau, le bon, le juste…) sont assimilables les unes aux autres : ce qui est beau est bon et juste, ce qui est juste est bel et bon, etc. Un homme vertueux doit avoir toutes les vertus.

Aristote contestera cette théorie de l'unité des vertus : un homme peut être courageux et boire comme un Polonais (la comparaison n'existait pas encore du temps des Grecs) ; le courage et la tempérance ne vont pas nécessairement ensemble.

Cela dit, la langue commune donne plutôt raison à Platon. Le caractère unique (unicité) et universel (universalité) du Bien a sa traduction dans des expressions courantes : le bien peut être technique (« marcher bien » pour une machine) ou esthétique (« c'est bien », à propos d'un film) ou moral (« un type bien ») ou encore logique (« c'est bien », sur un devoir de mathématiques).

L'héritage laissé par Platon

Le platonisme est réaliste !

L'opposition du réalisme et de l'idéalisme ne sera dégagée que plus tard dans l'histoire de la philosophie, avec l'émergence de l'idée de conscience comme puissance de représentation. Le réalisme est la philosophie selon laquelle existe une réalité en soi, indépendamment du sujet qui se la représente. Pour un réaliste, la planète Neptune existait avant que Le Verrier n'en déduise l'existence par le calcul, l'atome d'uranium existait avant que la physique ne le découvre.

À l'opposé, l'idéalisme est la philosophie selon laquelle il n'existe pas de réalité en soi indépendamment du sujet qui se la représente. Pour un idéaliste, on ne peut pas dire que Neptune et l'uranium *existaient* avant leurs découvertes. Pour un idéaliste, la réalité doit être littéralement *inventée* – à la manière dont on dit d'un trésor qui est découvert qu'il est *inventé*. À la limite, pour un idéaliste conséquent, les chaises et les tables d'une salle de réunion disparaissent dès que la dernière conscience (même légèrement endormie) quitte la salle : plus personne pour se les représenter, donc plus personne pour les faire exister !

Cela dit, les termes d'« idéalisme » et de « réalisme » ont un autre sens dans la langue courante : un sens moral, pratique. Un réaliste est celui qui ne veut croire qu'aux choses immédiates de la vie quotidienne – l'intérêt, l'envie, l'argent, la nourriture… Un idéaliste est, à l'inverse, celui qui croit aux grandes valeurs : l'Amour avec un grand A (le réaliste serait plutôt du côté du petit q), la Justice avec un grand J, la Liberté avec de grandes ailes… Selon ce second sens, Platon est un idéaliste : pour lui, le Bien est une réalité, et pas une illusion naïve, la Vérité existe. Seulement, selon le premier sens, qui est proprement celui de la philosophie, Platon est un réaliste : l'Idée est éternelle (elle échappe au temps), objective (elle est indépendante des « idées » que l'on s'en fait), transcendante (elle surpasse infiniment le plan de la nature sensible). Si nous écrivons avec une majuscule « l'Idée » (et non « l'idée »), ce n'est pas par tendance paranoïaque (les paranoïaques, on le sait, truffent leurs écrits de majuscules, signes de leur mégalomanie), c'est pour marquer cette transcendance. Nous avons des idées mais nous contemplons des Idées – à la manière dont justement nous contemplons les étoiles du ciel visible.

Plus tard, les auteurs chrétiens et musulmans n'auront pas trop de mal à acclimater une telle philosophie à leurs convictions monothéistes. Certains iront même jusqu'à assimiler le Bien de Platon au Dieu créateur de l'univers.

Philosopher, c'est apprendre à mourir

En transcrivant cette phrase de Platon, Montaigne l'a tirée vers un sens stoïcien qu'elle n'avait pas, du moins pas exclusivement, à l'origine. L'interprétation la plus simple consiste à dire : être sage, posséder la sagesse, c'est s'habituer à la pensée de la mort, pour ne plus la craindre. Seulement, on n'apprend jamais vraiment à mourir.

Platon, plus profondément, voulait dire ceci : comme il y a deux mondes hors de l'homme (l'intelligible et le sensible), il y a deux mondes en l'homme : l'âme, dont le lieu véritable est le monde intelligible des Idées, et le corps, apparence physique vouée à disparaître. Éternelle comme elles, l'âme connaît les Idées par nature mais liée au corps (incarnation), elle est brouillée par lui. Le corps est un brouillard qui empêche l'âme de percevoir avec netteté le ciel des Idées. Platon utilise même deux images particulièrement pathétiques : le corps est une prison, le corps est un tombeau. La mort est donc une délivrance : une libération hors de la prison, une renaissance hors du tombeau.

Or, qu'est-ce que philosopher ? C'est oublier les soucis du corps au profit de ceux de l'âme, c'est mettre le corps entre parenthèses pour permettre à l'âme ainsi libérée de se déployer et d'atteindre les Idées. C'est donc effectuer un travail analogue à celui que fera l'âme lorsqu'à la mort elle sortira du corps. Philosopher, c'est mimer la mort. L'homme sage joue la mort pour la déjouer.

> *Craindre la mort, ce n'est pas autre chose que de se croire sage, alors qu'on ne l'est pas, puisque c'est croire qu'on sait ce qu'on ne sait pas. Personne, en effet, ne sait ce qu'est la mort et si elle n'est pas justement pour l'homme le plus grand des biens, et on la craint comme si on était sûr que c'est le plus grand des maux.*
>
> – Platon

Un banquet pour l'amour

Dans *Le Banquet*, un groupe d'amis attablé (c'est-à-dire couché) chez le poète Agathon pour fêter sa victoire à un concours dramatique (dans l'Antiquité gréco-latine, on mangeait allongé et non assis) décide de faire l'éloge du dieu Amour (Éros). Six discours s'enchaînent, du plus banal au plus sublime.

Phèdre voit dans l'Amour un dieu moral, qui dispense toutes les vertus. Pausanias distingue deux amours, celui qui dépend de l'Aphrodite céleste et qui est tourné vers le ciel et celui qui dépend de l'Aphrodite terrestre, plus physique. Éryximaque, médecin, inspiré par Empédocle, voit dans l'Amour une force cosmique d'attraction. Aristophane est le quatrième à intervenir. C'est un célèbre poète comique qui a ridiculisé Socrate dans l'une de ses pièces, *Les Nuées*, où il le montre dans une nacelle littéralement suspendu dans les airs, perdu dans les nuages. Il est, quand il raconte son mythe, assez pompette. Mais le sens de cette histoire burlesque d'individus coupés en deux est on ne peut plus sérieux : l'amour est désir et le désir est la quête d'une unité primordiale qui a été perdue. Agathon, le héros du jour, vient ensuite : il discerne dans l'Amour un ensemble de qualités.

Socrate parle en dernier. Il prend le contre-pied de son hôte : l'amour n'est pas possession mais manque. Puis, pour donner à ses paroles un poids supplémentaire et pour ne pas paraître aussi attaquer de front les idées de celui qui régale (Agathon), il rapporte les paroles d'une certaine Diotime, une prêtresse dont il a reçu l'initiation (Platon aime ces mises en abyme : *Le Banquet* est déjà un récit fait par un témoin, les récits du *Banquet* sont des récits dans le récit, le discours de Diotime est un récit dans le récit du récit…).

L'Amour n'est dit bon ni mauvais, dit Diotime (donc Socrate, donc Platon), ni beau ni laid mais une nature mixte qui lui vient de sa mère Pauvreté et de son père Expédient – littéralement un *démon* (le terme n'est pas à entendre au sens diabolique que lui donnera le christianisme : un démon chez les Grecs est un être intermédiaire entre les hommes et les dieux). C'est l'Amour qui inspire aux hommes le désir d'immortalité. Toujours à la recherche du vrai, du beau et du bon, il est proprement philosophe.

Ainsi est posée équivalence : l'amour est philosophie, la philosophie est amour. Diotime expose les termes de ce qui sera appelé « dialectique ascendante » : l'amour se porte d'abord sur un beau corps, puis sur la beauté physique en général, puis sur la beauté de l'âme invisible, puis sur celle des Idées, puis sur l'Idée même du Beau. Ce passage du *Banquet* n'inspirera pas seulement les philosophes mais aussi les poètes et les artistes de l'âge classique dans leur quête de la beauté idéale.

À la fin de l'ouvrage, Alcibiade, complètement schlass, fait irruption et dresse un portrait élogieux de Socrate, en forme d'allégorie : Socrate est comparable à ces statuettes de Silène contenant des figures de dieux : grotesques à l'extérieur, sublimes à l'intérieur.

L'expression d'« amour socratique » pour dire l'amour homosexuel masculin vient du *Banquet* : Socrate et Alcibiade sont présentés comme amants et Pausanias, le second discoureur du groupe, voit même dans l'amour masculin une forme supérieure aux autres (puisque un homme est supérieur à une femme, le couple homme-homme est supérieur au couple homme-femme). Quant à l'expression d'« amour platonique » désignant un amour sans commerce charnel, elle vient d'une lecture biaisée de la dernière partie de l'ouvrage. Platon, on l'a vu, ne récuse pas l'amour physique. Il pense seulement qu'il ne constitue qu'une première étape dans une progression qui culmine avec l'amour du Bien.

Connaître, c'est se souvenir

La gnoséologie (théorie de la connaissance) platonicienne est une gnoséologie de la découverte, puisque les Idées sont éternellement déjà là, et non une gnoséologie de l'invention. Aujourd'hui encore, on parle de *platonisme mathématique* pour désigner la conception réaliste de certains mathématiciens (selon eux, le nombre π existait avant qu'il ne fût découvert).

Platon croyait, comme les Pythagoriciens, à la métempsycose. L'âme connaît une série d'incarnations entrecoupées de stades où elle se trouve sans corps. Naître, c'est s'incarner ; mourir, c'est se désincarner. Mais la mort physique correspond à une véritable renaissance (au monde des Idées, qui est le monde naturel de l'âme). Inversement, ce que l'on appelle naissance correspond à une mort de l'âme qui, littéralement, chute dans cette prison sensible du corps. Le schéma suivant illustre la théorie platonicienne de la métempsycose :

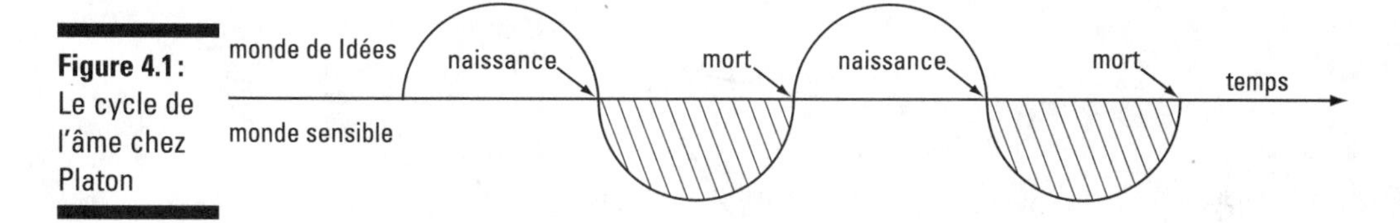

Figure 4.1 : Le cycle de l'âme chez Platon

La sinusoïde représente l'âme qui tantôt demeure libre dans le ciel des Idées, tantôt s'incarne dans le monde sensible (la zone hachurée du schéma). La naissance au monde intelligible est une mort au monde sensible et inversement la mort au monde intelligible est une naissance au monde sensible.

On comprend dès lors pourquoi Platon soutient que connaître, c'est se souvenir (théorie dite de la réminiscence). En s'incarnant, l'âme connaît déjà les Idées qu'elle a pu contempler à loisir lorsqu'elle était dans le monde supérieur. Son travail consiste dès lors à écarter les barreaux de chair que la prison du corps ne cesse d'interposer entre elle et les Idées.

Cette réminiscence, ou anamnèse comme on le dit plus directement à partir du terme grec, est illustrée dans un petit dialogue intitulé *Ménon* et dans lequel Socrate est censé montrer à son interlocuteur dubitatif qu'un jeune esclave illettré peut très bien résoudre un problème de mathématiques comme celui de la duplication de l'aire du carré. À partir d'un dessin de carré fait dans la poussière, Socrate conduit le jeune esclave à reconnaître que la réponse qu'il a donnée au problème est fausse – que l'on multiplie par 4 et non par 2 l'aire d'un carré lorsque l'on double son côté :

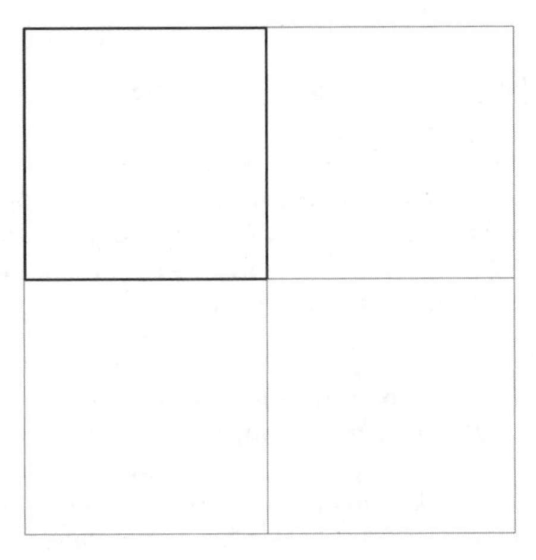

Figure 4-2 : La mauvaise réponse.

En revanche, si l'on prend la diagonale du carré de départ pour côté du second carré, celui-ci sera bien le double du premier :

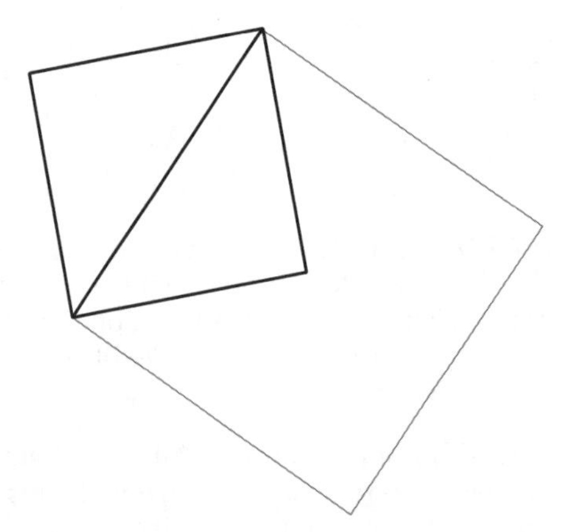

Figure 4-3 : La bonne réponse.

Certes, Socrate force un peu (et même beaucoup) la main du jeune esclave et personne n'est aujourd'hui obligé de croire à la métempsycose. Il n'en reste pas moins vrai que la théorie de la réminiscence a l'avantage de faire porter l'attention sur une question essentielle en psychologie de l'apprentissage. On ne peut rien connaître si l'on part d'un néant de connaissance. Mais Platon allait plus loin car pour lui connaître, c'est reconnaître.

Dans *Phèdre*, Platon compare l'âme à un attelage céleste : le cocher est la raison qui gouverne, le cheval obéissant est le cœur, le cheval rétif les désirs. Il arrive que l'âme se laisse emporter par le mauvais cheval, alors c'est la chute inévitable dans le monde sensible. Un méchant est quelqu'un qui mise sur le mauvais cheval.

Être libre, c'est faire ce qui ne nous plaît pas

La pire façon de définir la liberté est de dire qu'elle consiste à faire ce qui nous plaît. Platon remarque que le tyran n'est pas libre lorsqu'il exile, emprisonne et tue, car alors il est l'esclave de ses passions. Les conduites que l'on appelle aujourd'hui « addictives », comme celles qui sont liées à la drogue, montrent assez ce que le plaisir peut avoir d'antinomique avec la liberté. Dira-t-on que le tortionnaire sadique est libre quand il torture, sous le prétexte qu'il aime ce qu'il fait ? Ou que le junkie est libre lorsqu'il se pique ? Non seulement la liberté n'est pas de faire ce qui nous plaît, mais elle réside plutôt dans le fait d'accomplir justement ce qui ne nous plaît pas. La plus grande liberté qu'un alcoolique pourrait exercer serait de dire non au vice qui l'entraîne. On peut, disait André Gide, suivre sa pente mais à condition que ce soit en montant.

L'inventeur du communisme

Sur le plan politique, la pensée platonicienne est un conservatisme vigoureusement antidémocratique. La mort de Socrate (rappelons qu'elle a été votée par une assemblée élue et non décrétée par un quelconque tyran) montre à l'évidence aux yeux de Platon que le peuple n'est qu'un « gros animal » (c'est son expression) ignorant et que la seule politique juste est celle menée par des chefs qui seraient aussi des philosophes. Il existe, aux yeux de l'auteur de *La République*, une correspondance entre la justice au sens éthique (l'ordre dans l'âme) et la justice au sens politique (l'ordre dans la cité) : de même qu'un homme juste est celui qui, faisant taire ses désirs, est gouverné par la partie rationnelle de son âme, la cité juste est celle qui, refoulant les ambitions et les colères des classes productrices et guerrières de la société, est gouvernée par les philosophes rois, seuls représentants du bien parmi les hommes.

La République prévoit pour les gardiens une communauté intégrale des biens dont les femmes et les enfants font partie. Ainsi Platon est-il le premier de cette longue série des utopistes qui, à partir de Thomas More (XVIe siècle), l'inventeur du terme « utopie », s'ingénieront à vouloir la destruction de toute espèce de sentiment et d'intérêt particulier au nom du bien collectif. La famille et la propriété sont condamnées, car elles stimulent l'égoïsme aux dépens de l'intérêt général. Aux yeux de Platon, un gardien se doit d'être entièrement dévoué au service de la cité. Il ne s'appartient pas, il appartient à la cité.

Les libéraux comme Karl Popper ne manqueront pas de voir en Platon, à cause de ce passage de *La République*, un ancêtre du totalitarisme. Celui-ci n'est-il pas caractérisé par l'éradication intégrale de toute particularité individuelle au profit d'un *tout* politique et social considéré comme un absolu ? Certes, dans *Les Lois*, écrites après *La République*, Platon adoucira quelque peu le caractère radical de sa politique – il n'en réitérera pas moins sa condamnation sans appel du commerce et du profit comme facteurs de corruption. Aussi la cité parfaite devra-t-elle être construite à l'intérieur des terres, loin de la côte, c'est-à-dire loin du mélange corrupteur et corrompu des marchands.

C'est dans un petit dialogue intitulé *Critias* que Platon évoque la brillante civilisation de l'Atlantide avant que celle-ci ne soit engloutie par un cataclysme. Occasion pour le philosophe de montrer que les projets politiques de *La République* ne sont pas irréalisables puisqu'ils ont été réalisés 9000 ans auparavant ! Longtemps lu comme un mythe, le récit de l'Atlantide est à présent considéré comme reposant sur des données archéologiques et historiques sérieuses.

Philosophe roi ou royal tapissier ?

Dans *La République*, Platon fait du philosophe le seul homme vraiment digne de gouverner la cité parce qu'il a, seul, le privilège de la contemplation des Idées. Mais plus tard Platon détachera la politique de la connaissance du bien suprême et en fera une technique plus proche du tissage que de la philosophie. Le royal tapissier utilise les dons naturels qui inclinent vers le courage comme fils de chaîne de la cité et ceux qui tendent vers l'ordre et la pondération comme fils de trame. Le bon politique serait en somme, pour le dire en langage moderne, celui qui amènerait faucons et colombes à partager des valeurs communes.

Y a-t-il eu inflexion de la pensée de Platon en fonction de l'âge ou bien faut-il admettre une tension, sinon une contradiction, entre deux pôles de sa philosophie ? La question divise encore les spécialistes.

Il est étrange de voir Platon, considéré comme le premier exemple de philosophe dogmatique, lu et compris dans un sens sceptique. Tel fut pourtant son premier destin historique. L'Académie, l'école qu'il a fondée – de ce mot sont issues toutes nos « académies » – a ensuite eu pour scolarques (chefs d'école) des philosophes sceptiques : il leur suffisait de prendre chez le maître d'une part les apories (absences de solution à la question proposée de l'essence de telle ou telle idée, caractéristiques des premiers dialogues), d'autre part la thèse selon laquelle rien n'est stable, donc définissable, dans le monde sensible, abstraction faite du monde des Idées.

« Que nul n'entre ici s'il n'est géomètre »

Telle était la devise que les élèves de Platon pouvaient lire sur la porte d'entrée de l'Académie. La géométrie chez Platon était un exercice de pure pensée : les instruments comme la règle et le compas y étaient interdits.

Comme Pythagore, Platon était mathématicien. On lui doit une découverte d'importance, celle des cinq polyèdres convexes réguliers connus sous le nom, justement, de solides platoniciens. Un polyèdre, un solide à surfaces planes, est convexe lorsqu'il n'a pas de trous et régulier lorsque toutes ses faces sont égales. Il n'y a que cinq polyèdres convexes réguliers dans un espace à trois dimensions, il ne peut y en avoir davantage (on peut le démontrer, ce que ne savaient pas faire les Grecs). Le cube est le plus connu (il possède six faces carrées), il y a aussi le tétraèdre (quatre triangles équilatéraux), l'octaèdre (huit triangles équilatéraux), le dodécaèdre (douze pentagones) et l'icosaèdre (vingt triangles équilatéraux).

Dans le *Timée*, Platon fait de ces solides les symboles des éléments :

- le tétraèdre représente la terre ;
- le cube représente l'eau ;
- l'octaèdre représente l'air ;
- le dodécaèdre représente le feu ;
- quant à l'icosaèdre, il figure l'univers dans sa totalité.

Platon parricide !

Dans l'un de ses derniers ouvrages, *Le Sophiste*, Platon admet comme nécessaire le geste de parricide contre « notre père Parménide » : il convient, en effet, d'admettre l'existence du non-être, au moins sous un certain rapport. Autrement, des réalités comme le mouvement et l'erreur deviennent incompréhensibles.

Qu'est-ce que le mouvement, en effet, sinon un mélange d'être et de non-être ? (Rappelons que, pour les Grecs, le mouvement est plutôt une altération qu'un déplacement.) Dans un film de Laurel et Hardy intitulé *C'est donc ton frère*, Laurel dit à son frère jumeau qu'il n'avait pas revu depuis l'enfance : « Tu as énormément changé mais tu resteras toujours le même ! » Être le même et l'autre, être et ne pas être le même – voilà la question pour Platon. En disant que le non-être n'est pas, Parménide coupait court à la possibilité d'une compréhension du mouvement.

Et qu'est-ce que l'erreur, sinon le fait de dire ce qui n'est pas ? Si ce qui n'est pas n'est pas, comment pourrait-on se tromper encore ? Certains disputailleurs que Platon ne manque jamais de fustiger ne s'y sont d'ailleurs pas trompés, en allant jusqu'à prétendre qu'il n'y a pas d'erreur, que l'erreur n'existe pas – donc que tout est vrai !

Platon est à la croix : d'un côté, il ne reconnaît de réalité qu'aux Idées qui sont des substances objectives, mais, de l'autre, il se voit contraint d'admettre des trous, des vides, des absences dans lesquels l'esprit peut plonger. Les phobosophes sont insupportables : non contents de séduire les âmes fragiles, ils poussent le prince des philosophes à commettre le parricide sur la personne de Parménide.

Un, deux, un, deux : le pas de la métaphysique

Ainsi va la marche de la pensée : à peine a-t-elle saisi l'unité de la chose que celle-ci se dérobe. Les dernières années de la vie de Platon ont été consacrées à cet harassant problème : l'Un (hérité des présocratiques) est l'attribut de l'Être, de l'absolu. Plotin, le fondateur du néoplatonisme sept siècles plus tard, en fera la base de son système. Mais il n'y a, pour Platon, pas d'*un* sans l'*autre* : nous voici donc en présence du deux ! À dire simplement que *l'un est*, on le divise en deux : l'un d'un côté, l'être de l'autre. Ces spéculations très abstraites et qui pourraient sembler bien tarabiscotées auront une influence énorme sur la pensée ultérieure, spécialement chrétienne et arabe, car l'être et l'un, on s'en doute, intéresseront hautement des penseurs qui s'efforceront de traduire la révélation de leurs livres sacrés (Bible et Coran) en termes philosophiques rationnels. Aucun autre philosophe que Platon n'aura, par la suite, réalisé à ce point l'étonnant mélange de la logique avec l'élévation mystique de l'âme.

On comprend ainsi pourquoi Whitehead a pu dire que tous les philosophes qui sont venus après Platon n'ont fait qu'ajouter des notes en bas des pages de ses ouvrages. Si Socrate, exemplaire dans sa vie, a pu être dit père de la philosophie, l'œuvre de Platon est bien cette mer commune d'où ensuite sont sortis tous les courants de la pensée.

Chapitre 5

Aristote, le meilleur ennemi de son maître

Dans ce chapitre :

- Celui qui a construit le premier lycée
- Être infidèle avec intelligence
- L'un des plus vastes esprits de l'histoire
- La philosophie de la voie moyenne en tout

Le premier lycée

Né à Stagire, en Macédoine, d'où le surnom de Stagirite («le Stagirite» à la place d'Aristote, cela vous pose un homme), Aristote vient s'établir à Athènes et suivre pendant vingt ans les leçons de Platon. C'est là qu'il fonde sa propre école, le Lycée, du nom du gymnase qui était installé dans le quartier. Il était auparavant le précepteur de son compatriote Alexandre, fils du roi Philippe de Macédoine et qui devint universellement célèbre sous le nom d'Alexandre le Grand lorsqu'il conquit la plus grande partie du monde ancien. Cette relation lui vaut d'ailleurs des déboires : redoutant le sort de Socrate, Aristote, après la mort d'Alexandre, se retire dans une île afin, dit-il, d'épargner aux Athéniens un second attentat contre la philosophie. L'assemblée le condamne d'ailleurs à mort par contumace.

Les péripatéticiennes doivent leur nom à Aristote. Ce n'est pas qu'elles aient beaucoup lu le philosophe ni, à plus forte raison, qu'elles soient disciples du Stagirite. Les péripatéticiens sont l'autre nom des aristotéliciens ; on dit «l'école péripatéticienne» pour dire «l'école aristotélicienne». En grec, le mot *péripatétikos* signifie «qui aime se promener en discutant», il vient d'un verbe qui signifie «aller et venir». Aristote aimait donner ses leçons en marchant. D'où l'application plaisante du mot aux prostituées qui font les cents pas sur le trottoir.

Victor Hugo, à certaines périodes de sa vie, notait tout sur ses carnets, et en particulier ses rencontres sexuelles. Pour déjouer les soupçons de Juliette Drouet, la maîtresse qui fut sa meilleure épouse et qui lui servait de secrétaire (jalousie largement justifiée par les faits, et au-delà), il utilisait un langage codé. Le nom d'Aristote revient de façon récurrente sous sa plume. Henri Guillemin, qui fut le premier à publier ces carnets fort peu littéraires, suppose qu'Aristote renvoie, par jeu de mots, aux règles féminines (à cause des trois règles dites d'Aristote qui régentent le théâtre classique) et donc que Victor Hugo n'a pas pu aller au bout de son désir ce jour-là à cause de l'indisposition de sa partenaire. Il nous paraît beaucoup plus vraisemblable que la mention d'Aristote renvoie à une péripatéticienne, c'est-à-dire à une prostituée.

Un bon disciple trahit toujours (bis)

Platon a été infidèle à Socrate et lui a pourtant toute sa vie témoigné une admiration sans faille. Aristote, d'abord disciple de Platon, finira par s'écarter de lui : son bon sens l'éloignait de l'amour des extrêmes, que ce soit dans le domaine métaphysique ou politique, une tendance qui caractérise Platon. « Vérité et amitié me sont chères l'une et l'autre, écrit Aristote en faisant allusion à Platon, mais c'est pour nous un devoir sacré d'accorder la préférence à la vérité. »

Un esprit encyclopédique

Platon se méfiait du savoir encyclopédique, de cette « polymathie » qu'Héraclite reprochait déjà à Pythagore. Il le jugeait impossible, mais surtout vain : le seul savoir qui compte est celui de l'Idée. La totalité ne fait pas le poids devant l'absolu. Le savoir total dont se vante le sophiste Hippias est ridicule aux yeux de Platon et forcément mensonger.

Tel n'est pas le point de vue d'Aristote, que Dante, au Moyen Âge, appellera le maître de ceux qui savent. Pour lui, tout savoir est bon à prendre et à apprendre. Et de fait, il n'est aucun domaine auquel le philosophe ne se soit intéressé. L'Antiquité lui attribuait plus de 400 traités portant sur tous les sujets – les hasards de l'Histoire nous en ont laissé une cinquantaine à peu près complets. Seul Démocrite (dont il ne nous reste pratiquement rien) avait avant lui fait preuve d'une curiosité aussi large.

Avec Aristote commence un genre philosophique promis à belle fortune : la transcription de leçons. Parmi les œuvres d'Aristote figurent en effet un certain nombre d'ouvrages qui n'ont pas été écrits par Aristote lui-même mais composés à partir des notes de cours prises par les disciples. D'où ce décalage paradoxal entre une œuvre publiée perdue et une œuvre conservée non publiée.

Aristote, intéressé par tout, fut le premier penseur à constituer une bibliothèque privée. Dans le Lycée étaient rassemblés des manuscrits et des cartes, des tableaux, des planches et des spécimens d'histoire naturelle. Aristote, on l'a dit, avait été le précepteur d'Alexandre. Lorsque celui-ci entreprit son expédition d'Asie, des échantillons d'animaux marins, inconnus sur les côtes grecques, furent envoyés au philosophe. Cet intérêt pour les formes de la nature est quelque chose de totalement nouveau. Certains ouvrages d'histoire naturelle étaient même accompagnés de dessins (ils ont été malheureusement tous perdus).

Aristote introduit l'observation dans la pensée, chose bien différente de la contemplation: c'est cela que symbolise le geste de la main, la paume tournée vers la terre, dans la fresque de Raphaël.

L'ancêtre du CNRS

Plus encore que l'Académie de Platon, le Lycée d'Aristote fonctionna comme un véritable centre de recherche: Aristote eut par exemple l'idée de mettre par écrit les 158 constitutions des cités grecques. Cette rédaction mobilisa un nombre considérable de collaborateurs. Il n'est pas exagéré d'y reconnaître le premier traité de droit universel. Et comme il n'y a pas de désir encyclopédique sans un certain éclectisme, le Lycée alla jusqu'à dresser la liste des vainqueurs aux jeux pythiques (les autres grands jeux grecs, après les Olympiques). Ce travail collectif est admirable, même pour nous modernes. Que l'on songe *a contrario* à l'atonie de la plupart des centres de recherche des présentes universités françaises, incapables malgré l'informatique (mais peut-être aussi à cause d'elle) de mener à bien le moindre travail un peu consistant…

Les mathématiques exceptées (Aristote en parle souvent mais il ne s'en occupe pas en penseur original; parallèlement apparaissent pour la première fois, à l'époque d'Aristote, des mathématiciens qui ne sont pas philosophes, des mathématiciens qui ne sont que mathématiciens), toutes les questions accessibles aux Anciens sont travaillées dans l'œuvre immense du Stagirite. Une aussi gigantesque entreprise n'aura dans la philosophie occidentale d'équivalent que chez Leibniz et Hegel.

On attribue à un homme d'État et orateur influencé par Aristote, Démétrios de Phalère, la création du musée et de la bibliothèque d'Alexandrie – où seront pour les trois siècles à venir (dans cette période dite hellénistique) concentrés tous les savoirs du monde antique: il n'est pas excessif d'y reconnaître l'influence et même l'extension de l'école d'Aristote.

Nous concevons d'abord le sage comme possédant la connaissance de toutes les choses, dans la mesure où cela est possible, c'est-à-dire sans avoir la science de chacune d'elles en particulier.

– Aristote

Sur sa célèbre fresque *L'École d'Athènes* où il représente, dispersés dans un vaste bâtiment, tous les philosophes connus de l'Antiquité, Raphaël montre, au centre géométrique de sa composition, devisant côte à côte, Platon et Aristote. Alors que le premier pointe l'index vers le ciel, le second tend le bras, la paume de la main en direction de la terre. Platon tient dans l'autre main un livre sur lequel on peut lire le titre : *Timée*. Aristote tient dans l'autre main un livre sur lequel on peut lire le titre : *Éthique à Nicomaque*. Ainsi Raphaël a-t-il opposé les deux grands maîtres de l'Antiquité philosophique : le philosophe du ciel d'un côté, le philosophe de la terre de l'autre.

Le premier philosophe sans mythe

Si Aristote a fait droit à l'opinion et à la sophistique dans le travail de la pensée philosophique, il a en revanche brisé l'antique alliance qui, de Thalès, le tout premier philosophe, à Platon, son maître et prédécesseur immédiat, avait marié le *logos*, c'est-à-dire la pensée rationnelle, au mythe, cet immémorial opérateur de sens. On ne trouvera pas de mythe chez Aristote. Les observations de la vie commune et les expressions de la langue courante en tiennent lieu.

Pour montrer la nécessité de la philosophie, Aristote tient le raisonnement suivant : ou bien nous devons philosopher ou bien nous ne devons pas philosopher. Si nous devons philosopher, philosophons ! Mais si nous ne devons pas philosopher, il nous faudra examiner pourquoi, et donc philosopher. Par conséquent, de toute manière, nous philosopherons.

La tolérance de l'opinion

Il est juste, disait Aristote, de se montrer reconnaissant non seulement envers ceux dont on partage les doctrines mais encore envers ceux qui ont proposé des explications superficielles. Il y a là encore une rupture nette avec Platon. Celui-ci avait défini la philosophie par opposition frontale avec l'opinion. L'ami de l'opinion, le philodoxe, est un antiphilosophe. La *doxa* (l'opinion, en grec) est pour Platon une nuit à laquelle l'âme doit s'arracher si elle veut penser. Les prisonniers de la caverne qui ne veulent rien savoir et tuent leur compagnon libéré, dans le mythe de *La République*, sont les hommes de l'opinion. Platon procède par négations successives : les premières réponses données dans les dialogues sur la nature de telle ou telle chose sont des sottises qu'il convient d'écarter.

Aristote procède tout autrement : les idées communes, les mots de la langue courante sont des points de départ utiles. En fait, Aristote, en bon encyclopédiste, est un philosophe pragmatique : il est heureux de trouver la connaissance, quelle que soit son origine.

La réhabilitation des sophistes

Semblablement, on trouvera chez le Stagirite une certaine réhabilitation des sophistes que Platon avait considérés tantôt comme des diables tantôt comme des clowns. Aristote, comme les sophistes, prend très au sérieux l'art oratoire, les techniques de la parole. Il ne pense pas, comme Platon, qu'ils sont au service exclusif du mensonge démagogique. Aristote, de manière très moderne, devine le parallélisme qui peut exister entre la grammaire (l'ordre de la langue) et la logique (l'ordre de la pensée). Son traité sur la rhétorique demeurera un modèle pour tous ceux qui, après lui, s'occuperont des manières de bien parler et de bien dire.

L'être est multiple

L'être n'a pas une seule signification, il s'entend de plusieurs manières, dit Aristote. Il en va de même, d'ailleurs, de chaque espèce. Alors que Platon, comme la plupart des présocratiques, cherchait à réduire la multiplicité des êtres et des choses à un principe unique, Aristote, à l'inverse, prend acte de leur diversité. Ainsi, tandis que Platon cherche l'essence de la vertu en soi, de la vertu en tant que telle, en deçà de toute détermination (en justice, courage, tempérance etc.), Aristote pose la différence entre les vertus comme irréductible. Au fond, Aristote pense, comme les sophistes, dont se moquait Platon, que pour définir la vertu, mieux vaut commencer par dire quelles sont toutes les vertus.

La science est multiple

Puisque l'être est multiple, la science le sera. Pas de science unique donc, même s'il existe une science suprême, science de l'être en tant qu'être, qu'Aristote appelle philosophie première (et qui deviendra plus tard la métaphysique).

Aristote divise le domaine de la connaissance en trois groupes :

- les sciences théorétiques qui traitent de la connaissance pure, comme la philosophie première, la logique ou la physique ;
- les sciences pratiques qui concernent l'action (morale et politique) ;
- les sciences poïétiques qui touchent la production (technique, artistique).

On dit ici « théorétique » parce que « théorique » est équivoque – on pourrait croire que l'adjectif qualifie la science elle-même alors qu'il qualifie son objet. On dit semblablement « poïétique » plutôt que « poétique » (en grec *poïèsis*, d'où est venu notre « poésie » signifie « production ») parce que les sciences poétiques pourraient signifier « sciences douées de poésie ».

Aristote renonce donc à l'unité de la vérité, qui caractérisait la philosophie de Platon : on ne peut pas déterminer des critères et caractères de vérité qui soient universellement valides. Par exemple, dans certains domaines, on doit se contenter du vraisemblable.

Aristote appelle dialectique la logique du vraisemblable par opposition à la logique qui traite de la vérité certaine. Le terme subit donc une inflexion décisive par rapport à son sens platonicien. Alors que chez Platon la dialectique désigne la montée de l'âme vers les Idées, une ascension spirituelle, chez Aristote, elle reçoit un sens dégradé (l'opposition entre une logique forte et une dialectique faible sera plus tard reprise par Kant).

Une pensée qui distingue !

Les catégories : la pensée ne peut y couper

Puisque l'être se dit en plusieurs sens (le verbe « être » n'a pas le même sens dans « il *est* blanc », « c'*est* un homme » et « il *est* assis »), il faut le définir par les attributions qui peuvent lui être données. Aristote en distingue dix. En elles-mêmes, elles ne signifient rien ; elles doivent entrer en relation avec d'autres pour avoir un sens. Kant reprochera à Aristote son exposition désordonnée. Mais, aux yeux du philosophe grec, la liste des catégories doit obéir moins à une volonté d'exhaustivité qu'au caractère nécessairement fragmentaire de notre discours sur l'être.

La liste des dix catégories s'établit comme suit :

- **la substance :** la statue est en marbre ;
- **la quantité :** ce cou est particulièrement gras ;
- **la qualité :** Socrate est sage ;
- **la relation** : Louis XV est l'arrière-petit-fils de Louis XIV (un exemple qu'Aristote n'avait pas prévu) ;
- **le lieu :** Aristote est né à Stagire ;
- **le temps :** cet homme est mort un 15 août, comme Napoléon ;
- **la position :** cette jeune femme est mal assise ;
- **la possession :** ce briquet est à moi ;
- **l'action :** le chat est en train de jouer avec le campagnol ;
- **la passion :** le campagnol est martyrisé par le chat (dans ce cas, la passion peut-être associée à la compassion).

Les catégories répondent donc aux questions élémentaires que l'on peut se poser sur un être, quel qu'il soit : qui ? Quoi ? Comment ? Combien ? Avec quoi ? Où ? Quand ? De quelle manière ? De quoi ? Par quoi ?

Un linguiste, Émile Benveniste, a émis cette hypothèse devenue classique : la logique d'Aristote, présentée par les vingt siècles qui ont suivi comme l'expression de la pensée universelle, valable en tous temps et en tous lieux, ne serait en fait que le décalque de la structure grammaticale de la phrase grecque – sujet, verbe, complément –, structure qui est également celle des autres langues indo-européennes. Les langues appartenant à d'autres familles ignorent cette division, aussi la logique des peuples parlant ces langues doit-elle se présenter sous une forme nécessairement différente. Autrement dit, on ne parlerait pas comme on pense, mais on penserait comme on parle. La philosophie grecque, au lieu d'être cette pensée intemporelle descendue du ciel des idées, serait la fille de la langue grecque.

Où l'on apprend que Socrate est bel et bien mort

La déduction est un raisonnement (ou une inférence) qui consiste à tirer d'une ou plusieurs propositions données (observations en sciences expérimentales, axiomes en mathématiques) une autre proposition qui en est la conséquence nécessaire. Une telle déduction est un passage de l'implicite à l'explicite ; sa forme la plus courante est le syllogisme, qui est constitué de trois éléments logiquement liés : la majeure, la mineure et la conclusion. Aristote en a donné l'exemple devenu classique : « Tous les hommes sont mortels. Or, Socrate est un homme. Donc Socrate est mortel. »

Le syllogisme, on le voit, établit un rapport entre deux termes (« Socrate » et « mortel ») qui formeront le sujet et l'attribut de la conclusion – par l'intermédiaire d'un moyen terme (« homme »), sujet de la majeure et attribut (ou prédicat) de la mineure.

La conséquence est un concept de la raison – on ne la confondra pas avec l'effet qui, lui, est un phénomène objectif : ainsi dira-t-on que l'allongement du pénis est l'effet et non la conséquence de son excitation. Une déduction peut suivre une longue « chaîne de raisons » (l'expression est de Descartes) comme dans le fameux sorite du renard. Un renard va pour traverser une rivière l'hiver, mais auparavant il se tient le raisonnement suivant : cette rivière fait du bruit, ce qui fait du bruit remue, ce qui remue n'est pas gelé, ce qui n'est pas gelé ne porte pas, donc cette rivière ne porte pas.

L'induction est une généralisation rationnelle : elle consiste à extraire l'universel du particulier. Lorsqu'un physicien fait des expériences, il ne peut pas les faire toutes (puisqu'il en existe une infinité de possibles). Il se contentera par conséquent de quelques-unes. S'il estime que celles-ci sont correctement faites et observées, que les mesures sont justes, alors il généralisera ces données et leur donnera l'apparence formelle d'une loi. La loi, dans les sciences expérimentales, est le résultat d'une induction. Galilée n'a pas eu besoin de faire rouler mille fois la boule de bois sur son plan incliné pour établir la loi de proportion entre les temps et les distances parcourues, quelques fois ont suffi.

Les formes, pas la Forme

Aristote rejette la théorie des Idées de son maître Platon. L'hypothèse d'une Forme séparée de l'être sensible lui semble extravagante. Les êtres sont constitués d'une matière et d'une forme. La forme n'est pas en dehors des êtres mais en eux. Il n'existe pas une chevalinité, qui ne hennit pas, dans le ciel des Idées et de laquelle descendent au galop tous les chevaux de la terre. Aux yeux d'Aristote, le Lit qui serait le modèle de tous les lits sensibles est une histoire à dormir debout.

Le troisième homme

Pour montrer que l'hypothèse platonicienne des Idées séparées tombe dans une impossibilité logique, Aristote réactive un argument auquel Platon avait d'ailleurs lui-même pensé et qui est connu sous le nom d'« argument du troisième homme ».

Si les platoniciens disent vrai, il existe, d'une part, un Homme faisant partie du monde intelligible et, de l'autre, dans le caniveau du sensible, un homme empirique qui est au premier ce qu'est un clochard à un multimilliardaire en dollars. Seulement, pour établir le lien entre l'Homme (Idée) et l'homme (la réalité), la pensée doit bien leur trouver un point commun : pour dire que ce sans domicile fixe (ni mobile, d'ailleurs) est un homme, il faut reconnaître en lui, derrière la crasse du sensible, ce qui fait de lui un homme. Autrement dit, il faut établir ce qu'il peut y avoir de commun entre l'idée intelligible et l'être sensible. Ce quelque chose en commun serait un troisième homme qui permettrait d'établir le lien entre les deux précédents.

Mais ce troisième homme va bientôt voir rôder autour de lui une multitude d'individus louches qui, tous, réclameront le nom d'homme car, pour savoir que le troisième homme est un homme, encore convient-il de le rapporter à l'Idée d'Homme qui, selon les platoniciens, est la seule habilitée à donner son estampille à la réalité que l'on dit et pense humaine. Mais, pour construire cette passerelle, bâtir cette arche qui liera le troisième homme à l'Homme, il faudra auparavant se forger dans l'esprit une idée susceptible justement de fonder cette comparaison – autrement dit un quatrième homme… Et ainsi de suite à l'infini.

En somme, Platon a creusé entre l'Idée (parfaite, éternelle) et l'être (sensible) un tel abîme que pour le combler une infinité ne serait pas de trop.

Le premier théoricien de l'abstraction

Pour Aristote, l'idée ou la forme ne se promène pas toute seule dans le ciel intelligible en compagnie des dieux mais réside dans l'être même et détermine son espèce (c'est le même mot qui, en grec, désigne l'idée, la forme et l'espèce, au sens naturaliste, biologique du terme).

Penser, connaître, c'est dégager, abstraire la forme qui est dans tous les êtres et les choses et non pas (comme chez Platon) s'échapper d'eux pour s'élever jusqu'à un prétendu monde des Idées. Il y a entre les êtres d'une même espèce (par exemple les hommes) une forme commune que la pensée peut dégager après l'avoir reconnue.

Puissance et acte, comme graine et fruit

Aristote est le philosophe de la *formation* et c'est pourquoi Hegel reconnaîtra en lui un frère en esprit. Il n'y a pas, selon Aristote, des formes éternelles mais des formes en puissance, des formes en devenir et des formes achevées.

« Puissance » traduit le mot grec qui a donné notre terme « dynamique ». Dans la langue commune française, lorsque nous disons qu'une chose existe en puissance, nous voulons dire qu'elle existe potentiellement, virtuellement : son départ est lancé et, sauf accident, elle parviendra à sa forme achevée après un certain laps de temps. Ainsi pouvons-nous dire qu'un homme existe en puissance dans l'embryon. Le concept de personne potentielle lancé par le Comité français d'éthique pour désigner cette espèce d'être intermédiaire qu'est l'embryon (ni une personne ni une chose) illustre assez bien cette idée.

« Acte » traduit le mot grec qui a donné notre terme « énergie ». Il représente la fin, l'achèvement de la puissance. Aristote donne à plusieurs reprises cet exemple : la statue existe en puissance dans le bloc de marbre, elle existera en acte une fois qu'elle aura été achevée par le sculpteur.

Le passage de la puissance à l'acte constitue le centre d'une véritable théorie de l'information, à prendre dans le sens étymologique de ce terme, le processus qui *met une forme dans*. Il rend compte d'une dynamique aussi bien naturelle (l'oiseau existe en puissance dans l'œuf, il est l'acte de l'œuf) qu'artificielle (la statue existe en puissance dans le bloc de marbre, elle est l'acte du bloc de marbre). La matière, selon Aristote, n'est que puissance. En elle-même, elle est informe, chaotique. C'est la forme qui fait d'elle une véritable substance.

Le plus important, c'est la fin !

La philosophie d'Aristote est finaliste : c'est la fin (les deux sens de terme et de but sont également présents en grec) qui rend compte des moyens. En toutes choses, Aristote considère la fin. Son « pourquoi ? » est un « pour quoi ? ».

Comment expliquera-t-on le geste du sculpteur ? Non pas en amont, par le mouvement du bras, mais en aval, par l'objectif poursuivi (la réalisation de la statue). Comment expliquera-t-on l'aile de l'oiseau ? Non pas en amont, par l'analyse des différents os, mais en aval, par la fonction que l'aile remplit, à savoir le vol. La nature, écrit Aristote, ne fait rien en vain.

Anaxagore disait que l'homme pense parce qu'il a une main ; Aristote, à l'inverse, affirme que l'homme a une main parce qu'il pense.

Il y a, parmi les fins, une hiérarchie. Ce qui est une fin pour un moyen devient à son tour moyen pour une autre fin : ainsi (l'exemple n'est pas d'Aristote) le travail est un moyen de gagner de l'argent (une fin) mais l'argent est un moyen d'acheter des biens de consommation (fin supérieure), lesquels sont un moyen d'être heureux (fin ultime : nous retrouvons ici une idée chère à Aristote).

Une fin ultime

L'achèvement parfait, Aristote l'appelle « entéléchie ». Bien des lecteurs sont devenus presque chauves (à force de s'arracher les cheveux) à cause de ce terme, d'autres s'en sont fait (des cheveux). *Entéléchie* est un terme forgé par Aristote et il signifie littéralement : ce qui possède sa propre fin en soi-même. Aristote utilise ce terme à propos de l'idée sous le point de vue de l'accomplissement de sa fin.

Et Dieu, dans tout ça ?

Pas plus que Platon et la plupart des présocratiques, Aristote ne croit à Dionysos et à Apollon ; du moins, il ne croit pas que ce sont des êtres réels qui accomplissent les actions que les mythes leur attribuent. Sa *Métaphysique* parle de Dieu (au singulier) qu'il définit par trois formules passablement énigmatiques : moteur immobile, pensée de la pensée et acte pur.

Mais si Aristote n'était pas polythéiste à la manière de l'immense majorité de ses contemporains, on ne peut pas dire non plus qu'il était monothéiste à la manière des juifs, même s'il parle d'un Dieu unique. Ce Dieu, en effet, n'est pas une personne et il ne possède aucune dimension morale, sans parler d'un pouvoir créateur – dont les Grecs, d'une manière générale, récusent le concept.

Il possède tout de même un sens cosmologique et est d'abord posé comme une nécessité de la pensée : toutes les choses dans notre monde sont en mouvement, elles reçoivent et donnent le mouvement. La chaîne de causalité (quelle est la cause de ceci ? puis la cause de la cause ? etc.) ne peut pas être infinie, affirme Aristote. Il faut s'arrêter. Tout mouvement est imprimé à un mobile par un moteur (c'est-à-dire une chose qui donne le mouvement), ce moteur est lui-même mis en mouvement par un autre moteur, etc. Il faut s'arrêter à un moteur premier qui donne le mouvement mais ne le reçoit pas. Dieu est ce moteur immobile qui agit à la manière d'un colossal aimant.

Ce Dieu n'est pas un corps mais une pensée. Une chose qui a sa fin en elle-même est plus parfaite qu'une chose qui a sa fin en autre chose, car elle ne peut servir de moyen pour une chose supérieure. C'est pourquoi cette pensée qu'est Dieu est pensée de la pensée. Un raisonnement analogue établira qu'en Dieu tout est acte, rien n'est puissance – puisque la puissance est imperfection, tendance, inachèvement. D'où la formule d'acte pur. Les philosophes chrétiens reprendront cette idée lorsqu'ils établiront que Dieu ne saurait rien désirer, puisque le désir est l'expression d'un manque, d'une imperfection.

Les deux mondes

Comme Platon, Aristote distingue et oppose deux mondes ; seulement, à la différence de Platon, ces mondes appartiennent tous deux à la réalité physique.

Le cercle décrit par la lune autour de la terre fixe la limite entre ces deux mondes : au-dessus, il y a le monde supralunaire, celui des mouvements circulaires parfaits, dont la répétition est une image d'éternité et où la vieillesse et la décadence (ce qu'Aristote appelle corruption) sont inconnues. Au-dessous, il y a le monde sublunaire, celui des corps et des mouvements imparfaits, soumis au temps, donc à la corruption.

Là encore, le christianisme procédera à une véritable captation d'héritage : il lui suffira d'appeler ciel divin le monde supralunaire et terre des hommes le monde sublunaire pour retrouver l'opposition de l'éternité et du temps.

Un monde parfait

La conception aristotélicienne du monde physique s'inscrit dans le cadre de la théorie des sphères du mathématicien Eudoxe : l'univers est une sphère qui comprend d'autres sphères plus petites à la surface desquelles les objets célestes tournent, la terre occupant le centre du dispositif.

Aristote reprend à Parménide et à Platon le modèle d'un univers sphérique, car la sphère est la forme à la fois de la totalité (elle contient tous les volumes) et de la perfection (symbole qu'elle partage avec le cercle dont elle est en quelque sorte la multiplication : alors qu'à un segment manque quelque chose, car on peut toujours le prolonger, à la courbe fermée, rien ne manque).

Mais si l'univers d'Aristote est fini, fermé dans l'espace, il est éternel, ouvert dans le temps ; il n'a ni commencement ni fin.

La terre dans sa totalité est une petite motte de terre.

– Aristote

La métaphysique

D'où vient le terme de métaphysique ? Tout simplement d'un titre d'Aristote. C'est cet ouvrage, *La Métaphysique*, qui a donné son nom générique à cette partie de la philosophie dite également « philosophie première » et qui traite de l'être en tant qu'être (l'ontologie) ou des essences en général. Mais ce nom est un hasard : Andronicos de Rhodes, qui classa les ouvrages Aristote trois siècles après la mort de ce dernier, ne sut trouver un titre approprié aux livres qui traitaient d'idées comme l'être, l'un, la science. Aussi les rangea-t-il *après la physique – méta ta phusika* en grec, d'où le terme « métaphysique ». Or, il s'est trouvé que cet « après », qui n'avait à l'origine qu'un sens spatial ou logique, a fini par coïncider avec le sens d'*au-delà* – la métaphysique renvoyant dès lors à toutes les questions qui se situent au-delà du domaine physique de l'expérience sensible (l'existence et la mort, l'être et Dieu, etc.).

L'ouvrage commence par l'examen de la nature de la philosophie née de l'étonnement. Aristote procède ensuite à la critique de la théorie des Idées défendue par son maître Platon : la séparation des choses sensibles et des idées n'est pas admissible, elle nous ferait entrer dans un processus infini : car pour reconnaître que la chose sensible est l'image de l'être réel (la chose ronde pour Platon est ronde parce qu'elle dérive de l'Idée éternelle de cercle), il faudrait pouvoir disposer d'une troisième idée qui ferait le lien entre le sensible et l'intelligible. Mais, à son tour, cette troisième idée devrait être évaluée dans ce qu'elle aurait de commun avec l'Idée et la chose, etc.

Il existe, dit Aristote, une philosophie première qui traite non pas de tel ou tel être, mais de l'Être en tant qu'Être, de l'Être en général. Cette étude implique celle des principes du raisonnement, eux-mêmes indémontrables mais qui sont à la base de toute pensée : le principe de non-contradiction (il est impossible que le même attribut appartienne et n'appartienne pas en même temps au même sujet et sous le même rapport : Socrate, par exemple, ne peut être en même temps blanc et pas blanc) et le principe du tiers exclu (de deux propositions contradictoires l'une est vraie et l'autre fausse : si le président de la République est un honnête homme, il est faux qu'il soit malhonnête ; ou bien il est honnête ou bien il ne l'est pas, il n'y a pas de troisième possibilité).

Le livre *lambda* (les chapitres de l'ouvrage sont désignés par les lettres de l'alphabet grec) constitue le couronnement de *La Métaphysique*. Il aura sur la théologie médiévale aussi bien chez les Arabes (Averroès) que chez les chrétiens (Thomas d'Aquin) la plus grande des influences. Ce livre traite de Dieu défini comme premier moteur et comme acte pur (voir *supra*). Par ailleurs, Dieu est posé comme parfait (mais pas comme infini car, pour les Grecs, l'infini est imparfait). C'est de ces idées que les médiévaux s'inspireront lorsqu'ils intégreront la métaphysique d'Aristote à leur théologie.

Les trois âmes

La distinction qu'Aristote opère entre trois types d'âme suit la tripartition biologique des plantes, des animaux et des hommes :

- l'âme végétative ou sensitive est propre aux plantes ;
- l'âme motrice est propre aux animaux ;
- l'âme intellective est propre aux hommes.

Les animaux sont plus parfaits que les plantes parce qu'ils possèdent, outre l'âme végétative qui leur permet de croître et de se reproduire, l'âme motrice qui leur permet de se déplacer. Si l'homme est le plus parfait de tous les êtres vivants, c'est qu'il est le seul à posséder, outre l'âme végétative et l'âme motrice, l'âme intellective qui lui permet de penser et de connaître.

Une seule main sur trois marche

Il arrive souvent qu'une philosophie soit dominée par un modèle, un paradigme scientifique. Chez Platon (comme plus tard chez Spinoza), le paradigme est mathématique. Chez Aristote (comme plus tard chez Nietzsche), le paradigme est biologique. Aristote est un philosophe de la vie, du processus. La forme, chez lui, n'est pas, comme chez Platon, un schéma éternel auquel les êtres doivent se conformer pour exister mais le résultat d'une *formation*, et même d'une *information*. L'embryon, par exemple, n'a pas encore de forme, la matière domine en lui. Mais la forme arrangera cette matière pour en faire un individu spécifique, muni de ses membres et de ses organes.

Un organe (le mot vient du grec qui signifie aussi « outil ») n'est véritablement organe que s'il accomplit sa fonction. Aristote compare la main d'un homme vivant, celle d'un cadavre et celle d'une statue. Dans les trois cas, nous avons affaire, semble-t-il, à la même main. La forme est la même, les cinq doigts avec leurs ongles et leurs phalanges sont à chaque fois reconnaissables. Pourtant, seule la main vivante est véritablement une main, parce qu'elle peut prendre, pincer, caresser, bref accomplir les fonctions d'une main, ce que ne peuvent faire ni la main du cadavre ni celle de la statue.

Le corps est plus tout que le tout

Aristote distingue la somme où les parties sont simplement additionnées et le tout, dont les parties sont intégrées. Un tas de pierres est une somme, une maison est un tout. Un tout peut être naturel ou artificiel. Un corps vivant est un tout naturel, une statue, un tout artificiel.

Aristote dit qu'un tout naturel est davantage un tout qu'un tout artificiel : une statue sans tête reste une statue, tandis qu'un homme sans tête n'est plus qu'un cadavre. Le tout naturel est ainsi fait qu'aucune partie ne peut lui être ôtée sans qu'il disparaisse comme tout.

Pour Aristote, comme pour les Grecs d'une manière générale et pour ce que l'on appellera plus tard l'art classique, une œuvre n'est belle que dans la mesure où elle constitue un tout. L'inachevé et le mutilé sont réputés laids, ils suscitent en nous une certaine souffrance. Ce sera une grande révolution esthétique lorsque l'on apprendra à reconnaître dans l'inachèvement et le fragmentaire des beautés possibles.

La théorie des quatre causes

Aristote distingue quatre causes :

- la cause finale (le projet de la statue achevée) ;
- la cause matérielle (le marbre de la statue) ;
- la cause efficiente (la main du sculpteur) ;
- la cause formelle (la forme de la statue).

Dans notre conception habituelle, la cause efficiente est la véritable cause (au point que l'expression de cause efficiente nous apparaît comme un pléonasme), les autres causes seraient plutôt appelées « conditions ». Mais, pour Aristote, la cause la plus importante est la cause finale. Par ailleurs, la matière et la forme sont appelées des causes puisque la cause est ce sans quoi une chose ne saurait exister et que sans la matière ni la forme il n'y aurait pas de statue.

Il ne faut pas dire, comme on le fait souvent, que l'infini est ce en dehors de quoi il n'y a rien mais ce en dehors de quoi il a toujours quelque chose.

– Aristote

Il n'y a pas d'infini réel

Aristote est aussi l'inventeur d'une distinction qui aura un impact capital : la distinction entre l'infini potentiel et l'infini actuel. À ses yeux, seul l'infini potentiel existe ; il n'y a pas d'infini actuel. On retrouve, derrière ces adjectifs, l'opposition de la puissance et de l'acte. L'infini potentiel est le produit d'une opération : il existe aussi bien par addition (on peut toujours ajouter une unité à un nombre quelconque) que par division (on peut toujours diviser en deux une quantité quelconque).

Contre les atomistes qui arrêtaient la division de la matière à l'atome (le mot signifie littéralement « non divisible »), Aristote pense que la matière, comme un segment géométrique, est divisible à l'infini. Seulement, cette opération ne fait pas de l'infini un être réel. L'infini actuel (ou infini en acte, pour reprendre l'expression des philosophes scolastiques qui ont traduit en latin les termes grecs d'Aristote) serait un infini entièrement déterminé et compté, un infini que l'on pourrait étreindre, embrasser sur les deux joues, un infini fini en quelque sorte, ce qui, aux yeux d'Aristote et de tous ceux qui, philosophes ou mathématiciens, le suivront jusqu'à Cantor (fin du XIXe siècle) est une contradiction dans les termes.

En physique comme en biologie et en esthétique, Aristote est un philosophe du fini, de l'achevé, du parfait. L'infini est béant ; son abîme donne le vertige. Les philosophes grecs préfèrent ne pas trop s'y pencher.

Morale et politique : le juste milieu

Nous voulons le bonheur, rien que le bonheur !

La pensée morale d'Aristote débute par ce double constat : tous les hommes veulent être heureux, mais tous ne sont pas d'accord sur les moyens d'y parvenir. Certains pensent qu'il faut être actif dans la cité, tandis que d'autres croient qu'il vaut mieux vivre caché ; certains identifient le plaisir au bonheur, tandis que d'autres le condamnent comme mauvais, etc. Aristote n'a pas la fibre mystique, comme Platon. Son réalisme le conduit à penser une morale du possible, à partir du désir de bonheur qu'il croit universel.

Le plaisir est à l'acte ce que la fleur est à la jeunesse.

Exercer librement son talent, voilà le vrai bonheur.

– Aristote

Une morale du juste milieu

Bien loin de cette morale héroïque qui confine à la sainteté, la morale d'Aristote repose sur l'idée de juste moyenne également éloignée de l'excès et du défaut. Ainsi le courage, qui est une vertu, évite-t-il aussi bien la témérité (qui est un excès) que la lâcheté (qui est un défaut) ; la bienfaisance (vertu) n'est ni la prodigalité (excès) ni l'avarice (défaut), etc.

Mais ce juste milieu n'est pas une faiblesse. Il représente au contraire une excellence. D'ailleurs le nom grec signifiant « vertu » veut d'abord dire « excellence ».

« Une hirondelle ne fait pas le printemps » est un proverbe inventé par Aristote dans son *Éthique à Nicomaque*. De même qu'une vertu unique ne fait pas toute la moralité et qu'une seule bonne action ne suffit pas à faire de son auteur quelqu'un de bon, une hirondelle ne fait pas le printemps. On ne doit pas extrapoler à la généralité ce qui n'est vrai que d'un cas particulier.

Les brigands eux-mêmes ont le sens de la justice

Pour montrer qu'il existe une certaine nécessité de la vertu et du bien et qu'on ne saurait pas davantage y échapper qu'à la vérité, Aristote fait remarquer que les brigands eux-mêmes ont le sens de la justice lorsqu'il s'agit de la répartition de leur butin. Même un voleur n'accepterait pas de subir un partage inégal qui irait à son désavantage.

Mais si le sens de la justice ne va pas sans celui de l'égalité, il convient de distinguer entre deux sortes d'égalité : l'égalité arithmétique (tout le monde reçoit la même chose) et l'égalité géométrique ou proportionnelle (chacun reçoit en fonction de son mérite). Les philosophes scolastiques traduiront cette distinction par les expressions de justice commutative (égalité absolue) et de justice distributive (égalité relative).

La multiplicité et la contrariété des vertus

Contre son ancien maître Platon, qui croyait à l'unité du beau, du bon, de l'utile et du vrai dans l'unicité de l'idée de Bien, l'idée suprême selon lui, Aristote notait la contrariété possible entre les différentes valeurs : un bien peut être une source de dommages, comme le montrent ceux qui ont dû leur perte à leur courage ou à leurs richesses.

Même les bandits, on l'a vu, ont le sens de la justice. Ce n'est pas parce que l'on a une vertu qu'on les a toutes et il est vain, comme le tentait Platon, de chercher la vertu qui déterminerait toutes les autres. Les Américains, qui ne croient pas qu'on puisse être un homme politique honnête et un mari infidèle sont platoniciens, les Français qui le croient sont aristotéliciens.

Platon était principialiste : pour lui, le Bien est déterminé au fondement, à l'origine des actions bonnes. Aristote est conséquentialiste : pour lui, le bien qualifie certaines actions en vertu de la fin qu'elles atteignent. Ceux qui aujourd'hui sont opposés au clonage humain par principe, parce qu'il ruine la dignité humaine, sont platoniciens. Ceux qui y sont favorables ou pragmatiques (essayons et nous verrons bien si les inconvénients l'emportent sur les avantages) sont aristotéliciens.

Morale et politique de l'amitié

Alors que l'amour n'a quasiment aucune place chez Aristote, l'amitié est présentée comme une vertu à part entière, une valeur à la fois morale et politique. L'amitié, en effet, permet l'exercice de vertus comme la générosité : elle est une occasion de donner. Bien sûr, elles unit exclusivement des hommes, égaux et libres. Elle constitue, aux yeux d'Aristote, la réussite par excellence du lien humain.

Ce n'est pas un ami que l'ami de tout le monde.

– Aristote

Une pensée politique modérée : Aristote vote au centre

Dans le domaine politique également, Aristote est le philosophe du juste milieu. Contrairement à Platon, il ne croit pas qu'il existe un régime politique parfait, qui soit infiniment supérieur aux autres. Chacun des trois régimes (monarchie, aristocratie, régime constitutionnel ou république) possède des vertus. Aussi le meilleur sera-t-il celui qui saura mêler les avantages de l'un à ceux des deux autres. Plus tard, un grand historien grec, Polybe, témoin de l'hégémonie romaine (il sera le premier à développer une conception universaliste de l'histoire), reprend cette idée de la supériorité du régime mixte sur les régimes simples et il lui attribue la force qui fit Rome victorieuse de Carthage (les consuls représentant l'élément monarchique, le Sénat l'élément aristocratique, les tribuns de la plèbe l'élément démocratique).

Comme Platon, Aristote distingue trois formes dégradées de régime politique, qui sont les corruptions des trois types :

- la tyrannie est la corruption de la démocratie ;
- l'oligarchie est la corruption de l'aristocratie ;
- la démocratie est la corruption de la république.

Le critère adopté par Aristote pour différencier la forme pure et la forme corrompue est la place de l'intérêt général par rapport à l'intérêt particulier. Si l'intérêt général domine, nous avons alors la forme pure (monarchie/aristocratie/république), si c'est l'intérêt particulier qui domine, nous avons alors affaire à la forme corrompue (tyrannie/oligarchie/démocratie). On notera l'opposition implicite de la démocratie et de la république (Kant la reprendra et lui donnera un sens politique important) : si la démocratie est, aux yeux d'Aristote, une forme corrompue, c'est parce qu'elle est l'expression d'un intérêt particulier (celui de la majorité) contre l'intérêt général de la cité qui, pour Aristote, forme un tout.

La multitude, dont aucun membre n'est un homme vertueux, peut cependant, par l'union de tous, être meilleure que l'élite.

– Aristote

Ni dieu ni bête : la sociabilité naturelle de l'homme

L'homme, dit Aristote, est par nature un être social et celui qui vit à l'écart, parce qu'il est dans l'incapacité de vivre avec les autres ou parce qu'il n'en éprouve nullement le besoin, n'est pas réellement un homme, mais soit une bête soit un dieu.

Cette théorie du fondement naturel de la société aura une influence décisive. Tous les philosophes qui auront à se prononcer sur la société et l'organisation politique se détermineront par rapport à elle, soit pour la reprendre à leur compte, soit, comme les théoriciens du contrat social, pour la rejeter.

Un attachement indéfectible à la cité

Aristote a vécu le moment historique de la décadence puis de la disparition de la cité grecque, mais il est toujours resté intellectuellement et affectivement attaché à ce cadre politique. Il n'y a selon lui que dans la cité que l'être humain peut réaliser sa fin, qui est le bonheur dans la liberté.

Cette position politique place Aristote en complet porte-à-faux vis-à-vis de son ancien élève Alexandre qui réalisera l'empire en supprimant la cité, d'abord par l'hégémonie macédonienne sur la Grèce entière, ensuite par la conquête de l'Asie, qui fera des Grecs les maîtres du monde ancien.

Cette radicale incompatibilité entre le patriotisme aristotélicien et le cosmopolitisme alexandrin n'empêchera pas le philosophe d'être inquiété et condamné après la mort d'Alexandre. Comme Socrate, il sera un bouc émissaire.

Justification de l'esclavage : Aristote politiquement incorrect

Aristote est un modéré en politique et un conservateur en matière sociale. Cet aspect ne contribuera pas pour peu à sa fortune future chez les philosophes des siècles suivants.

C'est par nature, disait-il, qu'il y a des gens qui commandent et d'autres qui obéissent, qu'il y a des maîtres et des esclaves. Et Aristote d'ajouter cette hypothèse fantastique : si les machines étaient capables, sur une simple injonction ou même en devinant ce que l'on va leur demander, d'accomplir leur travail à la manière dont les statues de Dédale se rendaient, selon la légende, d'elles-mêmes à l'assemblée des dieux, si de cette manière les navettes pouvaient tisser d'elles-mêmes, alors il n'y aurait plus de maîtres ni d'esclaves.

Cette explication, déjà matérialiste, de l'histoire frappera vivement Marx. Certes, lorsqu'il songe à cette possibilité, Aristote ne la croit pas une seconde réalisable et c'est bien pourquoi, selon lui, l'esclavage est une fatalité. Il y aura toujours des esclaves parce qu'on aura toujours besoin de faire marcher les machines. Tel est en substance le raisonnement d'Aristote. Les philosophes devraient se méfier lorsqu'ils évoquent des nécessités qui ne sont pas strictement logiques.

Un héritage marquant

Le tout premier théoricien de la monnaie

Aristote est le premier philosophe à s'intéresser au sens de l'économie et de la monnaie. Certes, Platon en avait parlé avant lui, mais les problèmes philosophiques avaient été escamotés plutôt qu'exposés dans ses projets utopiques.

Aristote voit bien que, en remplaçant le troc, la monnaie (qui est de l'ordre de la loi et non de celui de la nature) permet la régularité et la comptabilité des échanges. Grâce à la monnaie, les marchandises sont mesurées, ce qui facilite l'accord entre les vendeurs et les acheteurs. À l'opposé de Platon, Aristote justifie la richesse pour des raisons morales : non contente d'interdire la vertu (comment pourrait-il aider, celui qui n'a rien ?), la pauvreté engendre tous les vices. Seulement, et son argumentation prend ici un tour on ne peut plus actuel, Aristote va jusqu'à opposer l'argent à la richesse. L'argent n'est finalement pas une bonne mesure de la richesse ; on peut avoir beaucoup d'argent et n'être pas riche, ainsi que l'enseigne la fable de Midas.

Midas, roi de Phrygie, est entré dans la légende à cause de son manque de réflexion. Pour le récompenser d'un service rendu, le dieu lui avait accordé une faveur de son choix. Le roi demanda alors que tout ce qu'il toucherait se change en or. Le vœu marcha si bien que le pauvre roi (si riche qu'il en était pauvre) ne pouvait même plus boire ni manger puisque le gobelet et les aliments se changeaient en or sitôt qu'il y posait la main. Risquant ainsi de mourir de faim et de soif, il supplia Dionysos de mettre un terme au terrible enchantement. Enchanté de la leçon donnée, le dieu exigea simplement de Midas qu'il se purifie dans le Pactole. C'est depuis ce temps que ce fleuve roule des pépites d'or et est devenu symbole d'incommensurable richesse.

L'argent doit rester un moyen

Aristote oppose l'économie à ce qu'il appelle la *chrématistique*. Derrière cette distinction, nombre d'économistes modernes repéreront la différence entre la valeur d'usage et la valeur d'échange. La chrématistique est une perversion de l'économie : elle fait de l'argent une fin en soi au lieu de le considérer comme ce qu'il est par essence, c'est-à-dire un moyen. Inutile de signaler, en notre époque de haute spéculation non philosophique, ce que peut avoir d'actuel et même de prémonitoire une telle analyse.

L'imitation est bonne et peut être belle

Platon avait condamné l'imitation comme une dégradation de la vérité. L'apparence est moins que la chose réelle, l'imitation n'est qu'un travail d'apparences. C'est pourquoi l'art, qui cultive l'imitation, doit être écarté de la cité idéale : les poètes sont des menteurs.

Dans sa *Poétique*, Aristote justifie au contraire l'imitation et, avec elle, les arts de la représentation. Loin de nous éloigner de la réalité, argumente-t-il, l'imitation nous permet de nous en approcher, de la connaître et de la maîtriser. L'homme est le plus imitateur de tous les animaux, lesquels ont l'instinct à leur disposition. C'est par l'imitation que l'enfant apprend.

Aristote se pose cette question : comment se fait-il que nous prenions du plaisir à voir sur une scène de théâtre des choses qui nous feraient horreur dans la vie courante ? La représentation rend possible une maîtrise de nos émotions. Ainsi le spectacle de la mort nous habitue-t-il à la mort et nous permet de nous libérer de la terreur qu'elle engendre communément en nous.

La terreur et la pitié

Ce sont, aux yeux d'Aristote, les deux ressorts du spectacle tragique – lequel, on le sait, avait un sens culturel dominant dans la Grèce ancienne. Un fait social total, aurait dit l'anthropologue Marcel Mauss, avec sa dimension esthétique et philosophique bien sûr, mais aussi sociale, politique et surtout religieuse. Voir sur scène un spectacle aussi terrifiant et pitoyable que l'histoire d'Œdipe qui tue son père, couche avec sa mère, se crève les yeux lorsqu'il découvre l'horrible réalité, c'est, dit Aristote, un moyen efficace de se purger des émotions violentes qui sont en nous. Après le spectacle, le spectateur se sentira comme libéré.

Cette théorie dite de la *catharsis* (« purgation » en grec) sera reprise à l'âge classique en France. Par exemple, Molière donne un sens moral à ses comédies en affirmant que les spectateurs seront conduits à se libérer de leurs vices ou de leurs tentations s'ils les voient ainsi ridiculisés sur les planches. Mais Rousseau, nous le verrons, ne l'entendra pas de cette oreille.

Les trois unités

C'est d'un passage très court d'Aristote que les Italiens de la Renaissance tireront la fameuse règle des trois unités qui régira le théâtre classique en Europe :

- **unité de temps :** l'action dramatique doit se dérouler en une seule journée (telle est la mesure du temps de l'acte) ;
- **unité de lieu :** l'action dramatique doit se dérouler en un seul endroit (telle est la mesure de l'espace de l'acte) ;
- **unité d'action :** l'action dramatique doit être unique.

Aristote n'a pas été aussi dogmatique et le théâtre classique lui-même aimera volontiers balader ses spectateurs dans des durées, des espaces et à travers des intrigues différents. Toujours est-il qu'Aristote sera pour les romantiques – qui rejetteront « ses » règles jugées trop artificielles et contraignantes – comme l'ennemi à abattre.

L'extraordinaire postérité d'Aristote

Un grand philosophe ne vit pas seulement à son époque. Le sens de son œuvre ne cesse de se déployer durant les temps qui lui succèdent. Comme Platon, Aristote a une histoire de presque vingt-cinq siècles et qui est loin d'être achevée.

La fin de l'Antiquité voit le triomphe de Platon : saint Augustin, le premier grand philosophe chrétien et Plotin, le dernier grand philosophe païen (et fondateur de l'école dite justement néoplatonicienne) sont principalement marqués par Platon.

Le Moyen Âge connaît la revanche d'Aristote. D'abord avec le travail de traduction et l'assimilation effectuée par les philosophes arabes dont Averroès est le principal. Ce sont les Arabes qui font connaître les philosophes grecs à l'Europe. La scolastique chrétienne sera principalement une synthèse d'aristotélisme et de révélation monothéiste.

Thomas d'Aquin dit simplement pour parler d'Aristote : « le Philosophe », sans autre précision. Aristote est pour les scolastiques le philosophe par excellence. Le fameux « *Aristoteles dixit* » (« Aristote a dit » en latin) deviendra le symbole d'un temps qui a trouvé en ce philosophe le maître indépassable : celui qui, sans l'aide de la révélation des Écritures, a poussé le plus loin la réflexion rationnelle.

La Renaissance connaît un net retour à Platon, contre Aristote. Désormais lié à une scolastique jugée stérile et obscure, le nom d'Aristote est ensuite considéré comme le symbole de l'âge sombre de la pensée. Francis Bacon l'insulte, Descartes ne le traite guère mieux. Au XVIIe siècle, il n'y a que Leibniz, l'éclectique, le généreux Leibniz, pour continuer à trouver grande et belle cette pensée. Puis le siècle des Lumières plonge Aristote dans une espèce de nuit dont le philosophe ne sortira vraiment qu'au XIXe siècle.

Chapitre 6

Les grands courants de l'époque hellénistique

Dans ce chapitre :

- Plusieurs siècles de discussions
- L'impossibilité d'avouer qu'on ment
- Le doute avant tout
- Le cynisme, une vie de chien
- La cueillette des fleurs ou l'épicurisme
- L'ordre des choses des stoïciens

La torpille Socrate laisse des traces profondes dans les eaux mélangées de la philosophie grecque. La haute stature de Platon ne doit pas faire oublier tous ces courants, toutes ces écoles, tous ces hommes qui, à partir du IVe siècle av. J.-C., ont trituré les idées et les mots en tous sens.

Les Mégariques : disputailleurs mais grand questionneurs

Les sophismes mégariques

Les sophismes sont des paralogismes intentionnellement utilisés pour embarrasser ou tromper l'interlocuteur. Le sophisme est au paralogisme ce que le mensonge est à l'erreur. Il vise l'avantage sur l'autre, il est un moyen de pouvoir.

Les sophismes, comme les mensonges, se donnent l'apparence de la vérité. Ainsi empruntent-ils volontiers l'allure du syllogisme, modèle du raisonnement déductif. Dans l'exemple qui suit, le sophisme provient d'une majeure fausse, mais qu'intuitivement on accepte comme vrai : « Tout ce qui est rare est cher. Un cheval bon marché est rare. Donc un cheval bon marché est cher. » Il est faux que tout ce qui est rare soit cher (la preuve en est donnée par l'exemple même) mais comme cela semble correspondre à notre expérience quotidienne, on l'accorde imprudemment, sans examen.

En guise de plaisanterie

Le sophisme peut provenir aussi d'un changement subreptice de point de vue, masqué par l'identité de la formulation : « Plus il y a de gruyère, plus il y a de trous. Plus il y a de trous, moins il y a de gruyère. Donc plus il y a de gruyère, moins il y a de gruyère. » Les trous du gruyère sont considérés tantôt comme proportionnels à la quantité de gruyère, tantôt comme des vides absolus, les signes d'une absence de fromage.

Le sophisme peut provenir aussi d'un changement subreptice de sens d'un mot, masqué lui aussi par l'identité de la formulation : « Un homme a marché sur la Lune. Je suis un homme. Donc j'ai marché sur la Lune. » Ce sophisme joue sur l'ambiguïté du mot « un » en français, qui désigne tantôt quelque chose de précis, d'unique, de défini, tantôt quelque chose d'indéfini, de quelconque. D'où la plaisanterie : « À New York, un homme est écrasé toutes les trente secondes.

– Le pauvre ! »

Les sophismes les plus célèbres ont été inventés par Eubulide de Mégare, disciple d'Euclide de Mégare, le fondateur de l'école dite pour cette raison mégarique (rien à voir avec Euclide le mathématicien). Les Grecs appelaient « éristique » l'art de la dispute de mots. Les Mégariques sont également appelés les éristiques.

Le nom d'Eubulide de Milet reste attaché à l'un des sophismes les plus faisandés de l'Antiquité grecque. Le voici : « Tu possèdes un chien qui a des petits. Ce chien est donc père. Tu as donc un père dont les petits sont des chiens, tu es donc toi-même un frère de chien, tu es donc un chien. » On trouvera à la fin de cet ouvrage quatre autres sophismes mégariques (voir chapitre 30, p. 498-501).

Le mensonge est inavouable

Mais le plus célèbre de ces sophismes (ou paradoxes) est le sophisme du menteur. Qu'est-ce que je dis lorsque je dis que je suis un menteur ? Car si je suis un menteur comme je le dis, alors je ne suis pas un menteur puisque je dis la vérité, mais si je dis la vérité, je suis un menteur en disant que je mens.

L'argument aura une variante sous le nom d'Épiménide le Crétois. Il dit : « Tous les Crétois sont menteurs. » Si Épiménide dit vrai, alors il ment en disant que les Crétois mentent, mais s'il ment, alors il dit vrai en disant la même chose…

Le paradoxe prendra une grande importance dans les travaux des logiciens modernes qui, au début du XXe siècle, se pencheront sur le problème de l'autoréférence.

Le sérieux du jeu

Les sophismes et paradoxes des Mégariques vont bien au-delà du jeu de mots. Il n'y a d'ailleurs rien de plus sérieux qu'un jeu de mots, ainsi que nous l'enseignent à la fois la logique et la psychanalyse – sérieux au sens où cet amusement met en jeu, c'est le cas de dire, des problèmes profonds.

Et d'abord celui de la coïncidence ou de l'absence de coïncidence entre la pensée et le langage, entre les idées et les mots. En grec, c'est un même terme, *logos*, qui signifie « parole » et « raison ». Les Mégariques, qui prennent leur source dans les dialogues de Socrate, insistent sur la discordance qui existe entre les choses et les mots, entre les choses et les idées et entre les idées et les mots. Le triangle équilatéral formé par le réel, le langage et la pensée est brisé. Aucune relation vraie n'est possible en dehors de l'identité pure : une chose est ce qu'elle est. Dès qu'on lui donne un attribut extérieur (ce qu'on appelle en logique un prédicat), on tombe dans la contradiction.

L'inspiration des Mégariques est éléatique. L'être est. Sortis de là, nous tombons dans l'incohérence. Le cheval est un cheval, la course est la course. Dire que le cheval court, c'est relier deux mots, deux idées, qui n'ont en fait rien à faire l'un avec l'autre. Ce que ruinent les Mégariques avec leurs jeux, c'est ni plus ni moins que la logique d'Aristote qui unit les attributs au sujet pour former un jugement et les jugements au jugement pour former un raisonnement. Il n'y a pas de jugement ou de raisonnement sans contradiction puisque, sorti du principe d'identité (A = A), nous disons d'une chose qu'elle n'est pas ce qu'elle est et qu'elle est ce qu'elle n'est pas.

Le Dominateur

Un autre membre de cette école, Diodore Cronos, est resté dans l'histoire de la pensée pour avoir inventé un argument particulièrement costaud. La légende rapporte qu'il serait mort de honte pour n'avoir pas su résoudre un argument éristique proposé par un autre membre de cette école. Les philosophes ont parfois de bien curieuses manières de mourir !

L'argument de Diodore Cronos est appelé le Dominateur et a été ensuite utilisé par les partisans du fatalisme le plus sévère. Il consiste à identifier les trois modalités (le possible, le réel, le nécessaire) au nécessaire.

Un petit mot d'explication. Une chose qui est, nous disons qu'elle est *réelle*. Mais, avant d'être, nous disons qu'elle est *possible*. Par exemple, la pluie qui tombe actuellement est réelle ; avant de tomber, elle était possible (il était possible qu'il pleuve). En ce sens, le possible est moins que l'être.

Lorsque nous disons d'une chose qu'elle est *nécessaire*, nous disons à l'inverse *plus* que lorsque nous nous contentons de dire qu'elle est : ce que nous voulons dire, c'est qu'il était impossible qu'elle ne soit pas. Possibilité, existence, nécessité – et leurs trois contraires, impossibilité, non-existence, contingence – sont des modalités, c'est-à-dire des modes d'expression de la réalité. La logique qui s'occupe d'eux est dite *logique modale*.

Aristote avait défini le possible (la « puissance ») comme ce qui est en attente d'exister : avant d'être extraite du bloc de marbre, la statue était possible. Ce qui signifie aussi qu'elle aurait pu très bien ne pas exister (il suffit d'imaginer que le sculpteur meure avant de se mettre travail ou que le marbre se casse en deux).

Pour les Mégariques, en revanche, n'est possible que ce qui sera réel : je ne peux pas dire d'une chose qui n'arrive pas qu'elle était possible. Seul ce qui existe était possible ; ce qui n'existe pas était impossible. Si l'on admet qu'une chose possible n'arrive jamais, alors on admet que de l'impossible naît du possible, on accepte une contradiction.

Prenons un exemple historique (car je devine un flottement dans le regard et le cerveau du lecteur, même volontaire) : était-il possible que Hitler meure dans un attentat avant 1939, date de déclenchement de la Seconde Guerre mondiale ? Aristote aurait répondu oui : Hitler a échappé à plusieurs attentats, il était possible que l'un d'eux réussisse. Si l'on considère que Hitler est le principal facteur de déclenchement de la Seconde Guerre mondiale, alors nous admettrons qu'il était possible que la Seconde Guerre mondiale n'ait pas eu lieu. Pour Diodore Cronos, à l'inverse, puisque Hitler a échappé à tous les attentats qui ont été fomentés contre lui, cela signifie qu'un attentat réussi était réellement impossible : la réalité ne vient que du possible et il n'y a de possible que ce qui arrive nécessairement.

Le résultat de tout cela est que les trois modalités (possibilité, existence, nécessité) sont rabattues par les Mégariques sur la seule nécessité : les événements qui arrivent étaient nécessaires (il était impossible qu'ils n'arrivent pas), ceux qui n'arrivent pas étaient impossibles (il était impossible qu'ils arrivent). Le fatalisme, selon lequel tout ce qui arrive devait arriver, prend appui sur cette argumentation logique des Mégariques.

Les Cyrénaïques : prendre son pied plutôt que se prendre la tête

Aristippe de Cyrène, le fondateur de l'école cyrénaïque (Cyrène est une ville de Libye), a, comme Socrate, remis les préoccupations morales au premier plan de la réflexion philosophique. On l'a présenté tantôt comme un débauché sans scrupules (les prostituées ayant fini par faire des trous dans sa bourse, le philosophe aurait passé une bonne partie de son temps à flatter des tyrans pour obtenir de l'argent), tantôt comme un cynique (à ceux qui lui reprochaient de fréquenter la courtisane Laïs – une courtisane est une prostituée de haut vol –, Aristippe répondit par ces mots célèbres : « Je la possède mais je ne suis pas possédé », ajoutant que si l'on aimait le poisson, on ne demandait pas que le poisson nous aimât en retour…)

La philosophie cyrénaïque est un hédonisme, une morale du plaisir : le bien est ce qui fait plaisir, le mal ce qui donne du déplaisir (ne dit-on pas en français comme en grec « avoir mal », « faire le mal », « faire du bien », « faire le bien »…). Nous sommes ici aux antipodes de Platon – qui faisait du bien une Idée pour la contemplation et une réalité absolue. Nous sommes en revanche très proches d'Épicure, à cette distinction près que celui-ci préférait ce qu'il appelait les plaisirs en repos, c'est-à-dire l'absence de douleur, alors que les Cyrénaïques vantaient les plaisirs en mouvement, c'est-à-dire les plaisirs réels, dynamiques.

Les successeurs sont des traîtres, en philosophie plus qu'ailleurs. Parmi les successeurs d'Aristippe, on notera la présence d'un certain Hégésias, dont la pensée, pourtant partie du plaisir, s'infléchit vers le plus radical des pessimismes : le bonheur est impossible, la mort vaut la vie, la vie vaut la mort, le sage est celui qui a l'idée géniale de se laisser mourir de faim. On dit que l'enseignement d'Hégésias aurait été si convaincant auprès de ses élèves qu'il aurait déclenché parmi eux une véritable épidémie de suicides…

Les Cyniques : des vies de chien

Antisthène est le fondateur de l'école cynique mais c'est Diogène de Sinope qui en est le représentant le plus célèbre. Les philosophes classiques ont sévèrement jugé ces espèces de clochards provocateurs et impudiques. De Diogène, Platon disait qu'il était un Socrate devenu fou.

« Cynique » vient d'un mot grec signifiant « chien ». Pourquoi le chien ? Il y a au moins trois explications différentes que les adeptes de cette philosophie revendiquaient :

- les cyniques se réunissaient dans un gymnase dont le nom en grec signifiait « le chien agile » ;
- ils avaient du chien la vigilance hargneuse, caressant ceux qui donnaient, aboyant contre ceux qui ne donnaient rien et mordant ceux qui étaient méchants ;
- ils vivaient comme des chiens, libres de toute convention sociale, n'hésitant pas, par exemple, à déféquer en public.

Il y a cynisme et cynisme

Le mot a, en effet, vu son sens presque inversé. Aujourd'hui, un cynique, c'est un ministre se moquant de la loi comme d'une guigne, ou un chef d'entreprise qui licencie pour plaire aux actionnaires. Bref, aujourd'hui le cynisme est du côté du manche. Dans la Grèce ancienne, le cynique était un homme libre qui vivait en dehors des conventions sociales jugées par lui absurdes et qui faisait la nique aux riches et aux puissants. On raconte qu'un jour Alexandre, le grand Alexandre, vint voir Diogène et lui proposa de lui donner tout ce qu'il désirerait. Il aurait eu pour toute réponse du philosophe clochard : « Ôte-toi de mon soleil ! » Imagine-t-on aujourd'hui un philosophe répondre cela à un producteur de télévision ou à un directeur de programmes ? On prête à Alexandre ce mot : « Si je n'étais Alexandre, je voudrais être Diogène ! » Et le roi de Macédoine était loin d'être le seul à être impressionné par ses paroles et attitudes de rustre.

Alors qu'un jeune garçon voulait devenir son disciple, Diogène lui demanda de le suivre en tenant un hareng attaché à une ficelle. Mort de honte, l'apprenti philosophe laissa rapidement le hareng et s'enfuit : « Un hareng a rompu notre amitié », se contenta de constater Diogène.

Un philosophe dans le tonneau

Un tonneau vide couché, faisant comme une espèce de grotte en bois, une niche de chien, tel était le domicile fixe de Diogène. L'autarcie, l'autosuffisance est un idéal partagé par de nombreux sages et philosophes de l'Antiquité. Se suffire à soi-même, ne pas dépendre des autres, même des plus riches et des plus puissants, surtout des plus riches et des plus puissants.

Un jour, Diogène vit un enfant boire à une fontaine dans le creux de sa main. Il jeta alors son écuelle, se rendant compte qu'il avait encore du superflu avec lui. Un autre jour, comme il se masturbait dans la rue, il regretta qu'il n'y eût pas de moyen aussi pratique de se faire passer la faim, par simple friction du ventre.

À bas la loi ! Retour à la nature

La mère de Socrate était sage-femme et l'on se souvient du sens philosophique qu'il convient d'attacher à cette filiation. Le père de Diogène était faux-monnayeur et l'on pourrait dire que Diogène a fait le même travail que lui. Qu'est-ce qu'un faux-monnayeur ? Celui qui, en imitant l'argent, la plus artificielle de toutes les conventions, jette sur lui le plus pénible des soupçons. Si l'on nous annonce que des faux billets de 50 euros sont en circulation, ne voudrions-nous pas aussitôt nous en débarrasser ? Dans sa vie et par ses bons mots, Diogène dévalue la monnaie sociale, ces signes de l'échange que sont les politesses, les hypocrisies, les incohérences sur lesquelles la société repose. Comme les sophistes, les cyniques pensent que la loi des hommes n'a rien à voir avec la nature des choses. À bas la loi, retour à la nature !

Un libre penseur qui n'en parle pas moins

Diogène se moquait de tout et de tous. Il appelait les concours en l'honneur de Dionysos de grands miracles de fous et les orateurs les valets du peuple. Un jour où il parlait de sujets importants et n'était pas écouté, il se mit à gazouiller comme un oiseau et il y eut foule autour de lui. Il injuria alors les badauds en leur disant qu'ils se pressaient pour écouter des sottises mais que les choses sérieuses les laissaient indifférents.

Un autre jour, un homme le fit entrer dans une riche maison et lui dit : « Surtout, ne crache pas par terre ! » Diogène, qui avait envie de cracher, lui lança son crachat au visage en lui criant que c'était le seul endroit sale qu'il eût trouvé. Voyant une femme se prosterner devant les statues des dieux et qui montrait ainsi son derrière, il se moqua de sa superstition : « Ne crains-tu pas, ô femme, que le dieu ne soit par hasard derrière toi (puisque tout est plein de sa présence) et que tu ne lui montres de cette façon un spectacle très indécent ? »

Si Platon et Aristote ont raison, si la philosophie est fille de l'étonnement, alors Diogène ne cesse de philosopher à travers ses provocations et ses bons mots. En voici quelques-uns.

À ceux que les songes effrayaient, il disait : « Vous ne vous souciez pas de ce que vous voyez pendant la veille, pourquoi vous inquiéter des choses imaginaires qui vous apparaissent dans le sommeil ? »

Ayant vu un jour des gardiens d'archives religieuses conduire en prison un homme qui avait volé une coupe au trésor, il s'exclama : « Voilà de grands voleurs qui en emmènent un petit ! » Quand il avait besoin d'argent et qu'il s'adressait à ses amis, il ne leur demandait pas de lui en donner mais de lui en rendre.

Un jour qu'on écrivit à l'entrée d'une maison cette devise : « Qu'aucun méchant n'entre ici ! », il demanda : « Mais le maître de la maison, par où entrera-t-il ? »

Diogène assistait à un concours de tir à l'arc. L'un des candidats était si maladroit que les flèches, au lieu d'atteindre la cible, tombaient sur le public. Alors, suivant le mouvement du mauvais tireur, la foule se déplaçait tantôt à droite tantôt à gauche. Diogène sortit du groupe et se planta juste devant la cible car c'est encore là, disait-il, qu'il se sentait le plus en sécurité.

Il faisait l'éloge d'un fort gaillard qui jouait atrocement de la cithare et dont tout le monde se moquait. Comme on lui en demandait la raison, il la donna : « C'est parce que fort comme il est, pendant qu'il joue de la cithare, il ne songe pas à faire le brigand ».

Fait prisonnier et vendu sur un marché d'esclaves, il répondit à celui qui lui demanda ce qu'il savait faire : « Commander ! Qui veut acheter un maître ? »

La vanité des philosophes

Comme les Mégariques, les cyniques pensent que, en matière de jugement, on ne peut pas sortir de la relation d'identité. Les cyniques se moquent tout particulièrement de l'enseignement de Platon : je vois bien le cheval, disait Antisthène, je ne vois pas la chevalinité – allusion à la théorie des Idées conçues comme le fondement même des choses sensibles chez Platon.

Diogène contre Platon

Diogène, à plusieurs reprises, s'en prend à Platon. Un jour qu'il mangeait des figues sèches, il le rencontra et lui dit : « Tu peux en prendre. » Platon en prit donc et les mangea, sur quoi Diogène lui fit observer : « Je t'ai dit d'en prendre, non d'en manger ! »

Platon prétendait définir les genres et les espèces par une succession de divisions logiques et aboutit à cette définition de l'homme : un bipède (il a deux jambes) sans plume (à la différence des oiseaux). Un jour, Diogène lança au milieu des élèves de Platon qui avaient écouté leur maître sans moufter, un coq qu'il avait plumé, en s'exclamant : « Voilà l'homme selon Platon ! » Platon tint compte de ce geste et ajouta à sa définition : « Et qui a des ongles plats et larges. »

Une autre fois, Diogène se promenait avec une lanterne allumée en plein jour : « Je cherche l'homme », disait-il. *L'homme*, évidemment, ne peut être rencontré dans la rue. Ce que l'on croise, ce sont *des hommes*, mais pas l'homme. Manière directe de signifier que les Idées platoniciennes ne sont que du vent.

C'est d'un épisode de la vie de Diogène que nous vient l'expression « prouver le mouvement en marchant ». Un jour où un disciple de l'école d'Élée se mit à nier la réalité du mouvement à partir des arguments de Zénon (voir chapitre 2, p. 34-36), Diogène se leva et se mit à marcher autour de l'imprudent philosophe.

La nature, rien que la nature !

Le chien n'est pas le seul animal qui joue un rôle chez les cyniques. Un véritable bestiaire accompagne la vie de Diogène. Ayant vu un jour une souris qui courait sans se soucier de trouver un gîte, sans crainte de l'obscurité et sans aucun désir de tout ce qui peut rendre la vie plus agréable, il la prit pour modèle et trouva ainsi le remède à son dénuement. Il marchait pieds nus sur la neige et s'endurcissait dans les canicules d'été.

Les circonstances de sa mort ont elles aussi un sens philosophique. Diogène mourut, dit-on, pour avoir disputé à des chiens un morceau de poulpe cru. La crudité des propos cyniques répond à celle des aliments consommés : la cuisine est une convention inutile, un luxe superflu.

Diogène disait que c'était grâce à l'exil qu'il était devenu philosophe. L'exil, en effet, donne le sens de la relativité de toutes choses. Antisthène disait que, si pour être citoyen il faut appartenir à la cité depuis la naissance, alors les grenouilles et les sauterelles sont citoyennes. On attribue à Diogène l'invention de cette formule particulièrement glorieuse : « citoyen du monde ».

Un symbole tutélaire

Malgré ses provocations mais aussi surtout à cause d'elles, les Athéniens éprouvaient pour Diogène une certaine affection. Un jour, ils rossèrent un jeune homme qui avait cassé son tonneau et ils donnèrent au philosophe un autre tonneau en dédommagement.

Il y eut dans le Paris des années 50 et 60 du siècle écoulé un homme qui fit revivre Diogène. Il s'appelait André Dupont mais se faisait appeler Mouna Aguigui ou, plus simplement, Mouna. Il se promenait à bicyclette ou à pied, coiffé d'un chapeau à clochettes et revêtu d'un manteau recouvert de badges et de calicots. Tout le monde le connaissait dans le Quartier latin. Il éditait une feuille de chou qui tenait à la fois de *L'Os à moelle* de Pierre Dac et du tract politique. Quand il se présentait aux élections, c'était en qualité de « non-candidat ». Il fustigeait le « caca-pipi-capitalisme ». Il avait pour devise : « Les temps sont durs, vive le mou ! » Aux gauchistes qui lui lançaient : « Mouna, folklore ! », il répondait : « Tu préfères le chlore ? », allusion aux gaz lacrymogènes utilisés par les CRS lors des manifestations étudiantes. Lointain héritier de Diogène, Mouna est mort sans héritier.

Le scepticisme : tout est relatif

Pyrrhon, le fondateur du scepticisme ancien, a pendant longtemps donné son nom à cette école philosophique (Montaigne et Pascal parlent de pyrrhonisme). Comme Socrate, Pyrrhon n'a rien écrit, à l'exception d'un poème dédié à Alexandre. Le grand événement de sa vie fut sa participation à l'expédition de celui-ci. Elle lui permit d'aller jusqu'en Inde et d'y rencontrer les « gymnosophistes », ces sages nus, c'est-à-dire les ascètes, qui stupéfiaient les Grecs par la maîtrise de leur corps et la rigueur de leurs exercices. Ce contact entre les deux mondes, grec et indien, ne détermina sans doute pas le contenu du scepticisme, mais il explique en partie le fond de relativité qui est au cœur de cette manière de penser.

La rencontre brusque entre deux cultures étrangères peut susciter deux effets contraires : ou bien le repli farouche sur soi et la négation de l'autre ou bien la compréhension de l'étranger et le relativisme tolérant.

On raconte sur Pyrrhon des anecdotes destinées à illustrer son mode de pensée. Un jour, il passa sans sourciller près d'un marécage où était en train de s'enfoncer l'un de ses disciples. Un autre jour, au cours d'une traversée en mer particulièrement tumultueuse, Pyrrhon montre à ses compagnons qui manquaient de courage un porc qui mangeait tranquillement dans son coin, leur disant qu'un sage devait observer un semblable calme.

Indifférence, tel est le maître mot du scepticisme, aussi bien du point de vue moral que du point de vue de la connaissance.

Indifférence et suspension

Ne pas faire de différence entre ceci (appelé « bien » ou « vrai ») et cela (appelé « mal » et « faux »), voilà le mot d'ordre des sceptiques. Cet état d'indifférence est la définition même de leur sagesse. Il coïncide avec la tranquillité d'âme et d'esprit. En toutes circonstances, il convient d'opter pour une *suspension* de jugement (*époKhè*, en grec, un terme que Husserl reprendra en un sens décalé). Positivement, cette suspension sera assimilée à l'impartialité, négativement, elle sera dénoncée comme un signe de nihilisme. Avec le scepticisme, toute détermination est impossible – que l'on prenne la détermination au sens subjectif comme la capacité à se décider, ou au sens objectif comme la définition d'un terme ou d'une situation.

L'allégorie le disait bien : toute séduisante qu'elle soit, la vérité n'est pas facile à approcher. Et il s'est trouvé des amants déçus qui se sont vengés de leur mauvaise fortune en faisant courir le bruit que la vérité n'existe pas. Solution radicale et pratique, en effet : à quoi bon dès lors chercher quelque chose qui n'existe pas ?

Il y a doute et doute

Les sceptiques ont été nommés « éphectiques », car ils suspendent leur jugement. Il y a eu dans l'histoire de la pensée (Descartes) un doute critique fécond qui, loin de nier l'existence de la vérité, cherche à la garantir contre toutes les incertitudes qui peuvent l'affaiblir. Rien de tel avec le doute sceptique, radical et destructeur

L'argumentaire sceptique

Il existe quatre arguments sceptiques fondamentaux.

La contradiction des opinions

Aucune idée n'est jamais restée seule. Dès que l'une surgit, une autre, contraire, se dresse. Il n'y a rien d'incontestable ni d'irréfutable. Il n'y a pas de raison de se ranger derrière la pensée victorieuse : la force n'est pas un critère de vérité. Comment se retrouver dans un tohu-bohu d'idées qui s'entrechoquent ? Dans la guerre des théories, le sceptique se tient soigneusement à l'écart, refusant de soigner les blessés. Il fait le compte des morts avec une jubilation certaine.

La régression à l'infini

Qui n'en a jamais fait au moins une fois dans sa vie la désagréable expérience ? On a une démarche pressante à effectuer, on frappe à une porte, mais le préposé dit que c'est le bureau d'à côté ; ce deuxième bureau renvoie à un troisième, et le troisième à un quatrième, dans un mouvement qui semble ne jamais devoir finir. Un lecteur de dictionnaire cherche la définition d'un mot, mais dans cette définition, il y a un terme dont il ne connaît pas le sens ; le voilà déporté vers une deuxième définition, laquelle, à son tour, peut contenir un mot inconnu, et ainsi de suite.

Les sceptiques grecs, qui ne connaissaient ni administration ni dictionnaire, avaient compris ce mécanisme : dans un ensemble de perpétuels renvois, l'esprit ne peut s'arrêter sur rien et, proprement, il n'arrive à rien. L'argument de la régression à l'infini dit qu'un énoncé ne peut être prouvé que par un énoncé antérieur, lequel à son tour renverra à un énoncé antérieur, et ainsi de suite. Dira-t-on que toute la chaîne s'amarre à une vérité indiscutable ? Les sceptiques ne le pensent pas : un énoncé ne peut pas être accepté sans preuve car, disent-ils, il n'existe pas un signe du vrai comparable à la marque imprimée sur le corps des esclaves et qui permet de les reconnaître lorsqu'ils sont en fuite. Pourtant, il faut bien en finir, c'est pourquoi, de guerre lasse, on fixera ce repère : un postulat. Seulement, le postulat est lui-même, par définition, invérifiable.

La nécessité des postulats invérifiables

Une chaîne peut être en théorie infinie, pourtant il faut bien qu'elle soit accrochée quelque part. La chaîne des raisons ou des preuves est analogue à celle des causes : il faut un terme premier qui attache toute la série qui suit. De même que, lorsque l'on pose la cause, puis la cause de la cause, puis la cause de la cause de la cause (régression à l'infini), on finit par arriver à l'idée d'une cause première qui elle-même n'est la conséquence de rien (ainsi les théologiens du Moyen Âge accepteront-ils l'idée que Dieu, qui est la cause de l'univers, n'est lui-même causé par rien), pour prouver la vérité d'un énoncé, il faut une preuve indiscutable, une proposition qu'il n'y aura plus à prouver (c'est cette proposition considérée comme évidente, mais indémontrable, que l'on appelle postulat).

Mais rien n'assure la solidité du postulat lui-même. De fait, lorsqu'au début du XXe siècle, les logiciens et mathématiciens ont examiné les bases des mathématiques, ils se sont aperçus que celles-ci étaient loin de posséder la solidité qu'on leur prêtait. Cette découverte a suscité une crise, la « crise des fondements ». Celle-ci a fini par être résolue (les mathématiciens finissent toujours par résoudre les problèmes qu'ils se posent à eux-mêmes), mais au prix de beaucoup de renoncements.

Le cercle vicieux

Le quatrième argument sceptique est connu sous le nom de diallèle en langage technique. Reprenons les exemples de l'administration et du dictionnaire. Si le bureau A renvoie au bureau B, le bureau B au bureau C, et si le bureau C dirige le sans-papiers vers le bureau A, une boucle a été bouclée, le point d'arrivée coïncide avec le point de départ. Un dictionnaire, même bien fait, n'évite pas des fautes logiques de ce genre. Ainsi Larousse définit-il la vérité (justement!) comme le « caractère de ce qui est vrai » et vrai comme « ce qui est conforme à la vérité ». Avec la vérité, on tourne en rond, ou on perd la boule. Doit-on y renoncer ?

À tout raisonnement on peut opposer un raisonnement de force égale.

– Sextus Empiricus

Réponses au scepticisme

En mettant l'accent sur la contradiction dont ils font la loi même de la pensée, les sceptiques commettent une double erreur : d'une part, ils confondent les contradictions insolubles avec celles qui ne sont que provisoires (la confrontation entre deux théories dure tant que l'esprit ne dispose pas encore de toutes les données, elle est à la fois normale et féconde, et elle cesse lorsque la vérité, justement, est enfin découverte) ; d'autre part, ils assimilent de manière illégitime le savoir à l'opinion. Tout n'est pas affaire d'opinion. Si Galilée sauve sa tête en abjurant, c'est bien parce qu'il est convaincu que la vérité scientifique, à la différence de la foi religieuse ou de la conviction politique, n'a pas besoin de martyr. L'existence des sciences suffirait à elle seule d'objection au scepticisme.

En outre, on pourrait reprendre, contre l'idée selon laquelle tout ne serait qu'une affaire d'opinion et qu'aucune opinion n'est meilleure qu'une autre, l'argument qu'utilisait Platon contre Protagoras : si vous admettez l'idée selon laquelle toutes les opinions se valent, alors admettez l'idée selon laquelle toutes les opinions ne se valent pas puisque c'est une opinion !

Sur l'argument de la régression à l'infini, on pourrait répondre qu'il n'est que théorique car, dans les faits, le système des mots et des idées forme un ensemble fini. Est-ce que l'existence de postulats comme points de départ de la science ruine son objectif d'atteindre la vérité ? Non. Les axiomes en mathématiques et les principes en physique constituent les cadres logiques à l'intérieur desquels ces sciences peuvent librement se déployer.

Quant au cercle vicieux, il est évité justement par ces énoncés originaires. Il y a une chaîne de raisonnement, le savoir n'est pas une roue de la fortune. Cela dit, si l'on prend le savoir dans sa totalité – ce qui, bien sûr, ne peut être qu'une vue de l'esprit – alors se retrouve une certaine circularité qu'exprime bien l'étymologie grecque de notre *en-cyclopédie*.

Le scepticisme est-il seulement possible ?

Le scepticisme n'est pas fondé à nier l'existence de la vérité. D'ailleurs, peut-il logiquement le faire ? Un sceptique conséquent devrait douter de tout au point de douter de son scepticisme même ! Car s'il ne le fait pas (et aucun sceptique ne l'a fait), alors il accepte implicitement cette vérité qu'il prétend anéantir. Dire en effet : « La vérité n'existe pas », c'est supposer, si l'on adhère à ce que l'on a dit, que ce que l'on dit est vrai : (la vérité est que) la vérité n'existe pas. L'énoncé de base du scepticisme serait ainsi logiquement impossible car son énonciation contredit son énoncé.

On connaît l'histoire de cet orateur qui faisait de longs discours pour essayer de prouver l'inutilité des longs discours, ou le livre intitulé *Mémoires d'un amnésique* – ce sont là des exemples de ce que les logiciens anglo-saxons ont appelé les contradictions performatives. En conclusion : le scepticisme, du moins le scepticisme absolu, est impossible, aussi impossible que le pessimisme absolu. Pascal faisait remarquer que le désespéré qui va se pendre n'a pas perdu tout espoir puisqu'il croit que son sort s'améliorera avec sa mort. La vérité est comme cela : on ne s'en débarrasse pas aussi facilement.

L'épicurisme : cueillir le jour

C'est le poète latin Horace, de philosophie épicurienne, qui a inventé cette expression devenue célèbre : *carpe diem*, « cueille le jour », où se condense une bonne part de la sagesse épicurienne.

Les épicuriens sont-ils des porcs ?

C'est Cicéron qui a lancé l'expression « pourceaux d'Épicure ». Cet orateur et homme politique brillant et cultivé, très éclectique, accueillait toutes les philosophies (Platon, Aristote, le stoïcisme…), toutes, excepté deux : le matérialisme et le scepticisme (ce seront aussi les impossibilités de Leibniz, autre éclectique génial).

Tous les idéalismes et spiritualismes sont tombés dans ce travers : dès qu'ils entendent le mot « plaisir », ils imaginent d'invraisemblables orgies. Épicure non seulement a mené une vie simple, et même assez fruste, mais il n'a pas cessé de prêcher la modération. Car, avant de jouir, il convient d'abord de ne pas souffrir. Or, non seulement l'être humain dans sa folie ne sait pas maîtriser sa douleur, mais il ne cesse de multiplier les occasions de souffrir. En modérant ses désirs, nous enseigne Épicure, on ne souffre pas de ne pas atteindre toutes les satisfactions.

Un jardin ouvert à tous

Platon enseigna dans l'Académie, Aristote dans le Lycée, les stoïciens dans le Portique et Épicure dans le Jardin. Ce Jardin, symbole de l'école (on dit philosophie du Jardin, ou même le Jardin, pour parler de l'épicurisme), a également valeur symbolique de refuge contre les agitations du monde. Épicure l'avait ouvert à tous, même aux femmes, même aux hétaïres (prostituées), même aux esclaves. Ce sens de l'universalité humaine est tout à fait nouveau et révolutionnaire : Platon et Aristote ne s'adressaient qu'aux jeunes gens libres, de riche famille.

La théorie des atomes

Épicure reprend à Démocrite l'idée selon laquelle, loin d'être divisible à l'infini (comme le pensait Aristote), la matière est constituée de grains insécables, les atomes, entre lesquels il n'y a rien.

À l'origine, les atomes tombent en pluie dans le vide, parallèlement les uns aux autre. Un hasard en a fait dévier quelques-uns de leur trajectoire. Grâce à cet événement imprévu, qui brise la chaîne du déterminisme, les corps peuvent se constituer ; une première déviation en entraîne un nombre indéfini d'autres – on songe à la réaction en chaîne lors d'une explosion nucléaire.

Épicure reprend cette image d'Aristote : les atomes se groupent dans un ordre et un arrangement variés, comme les lettres qui, tout en étant en petit nombre, produisent pourtant, quand elles sont diversement disposées, des mots innombrables.

Cette déviation originaire a souvent été interprétée comme un signe et une garantie de liberté dans le monde physique. À l'opposé de leurs contemporains stoïciens, les épicuriens accordent au hasard une place centrale. Il n'y a pas de Destin ni de Providence chez eux ; tout est affaire de hasard et de nécessité.

La matérialité de l'âme, des dieux, de l'univers et des sensations

Platon avait fait de l'âme un principe immatériel, entièrement étranger au corps. Pour Épicure, l'âme est constituée elle-même de matière ; elle est simplement plus légère, plus subtile que le corps. Elle se dissout à la mort comme une forme d'argile peut se dissoudre dans l'eau. Cette disparition doit permettre à l'homme de vaincre la plus tenace de ses peurs, celle de la mort.

L'épicurisme est et restera la seule philosophie matérialiste à ne pas nier l'existence des dieux. Les dieux sont conçus comme corporels, seulement leur corps est fait d'une matière très légère et, surtout, ils coulent des jours paisibles dans des mondes éloignés du nôtre sans se préoccuper de nos misères et de nos inquiétudes. Pour Épicure, l'homme a aussi peu affaire aux dieux qu'il a affaire à la mort : entre les hommes et les dieux, la rencontre n'a jamais lieu, comme entre les hommes et leur mort.

Épicure ne croit pas à la sphère dans laquelle Aristote et Platon, après Parménide, voulaient enfermer l'univers. Puisque les atomes sont en nombre infini, les mondes qu'ils forment sont eux aussi en nombre infini. L'univers qui contient cette infinité de mondes est entouré d'un vide infini.

Pour Épicure, toute idée vient d'une sensation. Là encore, l'opposition à Platon est radicale. À chaque instant, de fines pellicules, de même forme qu'elles, se détachent des choses à la manière de fantômes et viennent frapper notre sensibilité. Voir, entendre, c'est être touché par ces fantômes à partir desquels nous nous faisons du monde une certaine représentation. Telle est la théorie des simulacres par laquelle Épicure explique la sensation et la pensée. Les songes sont les effets que les simulacres produisent en nous et non des messages menaçants ou encourageants que les dieux nous envoient en profitant de notre sommeil (comme s'ils n'avaient que ça à faire!).

Quant aux sens, Épicure ne pense pas qu'ils nous trompent. Je vois au loin une tour ronde. Je m'approche : je m'aperçois qu'elle est carrée. Est-ce à dire que mon œil m'a trompé ? Non, répond Épicure. Les sens ne nous trompent pas, c'est le jugement précipité par l'habitude qui nous met dans l'erreur à partir de ce qu'ils nous fournissent. Juger, c'est interpréter. En elle-même, la sensation est toujours véridique. Quand l'eau courbe un bâton, ma raison le redresse, dira La Fontaine. Pour Épicure même les idées des fous, même les rêves sont vrais parce qu'ils sont des traces laissées en l'esprit.

Une morale du bonheur

Confucius excepté, Épicure est peut-être le premier philosophe à avoir pensé un humanisme intégral, c'est-à-dire une conception de l'existence humaine sans autres postulats qu'humains. Sa morale est un eudémonisme, c'est-à-dire une morale du bonheur. Ce n'est pas, en effet, le Bien idéal qui est pour Épicure (comme il l'est pour Platon) le but et le sens de l'existence, mais le bonheur. La sagesse est à la fois le résultat et la condition de la vie heureuse.

L'épicurisme est également un hédonisme, c'est-à-dire une morale du plaisir, et c'est cet aspect qui l'a fait connaître et condamner. Aujourd'hui encore, un épicurien n'est pas celui qui approuve les termes des lettres à Pythoclès et à Ménécée (deux textes qui nous sont parvenus du philosophe) mais celui qui aime prendre son plaisir à table et au lit.

Le quadruple remède (introuvable en pharmacie) est le nom donné aux quatre thèses résumant la morale hédoniste épicurienne :

- les dieux ne sont pas à craindre ;
- il n'y a point de risque à courir dans la mort ;
- le bien est facile à se procurer ;
- le mal est facile à endurer avec courage.

Il y a plaisir et plaisir

En fait, Épicure ne fait pas l'apologie du plaisir en lui-même mais prend soin d'établir des distinctions. D'abord, il différencie les plaisirs en repos et les plaisirs en mouvement. Les plaisirs en repos sont jugés meilleurs : ils correspondent à un état de bien-être immédiatement signalé par l'absence de souffrance. Ce sont les plaisirs en repos qui permettent de vivre l'ataraxie, cette absence de trouble par laquelle Épicure définit l'idéal de sagesse. Les plaisirs en mouvement peuvent être recherchés et goûtés mais ils instaurent un certain déséquilibre qui nuit à cet état de paix intérieure. Cette idée, ainsi que celle de la supériorité des plaisirs de l'âme sur ceux du corps, différencie fortement Épicure des cyrénaïques.

En second lieu, Épicure distingue trois types de plaisirs :

- **les plaisirs naturels et nécessaires (boire quand on a soif, manger quand on a faim) :** ce sont les meilleurs, il convient de s'y adonner ;
- **les plaisirs naturels et non nécessaires (boire et manger avec raffinement ou au-delà du besoin) :** ils ne sont pas mauvais en soi, mais le sage doit s'en méfier tout de même et n'en user qu'avec modération ;
- **les plaisirs non naturels et non nécessaires (l'ambition, l'amour des richesses et des honneurs) :** ils naissent de mauvaises représentations comme l'envie de varier ou le souci de plaire et de dominer, le sage doit les éviter absolument car ils sont fauteurs de troubles.

Les Grecs en général et Épicure en particulier avaient très bien deviné l'état de dépendance dans lequel le désir des plaisirs factices peut nous plonger – ce que l'on nomme aujourd'hui addiction. Le plaisir est un signe de bonheur mais il peut être aussi une solide chaîne. Ainsi Épicure est-il l'un des premiers, sinon le premier, à distinguer besoin et désir, besoin et imagination du besoin.

Grâce soit rendue à la bienheureuse nature qui a fait que les choses nécessaires sont faciles à se procurer tandis que les choses difficiles à obtenir ne sont pas nécessaires.

– Épicure

Puissance de la pensée

Ce qui trouble les hommes, ce ne sont pas les choses, remarque Épicure, ce sont les jugements qu'ils portent sur les choses. Le philosophe raisonne ainsi : la mort ne nous concerne pas, nous n'avons en rien affaire avec elle puisque tant que nous sommes en vie, elle n'est pas là, et quand elle est là, nous n'y sommes plus. Il n'y a entre elle et nous aucune rencontre possible : c'est littéralement elle ou nous.

Pourquoi ne te retires-tu pas de la vie comme un convive rassasié et ne te résignes-tu pas, sot que tu es, à prendre un repos exempt de souci ?

– Épicure

L'hédonisme, comme morale du plaisir, comprend deux versants : la recherche du plaisir et la maîtrise de la douleur (lorsque celle-ci ne peut pas être esquivée). Plus qu'un jouisseur, le sage épicurien est un homme qui sait maîtriser sa douleur. La puissance de la pensée du sage est supposée telle que celui-ci serait heureux jusque dans le ventre du taureau de Phalaris.

Phalaris était un tyran d'Agrigente, en Sicile (IVe siècle av. J.-C.) qui avait fait construire un artistique instrument de torture destiné tour à tour à faire parler et à faire taire les récalcitrants : un taureau de bronze creux à l'intérieur et sous le ventre duquel on pouvait allumer du feu. Phalaris se divertissait à entendre les cris des malheureux qu'il y avait enfermés transformés en mugissements grâce à la bouche du taureau de bronze. Kierkegaard interprétera le taureau de Phalaris comme symbole de la métamorphose de la souffrance en beauté…

Sage, mais seul à l'être ?

On a, d'un point de vue chrétien, reproché son égoïsme à la morale d'Épicure. La tranquillité d'âme, très bien, mais qu'en est-il des autres ? Lorsque Épicure nous dit que nous ne rencontrons jamais la mort et que, dès lors, nous sommes fous de la craindre, l'argument vaut pour la mort propre, personnelle. Il vacille devant l'expérience du deuil. C'est bien, en effet, la mort de l'autre qui nous fait souffrir et non la nôtre, ni la mort en général, dans l'abstrait.

Le sage épicurien serait-il voué à une radicale solitude ? Non, si l'on considère le rôle cardinal dévolu à l'amitié dans cette philosophie (on ne manquera pas de noter, dans la culture occidentale, une fois de plus, l'absence du couple, auquel notre modernité accorde une telle importance).

De la nature de Lucrèce est seul poème philosophique de toute l'histoire occidentale qui soit à la fois un chef-d'œuvre de poésie et un chef-d'œuvre de philosophie (les prétendus poèmes philosophiques de Voltaire mettent des idées de garçon coiffeur en vers de mirliton). Il s'agit d'un exposé complet de la philosophie épicurienne effectué par le poète latin Lucrèce, dont on ne connaît pratiquement rien. Saint Jérôme, plus tard, fera courir le bruit que ce philosophe, qu'il détestait pour son matérialisme, était devenu fou à cause d'un aphrodisiaque et qu'il s'était suicidé.

Comme chez Épicure, la physique matérialiste est exposée comme le moyen le plus sûr pour parvenir à l'ataraxie, cette paix de l'âme qui doit la débarrasser de ses tourments et, en particulier, du premier d'entre eux, la peur des dieux et de la mort. La religion est, aux yeux de Lucrèce, une superstition qui plonge les hommes dans l'angoisse et le désespoir. La philosophie, elle, a une fonction libératrice.

Il n'y a rien d'autre dans la nature que des atomes et du vide (livre I). Lucrèce donne des exemples géniaux à l'appui de cette hypothèse : l'usure des pièces de monnaie et le vent qui courbe les arbres prouvent qu'il existe une matière invisible dont sont constitués les corps visibles (la nature est le théâtre de mouvements et de changements incessants : rien ne naît de rien, rien ne va à rien, tout se transforme).

L'âme est faite d'atomes comme le reste, elle se disperse à la mort – laquelle n'a pas à être crainte puisqu'elle abolit toute sensation. Les souffrances de l'enfer ne sont que des fariboles. La pensée vient des sensations, lesquelles naissent à partir des simulacres que ne cessent de diffuser les êtres et les choses. Il arrive que l'on soit trompé, comme dans les rêves, par nos impressions (Lucrèce fait une analyse pertinente des pollutions nocturnes suscitées par les images érotiques pendant le sommeil). Les illusions cultivées par les philosophes comme Platon (l'amour idéal) sont de ce type. Le monde n'est pas cette perfection que les pythagoriciens et les platoniciens ont imaginée : il est le produit du hasard des rencontres d'atomes.

La préhistoire pressentie

Dans le livre V de son poème, Lucrèce dresse un tableau saisissant des premiers temps de la vie humaine : à l'opposé du mythe de l'âge d'or, très largement dominant dans l'Antiquité, il imagine des individus plus animaux qu'humains menant dans la forêt une existence sauvage et précaire. Texte remarquable, unique en son genre et en son temps, qui anticipe sur des idées et des connaissances qui ne surgiront que près de vingt siècles plus tard !

Dans le sixième et dernier livre (ou chant) de son poème, Lucrèce évoque les cataclysmes que les hommes, assez ignorants pour redoubler leur terreur, attribuent aux dieux : le tonnerre, l'éclair, la foudre sont naturels, ils ont des causes naturelles. Ainsi la connaissance véritable de la nature des choses nous conduira-t-elle à cette paix de l'âme qui est à la fois liberté et bonheur.

Aucun malheur ne peut atteindre celui qui n'est plus ; il ne diffère en rien de ce qu'il serait s'il n'était jamais né, puisque sa vie mortelle lui a été ravie par une mort immortelle.

– Lucrèce

Le stoïcisme : suivre l'ordre des choses

Le stoïcisme est le nom générique donné à une école philosophique dont la durée d'existence couvre une bonne part de l'Antiquité gréco-romaine, depuis le IVe siècle av. J.-C., date de sa fondation, jusqu'au VIe siècle, date à laquelle l'empereur de Byzance, pris d'un accès de bigoterie chrétienne, ferme les écoles philosophiques d'Athènes.

Les historiens distinguent trois stoïcismes : le stoïcisme ancien, celui des fondateurs (Zénon de Citium, Cléanthe, Chrysippe), le stoïcisme moyen (Panétios, Posidonios), marqué par un certain éclectisme (on y retrouve des thèmes platoniciens, aristotéliciens et épicuriens) et le nouveau stoïcisme ou stoïcisme impérial (Épictète, Sénèque, Marc Aurèle).

Les grandes idées du stoïcisme nous sont connues indirectement : les œuvres du stoïcisme ancien ont été perdues (ne subsistent que des fragments), les œuvres d'Épictète, de Sénèque et de Marc Aurèle ont en revanche été épargnées par les hasards de l'Histoire, mais leur inflexion exclusivement éthique ne donne pas une image juste du caractère total de cette grande philosophie.

Le terme « stoïcisme » vient d'un mot grec signifiant « portique » parce que Zénon de Citium, le fondateur de l'école, enseignait sous un portique. On dit le Portique pour désigner l'école stoïcienne.

Toute la philosophie dans un œuf

Les stoïciens comparaient la philosophie à un œuf :

- la logique est la coquille ;
- la physique est le blanc ;
- l'éthique est le jaune.

Ils la comparaient aussi au corps humain :

- la logique est le squelette, elle traite du bien-penser ;
- la physique est la chair, elle traite du bien-ordonner ;
- l'éthique est l'âme, elle traite du bien-vivre.

Ce sont les stoïciens qui les premiers ont appliqué le terme de système à la philosophie considérée dans son ensemble. Jusqu'alors, le mot désignait l'ensemble en général, ou plus spécialement la compagnie, la troupe. À aucun moment, Platon ou Aristote n'ont pensé leur philosophie comme formant système : c'est à nos yeux, lecteurs modernes, qu'il existe un système de Platon ou un système d'Aristote. Avec les stoïciens, la philosophie prend conscience d'elle-même comme d'un système, par cette tripartition de la logique, de la physique et de l'éthique.

La logique du Portique

Elle comprend la rhétorique, la grammaire (introduite par Chrysippe en son sens actuel) et la logique proprement dite. Elle traite par conséquent des éléments et des règles du langage et de la pensée.

À la différence de la logique aristotélicienne fondée sur les termes qui correspondent à une vision réaliste de la métaphysique (quand je dis que Socrate est en prison, je désigne un être situé dans un lieu objectif), la logique stoïcienne prend appui sur une métaphysique du changement, d'où le rôle central dévolu à la proposition.

Toute proposition est faite de trois éléments :

- la parole (qui est un son) ;
- la chose signifiée (le référent) ;
- l'exprimable, c'est-à-dire le contenu de pensée induit par la parole.

Alors que la parole et la chose sont des corps (des réalités physiques), l'exprimable est un incorporel. Seul l'exprimable peut être qualifié de vrai ou de faux. Un mot n'est ni vrai ni faux, une chose non plus. Les stoïciens ont été les premiers à dégager clairement les termes de cette tripartition qui constituera, au Moyen Âge, le cadre de la célèbre querelle des universaux.

L'univers est un grand animal, pas une grosse bête

L'univers des stoïciens n'est pas une mécanique faite de matière et de mouvement – telle est l'image que nous en donnera la physique moderne – mais un grand vivant analogue à un gigantesque animal. Dans ce corps universel, tout est mélangé. Ou bien d'un mélange relatif (à la manière d'une salade auvergnate, où la verdure, le fromage, le jambon sont encore distincts – la comparaison n'est pas des stoïciens) ou bien d'un mélange total (à la manière du lait dans le café où les deux ingrédients ne sont plus distincts – la comparaison n'est pas des stoïciens non plus).

L'univers est plein de feu et d'esprit, à la manière dont le vin est mélangé à l'eau (la comparaison, cette fois, est stoïcienne). L'âme de l'homme est une étincelle du feu divin universel. Il y a donc quelque chose de divin en l'homme mais aussi dans n'importe quelle partie de la nature.

La conception stoïcienne de l'univers est donc à la fois hylozoïste (l'univers matériel est vivant) et panthéistique (il est de nature divine). Cette cosmologie et cette physique de la solidarité universelle jettent les bases d'une éthique et d'une politique elles aussi universelles.

La sympathie universelle

Les stoïciens répètent le mot d'Hippocrate que, plus tard, Leibniz reprendra à son compte : « Tout conspire. » Cet état de *sympathie* (le mot grec est ici pris en son sens exact d'affection commune) unit les hommes à l'univers entier. Avec les stoïciens, nous sommes aux antipodes de l'univers disloqué et hiérarchisé de Platon et d'Aristote. C'est dans ce contexte qu'il convient de comprendre la croyance des stoïciens en l'astrologie, si curieuse et plutôt rare chez les philosophes. S'il existe une sympathie entre l'homme et l'univers, les astres doivent avoir une influence sur son existence

Il y avait eu des cyniques assez provocateurs pour rejeter toutes les conventions – même celles qui interdisent la promiscuité sexuelle au sein des familles et l'absorption de chair humaine. Le stoïcien Chrysippe justifie lui aussi l'inceste et l'anthropophagie, mais pour une raison différente : puisque le mélange est la loi universelle de la nature, aucune action qu'il met en œuvre ne saurait être mauvaise… En fait, toute union est incestueuse si tous les hommes ne forment plus qu'une seule famille. Et la consommation de chair humaine, quant à elle, est une façon de recycler les corps, qui ne font que passer les uns dans les autres. (Tu reprendras bien un petit morceau de mémé ?)

Fins de mondes : la roue éternelle du temps

Puisque les parties du monde (les êtres et les choses) finissent par disparaître, le tout du monde doit lui aussi finir par disparaître. Ainsi raisonnaient les stoïciens. À la fin d'une période, le monde brûle dans une conflagration universelle, d'où surgira un autre monde semblable, sinon identique au précédent. Héraclite est l'inspirateur de cette théorie de l'éternel retour que l'on peut interpréter selon l'esprit comme le symbole de la permanence de la nature à travers ses péripéties ou, selon la lettre, comme l'expression de la répétition en tant que loi absolue des événements.

Sénèque dit qu'après la conflagration, Zeus (le dieu universel) se trouve livré à ses propres pensées (puisque le monde cesse momentanément d'exister), ce qui correspond au fait d'admettre une existence indépendante de Dieu vis-à-vis du monde. Cette idée entre en tension avec le panthéisme stoïcien qui fait de Dieu un feu artiste immanent aux choses qu'il produit et le compare à un miel coulant dans les rayons. Sur ce point les auteurs ne présentent pas de doctrine homogène et unifiée.

Tout, de toute éternité, est identique d'aspect et repasse par les mêmes cycles.

– Marc Aurèle

Le Destin et la Providence

À l'opposé de l'univers épicurien gouverné par le hasard, l'univers stoïcien est dirigé par le Destin et la Providence. Le Destin est aveugle, il n'a ni visage, ni intention ; aucun temple ne lui a jamais été dédié, ni aucune prière consacrée. La Providence, elle, est intelligente et bienveillante. Ce n'est pas elle qui s'acharnerait, comme le fait le Destin, sur le malheureux Œdipe dont le premier crime, qui déclenche les autres, est d'être né. Le Destin est impersonnel, la Providence est personnelle. Le christianisme, bien sûr, reprendra l'idée de Providence et rejettera celle de Destin. Mais les deux idées coexistent chez les stoïciens, certains auteurs mettant l'accent sur l'une, certains sur l'autre.

Les destins conduisent celui qui veut, ils traînent celui qui ne veut pas.

– Sénèque

Zénon donna le fouet à son esclave qui le volait (ce qui, entre parenthèses, prouve un certain énervement chez un philosophe qui fait profession de calme d'âme) : « C'est mon destin qui m'a poussé à voler, répartit l'esclave impertinent qui ne connaissait que trop bien les idées de son maître.

– Et à être battu aussi ! » répliqua Zénon.

Entre Raison et raison

L'univers est pénétré par la Raison, qui est bonne. Dès lors, il n'y a pas de mal absolu, pas de mal objectif par rapport au Tout. Leibniz reprendra l'argument dans sa *Théodicée*. Ce que nous appelons mal, ou croyons mauvais, ne l'est que par rapport à notre petit angle de vision. Rapportée au Tout, chaque chose est bonne.

Le finalisme stoïcien, qui se présente sous la forme d'un providentialisme, n'a pas su éviter quelques excès : ainsi certains auteurs vont-ils jusqu'à souligner l'utilité colossale des puces qui ont pour fonction de nous réveiller d'un sommeil qui, sans elles, risquerait d'être trop long et celle des souris qui nous poussent par leur seule présence à veiller au bon ordre de nos affaires.

La devise stoïcienne « Vivre selon la nature » n'est simple qu'en apparence. Une équivoque analogue en grec existe en français : de quelle nature s'agit-il ? Du grand Tout (de l'ordre cosmique) ou bien de son caractère propre ? Ce n'est, en effet, pas la même chose que de vivre selon l'ordre cosmique des choses ou bien selon sa propre disposition intérieure (qui peut être comique).

Cela dit, à un niveau plus profond, les deux lectures finissent par se rejoindre. Car la nature de l'être humain, c'est la raison. L'ordre cosmique, c'est la Raison. La raison qui est en nous est une étincelle de ce feu central qu'est la Raison qui ordonne le Tout des êtres et des choses. Il n'y a donc pas de contradiction entre suivre sa nature (qui est rationnelle) et suivre la nature (qui, elle aussi, est rationnelle).

Si tu veux tout te soumettre, soumets-toi à la raison.

– Sénèque

Distinguer ce qui dépend ou non de nous

La morale stoïcienne repose sur une distinction première entre ce qui ne dépend pas de nous et ce qui dépend de nous. Ne dépendent pas de nous les circonstances extérieures, c'est-à-dire tout ce qui appartient au Destin, à la société et au corps. Dépendent de nous les idées que nous nous faisons en nous-mêmes. Le fait de mourir, par exemple, ne dépend pas de nous ; la façon dont nous mourons, notre attitude vis-à-vis de la mort, en revanche, dépend de nous.

Partage des choses : ce qui dépend de nous, ce qui ne dépend pas de nous. Ce qui dépend de nous : l'impulsion, le désir, l'aversion – en un mot, tout ce qui est notre œuvre propre. Ce qui ne dépend pas de nous : la propriété, la réputation, le pouvoir – en un mot, tout ce qui n'est pas notre œuvre propre

– Épictète

Épictète était esclave, Marc Aurèle était empereur : cette situation objective ne dépendait pas d'eux. Mais la façon dont Épictète vivait sa servitude, la façon dont Marc Aurèle vivait sa charge d'empereur, cela dépendait d'eux. Même si nous ne sommes pas maîtres des représentations qui sont causées par des facteurs externes, nous sommes libres de leur donner ou non notre assentiment. La souffrance, par exemple, ne dépend pas de nous, mais l'importance que nous lui donnons, si. Sur ce point, le stoïcisme est assez proche de l'épicurisme : c'est folie que de pleurer ou rire sur des choses qui ne sont pas en notre pouvoir. Nous ne pouvons en fait pleurer et rire que sur nous-mêmes.

Ne demande pas que ce qui arrive arrive comme tu veux. Mais veuille que les choses arrivent comme elles arrivent, et tu seras heureux.

– Épictète

Typologie des actions

Les actions sont ou bonnes ou mauvaises ou indifférentes. Le sage s'efforcera d'accomplir les premières et de fuir les secondes. Quant aux indifférentes, il adoptera vis-à-vis d'elles une attitude indifférente aussi.

Épictète disait que les matières sont indifférentes et que c'est la manière d'en user qu'il ne l'est pas. Le but d'un archer, c'est la cible (symbole des valeurs matérielles) qu'il atteint ou manque, selon les circonstances. Mais la fin véritable de l'archer, et qui, elle, est toujours atteinte, est la visée même, l'action de tendre vers la cible.

L'effort sur soi en vaut la peine

Il est paradoxal que la philosophie qui a donné au Destin une telle importance ait été aussi celle qui a fait de l'effort sur soi le centre de son éthique. C'est ce travail sur soi qui va volontiers jusqu'à l'ascèse (ce mot, en grec, signifie « exercice ») qui a popularisé le stoïcisme au point que stoïque signifie « patient », « impassible » (rester stoïque dans une rage de dent).

On comprend aussi que cette dimension de la morale stoïcienne a pu séduire nombre de chrétiens plus tard.

Un jour, le maître d'Épictète très en colère contre son esclave le frappe violemment à coups de bâton : « Attention, dit Épictète, si tu continues à me frapper ainsi, tu vas me casser la jambe ! » Le maître continue. Il continue si bien qu'à la fin il casse la jambe d'Épictète. « Tu vois, dit celui-ci, tu m'as cassé la jambe ! Comment pourrais-je travailler pour toi à présent ? »

Éloge de l'apathie

Dans la caractérologie de Le Senne, l'apathique est celui qui n'est ni actif ni émotif. Il se distingue de l'amorphe en ce qu'il est primaire (il réagit immédiatement) plutôt que secondaire (on appelle ainsi celui qui réagit avec un temps de retard).

Le terme d'apathie en grec n'avait pas ce sens négatif. Il signifiait « absence de passion », la passion désignant tout ce qui vient toucher, affecter l'être humain sans que celui-ci y soit pour quelque chose. L'apathie est au stoïcisme ce que l'ataraxie est à l'épicurisme : un idéal de tranquillité intérieure, synonyme de sagesse acquise.

La maîtrise de la mort

La mort fait partie du destin des hommes mais ceux-ci ont la capacité de lui faire bon accueil. Les épicuriens avaient souvent dit que la crainte de la mort est une folie. Les stoïciens vont plus loin en faisant l'éloge de la mort volontaire. Le suicide que les Romains pratiqueront est l'accomplissement pathétique et spectaculaire de cet effort sur soi qui caractérise la morale stoïcienne.

> *La mort, qu'est-elle ? Un épouvantail. Retourne-le et tu verras ; regarde, il ne mord pas.*
>
> – Épictète

Sénèque a cette particularité d'avoir été à la fois un très grand philosophe et un très grand auteur dramatique. S'il fut aussi le précepteur de Néron, on ne peut pas dire qu'il ait réussi à inculquer une once de sagesse à son élève. Néron, devenu l'empereur fou que l'on connaît, soupçonna son ancien maître d'avoir trempé dans une conjuration dirigée contre lui et lui intima l'ordre de se suicider. Sénèque s'ouvrit les veines. Il eut donc une certaine maîtrise de sa mort, mais peut-on pour autant y voir un acte stoïcien ?

Le citoyen du monde trouve cité à sa mesure

La solitude du sage n'est pas un isolement. À l'opposé de l'épicurien qui vivait caché à l'écart des agitations du monde et d'abord de celles du monde politique, le stoïcien se sent solidaire du monde de la nature et du monde des hommes. Il se vit comme citoyen du monde (cosmopolite) – une expression déjà utilisée par les cyniques mais reprise ici en une direction plus nettement positive.

Le stoïcisme est apparu en cette époque dite hellénistique où l'ancien cadre étroit et protecteur de la cité grecque avait disparu au profit des empires et des royaumes de vastes dimensions. Par-delà les lois propres à chaque pays, existe une loi naturelle commune à tous les hommes, qui sont tous également des animaux raisonnables (cette définition de l'homme comme animal raisonnable est stoïcienne). C'est la toute première apparition de l'idée de droit naturel (Cicéron), qui sera bientôt assumée par la pensée chrétienne. Le fait que l'école stoïcienne ait été représentée à la fois par un esclave (Épictète) et par un empereur (Marc Aurèle) est le symbole le plus clair de cette solidarité objective entre tous les êtres pensants, unique dans l'Antiquité.

L'empire romain constitua un cadre politique particulièrement bien adapté à cette pensée. Inversement, le stoïcisme fut un rouage important dans l'idéologie impériale. Le monde entier est comme une cité, écrit Marc Aurèle, l'empereur stoïcien.

Marc Aurèle fut le seul roi philosophe. S'il y eut dans l'histoire de la philosophie des philosophes qui eurent des fonctions politiques importantes (Boèce, Thomas More, Francis Bacon ont occupé des postes équivalents à celui de premier ministre dans un État moderne), seul Marc Aurèle a eu le pouvoir suprême. Et pas n'importe lequel : empereur de Rome au moment historique de son extension maximale (IIe siècle) !

Et Marc Aurèle n'a pas été un simple sympathisant du stoïcisme : les pensées qu'il a rédigées au jour le jour et qui nous sont connues sous le titre de *Pensées pour moi-même* sont un chef-d'œuvre de la littérature philosophique universelle. Elles témoignent d'une grandeur d'âme exceptionnelle.

Il doit nécessairement craindre beaucoup, celui qui est craint de beaucoup.

Une grande situation est un grand esclavage.

– Sénèque

De la théorie à la pratique

Cette philosophie transparaît-elle dans l'action politique ? La réponse à une telle question n'est pas évidente : d'un côté, Marc Aurèle a fait preuve d'une incontestable sagesse dans l'administration de son empire, mais cela ne l'a pas empêché de mener des guerres et de poursuivre les persécutions contre les chrétiens (c'est sous son règne que la fameuse Blandine fut martyrisée à Lyon). Mais surtout, Marc Aurèle passa le pouvoir à son fils Commode – un fou furieux, bien pire que Néron. C'était un dur cas de conscience pour Platon déjà : s'il existe une science du pouvoir, comment expliquer qu'elle ne se transmette pas de maître à disciple ou de père en fils ?

Chapitre 7

La fin de l'Antiquité et le début du Moyen Âge

Dans ce chapitre :

- Jérusalem substituée à Athènes
- Les fous de Dieu : sectes et hérésies dans le sillage de la révolution chrétienne
- Plotin, dernier philosophe de l'Antiquité païenne
- Saint Augustin et l'invention du moi

La révolution chrétienne

Formés à l'école républicaine et laïque, les historiens de la philosophie ne s'attardent pas de bonne grâce sur l'impact qu'a pu représenter pour la philosophie l'apparition puis la domination de la religion chrétienne. Pourtant, à partir de saint Augustin, il n'y aura en Europe plus aucune pensée d'envergure qui ne se déterminera sans ce socle de valeurs et de croyances que représente le christianisme. Toute la philosophie du Moyen Âge est imprégnée par le dogme et l'esprit religieux. Et si la Renaissance desserre l'étau, il faudra attendre le XVIIIe siècle pour voir apparaître des philosophes réellement indépendants des concepts chrétiens.

L'infini devient parfait : l'esprit grec est fini !

Les Grecs avaient identifié le parfait au fini. Le mot même d'infini, qui est négatif, nous vient d'un équivalent latin du mot grec : le parfait est fini, l'infini est imparfait.

Le monothéisme chrétien subvertit cela : c'est l'infini, attribué au Dieu tout-puissant et omniscient, créateur du Ciel et de la Terre, qui devient la perfection, le fini étant ravalé au rang subordonné de limitation.

Le Verbe, puissance de l'esprit

Au commencement, dit l'Évangéliste, était le Verbe, qui était Dieu. C'est par la parole, en effet, que Dieu crée (Dieu *dit*). Et ce Dieu qui crée parle à ses créatures : Apollon et Aphrodite sont muets, ils n'ont rien à dire aux hommes. Le christianisme, dérivé du judaïsme, introduit un dialogue d'un genre inouï : Dieu parle aux hommes, les hommes s'adressent à Dieu. Jésus est l'incarnation du Verbe : c'est pour parler aux hommes qu'il est venu parmi eux, et non pour faire des miracles (on ne l'a pas attendu pour boire du vin au repas de noces).

L'esprit certes est ardent mais la chair est faible.

Je suis la voie, la vérité et la vie.

– Jésus

La mort vaincue

Lors de son premier discours à l'aréopage d'Athènes, saint Paul, le véritable fondateur du christianisme, son Platon (Jésus étant son Socrate), fait rire les rares auditeurs en annonçant la résurrection du Christ.

Dans la mythologie grecque, seul Héraclès avait eu l'insigne honneur d'être élevé au rang de dieu après sa mort – il faut dire qu'il ne l'avait pas volé (les travaux, le martyre final…). Pour un Grec, l'immortalité existe mais elle n'appartient qu'à ceux qui se sont, durant cette vie, couverts de gloire. C'est une immortalité du souvenir. Certes, il y a bien une vie après la mort, mais cette vie n'en est pas une, c'est une existence d'ombre, de fantôme, une pâle et triste copie de l'autre.

La religion nouvelle repose sur cette chose incroyable : tout homme – même le plus humble – est promis à la résurrection. Celle du Christ est un modèle, un exemple. On comprend qu'elle comble saint Paul d'enthousiasme : « Ô mort, où est ta victoire ? Ô mort, où est ton aiguillon ? »

C'est dans la foi qu'ils sont tous morts, sans avoir obtenu les choses promises, mais ils les ont vues et saluées de loin, reconnaissant qu'ils étaient étrangers et voyageurs sur la terre. Ceux qui parlent ainsi montrent qu'ils cherchent une patrie.

– Saint Paul

L'éternité au-dessus du temps

La pensée chrétienne considère le temps comme une image transitoire et imparfaite de l'éternité qui est le temps de Dieu, le temps du Ciel, le temps hors du temps. Les Grecs n'avaient pas la notion de cette dimension transcendante : pour eux, l'éternité n'était qu'un temps indéfiniment prolongé dans le passé et dans le futur. Avec le christianisme, l'éternité échappe au temps ; même l'immortalité n'en donne qu'une image approximative.

Lorsqu'il est dit dans la Genèse qu'au commencement Dieu créa le Ciel et la Terre, il ne faut pas interpréter ce commencement comme une date historique, à la manière dont nous disons que la Seconde Guerre mondiale commence le 1er septembre 1939. Le monde n'a pas été créé dans le temps, insistera saint Augustin, puisque le temps implique le changement et que seules changent les choses déjà créées. Dieu restant toujours identique à soi (puisque éternel), il faut supposer que le monde et le temps commencent ensemble. En créant le monde, Dieu crée le temps.

Pareillement, l'histoire détaillée des six jours de la Création racontée dans la Genèse ne doit pas être comprise à la lettre. N'allons pas croire que Dieu a commencé un lundi comme un employé de bureau et qu'il a terminé sa semaine le samedi soir (à l'époque, on ignorait la possibilité de la semaine de cinq jours et la notion de week-end était encore inconnue). Le monde, dit saint Augustin, a été créé en une seule fois. Il ne faut pas confondre l'ordre d'exposition et l'ordre chronologique – de même que lorsque je dis que 6 vient *après* 5, je ne prétends pas dire qu'il lui succède dans le temps.

L'amour, pour la première fois

Il y a un pathétisme chrétien, une tendance chrétienne au pathos. L'amour de Dieu peut s'entendre en deux sens : l'amour que les hommes ont pour Dieu (génitif objectif) et l'amour que Dieu a pour les hommes (génitif subjectif). Ces deux dimensions sont corrélatives. Il faut même y ajouter une troisième : l'amour des hommes les uns pour les autres.

La charité a ces deux directions : horizontale, l'amour du prochain, et verticale, l'adoration de Dieu (aucune association d'idées graveleuses ne sera tolérée en un moment aussi sérieux). Avec la charité, c'est une valeur nouvelle qui entre dans le ciel de la pensée. Les Grecs connaissaient l'amitié, la philanthropie, ils ignoraient la charité.

La morale remplace l'éthique

La philosophie, depuis ses origines, a presque toujours pensé l'idéal d'humanité à travers un élitisme particulièrement réducteur. Le philosophe, le citoyen est un homme (pas une femme) et un autochtone (pas un barbare). Quant à l'enfant, il n'existe tout bonnement pas (le père a même droit de vie et de mort sur lui).

Avec le christianisme, l'idée d'âme change radicalement de sens : sa dimension physique, vitale (l'animation), est désormais subordonnée au principe métaphysique appartenant en tant que tel à chaque être humain (le débat sur l'âme des femmes n'est pas représentatif de l'orthodoxie). Créée spécialement par Dieu (les parents se contentant, si l'on peut dire, du corps de l'enfant), l'âme est promise à l'immortalité.

La philosophie chrétienne hérite de l'universalisme stoïcien et romain. Sous le regard de Dieu, dit saint Paul, il n'y a plus ni hommes ni femmes, ni Juifs ni Grecs, mais des hommes qui sont tous frères. Les prescriptions en termes de comportement et de mode de vie sont censées être suivies par tous. Nous sommes ici encore aux antipodes de l'éthique grecque, qui visait une excellence particulière et même singulière (le souci de soi). N'importe qui ne pouvait devenir sage ; n'importe qui en revanche peut devenir bon chrétien.

Les limitations de la raison

« Je crois parce que c'est absurde », dit Tertullien, en faisant référence aux mystères de la religion chrétienne, incompréhensibles à la seule lumière de la raison : les miracles (marcher sur l'eau), la Trinité (Dieu, un en trois), l'Incarnation (Dieu fait homme), la Résurrection (la mort puis de nouveau la vie). On a fait de cette phrase le symbole de l'abrutissement religieux. Mais il y a une manière de la sauver : ce n'est pas que l'absurde soit la cause de la croyance (sous-entendu : plus c'est idiot, plus j'y crois), mais plutôt que l'absurde ne peut être qu'objet de croyance (le reste, qui n'est pas absurde, peut être connu et compris, il n'a donc pas à être objet de croyance, on ne dira pas : *je crois que* l'homme meurt et que certains arbres perdent leurs feuilles à l'automne).

Le pessimisme chrétien

La religion de la plus grande espérance est aussi celle du plus grand désespoir. Avec le christianisme, le mal fait une entrée fracassante dans le monde.

Les Grecs connaissaient l'erreur logique et la faute sociale. Ils ignoraient le péché que les chrétiens vont introduire et que Nietzsche assimilera à un poison de l'esprit. Le péché est une transgression de la loi de Dieu par l'homme, mais il est aussi beaucoup plus qu'un acte particulier : le signe, la preuve d'une espèce d'indignité existentielle qui éloigne infiniment l'homme du Dieu parfait. Le christianisme cultivera cette chose inédite : la mauvaise conscience.

Nul n'est méchant volontairement, disait Socrate. Mon Dieu, pardonnez-leur car ils ne savent ce qu'ils font, s'écrie Jésus sur la croix. Saint Paul lui répondra en écho : je vois le meilleur et je l'approuve, et pourtant je fais le pire. La conscience chrétienne est une conscience déchirée. Certes, les Grecs connaissaient le tragique, mais chez eux l'abîme était entre l'homme et le Destin. Avec le christianisme, l'opposition devient intérieure : c'est l'être en lui-même qui est et vit déchiré. Les grands philosophes chrétiens, saint Augustin, Pascal, Kierkegaard, seront pour cette raison les véritables inventeurs de l'existentialisme. Avec eux, un nouveau *sens* entre dans l'histoire de la pensée.

Nous savons que la loi est spirituelle mais moi, je suis charnel, vendu au péché. Car je ne sais pas ce que je fais : je ne fais pas ce que je veux et je fais ce que je déteste.

– Saint Paul

Dieu et César : différentes pointures

L'Antiquité mêlait religion et politique : presque toujours, presque partout, le pouvoir était à la fois théologique et politique, sacré et profane, céleste et terrestre. L'empereur romain devait être vénéré comme un dieu et des temples lui étaient consacrés. Les persécutions antichrétiennes n'ont pas eu de causes à proprement parler religieuses : les Romains intégraient avec une inconsciente tolérance à peu près tous les cultes étrangers. Ce qu'en revanche ils ne pouvaient ni tolérer ni *a fortiori* intégrer, c'était l'attitude de ceux qui ne croyaient qu'en un seul Dieu, à l'exclusion de toute autre puissance.

Rendez à César ce qui appartient à César, et à Dieu ce qui appartient à Dieu, répond Jésus à ceux qui cherchent à le mettre en difficulté sur la question de savoir s'il convient de payer l'impôt à Rome, puissance occupante. La séparation des deux pouvoirs, politique et religieux, constituera la doctrine officielle de l'Église (dans les faits, il en ira tout autrement, car assez tôt cette dernière aura à cœur de détenir elle aussi le glaive de la Terre).

Jésus aurait-il ainsi inventé la laïcité ? Avec le christianisme, les idées ne sont jamais simples. Il n'y a pas d'autorité qui ne vienne de Dieu, dit d'un autre côté saint Paul. Phrase aux conséquences incalculables. Les papes s'appuieront sur cette même parole de l'apôtre lorsqu'ils prétendront dicter leur loi aux rois, aux princes et aux empereurs. Les dix siècles du Moyen Âge seront perturbés par ces querelles. L'équivoque, on le voit, était présente dès les origines, dans le Nouveau Testament.

Le grand Pan est mort

L'écrivain Plutarque rapporte ce cri de désolation qu'on entendait sur les côtes italiennes : les dieux de Rome disparaissent ! Le grand Pan est mort – cela signifie la mort des dieux au profit d'un Dieu unique, né en Palestine chez un petit peuple, déjà bouleversé par une longue et dramatique histoire. Mais cela signifie aussi la désacralisation de la nature, son rabaissement à l'état d'objet, de chose inerte, sa plongée dans une matière que cherchera à dominer et à connaître l'esprit.

Une religion du désenchantement

Le sociologue Max Weber, au début du XXe siècle, émettra une hypothèse paradoxale promise à grand succès : le judéo-christianisme (le christianisme n'est pas séparable du judaïsme) a en réalité préparé un monde sécularisé pour les hommes. Chez les Grecs et les Romains, comme chez tous les peuples de l'Antiquité (sans parler de ceux que l'on a dit primitifs), la nature tout entière est sacrée, les bois et les rivières, les sources et les astres. Avec l'idée d'une création unique, absolue par un esprit supérieur, tout cela disparaît : le christianisme désenchante le monde, le préparant ainsi à la maîtrise technique, à la connaissance scientifique et à l'exploitation économique.

Les premières salves chrétiennes

Les apologistes et les Pères de l'Église

Dans les premiers siècles de notre ère, la pensée chrétienne se constitue. Des auteurs latins, pénétrés de culture grecque, lisent la Bible à la lumière des concepts philosophiques ou bien contestent ceux-ci à la lumière la Bible. Lactance est particulièrement représentatif de ces apologistes qui considèrent que la véritable sagesse réside dans la foi en Dieu. Ainsi le prêtre devient-il l'incarnation idéale du sage.

Un formidable chantier intellectuel s'ouvre durant ces premiers siècles du christianisme, qui seront les derniers de l'Antiquité. De Jérusalem est venue la révélation double, celle consignée dans l'Ancien Testament qui forme le corpus de la Loi juive et celle du Nouveau Testament qui prétend le dépasser. D'Athènes sont issues la logique et la grammaire qui permettent de penser le monde et de parler sur lui. À bien des égards, ces deux traditions se repoussent. De leur choc naîtra la philosophie chrétienne.

Il y a religion dans la sagesse et sagesse dans la religion.

– Lactance

Crois et tu comprendras ; la foi précède, l'intelligence suit.

– Saint Augustin

Une prolifération de sectes

Les premiers siècles de notre ère ont été particulièrement riches en matière religieuse, donc en matière de pensée. Autour du christianisme, mais aussi contre lui, surgit une multitude de courants qui agitent le monde d'alors, et dont certains ont bien failli devenir des religions universelles. Qu'est-ce qu'une religion, en effet, sinon une secte qui a réussi ? Inversement, une secte est une religion qui a raté. Originellement, le bouddhisme est une secte du brahmanisme et le christianisme est une secte du judaïsme – leur triomphe final en a fait des religions. Inversement, le nestorianisme, après certaines avancées jusqu'en Chine, est resté à l'état de secte. S'il avait pu remplacer le christianisme, il serait devenu une religion.

Le temps des hérésies

Dans l'immense corps de doctrines que représente une religion, certains croyants, pour des raisons diverses, peuvent choisir tel ou tel point et le mettre au tout premier plan. L'hérésie prélève une partie dans le tout de pensée et lui accorde une prééminence symbolique. Ainsi, sur la question de la nature du Christ, alors que l'orthodoxie affirme que les deux natures, divine et humaine, sont mêlées en lui (mystère de l'Incarnation), des hérésies affirmeront ou bien que les deux natures sont séparées ou bien que le Christ n'avait qu'une seule nature (deux possibilités : seulement divine ou seulement humaine) :

- le nestorianisme distingue dans la personne du Christ ses deux natures ;
- le monophysisme ne reconnaît au Christ que la nature divine ;
- l'arianisme, au nom de l'absolue unicité de Dieu, nie le caractère divin du Fils et du Verbe, qui sont les premières créatures (cette secte fut assez puissante pour constituer une religion).

C'est autour et contre la Trinité que prolifère le plus grand nombre de sectes ; leur nom barbare pourrait faire croire à une pathologie grave :

- le subordinatianisme ramène la Trinité à un processus d'émanations successives qui privilégient le Père ;
- le monarchianisme, voulant lutter contre toute trace subsistante de polythéisme, nie l'existence indépendante du Fils et du Saint-Esprit ;
- l'adoptianisme module l'intensité du caractère divin de Jésus, personne purement humaine à l'origine et qui finit par être admise comme son Fils privilégié par Dieu ;
- le modalisme considère que le Père, le Fils et le Saint-Esprit ne constituent pas trois personnes distinctes mais trois aspects, modalités ou noms du même être unique envisagé selon ces opérations : Père en tant que créateur du monde, Fils en tant que rédempteur incarné, Saint-Esprit en tant que sanctificateur des âmes.

Des fous de Dieu : les gnostiques

La gnose, d'un mot grec signifiant « connaissance », est un mouvement de pensée religieux à tendance mystique qui s'est développé en marge des religions monothéistes (il existe une gnose chrétienne, une gnose juive qui s'exprimera dans la Kabbale et une gnose musulmane). On distingue parfois le gnosticisme hérétique de la gnose orthodoxe mais le terme de gnose (et l'adjectif dérivé « gnostique ») englobe tous ces courants.

Les gnostiques mêlent les intuitions les plus sublimes aux idées et aux pratiques les plus triviales. Nul doute qu'aujourd'hui la moitié d'entre eux serait en prison et l'autre moitié à l'hôpital psychiatrique. Pourtant, la philosophie ne peut que se sentir concernée par leurs excès et leurs délires, comme elle a pu l'être par les outrances des cyniques grecs.

Le monde immonde

Le jeu de mots, répercuté par nombre d'auteurs chrétiens, sera poussé jusqu'à son extrême par les gnostiques : ce monde est si mauvais qu'il n'a pas pu être créé par un Dieu bon. En fait, il est la création d'un esprit foncièrement mauvais, un diable, un anti-Dieu (parfois identifié au Dieu de l'Ancien Testament) qui a usurpé la place du vrai Dieu. Dans ce monde voué au mal et à la douleur, Dieu n'est, en toute rigueur, pour rien.

Pour les gnostiques, comme pour Platon, l'âme n'est pas seulement incarnée dans le corps, elle y est incarcérée. Les gnostiques trouvent donc particulièrement absurde la croyance chrétienne en la résurrection des corps. Entre Dieu et l'homme s'interposent un grand nombre de puissances célestes, les éons, qui forment une hiérarchie d'esprits descendant du principe suprême : le Dieu créateur de la Bible et le Christ sont considérés comme des puissances inférieures et subordonnées à lui. Au sommet de la pyramide, il y a le Plérôme, la plénitude que s'efforcent d'atteindre les sectateurs de la gnose. Ces entités, où il est difficile de se reconnaître, sont caractéristiques des courants gnostiques. Bien des mouvements ésotériques ultérieurs y puiseront leurs mots et leurs idées.

Drôles de paroissiens

Les gnostiques se considéraient comme une race séparée des autres hommes – constituant une manière d'îlot lumineux dans cet océan de ténèbres qu'est notre terre. À l'extrême opposé des stoïciens qui se définissaient comme des citoyens du monde, partout chez eux, les gnostiques se disaient étrangers au monde : le monde, s'exclamait l'un d'eux, est un repère de bêtes sauvages. Je suis au monde, je ne suis pas du monde, allaient répétant les gnostiques. Inutile de fuir dans le désert, comme les anachorètes, puisque c'est le monde tout entier qui est une ordure et qu'il faut fuir.

Les gnostiques se divisent en une ribambelle de sectes, lesquelles constituent un invraisemblable capharnaüm. La secte des Ophites a pris le serpent pour emblème, car le serpent qui se mord la queue (l'*ouroboros* égyptien, plus tard assimilé par les alchimistes) symbolise le devenir de l'univers, le cycle continuel qui verse les éléments les uns dans les autres. Un autre secte, les Séthiens, voyaient dans le ventre arrondi d'une femme enceinte l'image en réduction de l'univers.

Les premiers satanistes

Les Caïnites, autre secte gnostique, prenaient pour héros le premier assassin de l'histoire. Avant Sade, la gnose nous offre sans doute le catalogue le plus achevé des perversions humaines : lors de réunions rituelles secrètes, les dévots communiaient avec le sperme et les menstrues (bon appétit !). Les Barbélognostiques faisaient encore plus fort : un embryon était extirpé (avec les doigts évidemment) du corps d'une femme enceinte, puis il était pilé dans un mortier avec du miel, du poivre et divers autres ingrédients. Cette pâtée d'avorton était ensuite mangée en guise de communion.

Certes, il convient de faire la part du fantasme, car les témoignages de semblables scènes sont rares et tous orientés. Il n'en reste pas moins vrai que la rumeur très répandue à Rome que les chrétiens dévoraient les petits enfants lors de leur repas de communion (les chrétiens, quant à eux, colportaient la même rumeur sur le compte des juifs) venait d'un fait réel ; seulement, les gnostiques étaient confondus avec les chrétiens (pour les Romains, il n'y avait guère de différence à faire entre ces insensés).

Le manichéisme : le monde changé en ring

La religion manichéenne doit son nom et son existence à son prophète, Manès (ou Mani). Elle représente une synthèse d'éléments perses (le mazdéisme), chrétiens et même indiens. Comme Zoroastre, le fondateur du mazdéisme, Manès était perse et comme Zoroastre il concevait le monde comme un champ de lutte entre deux principes : l'un bon, symbolisé par la lumière, l'autre mauvais, symbolisé par les ténèbres. Le principe bon est identifié à l'esprit, le principe mauvais est identifié à la matière : la division en l'homme reproduit celle du monde.

Certes, le christianisme accorde lui aussi une place centrale au Mal, qu'il a incarné sous la figure de Satan, le Malin. Seulement, le Diable est un esprit bon qui s'est perverti et non une puissance qui dès le départ était indépendante de Dieu. D'après la tradition chrétienne, Lucifer (dont le nom latin signifie « qui porte la lumière ») était un ange qui s'est rebellé contre Dieu ; sa chute représente en plus grand celle de l'homme en même temps qu'elle la préfigure. Dans le manichéisme, Ahriman, le principe du Mal, est aussi originaire qu'Ormuzd, le principe du Bien.

La guerre entre les deux principes éclata le jour où la matière, ayant subi le rayonnement de la lumière, devint ivre au point de vouloir s'élever jusqu'à elle. C'est pour s'opposer à cette tentative que le Dieu bon créa l'homme primitif. Seulement celui-ci, vaincu par les puissances des ténèbres, fut emprisonné par elles, dans la matière. L'homme actuel est donc une création du Dieu mauvais.

À l'instar du christianisme, le manichéisme se pensait comme une religion universelle. Comme lui, il était organisé en Église. Saint Augustin fut d'abord tenté par le manichéisme avant de se convertir. Au Moyen Âge, les cathares seront influencés par lui.

Aujourd'hui, il ne reste de cette pensée qu'une injure : un esprit manichéen est celui qui est incapable de comprendre la réalité autrement qu'en termes de Bien (d'un côté) et de Mal (de l'autre), bref un esprit obtus, qui n'est ni aigu ni droit.

Dernier sursaut païen : Plotin et le néoplatonisme

Avant de disparaître, la philosophie antique fut illustrée par un grand courant éclectique connu sous le nom de néoplatonisme à cause de l'esprit platonicien qui semble le dominer. En fait, Plotin, le chef de cette école, s'est inspiré d'une pluralité de traditions de pensée : outre Platon, le pythagorisme, Aristote, le stoïcisme, sans oublier les pensées orientales qu'il semble avoir connues.

Issu du milieu alexandrin ouvert au cosmopolitisme, Plotin fit de nombreux voyages en Asie et dans le bassin méditerranéen. Il projeta de fonder une cité philosophique du nom de Platonopolis, en l'honneur de son modèle Platon mais il n'obtint pas l'agrément de l'empereur. Son disciple Porphyre réunit ses textes en six groupes de neuf (d'où le nom d'*Ennéades* qui leur fut donné, d'un mot grec signifiant « neuf »). À la mort de Platon, on disait que des abeilles étaient venues se poser sur ses lèvres ; à la mort de Plotin, on a dit qu'un serpent s'est échappé de sa bouche, le serpent symbolisant à l'époque la sagesse.

Mourir, c'est changer de corps comme l'acteur change d'habit.

– Plotin

Par-dessus tout, l'Un !

La philosophie néoplatonicienne est une philosophie de l'Un, en ce sens qu'elle fait tout dériver de lui.

Mais, qu'est-ce que l'Un ? Le fait qu'il soit affublé d'une majuscule aggravera son cas aux yeux des lecteurs les plus réalistes. L'idée d'Un remonte aux présocratiques, donc à l'origine de la philosophie. Qu'est-ce que chercher la nature des choses, sinon réduire une multiplicité (les êtres, les éléments…) à l'unicité d'un principe (l'eau chez Thalès, le feu chez Héraclite) ? Après tout (c'est le cas de le dire), penser, c'est trouver l'unité. Un concept, comme celui d'oreille, est un élément unique capable de renvoyer à un nombre infini de choses sensibles (le mot « oreille », l'idée d'oreille renvoie à toutes les oreilles, qu'elles soient d'âne, de lapin ou de cochon).

On peut donner à l'Un une existence séparée, comme le font les platoniciens, y voir une Idée transcendante. Un peu comme le Dieu des religions monothéistes – à cette différence capitale que l'Un n'est pas une personne mais un principe.

Aux yeux de Plotin, il y a davantage d'être dans l'unité que dans la séparation. Le degré de réalité dépend du degré d'intégration : une maison, par exemple, a une existence supérieure à celle du tas de pierres, parce que ses pierres à elle constituent une unité fortement intégrée. Un organisme animal est doté d'une existence supérieure à celle de la maison parce que ses différentes parties sont liées les unes aux autres par des liens de nécessité (on peut casser un mur sans détruire la maison, on ne peut couper une tête sans tuer un organisme).

Pour Plotin, l'unité qui existe dans les choses spirituelles est plus forte que celle qui existe dans les choses matérielles : un théorème de mathématiques, par exemple, contient virtuellement les autres. Ainsi, il existe une hiérarchie qui va de la matière à la vie et de la vie à la pensée – et cette hiérarchie suit le degré, de plus en plus fort, d'intégration. L'unité d'un corps suppose un principe supérieur à ce corps, qui est l'âme, l'unité d'une science suppose un principe supérieur à cette science, qui est l'intelligence. D'unité en unité, de principe en principe, on parviendra à un terme ultime (ultime dans notre recherche mais en réalité premier selon l'ordre ontologique, qui est celui de l'existence), l'Un.

De l'Un, tout dérive mais lui ne dérive de rien. Sans lui, il n'y aurait rien ; grâce à lui, il y a tout. L'Un est un absolu. Il a tout de Dieu, excepté le fait qu'il n'est pas Dieu.

L'émanation, pas la création !

Comme les anciens Grecs, les néoplatoniciens refusent l'idée de création au nom de la logique (de rien, rien ne saurait naître). Mais l'argument principal qu'ils donnent est d'ordre métaphysique : si Dieu crée le monde à un moment donné, cela suppose qu'il est resté inactif pendant une éternité. Donc, cela revient à dire qu'il n'est pas parfait (un dieu qui bulle dans l'infini du temps manque de sérieux).

La théorie de l'émanation garde, à l'inverse, intacte la perfection de l'absolu : la production du monde est un résultat nécessaire et éternel de la nature divine. Le monde émane d'elle à la manière dont la lumière du soleil est diffusée par lui : de manière continue.

Les trois hypostases

Il faut bien que de l'Un émane ce qui n'est pas lui pour que se déploie la richesse du monde. Une hypostase est un principe métaphysique placé au fondement de toute réalité. En grec, le mot signifie l'action de placer au-dessous, d'où le sens de support et ceux de substance et de personne (en théologie chrétienne, l'hypostase désigne chacune des trois personnes divines considérées comme substantiellement distinctes, il y a en Dieu trois hypostases : le Père, le Fils et le Saint-Esprit).

Plotin reconnaît trois hypostases. L'Un, la première hypostase, est au-dessus de toutes choses et on ne peut rien en dire sinon qu'il est ; le qualifier serait introduire une différence en lui et donc une division qui le détruirait. L'Intelligence est la deuxième hypostase, elle émane, procède de la première, c'est elle qui contient les types éternels, les Idées au sens où Platon l'entendait. Enfin, l'Âme, qui procède de l'Intelligence est la troisième hypostase ; c'est elle qui produit le monde sensible d'après les Idées de l'Intelligence et par la médiation de l'Âme du monde et des âmes individuelles. Les hypostases constituent toutes les trois le monde intelligible.

Évidemment, toute cette construction peut sembler bien artificielle, mais il s'agissait pour Plotin de rendre compte à la fois de l'unité du monde et de la diversité et de la hiérarchie de ses composantes. La philosophie doit pouvoir rendre compte de tout. D'où cette impression de mythologie conceptuelle, dans laquelle les entités remplaceraient les dieux et les héros de légende.

Tout se complique

Les néoplatoniciens se servaient du terme de complication pour désigner l'état originaire qui précède tout développement, tout déploiement, toute explication. La complication enveloppe le multiple dans l'un et affirme l'un du multiple. Ainsi l'éternité ne paraît plus comme l'absence de changement ni même comme la prolongation d'une existence à l'infini mais comme l'état compliqué du temps lui-même à la manière de ces petits papiers pliés japonais dont Proust se sert pour illustrer le travail de la mémoire et qui, minuscules tas repliés, se déplient au contact de l'eau et déroulent des figures d'étoiles et de rosaces.

La sympathie universelle dont Plotin trouve l'idée chez les stoïciens explique à ses yeux l'efficacité de la prière et des pratiques magiques, qu'il compare à la vibration de la corde d'une lyre, qui se communique aux autres cordes et se propage dans l'univers entier.

De l'Un à l'autre : aller et retour

À la procession qui est le passage de l'Un à l'Intelligence et de l'Intelligence à l'Âme, mouvement qui finit par tomber dans le monde sensible où nous vivons, fait pendant le mouvement inverse de conversion, qui est une remontée vers l'Un.

Plotin ici s'inspire directement de la dialectique ascendante de Platon telle qu'elle a été évoquée dans *Le Banquet*. À partir du monde sensible, l'âme s'élève jusqu'à l'absolu de l'Idée. Mais l'Un est pour Plotin encore au-delà de l'Idée, fût-elle l'Idée de Bien, car elle est l'absolu sans détermination. Nombre d'interprètes (et la plupart d'entre vous sans doute) n'ont pas manqué de faire le rapprochement avec le *brahman* des *Upanishad* de l'Inde.

Une piqûre de mystique : l'arbre de Porphyre

Plotin disait qu'il s'efforçait de faire remonter le divin qui est en nous vers le divin qui est dans le Tout. L'originalité de sa pensée tient dans ce mariage paradoxal du panthéisme d'origine stoïcienne et de la transcendance platonicienne où plus d'un auteur chrétien ou musulman se reconnaîtra plus tard.

C'est dans un texte de Porphyre, disciple de Plotin, que les philosophes médiévaux trouvèrent l'arbre de Porphyre, diagramme logique figurant par dichotomies (divisions en deux) successives la série des genres et des espèces, depuis le genre suprême (la substance) jusqu'à l'individu (l'épicier du coin).

L'idée vient de Platon qui avait illustré ce travail logique dans ses derniers dialogues. C'est par ce moyen, on s'en souvient peut-être, que Platon était parvenu à cette estomaquante découverte : l'homme est un bipède sans plume. L'idée vient aussi d'Aristote, qui avait fixé la hiérarchie des genres et des espèces par ordre d'extension décroissante.

Le terme premier, le plus général, est la substance (ce pourrait être l'être ou la réalité). Une substance est soit corporelle soit incorporelle (il n'y a pas de troisième possibilité : la dichotomie repose sur le principe du tiers exclu). L'épicier du coin est évidemment une substance corporelle. Une substance corporelle peut être ou bien animée, vivante, ou bien inerte : l'épicier du coin est une substance corporelle vivante, jusqu'à plus ample informé. Le vivant peut à son tour être divisé en deux : il y a, d'un côté, le sensible (l'animal), de l'autre côté, le non-sensible (la plante). L'épicier est sensible (du moins on l'espère). Enfin, dernière dichotomie, l'animal peut être ou bien raisonnable ou bien non raisonnable. Notre épicier est raisonnable (du moins peut-on le supputer). Ainsi est-on passé du genre suprême (la substance) à l'individu (l'épicier du coin) par une série de déterminations qui seront autant d'attributs de celui-ci.

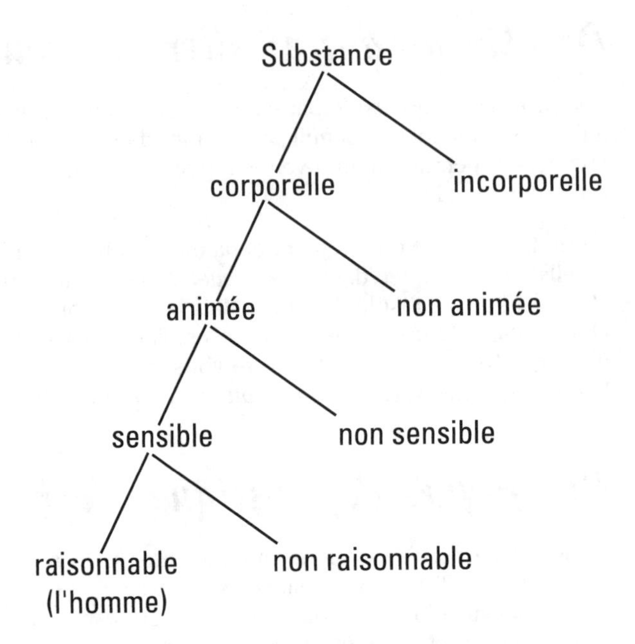

Figure 7.1. : L'arbre de Porphyre

Le premier terme, la substance, a l'extension la plus grande (il peut s'appliquer à n'importe quoi) mais la compréhension la plus petite (il peut difficilement être défini sans tautologie). Inversement, le dernier terme, raisonnable, a l'extension la plus restreinte (il y a relativement peu d'êtres raisonnables par rapport à l'ensemble des êtres) mais la compréhension la plus riche (puisque pour être raisonnable, il faut être sensible, animé, corporel).

L'extension d'un concept (substance, corporel, animé, etc. sont des concepts) est l'ensemble des êtres auxquels ce concept s'applique : l'extension d'animal est tous les animaux (de la mouche à la baleine). La compréhension d'un concept est l'ensemble des caractères qui le définissent (un homme a le caractère d'être raisonnable, sensible, animé, corporel, substantiel). Au XVIIe siècle, Arnauld et Nicole énonceront la célèbre loi logique dite loi de Port-Royal : la compréhension et l'extension d'un concept varient en sens inverse l'une de l'autre, plus l'une est grande, plus petite est l'autre, et inversement.

L'arbre de Porphyre permet également de visualiser immédiatement la relation de subordination des genres et des espèces : dans le genre corporel, il y a l'espèce animée et l'espèce inanimée. Corollairement, le corps animé est l'espèce par rapport au genre substance.

Saint Augustin, l'inventeur du moi

Croire pour comprendre, comprendre pour croire. Avec le christianisme, la croyance change de sens en prenant une intensité inédite : elle devient *foi*, une expérience intérieure inconnue des Grecs et des Romains. On ne peut avoir, en effet, la foi que dans le cadre d'une religion transcendante (on ne dira pas que les Grecs avaient la foi en Apollon). Avec la foi, la sagesse change de sens aussi. Elle devient l'intelligence de la foi. Alors l'inquiétude, que les épicuriens et les stoïciens voulaient chasser comme un malheur, se transforme en vertu.

Le sens du péché

C'est à travers la double expérience du déchirement et de l'écrasement que le *moi* s'est introduit dans la pensée philosophique. Le « connais-toi toi-même » de Socrate, rappelons-le pour les malentendants, n'avait pas le sens d'introspection. Avec saint Augustin, l'intime fait son entrée dans les lettres. L'intime, l'étymologie latine le dit, est ce qu'il y a de plus intérieur. Si les Grecs ne nous ont pas fait part de leur intimité, c'est qu'ils n'en avaient pas.

Il est significatif que l'examen de la conscience par elle-même soit venu d'une part du sentiment du péché, d'autre part sur le mode de la confession. Je n'aimais pas encore et j'aimais à aimer, écrit saint Augustin. Dévoré du désir secret de l'amour, je m'en voulais de ne pas l'être plus encore. La mesure de l'amour, c'est d'aimer sans mesure.

Pour la première fois dans l'histoire de la pensée, le plaisir sexuel est associé à la faute. La chose est décisive, car saint Augustin, qui littéralement *invente* le péché originel (dont la notion est absente de la Bible), devine la dimension sexuelle du tout premier péché, celui commis par Adam et Ève au paradis.

Pourquoi le sexe serait-il objet de honte ?

Saint Augustin pensait que la honte des rapports sexuels (avec le désir de secret qui l'accompagne) est due au fait que la convoitise de la chair est tellement indépendante de la volonté que l'être humain ne l'accepte pas. Notre corps agit et réagit à notre insu, il fomente des désirs sans nous prévenir et nous met parfois dans de beaux draps. Certes, nous en tirons gloriole parfois aussi, mais c'est sans doute pour donner le change.

L'âme désobéissante

Saint Augustin tombe sur ce paradoxe : l'âme donne ses ordres au corps et elle est obéie sur-le-champ – il suffit d'avoir l'idée de lever le bras pour le faire sans difficulté. En revanche, lorsque l'âme se donne des ordres à elle-même, elle rencontre aussitôt des résistances. Il ne suffit pas de vouloir comprendre un problème de mathématiques pour le comprendre, il ne suffit pas de vouloir saisir les passages les plus difficiles de cette *Philosophie pour les Nuls* pour y arriver. L'âme est mieux obéie de ce qui est de nature tout opposé à elle tandis qu'elle est incapable de se commander elle-même. D'où vient ce prodige ?

L'âme est déchirée. Lorsqu'elle veut, elle ne veut pas d'une volonté totale : ce qui signifie que lorsqu'elle veut, il y a en elle une force qui ne veut pas. Cette idée est nouvelle. Certes, les Grecs distinguaient ce qui est fait « volontiers » et ce qui est fait « malgré soi », mais ils n'avaient pas le concept d'une volonté comme force de décision à l'intérieur du moi. Ils ne disposaient d'ailleurs d'aucun mot pour la désigner. Bien plus tard, la psychanalyse retrouvera le sens de l'enseignement profond de saint Augustin. Le premier philosophe de la volonté est aussi le premier philosophe de la résistance.

La morale augustinienne part de la distinction entre ce dont il faut jouir et ce dont il faut user. Il faut user de toutes choses en vue de jouir de la Béatitude, qui est Dieu. Ceux qui jouissent de ce dont il ne faut qu'user sont perdus. L'âme aime le mal.

Un épisode célèbre des *Confessions* raconte avec quel plaisir le jeune Augustin avait un jour avec des galopins de son âge volé des poires. Le sens de cet acte n'était pas, analyse l'auteur devenu évêque entre-temps, le plaisir de manger des bons fruits, mais la jouissance de voler, celle de commettre une faute. C'est l'âme qui pèche, et non le corps. Une interprétation psychologique de cet épisode ne manquera pas de relever son caractère anodin.

Il y a dans les *Confessions* de Rousseau – qui a évidemment repris le titre d'Augustin – quelque chose de semblable : l'épisode du ruban volé. Freud parlera de souvenirs-écrans : certains souvenirs ont pour fonction de *masquer* des représentations autrement plus déplaisantes pour la conscience. Ainsi les fautes les plus lourdes que nous nous reprochons, au point qu'elles nous suivent notre vie durant (comme une relation abandonnée avec lâcheté), ne sont jamais celles qui sont objectivement les plus graves. Inversement, nous nous pardonnons généreusement plus d'une fois en notre for intérieur des fautes très lourdes (sans doute avons-nous déjà tous *tué*, mais nous ne le savons pas car nous ne voulons pas le savoir).

D'un regard amer, la puissance de l'envie

Saint Augustin raconte qu'étant petit enfant, il regardait d'un regard amer son jeune frère téter sa mère. La force de *l'envie* a été quelque peu perdue au cours des siècles – au point qu'elle a fini par acquérir une valeur positive, à l'instar d'ailleurs de tout ce que la tradition chrétienne condamnait sous le nom de péché (les sept péchés capitaux sont de formidables moteurs de croissance en régime capitaliste et des incitations puissantes à la consommation). D'après l'étymologie latine, l'envie est l'action de *regarder dans*, de jeter non pas un œil (action passablement distraite) mais son œil – avec l'idée confuse, inconsciente, de mort. L'envie du jeune saint Augustin était mortelle : c'est la mort de son petit frère qu'il désirait, car ce rival accaparait sa mère.

D'où cette interrogation en abîme : que s'est-il passé pour qu'un jeune enfant ait ainsi en lui des pensées aussi malignes ? L'idée de péché originel que saint Augustin introduit dans la pensée chrétienne et, au-delà d'elle, dans la civilisation occidentale doit être comprise en fonction de cette expérience du mal chez l'enfant, et pas seulement d'après l'histoire racontée par la Genèse.

Le précurseur de Descartes

Certains ont vu en saint Augustin l'inventeur du *cogito*. Contre les platoniciens, saint Augustin considère en effet que la perception de l'apparence peut constituer un point d'appui à la certitude (alors que les platoniciens conçoivent cette perception comme une illusion) : je ne peux, argumente saint Augustin, douter que je perçois – et quand bien même je serais dans l'illusion et le mensonge, il faut que j'existe pour l'être. Je suis trompé, donc je pense.

La Trinité en nous

Quelque chose dans notre âme répète la Trinité divine. De même que Dieu est trois tout en restant un, l'âme est triple tout en restant une. Quand elle s'aime, dit saint Augustin, l'âme est deux choses : elle-même et son amour. Quand elle se connaît, l'âme est deux choses, elle-même et sa connaissance. Donc, l'âme elle-même, son amour et sa connaissance sont trois choses et ces trois choses sont une.

À cette trinité intérieure se superpose une autre : la mémoire, l'intelligence et la volonté – une tripartition des facultés que la plupart des philosophes garderont dans la suite des siècles (certains remplaçant la volonté par l'imagination). On peut comprendre cette trilogie en rapport avec les trois dimensions du temps : l'intelligence comprend dans le présent, la mémoire se souvient du passé tandis que la volonté tend vers le futur.

Le palais de la mémoire

Saint Augustin a laissé une œuvre considérable et pourtant il n'a pas *écrit* ses livres : il les a dictés. Cette pratique suppose que les textes sont d'abord composés dans l'esprit et mémorisés. Une fois appris, ils étaient dictés à un secrétaire.

Saint Augustin, comme nombre d'auteurs de l'Antiquité, disposait de procédés mnémotechniques pour se rappeler une quantité phénoménale d'informations. Il comparait la mémoire à un palais avec des couloirs et différentes pièces. Se souvenir, c'est parcourir en imagination les différentes salles de ce palais comme si on les visitait. Cette transposition des contenus de pensée en espace imaginaire a été observée chez ceux qui présentent des capacités extraordinaires, voire pathologiques, de mémorisation.

En reprenant le titre d'Augustin, *Les Confessions*, Jean-Jacques Rousseau lui a fait perdre sa dimension religieuse. Lorsque de nos jours nous lisons les « confessions » d'une actrice ou d'un footballeur, nous n'y voyons qu'un témoignage d'existence, sans le sens du péché qui fut si prégnant chez saint Augustin. *Les Confessions* de saint Augustin sont adressées à Dieu plutôt qu'au lecteur : l'auteur prie Dieu et avoue les fautes de sa jeunesse avant de retracer l'histoire de sa conversion. C'est aussi une prière, et également une méditation.

La profondeur de ce livre vient de ce qu'il témoigne pour la première fois dans l'histoire de la philosophie de la prise de conscience par un moi de son abîme intérieur. Il n'est pas excessif de dire que c'est seulement avec saint Augustin que le moi fait irruption dans la pensée philosophique. Cette subjectivité, dont on peut soutenir, par conséquent, qu'elle est d'invention chrétienne, ou plus exactement judéo-chrétienne, est posée en même temps en relation avec ce qui la dépasse infiniment : la transcendance et la perfection divines.

Le péché marque la vie humaine dès le départ. L'âme de l'enfant est déjà corrompue, nous l'avons vu avec l'épisode du vol de poires et celui de l'envie envers son frère. Saint Augustin adolescent connaît les désirs et les tourments de la chair. Il note que c'était l'amour de l'amour qui le poussait et non l'amour d'une personne. Comme le mal, l'amour est pour lui-même son propre contenu.

Les désordres de l'intelligence font écho à ceux du corps : saint Augustin raconte quelle influence il reçut du manichéisme (qu'il a rejeté ensuite avec sévérité comme orgueilleux et insensé) et du néoplatonisme (qui lui a enseigné le caractère éternel de Dieu). Puis c'est le moment de la conversion, sanctifiée par le baptême et qui marque la véritable naissance.

À cette partie autobiographique (livres I à IX) succède une partie plus proprement spéculative (livres X à XIII). Augustin parle de la mémoire comme d'un palais qui contient la totalité des expériences passées. De façon très profonde, et qui anticipe sur une thèse freudienne, il établit qu'il ne saurait y avoir d'oubli absolu. Il reste toujours quelque chose de ce que nous avons su ou vécu quand bien même nous croirions l'avoir perdu en entier. Cette conception de la mémoire est elle aussi très moderne : saint Augustin invente la psychologie.

Cela dit, la finalité apologétique (exalter la religion chrétienne) n'est pas laissée de côté. Malgré ses exploits, la mémoire est bien inadéquate pour nous faire accéder à Dieu. Pareillement, le temps humain est bien inconsistant pour nous donner image de l'éternité de Dieu. Si l'on ne me demande pas ce qu'est le temps, dit saint Augustin, je crois savoir ce qu'il est, mais, dès qu'on me le demande, je ne le sais plus. Nous disons qu'il y a le passé, le présent et le futur, mais il serait plus juste de dire qu'il y a le présent du passé, le présent du présent et le présent du futur, si bien qu'il n'y a que le présent pour faire le temps. Qu'est-ce qu'un souvenir, en effet, sinon la représentation *actuelle* du passé et qu'est-ce qu'un projet, sinon la représentation *actuelle* du futur ? Dieu est la seule réalité consistante, il a créé l'univers et sa nature échappe à notre intelligence. Les *Confessions* sont aussi, et peut-être d'abord, un acte de confiance en Dieu.

Les deux cités

En 410, un événement traumatise l'empire romain : Rome est prise et pillée par des barbares, les Wisigoths d'Alaric. Nombreux sont ceux alors qui accusent la religion nouvelle d'avoir été à l'origine de la catastrophe. L'abandon des dieux et des coutumes traditionnelles est considéré comme la cause principale. D'autres font remarquer que si le Dieu des chrétiens était aussi puissant que ceux-ci le prétendent, il n'aurait pas permis un tel drame.

Par *La Cité de Dieu*, saint Augustin répond à ces objections. Ainsi va-t-il être amené à composer une véritable théologie de l'histoire. Il existe une Providence divine mais cela ne signifie pas que tous les événements sont directement voulus par Dieu. Jésus avait dit de rendre à César ce qui est à César et à Dieu ce qui est à Dieu. Dans ce sillage, saint Augustin distingue deux cités : celle de l'homme, dont Babylone est le symbole, et celle de Dieu, dont Jérusalem est le nom.

Cette doctrine des deux cités sera gauchie au Moyen Âge lorsque les papes affirmeront la prééminence du pouvoir spirituel sur le pouvoir temporel et tendront à identifier Église et cité de Dieu d'une part, État et cité du diable de l'autre. Pour saint Augustin, il ne s'agissait pas de réaliser la cité de Dieu sur terre, surtout pas par les moyens temporels qui seront ceux de la hiérarchie religieuse !

Deux amours ont constitué deux cités : l'amour de Dieu jusqu'au mépris de soi, l'amour de soi jusqu'au mépris de Dieu.

– Saint Augustin

Saint Augustin ne fut pas seulement un psychologue hors pair, un métaphysicien génial ou un observateur attentif aux plus petits détails. Il a été également à l'origine de légendes dont l'une sera répercutée durant les siècles du Moyen Âge. Dans *La Cité de Dieu*, il raconte que la chair du paon a la propriété d'être imputrescible. On croira l'évêque d'Hippone sur parole. Il n'en faudra pas plus pour faire du paon un symbole du Christ…

Deuxième partie

La période médiévale (v^{e}-xve siècles) et la Renaissance (xve-xvie siècles)

Dans cette partie...

La religion n'empêche pas forcément de penser. Nous allons partir ici à la rencontre de croyants qui ont beaucoup apporté à la philosophie. Au sein de chacune des trois religions monothéistes, de façon parallèle, une pensée se développe et enrichit la pensée philosophique jusqu'à la Renaissance, porte de sortie de la période médiévale et entrée fracassante dans la modernité.

Chapitre 8

Pour la plus grande gloire du Dieu chrétien

Dans ce chapitre :

- Dix siècles de philosophie
- La théologie sans sacristie
- Le Moyen Âge loin de l'idée de barbarie
- Abélard le pathétique
- Thomas d'Aquin, le tranquille
- Duns Scot, le docteur subtil
- Maître Eckhart, l'allumé
- Et bien d'autres

Un nouveau monde : l'universalisme chrétien

Saint Augustin est le plus ancien philosophe chrétien, saint Thomas d'Aquin le plus célèbre. Pendant mille ans (du Vᵉ au XVᵉ siècles), les philosophes chrétiens ont développé une pensée originale dont la caractéristique essentielle est la synthèse faite entre, d'une part, la philosophie antique (Platon, Aristote) et, d'autre part, la révélation chrétienne. Comment concilier la raison (appelée lumière naturelle) avec la foi (lumière surnaturelle) ? L'une déduit, argumente, critique ; l'autre approuve, admet, accepte sans espérer même comprendre (les miracles, les mystères par exemple). Presque tous les philosophes chrétiens ont considéré la raison (donc la philosophie, donc la philosophie grecque) comme une aide nécessaire pour la foi : comprendre pour croire fut leur mot d'ordre à presque tous. Les philosophes juifs (Maïmonide) et arabes (Averroès, Avicenne) ont eu à débattre de problèmes analogues.

L'Antiquité n'a pas laissé place au vide. Le Moyen Âge a repris le flambeau. Certes, le Dieu unique fait sentir son poids infini sur les consciences et bien des cerveaux comprimés en ont subi des dommages irréversibles. Mais la pensée s'envole lorsque elle est pressée par l'infini et lorsque le saint remplace le sage comme figure accomplie d'humanité, il n'est pas certain que l'humanité perde au change.

La philosophie antique – sauf rares exceptions – laissait de côté les trois quarts de l'humanité. Ni les femmes, ni les esclaves, ni les enfants ne comptaient. Avec la religion nouvelle, un nouveau sens de l'universel apparaît : l'universel dans le cœur. Héritière de l'empire romain dont elle a très tôt investi le centre (aujourd'hui encore, le pape occupe littéralement la place de César et d'Auguste – certaines mauvaises langues disent même César de carnaval et Auguste de cirque). La chrétienté s'est aussi conçue comme empire universel : la Jérusalem terrestre n'est pas seulement l'envers de la céleste, elle en est aussi l'image.

En théorie, le message évangélique s'adresse à tous et la promesse de salut est délivrée à tous. Le « tout à tous » par lequel saint Paul désigne la promesse du Christ fut considéré par les autorités comme tellement indiscutable qu'un moine du IXe siècle, Gottschalk, fut flagellé et emprisonné pour avoir soutenu, à partir de la doctrine de la prédestination, que Jésus n'était pas mort pour tous les hommes. Toutes les religions antiques et traditionnelles avaient un usage limité au territoire où elles avaient pris naissance. Le christianisme fut, après le bouddhisme, la première religion à s'être pensée comme universelle. Cela ne pouvait manquer d'avoir sur la philosophie des répercussions considérables.

Foi et savoir

Un bon chrétien doit-il lire tous les livres ?

Jamais époque ne fut aussi divisée sur la nature de la pensée et du savoir : ce qui nous donne accès aux splendeurs de la Création risque aussi de nous détourner du Créateur. D'un côté, saint Paul prévoit la disparition de la connaissance (les langues se tairont, la science sera abolie, dit-il), mais d'un autre côté les hérésies menacent, le démon veille dans la nuit. Mieux vaut se donner des armes et des outils. Et puis la Création est belle et Dieu n'a jamais demandé aux hommes d'être des moutons broutant l'herbe sans penser.

La question des relations entre la foi et le savoir, entre le savoir sacré et le savoir profane, bute sur ce dilemme : si l'homme, créature de Dieu, peut tout savoir, alors il égale son créateur ; si, en revanche, c'est Dieu qui détient ce savoir total, alors l'homme en sa liberté est menacé.

Sur les relations entre la foi (qui est un mode de croyance spécifique des religions monothéistes car elle implique un rapport *personnel* à un Dieu lui-même personnel) et le savoir (qui est d'abord conçu comme la possession par l'esprit des Idées permettant à celui-ci de se retrouver dans les choses du monde), le Moyen Âge a connu toutes les solutions possibles. À une extrémité, qui est celle de l'obscurantisme, un Pierre Damien flaira l'odeur du diable derrière toute science qui n'est pas divine et considéra qu'un moine doit en connaître juste assez pour comprendre ce qu'il lit. Les fondamentalismes modernes ont poursuivi jusqu'en notre temps cette conception d'abruti et l'ont même d'une certaine manière aggravée: ceux qui dans les écoles coraniques d'Asie et d'Afrique font ânonner aux enfants les versets du Coran n'exigent même pas d'eux, comme Pierre Damien le faisait des moines, de comprendre ce qu'ils récitent…

À l'autre bout de l'arc, la religion a favorisé le projet encyclopédique d'un savoir qui savait ne s'arrêter à aucune spécialité. Puisque Dieu est l'auteur de toutes choses, n'est-ce pas le louer de somptueuse manière que de rendre compte de leurs beautés et d'abord, pour ce faire, d'en prendre connaissance? Et puisque l'homme a été créé intelligent, n'est-ce pas honorer la bonté et la puissance de son créateur que de faire de cette intelligence le meilleur usage possible?

Entre ces deux extrêmes, la divine ignorance et la connaissance sublime, il y a place pour toute une série de conceptions intermédiaires: savoir, penser, oui, à condition que ce travail soit au service de la foi.

Je ne veux pas être si philosophe que je résiste à Paul ni si aristotélicien que je me sépare du Christ.

– Abélard

Nul n'entre au ciel sinon par la philosophie.

– Jean Scot Érigène

Le péché de connaître

Saint Augustin avait distingué trois désirs, trois concupiscences entraînant l'homme dans le péché: l'orgueil (le désir de dominer), la volupté (le désir sensuel) et la curiosité (le désir de savoir). Dans cette trilogie, la curiosité est à la fois la condition et le produit des deux autres concupiscences. N'allons pas oublier que l'arbre auquel appartenait le fruit défendu du Paradis terrestre était l'arbre de la connaissance du Bien et du Mal.

Pourquoi la pomme? C'est au Moyen Âge, à la faveur d'un assez extraordinaire jeu de mots (*malum* signifiant à la fois « le mal » et « la pomme » en latin) que le fruit défendu du jardin d'Éden et croqué à belles dents par Adam et Ève, fut assimilé à une pomme. Donc, le péché originel est nommément le désir de connaissance. De plus, le désir de savoir est à la fois la condition et le produit de l'orgueil, et la condition et le produit de la volupté.

De là à conclure que toute connaissance est un péché, il s'est trouvé quelques hommes de religion pour sauter le pas. Ainsi avons-nous vu que Pierre Damien estimait que le moine doit en savoir juste assez pour comprendre ce qu'il lit ; aller au-delà est inutile et dangereux. On songe à cette espèce de coït minimum que certains pères et théologiens recommandaient pour la seule finalité de la procréation. De la même manière que le bon chrétien ne s'épanchera pas en baisers ou caresses inutiles, il ne se dispersera pas en lectures et pensées gratuites. Dieu, disait Pierre Damien, n'a pas besoin de grammaire ; un autre imbécile dira, sept siècles plus tard, au moment de la Révolution française, que la République n'a pas besoin de savants.

Pour répandre les semences de la foi, argumente Pierre Damien, Dieu a envoyé des pêcheurs et des simples et non des philosophes et des orateurs. Samson a tué mille Philistins avec une simple mâchoire d'âne – symbole de l'humilité que Dieu attend de ses prédicateurs. D'ailleurs, le tout premier grammairien de l'histoire, n'est-ce pas Satan en personne qui, en s'adressant à Adam et Ève pour les tenter, a décliné le mot « Dieu » au pluriel (« Vous serez comme des dieux ») ? On ne peut manquer d'être anéanti par une telle démonstration !

Si le Moyen Âge chrétien voit comme le monde musulman fleurir de grandes encyclopédies, celles-ci étaient surtout de nature théologique : ainsi faisait-on le répertoire exhaustif des animaux et des plantes mentionnés dans la Bible. Mais il y eut de vastes esprits comme Albert le Grand, gourmands de connaissances et pas seulement bigotes.

Étudiez comme si vous deviez vivre toujours ; vivez comme si vous deviez mourir demain.

– Thomas d'Aquin

L'encyclopédie médiévale : les art libéraux

Un haut magistrat romain du nom de Varron avait dressé la liste des disciplines non techniques, intellectuelles, qui constituent l'encyclopédie du savoir : la grammaire, la dialectique, la rhétorique, la géométrie, l'arithmétique, l'astrologie, la musique, la médecine, l'architecture. Par opposition aux arts mécaniques (les métiers) exigeant un travail manuel, donc contraint, sinon servile, ces disciplines sont appelées art libéraux. Ils sont divisés en deux groupes, le *trivium* (« trois voies ») et le *quadrivium* (« quatre voies »). Le *trivium* comprend :

- la grammaire (art d'exprimer) ;
- la rhétorique (art de dire) ;
- la dialectique (art de penser).

Le *quadrivium* englobe :

- l'arithmétique ;
- la géométrie ;
- l'astronomie ;
- la musique.

La philosophie est conçue tantôt comme seule dialectique tantôt comme ce qui permet de penser les arts libéraux dans leur unité.

Comprendre pour croire ou croire pour comprendre ?

Saint Augustin disait qu'il ne faut pas comprendre pour croire mais croire pour comprendre. C'est dans cette perspective que s'inscrira saint Anselme six cents ans plus tard : la foi en quête d'intelligence. La religion met la philosophie à son service : la philosophie servante de la théologie est la formule canonique de cette relation inégale. Mais, pour que la foi cherche l'intelligence, il faut bien qu'elle l'ait perdue. À moins qu'elle ne l'ait jamais rencontrée !

Cette subordination de l'intelligence prendra des formes variées selon les auteurs. Il y a des maîtres qui se plaisent à maltraiter leur domestique, tandis que d'autres en prennent grand soin. Il en va de même avec les théologiens dans leurs rapports avec la philosophie.

Une logique renversante

Saint Paul déjà avait prévenu : ce qui est folie aux yeux des hommes est raison aux yeux de Dieu. De là à voir dans la déraison un signe de religion… La source de l'irrationalisme chrétien est Tertullien : que le fils de Dieu soit mort, disait-il, c'est tout à fait croyable, car c'est inepte. Et qu'enseveli il soit suscité, cela est certain, car c'est impossible.

C'est Pierre Damien, dont on a déjà traversé les brumes, qui fut l'inventeur de l'expression de la philosophie comme servante de la théologie. Une servante que le chrétien se doit de traiter sans ménagement ainsi que l'enseigne la Bible au sujet des captives : s'il tient à épouser cette maritorne, qu'au préalable il lui rase les cheveux et lui coupe les ongles… Pierre Damien, évidemment canonisé (saint Pierre Damien), fut opposé à l'idée d'une *philosophie chrétienne* comme Ghazali en Orient fut opposé à l'idée d'une philosophie islamique.

Une conception analogue se trouve chez saint Bonaventure qui n'admet la raison que dans la mesure où elle peut servir à réfuter les adversaires de la religion et à raffermir les croyances. Bernard de Clairvaux, le prédicateur de la deuxième croisade, évidemment canonisé lui aussi (sans les fous et les fanatiques, le peuple des saints catholiques eût été d'assez petite taille) est allé plus loin encore : tout doit s'ordonner à la science des saints qui a pour thème fondamental Jésus crucifié. Mais tous les auteurs ne l'ont pas toujours entendu de cette oreille de sourd.

La vérité voit-elle double ?

Une façon habile d'éviter le conflit entre la foi et la raison, la religion et la philosophie (transposé sur le plan politique, ce conflit sera celui du pape et de l'empereur, du pouvoir spirituel et du pouvoir temporel) sera de prétendre qu'il n'y a pas une, mais *deux* vérités : une vérité pour la raison et une vérité pour la foi.

En fait, nul n'a jamais défendu explicitement la doctrine de la double vérité, si l'on entend par là la possibilité d'une contradiction entre la vérité religieuse et la vérité philosophique ; tout le monde sait trop bien que la vérité ne saurait accepter une telle contradiction.

Cette doctrine est donc davantage un épouvantail qu'une réalité historique. Il n'en reste pas moins vrai qu'on a parlé d'un averroïsme latin (Averroès est le philosophe arabe auquel cette doctrine a été attribuée) et qu'on trouve chez certains auteurs comme Siger de Brabant l'idée qu'il existe deux sphères : la sphère de la foi, qui englobe l'ordre surnaturel, et la sphère des raisons, qui recouvre l'ordre de la nature. Ainsi, selon la doctrine de la double vérité, notera-t-on que l'âme est immortelle pour le croyant mais mortelle pour le philosophe. Si la philosophie établit que tous les hommes sont mortels, la foi nous enjoint de croire que le Christ est ressuscité.

Des gravures de l'époque représentent un homme nu à quatre pattes, le mors aux dents, chevauché par une femme nue comme lui. L'homme est Aristote en personne et la femme, Campaspe, la plus célèbre courtisane (nom noble de la prostituée) de son temps. Les mœurs étaient lestes au Moyen Âge et l'on n'hésitait pas à appeler un chat un chat et une chatte une chatte (c'est-à-dire le mot latin *conil*, d'où est issu notre très fameux « con »). La gravure d'Aristote et de Campaspe ne servait tout de même pas, on l'imagine bien, à quelque revue pornographique échangée entre moines désirant se rincer l'œil sous la bure. Elle avait un sens allégorique qui ne donnait pas à la philosophie le beau rôle : Aristote représentant la raison et Campaspe les sens, l'image signifiait le peu de pouvoir de la pauvre raison humaine face à l'appel des sens. Elle pouvait donc être lue en un sens apologétique. (Ouf !)

Penser Dieu : un défi philosophique

Peut-on parler de Dieu en termes humains ?

Pendant des siècles, on a cru que *La Hiérarchie divine*, *Des noms divins*, *La Théologie mystique* avaient été écrits par Denys l'Aréopagite, le premier Athénien converti par saint Paul lors de son discours sur le Dieu inconnu (l'aréopage était la cour criminelle d'Athènes, Denys en était membre). On sait désormais que ces ouvrages ont en réalité été écrits par un anonyme des Ve et VIe siècles. D'où le nom de pseudo-Denys que l'on donne à cet auteur inconnu.

La mode des pseudos

Le Moyen Âge ne connaissait évidemment pas les exigences de la critique scientifique des textes. Aussi attribuait-il volontiers à des personnages fameux ou légendaires des ouvrages qui avaient été composés par des anonymes. Ainsi les *Vers dorés*, un court texte poétique qui eut sur les ésotérismes (l'alchimie en particulier) une influence décisive, étaient-ils attribués à Pythagore, les *Oracles chaldéens* à Orphée, etc.

Mais il arrivait également qu'un auteur inconnu ou discret signe d'un nom prestigieux les textes et les ouvrages dont il était en réalité l'auteur. Le Moyen Âge n'avait pas comme nous le culte de l'originalité et le processus d'individualisation n'avait pas encore marqué les esprits (nombre de cathédrales ou de fresques parmi les plus célèbres sont restées sans signature). Bien à l'inverse, alors que la modernité, à partir du XIXe siècle, verra nombre d'auteurs médiocres signer de leur nom des œuvres outrageusement plagiées, au Moyen Âge, bien des auteurs géniaux attribuaient à des noms réputés des idées ou des textes dont ils étaient en réalité les auteurs. On appelle pseudépigraphes ces écrivains qui ont triché par excès de modestie. Mais aussi par excès d'orgueil, car c'est signe d'orgueil que de mettre un grand nom sous un texte !

Le pseudo-Denys est un chrétien, de tendance mystique, qui a tenté de réaliser le mariage du message évangélique et de la philosophie néoplatonicienne. Il fond l'Un transcendant de Plotin dans le Dieu de la révélation judéo-chrétienne.

Mais sa plus grande originalité est ailleurs : elle tient dans l'idée que les mots (humains, forcément humains) sont incapables de traduire la transcendance et l'infinité de Dieu. Dieu dépasse tous les attributs que l'on peut lui donner car ils sont finis et lui est infini, ils sont relatifs et lui est absolu. Même si l'on porte les attributs jusqu'au superlatif (tout-puissant, suprêmement bon, omniscient, etc.), on ne peut éviter ce piège que constitue la finitude de la langue.

Conclusion : on ne peut évoquer Dieu que de manière négative. Dieu n'est ni ceci ni cela – ni fini ni imparfait. La négation a cet avantage sur l'affirmation qu'elle découpe un espace infini de sens : on dit davantage en disant que Dieu n'est pas limité qu'en disant qu'il est illimité. Spinoza établira que toute négation est une détermination. Le pseudo-Denys pense, à l'inverse, que la négation laisse libre l'indétermination et c'est pourquoi, selon lui, elle convient particulièrement bien à Dieu.

Silence ! On pense !

La théologie négative du pseudo-Denys inspirera nombre de courants mystiques. L'un d'eux, l'hésychasme, fut particulièrement représenté chez les Byzantins. Le terme vient d'un mot grec signifiant le repos. L'hésychasme est une doctrine mystique caractérisée par le silence de la méditation : le moine ne parle plus que dans le fond de son âme (où, par exemple, il invoquera de façon incessante le nom de Jésus).

La valeur mystique du silence est connue de toutes les religions, et pas seulement de celles de la transcendance. Face à l'absolu, se taire peut paraître plus juste que parler. Tous, évidemment, ne l'entendront pas de cette oreille. Les pouvoirs établis, qui sont volontiers de grands bavards quand il ne s'agit pas de se taire sur leurs nœuds stratégiques, ont toujours regardé d'un mauvais œil ces mystiques qui, tout en se taisant et parce qu'ils ne pipaient mot, n'en pensaient pas moins.

La querelle des images

Ceux qui voient dans la parole humaine un instrument bien faible pour saisir la grandeur de Dieu sont aussi tentés de contester aux images leur pouvoir de représentation. Les plus fanatiques de ces critiques vont même jusqu'à voir dans les images des mensonges et des illusions qui détournent l'âme du vrai chemin.

La méfiance et l'hostilité à l'encontre des images puisent leur argumentaire philosophique chez Platon et renouvellent l'interdiction rigoureuse que les juifs avaient déjà prononcée. La querelle des images fut dans l'empire byzantin une crise à la fois religieuse et politique (l'empereur étant revêtu lui-même de ces deux fonctions). Platon disait que l'image nous éloigne des Idées, Aristote y voyait à l'inverse un moyen efficace d'apprentissage et de maîtrise. L'image nous détourne-t-elle de Dieu ou bien nous y conduit-elle ?

Saint Germain de Constantinople distingue le culte absolu, réservé à Dieu seul, et le culte relatif, celui que les images doivent recevoir. Les images sont de simples moyens, elles n'ont pas à devenir des fins en soi. Ce n'est pas parce qu'un chrétien semble avoir le même comportement qu'un païen devant une image que leur culte a le même sens : l'essentiel réside dans le sentiment intérieur qui dicte l'acte accompli. Ce n'est pas Dieu que l'image circonscrit, souligne saint Germain : dans la figure de Jésus, c'est la forme de l'homme de chair qui est retracée mais pas sa nature divine.

Les religions iconoclastes comme le judaïsme et l'islam n'accepteront jamais cette concession : pour elles, une icône (image sainte) est nécessairement une idole, c'est-à-dire une fiction qui a usurpé la place de Dieu.

La matière réhabilitée

Saint Jean Damascène (VIIe-VIIIe siècles), le dernier grand penseur chrétien dans une région conquise par l'islam, alla plus loin que la défense des images contre ceux qui les accusaient de corrompre l'âme : il prit le contre-pied d'une ancienne et vénérable tradition philosophique et religieuse en réhabilitant la matière.

À l'exception des matérialistes qui furent toujours minoritaires et marginalisés, les philosophes de l'Antiquité avaient presque tous subordonné la matière à un principe supérieur : l'Idée, l'esprit (Platon) ou la forme (Aristote). La théologie chrétienne se reconnut dans cet abaissement raisonné de la matière. Tantôt celle-ci était assimilée au manque, à l'imperfection (Aristote), tantôt elle allait jusqu'à être identifiée au mal (Plotin). Les gnostiques ont été le plus loin qu'il est possible dans cette répugnance, dont le corps sera évidemment la première victime.

Pas de révélation religieuse sans matière !

Sans tomber dans ces excès, les penseurs chrétiens ont accompagné et renforcé la tendance. La réaction de Jean Damascène n'en est que plus intéressante. Qu'est-ce que l'incarnation, interroge le père syrien, sinon l'insertion de Dieu dans la matière ? Qu'est-ce que la Création, que les textes sacrés s'accordent à reconnaître pour belle, sinon une matière chatoyante ? Et la croix, et l'hostie, qui jouent un rôle essentiel dans les mystères chrétiens, que sont-elles, sinon de la matière ? Il n'y aurait ni existence ni résurrection sans la matière. Celle-ci ne peut par conséquent pas être dite mauvaise.

Boèce, l'inventeur de la personne au destin pathétique

Moins connu que Socrate et que Thomas More, Boèce fait partie de cette longue cohorte des philosophes martyrisés par le pouvoir. Après être parvenu à la fonction de consul (sorte de premier ministre), il fut emprisonné et torturé à mort sur l'ordre de l'empereur Théodoric qui l'accusait de comploter contre lui.

Boèce eut une influence considérable sur la philosophie des siècles suivants. Non seulement il leur transmit Platon et Aristote, mais il leur légua le nom des disciplines et la clarification de nombreux concepts. C'est Boèce qui fut le premier à donner à la *personne* son sens actuel en la définissant comme réalité individuelle et rationnelle. Le mot latin *persona* renvoyait au masque de théâtre que portaient les acteurs pour symboliser tel ou tel rôle (esclave, roi, etc.). Puisque l'essentiel chez un acteur est le rôle qu'il joue (son personnage) et non le visage qu'il a, il faut recouvrir ce visage apparent pour exprimer la fonction. Boèce appelle donc personne ce qui fait le fond de l'individu humain.

Écrit en prison, *Consolation de la philosophie* est un dialogue pathétique, en prose et vers mêlés, entre l'auteur et sa visiteuse, la Philosophie. Alors qu'il cherchait dans l'activité poétique un soulagement à son infortune, Boèce voit la philosophie lui apparaître sous la forme d'une femme vénérable, aux yeux étincelants et douée d'une intelligence surhumaine des choses. Sa robe, faite d'un tissu précieux, est marquée en bas de la lettre P et en haut de la lettre T. Pendant tout le Moyen Âge, il sera d'usage de représenter la philosophie sous cette apparence.

P signifie « Pratique » et T signifie « Théorie ». T est en haut. Le sens symbolique est clair : il faut aller de la pratique à la théorie, c'est-à-dire parcourir le chemin de la contemplation. Donc, la philosophie apaise son disciple que la proximité de la mort a plongé dans le désarroi. Celui-ci provient de l'ignorance : que Boèce se connaisse en tant qu'homme et il lui sera désormais possible de comprendre son origine et son destin. Il ne suffit pas de croire abstraitement en un Dieu créateur et maître du monde, l'essentiel est de savoir comment il est possible de s'unir à lui. Espèce de synthèse entre le *Phédon* de Platon et les Évangiles, *Consolation de la philosophie* plaide en faveur de la conciliation de la philosophie grecque et de la révélation chrétienne.

Jean Scot Érigène : la division de la nature

Jean Scot Érigène est le grand philosophe de ce IXe siècle carolingien que nombre d'historiens saluent comme un sommet culturel, avant l'extraordinaire explosion de l'âge scolastique (XIIIe siècle). Il est vrai que, comparée à la riche moisson de l'islam qui vit alors son âge d'or, l'Europe chrétienne fait alors un peu pâle figure. Du moins aurait-elle fait très pâle figure s'il n'y avait pas eu des esprits de l'envergure de Scot Érigène.

Le grand œuvre de ce grand Irlandais repose sur la division entre quatre natures :

- **la nature créatrice non créée :** Dieu (il a créé l'univers mais lui-même n'a pas été créé) ;
- **la nature créatrice créée :** ce sont les Idées archétypes, les modèles, dont la notion vient de Platon (pour Scot Érigène, les Idées en tant que modèles, les paradigmes, créent littéralement les choses sensibles : par exemple, c'est l'Idée de cercle qui produit les choses rondes, car sans elle, il n'y aurait pas de ronds ; ces Idées sont créées parce qu'elles dérivent de Dieu créateur de tout, selon une thèse entièrement opposée au platonisme) ;

- **la nature non créatrice créée:** ce sont les choses qui sont issues des Idées (les ronds dérivent des cercles);
- **la nature non créatrice non créée:** c'est Dieu *après* l'acte de création (Dieu est un artiste à la retraite: il a produit son chef-d'œuvre une fois pour toutes, d'où gros problème…).

Qui est Dieu?

Dieu n'est-il qu'un paresseux infini?

Les théologiens et les Pères de l'église se sont retrouvés confrontés à une foule de questions logiques et métaphysiques à cause de l'idée de Création. Car *avant*, il s'est écoulé un temps infini (puisque Dieu est lui-même infini): pourquoi la Création a-t-elle été décidée à un moment donné et non pas avant? Il faut répondre à cette question pour clouer le bec aux esprits malveillants qui seraient tentés de penser: «Eh bien, Il en a mis du temps!»

À l'autre bout de la question, l'énigme ne tue pas moins: car, *après* la Création, que fait Dieu? Il se repose, comme un chef d'entreprise épais qui peut voir arriver après avoir touché de grosses indemnités de départ? Est-il bien digne de Dieu de le supposer aussi inactif?

Une façon radicale de répondre à ces questions est d'établir qu'elles n'ont pas de sens. Dieu, à la différence des hommes, n'est pas dans le temps, mais dans l'éternité. L'*avant* et l'*après* n'ont de sens que par rapport aux hommes et au monde des choses sensibles, mais pas par rapport à Dieu. Il n'y a pas d'avant la Création puisque la Création est ce à partir de quoi l'avant (comme l'après, d'ailleurs) existe.

Une autre théorie, dite de la création continuée, que défendra Malebranche à l'âge classique, établira que la création divine ne peut se réduire à une pichenette: en fait, Dieu est constamment actif dans l'univers, les lois de la nature sont la manifestation actuelle de cette présence.

Les Idées sont-elles éternelles ou créées?

Une autre difficulté rencontrée par la pensée chrétienne (mais aussi juive et arabe) est celle de la relation entre les Idées et Dieu.

Les Idées sont les modèles des choses. Elles sont parfaites et échappent au devenir du monde sensible. Platon les supposait éternelles: pour lui, l'Idée de Bien a toujours existé, et c'est grâce à cette Forme qu'il y a des actions que nous pouvons qualifier de bonnes. Pour Jean Scot Érigène, nous l'avons vu, les Idées sont créées par Dieu. Cette thèse est logique puisque, d'un point de vue religieux, seul Dieu est éternel.

Seulement, si Dieu crée les Idées, donc les vérités, il aurait pu les imaginer autrement, puisqu'il est souverainement libre. Par exemple, Dieu aurait pu faire que 2 fois 2 ne fassent pas 4. Des auteurs n'ont pas admis cette possibilité qui semble ravaler la volonté créatrice de Dieu au caprice et la vérité à la contingence. Si l'Idée est absolue, elle doit pouvoir s'imposer à Dieu lui-même (Dieu ne pouvant que reconnaître que 2 fois 2 font 4). Mais admettre cela, c'est admettre que Dieu ne peut faire autrement que de reconnaître des vérités qui échappent à sa volonté infinie, laquelle, du coup, n'est plus infinie...

Dieu seul est infini

En faisant de l'infini un attribut de Dieu, le christianisme a bouleversé le sens que la philosophie ancienne avait donné à cette notion. Si le terme d'infini est négatif, c'est parce que le concept qu'il désignait était négatif (*apeiron* en grec, ce qui est sans limites, a été traduit par *infinitum* en latin, d'où est issu notre infini). Pour les Grecs, le beau, le parfait, l'achevé est nécessairement fini. L'infini est du côté de l'inachevé, de l'imparfait. Le cosmos, qui désigne le monde en son harmonie, ne pouvait être pensé que fini – d'où le modèle de la sphère considérée comme la plus parfaite des figures.

Par ailleurs, Aristote avait décrété impossible l'infini actuel, c'est-à-dire effectif : seul existe, à ses yeux, l'infini potentiel, c'est-à-dire la réitération sans fin d'une opération comme l'addition (on peut toujours ajouter 1 à un nombre, aussi grand qu'on voudra) et la division (on peut toujours partager en deux une quantité aussi petite qu'on voudra).

En faisant de l'infini un attribut de Dieu, le christianisme lui accorde une positivité qu'il n'avait pas. Du coup, c'est le fini qui se trouve dégradé. Ainsi, face à l'intelligence infinie de Dieu, l'intelligence humaine sera dite finie.

Par définition, l'infini ne peut et ne doit être limité par rien. Par conséquent, il est nécessairement seul. Il n'y a pas d'autre infini que Dieu. Ce qui signifie, entre autres choses, que l'infinité de l'univers est inacceptable dans ce cadre de pensée : ni le temps, ni l'espace, ni la matière ne peuvent être dits infinis, puisqu'il y a une Création et qu'il y aura une fin, et puisque l'infini est déjà occupé par Dieu.

Ainsi faut-il comprendre l'espèce d'élan avec lequel les philosophes du Moyen Âge ont accepté et intégré la conception finitiste de l'univers que les Grecs (épicuriens et stoïciens exceptés) avaient développée. La sphère de Parménide, de Platon et d'Aristote convenait tout à fait : la forme est assez parfaite pour rendre compte de la splendeur de la Création et son caractère fini ne saurait faire d'ombre à son créateur.

Les dilemmes de la toute-puissance divine

Dieu est tout-puissant, il peut tout. Qu'est-ce à dire ? Peut-il vouloir le mal, l'absurde, l'impossible ? Par exemple, peut-il faire s'entre-tuer les hommes ? Transgresser toutes les lois de la logique comme fabriquer un cercle carré ? Ou faire en sorte que le passé n'ait pas eu lieu ? Dieu peut-il se contredire ? Peut-il cesser d'être tout-puissant ? Créer un autre être tout-puissant ? Créer un être plus puissant que lui ?

Si l'on répond non à de telles questions, c'est la puissance de Dieu qui en prend un coup, mais si l'on répond oui pour sauvegarder la puissance, c'est la perfection et la bonté qui sont anéanties. Dans son traité sur la toute-puissance divine, Pierre Damien établit que les limites logiques et physiques de la raison humaine ne valent plus pour Dieu. Celui-ci aurait pu faire que le mal eût été le bien et que 2 plus 2 eussent pu faire 5. De telles thèses ont généralement paru impossibles à défendre, la plupart des auteurs considérant la puissance de Dieu comme rationnelle et bienveillante.

Pouvoir et vouloir de Dieu

Abélard dit que Dieu ne peut faire que ce qu'il fait ; pas de possible fuyant hors du réel. La raison qu'il en donne est que Dieu ne peut faire que ce qu'il veut ; or, il ne peut pas vouloir faire autre chose que ce qu'il fait parce qu'il est nécessaire qu'il veuille tout ce qui est convenable ; d'où il s'ensuit que tout ce qu'il ne fait pas n'est pas convenable, qu'il ne peut pas vouloir le faire et par conséquent qu'il ne peut pas le faire.

À l'impossible, même Dieu n'est pas tenu

Comment Dieu pourrait-il transgresser les lois logiques ou physiques qu'il a lui-même établies ? Autant se demander s'il peut se tirer une balle dans le pied. Thomas d'Aquin résout la question en distinguant avec rigueur la possibilité logique et la puissance. Si Dieu ne peut pas faire quelque chose, cela ne signifie pas une limitation de sa puissance, mais une impossibilité objective. De plus, la toute-puissance impliquant la perfection, ce n'est pas une limitation mais, à l'inverse, une expression de la toute-puissance que de dire par exemple que Dieu ne peut pas pécher. Il y a des pouvoirs qui entravent la puissance au lieu de l'entraîner. Jean de Mirecourt a été condamné en 1347 pour avoir affirmé que Dieu veut le péché du pécheur. Autant vaudrait l'affirmation que c'est Dieu qui pèche à travers le pécheur : solution évidemment inacceptable.

Dieu est-il responsable du mal ?

Les termes du dilemme, ou plus exactement du « tétralemme » (choix entre quatre solutions paraissant également impossibles), ont été exposés avant même l'émergence du christianisme. De quatre choses l'une :

- ou bien Dieu ne peut empêcher le mal qu'il ne veut pas – auquel cas il n'est plus tout-puissant ;
- ou bien Dieu ne veut pas empêcher le mal – auquel cas il n'est pas suprêmement bon ;
- ou bien il ne veut ni ne peut empêcher le mal, et alors il n'est ni tout-puissant ni suprêmement bon ;
- ou bien il veut et il peut empêcher le mal, mais alors d'où vient le mal ?

Les cathares, héritiers des gnostiques, sépareront le Bien et le Mal comme deux principe dérivés de deux puissances distinctes. L'orthodoxie catholique considérera comme hérétique un tel point de vue.

Les dilemmes de l'ubiquité divine

Dieu est tout en tous, disait saint Paul. Dieu est partout ; il emplit le Ciel et la Terre. Mais le monothéisme n'est pas le panthéisme : il est hors de question d'identifier Dieu et l'univers, car ce serait briser la transcendance. Dieu n'est pas dans tous les êtres, argumente Thomas d'Aquin, puisque les démons sont des êtres et que Dieu n'est pas dans les démons. De plus, lorsque nous disons que Dieu est partout dans le monde, ce n'est pas au sens où l'huile s'est étalée sur toute la table : Dieu n'a pas de parties. Dieu est partout dans le monde à la manière dont l'âme est partout dans le corps : cela ne veut pas dire qu'il y ait un bout d'âme dans l'auriculaire ou dans tout autre extrémité corporelle.

Les dilemmes de l'omniscience divine

Dieu connaît tout. Mais connaît-il le futur qui n'existe pas encore (il n'y a, semble-t-il, de connaissance que de ce qui existe déjà) ? Il n'y a de connaissance que du général, disait Aristote. Dieu, qui connaît tout, connaît-il les choses singulières ? Sait-il le nombre de cheveux sur ma tête ? Pierre Lombard, qui décidément n'en manquait pas une, prétendait que oui : Dieu connaît le nombre total des puces qu'il y a dans le monde. Il tient le compte de celles qui naissent et de celles qui meurent ; il sait que certaines, qui ont une patte cassée, n'en ont plus pour longtemps. C'est nécessaire puisque Dieu sait tout.

Dieu est une sphère dont le centre est partout et la circonférence nulle part.

– Livre des XXIV philosophes

Des esprits au service de Dieu

Saint Anselme prouve l'existence de Dieu !

Les preuves de l'existence de Dieu sont une illustration spectaculaire de cette volonté typiquement médiévale de mettre la raison au service des « vérités » religieuses (ce que l'on appelait ainsi, on l'aura compris).

Saint Anselme est l'inventeur de ce que l'on nomme depuis Kant la preuve ontologique de l'existence de Dieu. Le raisonnement est le suivant : si l'on se représente quelque chose de tel que rien ne peut être pensé de plus grand, il y aurait diminution pour l'être qui ne serait que pensé sans exister, car l'être qui existe est plus grand que l'être qui n'est que pensé. Donc Dieu existe.

Vous n'êtes pas convaincus ? Ne vous affolez pas : vous êtes loin d'être les seuls. En fait, les preuves de l'existence de Dieu, et en particulier la preuve ontologique, la plus abstraite de toutes, n'ont jamais converti personne. D'ailleurs, elles ne sont pas des preuves – tout au plus des *arguments*. S'il y avait réellement des preuves de l'existence de Dieu, cela voudrait dire que les athées et les agnostiques sont bêtes ou fous.

Philosophiquement parlant, la preuve ontologique consiste à déduire l'existence (Dieu est) de l'essence (la grandeur suprême). Mais, dès le départ, Dieu est posé comme existant (comme grandeur suprême). Dieu sort comme un lapin blanc du chapeau du prestidigitateur. On devine que Dieu, comme le lapin, est déjà là. Par ailleurs, chacun sait que quand on pose un lapin, il n'y a personne.

Plus tard, Kant présentera une réfutation sophistiquée de la preuve ontologique : l'existence, remarquait-il en substance, n'est pas un prédicat (un attribut) qui vient s'ajouter à un sujet mais la condition de la liaison des prédicats dans le réel. Plus simplement, car je devine dans les yeux du lecteur un flottement, l'existence n'est pas prouvable par le raisonnement, elle est éprouvable dans l'expérience. Faites-en le test simple : essayez donc de démontrer à l'aide du seul raisonnement que vous, vous existez. Vous n'y parviendrez pas. Cela ne signifie pas, bien entendu, que vous n'existez pas, cela signifie que l'existence n'est pas de l'ordre de la preuve. Saint Anselme a cru prouver l'existence de Dieu, il n'a fait que prouver l'ingéniosité de la raison humaine.

Abélard, héraut tragique

L'œuvre d'Abélard représente le plus clair démenti à la thèse qui voudrait que la vie d'un homme fût nécessairement exprimée dans sa pensée. Il n'y a, en fait, rien dans les livres de logique, de philosophie et de théologie de ce grand intellectuel qui exprime le sombre drame d'un amour-passion interrompu, mais non achevé, par la mutilation.

Dans l'extraordinaire histoire d'amour-passion qui lia Abélard à Héloïse, le philosophe n'eut pas le beau rôle : la faiblesse et la lâcheté sont de son côté, tandis que la force et le courage sont du côté de la figure féminine qui, entre Antigone et Hildegarde de Bingen, suffit à ébranler le dogme de la domination masculine. Héloïse disait à son amant préférer le nom d'amie ou même celui de prostituée à celui d'épouse. Abélard l'épousa tout de même pour leur malheur à tous deux. Croyant que le philosophe projetait de se débarrasser de sa nièce, le chanoine Fulbert le fit émasculer une nuit par des hommes de main. Héloïse se réfugia dans un cloître et s'imposa toute une vie de rigueur pour un homme qui était loin de la valoir, mais qui avait payé cher pour ses velléités.

La philosophie d'Abélard est résolument antiréaliste : les universaux (le genre et l'espèce comme « l'homme », « le cheval », « l'arbre ») sont seulement des prédicats communs à plusieurs sujets et non des réalités indépendantes. Ils sont donc d'abord des mots. Si, par exemple, on dit de la grenouille et du raton laveur qu'ils sont des animaux, ce n'est pas parce qu'ils participent d'une animalité abstraite et idéale, comme le croient les platoniciens, ni parce que l'idée d'animal s'incarne en eux. C'est parce qu'ils possèdent assez d'éléments communs pour qu'on puisse les désigner par le même terme.

Abélard sépare rigoureusement l'être et le dire, la chose et le mot. Une proposition ne dit pas une chose mais un certain état de la chose. Il s'ensuit que la vérité nécessaire ne s'énonce pas à travers une proposition catégorique (du type « la grenouille est un animal ») qui reste valable même si les choses que ces termes désignent n'existent pas (il est possible de formuler des énoncés vrais à propos d'êtres imaginaires comme : « une licorne a une corne au milieu du front »).

Un précurseur

L'influence d'Abélard se fera sentir au-delà de la logique. Un ouvrage, *Sic et non* (*Oui et non*), présente une forme qui sera ensuite adoptée par nombre d'auteurs du Moyen Âge : on dit le *pour* d'une question en argumentant avec des citations et des raisons déduites des citations, puis on dit le *contre*, et enfin on donne la solution. La pensée ainsi éclatée évite de donner à la doctrine un aspect systématique. Les grandes sommes scolastiques sont en préparation dans ce texte.

La querelle des universaux

Les universaux sont les concepts dont le premier caractère est justement l'universalité. Les philosophes de cette époque se sont rangés en trois camps au sujet de cette question. Il y a en effet trois façons de concevoir la relation entre le concept et la chose :

- ou bien le concept précède la chose, comme chez Platon (platonisme ou réalisme des Idées) ;
- ou bien le concept est dans la chose ;
- ou bien le concept est après (d'après) la chose.

Soit le rond, c'est une chose, et le cercle, c'est le concept. Première solution : le concept de cercle existe de toute éternité, il précède ce rond que je viens de dessiner sur une feuille de papier. De plus, c'est parce que j'ai déjà dans ma tête l'idée de ce qu'est un cercle que je peux reconnaître comme rondes les choses qui ont cette forme.

Deuxième solution (ce fut celle d'Aristote) : il n'y a pas d'un côté les idées et d'un autre côté les choses, il n'y a pas, comme chez Platon, un monde intelligible d'une part et un monde sensible d'autre part, mais, de même que la forme achevée, parfaite, finie de la statue existe déjà potentiellement dans le bloc informe du marbre, le concept est dans la chose concrète. Il n'y a pas de cercle sans chose ronde puisque ce sont les choses rondes qui *réalisent* (au sens propre : donnent la réalité) le cercle. Penser, ce n'est pas découvrir, comme chez Platon, une Idée éternelle, antérieure aux choses, c'est reconnaître la présence de l'idée dans le monde.

Une troisième solution est possible : le concept n'est ni avant ni dans la chose, mais après elle, dans l'esprit de celui qui le forge. S'il n'y avait pas de choses rondes (le soleil, la pleine lune, la section de l'arbre, la fesse, etc.), l'homme n'aurait pas pensé au cercle – mais cela ne signifie pas que le cercle *est* dans la lune ou dans la fesse : la pensée a abstrait le concept de cercle du monde des sens (on voit le rond, on pense le cercle), elle l'a dégagé. Si l'on accorde une plus grande autonomie à la pensée, par rapport à la réalité sensible, on peut même aller jusqu'à dire qu'elle forge ses concepts exactement comme le forgeron forge le fer à cheval, ou comme l'architecte bâtit sa maison.

Les scolastiques et leurs cathédrales de mots

Le terme de scolastique a d'abord été un adjectif (théologie scolastique, philosophie scolastique) avant d'être un substantif (la scolastique). Il renvoie à la théologie et à la philosophie chrétiennes enseignées dans les écoles du Moyen Âge et caractérisées par la rationalisation des dogmes et articles de foi et par leur systématisation sous forme de sommes. Le XIIIe siècle fut l'âge d'or de la scolastique.

Ces cathédrales de l'esprit que sont les sommes et qu'ont bâties pierre à pierre Albert le Grand, saint Bonaventure, Thomas d'Aquin, entre autres, ne vont pas sans contrefort ni arc-boutant. Elles ont beau avoir des proportions colossales, elles sont loin d'avoir le caractère complet et fermé des traités de l'âge classique qui suivra. Dans les sommes, rien n'est conclu, car les mains qui les ont écrites ont effacé leurs propres empreintes. Une raison de fond l'explique : la synthèse systématique conférerait à la doctrine théologique une structure trop décidément rationnelle. Aussi peut-on dire qu'elle fut évitée comme fut évité (et non déterminé par les circonstances extérieures) l'achèvement des cathédrales. La perfection n'appartient qu'à Dieu.

Thomas d'Aquin ne termina pas sa *Somme théologique*. Pris d'une vision extatique, le Docteur angélique (tel fut son surnom) n'eut plus le désir de terminer son ouvrage : tout ce que j'ai écrit, dit-il, me paraît de la paille en comparaison de ce que j'ai vu...

Thomas d'Aquin, le Docteur angélique

Le bœuf tranquille

On se demande comment un homme qui n'avait pas cinquante ans quand il mourut a pu produire une œuvre aussi considérable. Il eut pour surnom le Docteur angélique, car aucun des secrets célestes ne semble lui avoir échappé. Mais ses condisciples moines l'appelaient le bœuf tranquille, à cause de son embonpoint et de son mutisme. Thomas d'Aquin ne disait rien : il pensait et il écrivait.

Après l'avoir récusé (plusieurs thèses de Thomas d'Aquin furent solennellement condamnées), l'Église le canonisa une cinquantaine d'années après sa mort. Inquiète de son déclin, l'Église, au XIXe siècle, fera du thomisme sa doctrine officielle, si bien qu'aujourd'hui encore le catholicisme est philosophiquement thomiste. C'est pourquoi il n'est pas exagéré de dire que, Marx excepté, aucun philosophe n'eut sur l'histoire institutionnelle une influence aussi profonde que Thomas d'Aquin.

Sa pensée est, comme celle d'Averroès chez les musulmans et celle de Maïmonide chez les juifs, une reprise par la raison des dogmes et des mystères de la révélation religieuse. Elle apparaît comme une synthèse de la philosophie grecque (Platon, mais surtout Aristote appelé simplement le Philosophe dans la *Somme théologique*), de la religion chrétienne et des commentateurs arabes. Selon Thomas d'Aquin, la raison ne se réduit pas à la foi mais elle lui donne une assise et une structure logiques. Lorsqu'il y a conflit ou aporie, c'est la foi qui doit l'emporter en dernier ressort : si Aristote dit que le monde est éternel et que la Bible affirme que le monde a été créé, c'est la Bible qui doit l'emporter sur Aristote.

Les cinq preuves de l'existence de Dieu

Prouver l'existence de Dieu, c'est en même temps prouver que la raison a raison de s'appuyer sur la foi pour comprendre, et que la foi a raison d'avoir foi dans la raison pour croire.

Dans la *Somme théologique*, Thomas d'Aquin énonce cinq preuves :

- **La première est que tout est en mouvement dans l'univers, qui est lui même en mouvement.** En remontant la série des moteurs, il est nécessaire d'aboutir à un moteur qui met en mouvement sans être lui-même mû : ce premier moteur immobile est Dieu. Cet argument vient d'Aristote.
- **La seconde preuve est analogue à la première ; seulement, au lieu de moteur, il est question de cause.** En remontant la série des causes (la cause de la cause, la cause de la cause de la cause, etc.), il est inévitable d'aboutir à une cause première, qui cause (cause toujours !) sans être elle-même causée. Cette cause non causée est Dieu.
- **La troisième preuve part de l'idée de contingence du monde.** Le monde est contingent : il existe, mais il aurait pu ne pas exister (son inexistence n'enferme pas d'impossibilité logique). Seul un être nécessaire (Dieu) peut expliquer l'existence d'un monde contingent.
- **La quatrième preuve de l'existence de Dieu prend appui sur l'idée de perfection :** il y a des degrés de perfection (l'être est plus ou moins bon, plus au moins beau, etc). Ces degrés n'existeraient pas sans un critère de perfection idéale, absolue. Cet être qui est tel qu'aucun autre plus parfait que lui n'eût pu être imaginé est Dieu.
- **La cinquième et dernière preuve repose sur la finalité de l'univers :** sans un ordonnateur suprême, les choses iraient à vau-l'eau dans le plus grand désordre. Kant appellera téléologique cette preuve par l'idée de cause finale.

La Somme théologique

Une somme est un résumé organisé de manière logique – c'est le mot que nous retrouvons dans « sommaire ». La plupart des auteurs du Moyen Âge, qui étaient à la fois philosophes et théologiens, ont écrit des sommes censées résumer l'ensemble des connaissances en un domaine donné. Si la *Somme théologique* de Thomas d'Aquin, la plus célèbre de toutes, n'est pas aussi lourde que celle d'Alexandre de Halès (les reliures et parchemins du Moyen Âge étaient épais), sa traduction en français, en quatre volumes, frôle les 4000 pages sur double colonne…

Que le lecteur enhardi devenu momentanément féroce comme ce qu'il lit (pour reprendre les premiers mots des *Chants de Maldoror* de Lautréamont) ne se décourage et ne se résigne pourtant pas : il peut ouvrir au hasard l'un des volumes de la *Somme théologique*, il tombera la plupart du temps sur des analyses tout à fait claires et passionnantes.

Une architecture de mots

Le grand historien et philosophe de l'art Erwin Panofski a comparé le plan de la *Somme théologique* à la structure d'une cathédrale. L'ouvrage comprend une introduction (le porche d'entrée) consacrée à la théologie comme science et trois parties (nef, chœur, bas-côtés) consacrées respectivement à Dieu, à l'homme et au Christ – lequel est le médiateur entre Dieu et l'homme. Rappelons que comme les cathédrales, la *Somme théologique* est inachevée.

La justification de la guerre

Thomas d'Aquin établit, à partir d'indications données par saint Augustin, une théorie de la guerre juste. Le dilemme est bien connu : en théorie, le christianisme prêche une absolue non-violence. Par ses paroles et par ses actes, Jésus a incarné cet idéal, auquel on n'a pas manqué de rapprocher le bouddhisme. Le culte du martyre, dans les premiers siècles du christianisme, dérive au moins en partie de ce refus inconditionnel de la violence, que même la nécessité de se défendre ne saurait entamer.

Cela dit, dès que l'Église s'est elle-même retrouvée à la tête d'un État temporel, elle a mené des actions en tous points semblables à celle menées par n'importe quel autre État. Sur un plan strictement moral, la politique des papes du Moyen Âge ne peut pas être dite meilleure que celle des rois et des empereurs – elle pourrait même être à bien des égards déclarée pire, parce que beaucoup plus hypocrite (ainsi l'Église, qui ne devait pas verser le sang, laissait-elle le soin au pouvoir séculier de la débarrasser par le feu des hérétiques que ses tribunaux condamnaient).

La justification de la guerre par saint Augustin puis par Thomas d'Aquin représente évidemment une inflexion décisive dans la doctrine. Jésus disait : si on te frappe sur la joue, tend l'autre. À présent, la légitime défense lave la guerre du soupçon de meurtre. Mais il y a plus et pire : Thomas d'Aquin déclare juste une guerre menée par un roi légitime (lequel est censé détenir son pouvoir de Dieu lui-même, selon la doctrine de saint Paul). On comprend qu'une telle dialectique ait attiré l'attention de plus d'une tête couronnée dans la suite des siècles !

La justification du vol

Il serait néanmoins erroné de faire de Thomas d'Aquin le chien de garde des riches et des puissants de la terre. Les pages qu'il consacre au vol sont à cet égard étonnantes et instructives. Certes, il y a le « Tu ne voleras pas » qui, comme le « Tu ne tueras pas », sonne comme un principe intangible. Mais, dans les cas de grande pauvreté, dit Thomas d'Aquin, la loi est comme suspendue, car alors on se retrouve dans un état de nécessité naturelle. Un pauvre qui vole pour manger ne commet pas de péché, car son état de nécessité signifie suspension de l'obligation de ne pas voler. La nécessité ne connaît pas de loi, avait dit saint Augustin.

Il y a de nos jours dans nos sociétés démocratiques bien des tribunaux qui sont loin d'être arrivés à ce degré de compréhension...

Les sept péchés capitaux

C'est Abélard qui distingua le vice, qui est un penchant mauvais, du péché, qui est le consentement de la volonté au mal. Un péché, par définition, est volontaire, alors qu'un vice peut être irréfléchi. La théologie chrétienne a, durant le Moyen Âge, distingué et hiérarchisé avec beaucoup de soin les différents péchés. La distinction la plus connue est celle des péchés véniels (qui éloignent le pécheur de Dieu sans le séparer de lui) et des péchés mortels (qui marquent une séparation entre le pécheur et Dieu).

Ont été dits capitaux les vices ou les péchés qui ont la capacité d'en engendrer d'autres. C'est la raison pour laquelle la série des péchés capitaux n'est pas une liste de délits ou de crimes. Les péchés capitaux sont la source, la cause, la condition des péchés les plus nombreux et les plus graves. Ils sont au nombre de sept, comme les vertus : l'orgueil, l'avarice, la luxure, l'envie, la gourmandise, la colère et la paresse. Soit le meurtre, ou la guerre – en cherchant, on verra qu'ils sont effectivement la résultante d'un ou de plusieurs de ces péchés.

On remarquera avec une certaine dose d'ironie que non seulement ces péchés n'en sont plus, mais que l'avarice exceptée (et encore, elle favorise l'épargne !), ils sont tous valorisés par les sociétés démocratiques de consommation de masse au point d'apparaître pour la plupart d'entre eux (la luxure surtout) comme des vertus.

Roger Bacon, le Docteur admirable

Il est anglais, comme son nom l'indique, et a vécu en même temps que Thomas d'Aquin – bien que nettement plus longtemps (quatre-vingts ans). Ses attaques contre les dominicains (lui-même est franciscain) lui ont valu quinze ans de prison. Dans un monde intellectuel marqué par la spéculation livresque, il tranche par la sagacité de son observation et par la façon presque scientifique (au sens moderne du mot) de comprendre la réalité.

Il est le premier à s'apercevoir que le calendrier en usage depuis Jules César (et appelé pour cette raison julien) est en décalage croissant avec la réalité astronomique (il faudra attendre encore trois siècles pour qu'un nouveau calendrier, dit grégorien, le remplace). Il remarque également que le système de Ptolémée censé rendre compte de la position et du mouvement du soleil et des planètes contient des anomalies. Il précède Descartes de 400 ans avec ses travaux d'optique et sa théorie de l'arc-en-ciel. Il imagine des machines volantes avant Léonard de Vinci. Il trouve la formule de la poudre (qu'il a peut-être empruntée aux Arabes). Quatre siècles avant Pascal, qui s'est inspiré de lui, il renverse la perspective traditionnelle avec sa foi dans le progrès des connaissances : ceux que nous appelons les Anciens sont en réalité la jeunesse du monde ; il n'y a par conséquent pas à montrer un respect excessif à leur endroit.

Dans la querelle des universaux, il tient pour la solution conceptualiste : les idées générales sont le produit de l'abstraction opérée par l'intelligence humaine. Comme son homonyme et compatriote Francis Bacon, qui viendra trois siècles après lui, il est considéré à juste titre comme le chantre de la science expérimentale. Quand on vous disait que tout n'était pas mort au Moyen Âge !

Cela dit, pas d'anachronisme ! N'allons pas imaginer quelque esprit des Lumières égaré au XIIIe siècle. Roger Bacon croyait à l'astrologie (alors même que la plupart des philosophes de l'Antiquité et du Moyen Âge n'y voyaient, à juste titre, qu'un tissu de sornettes), à la pierre philosophale des alchimistes, et il prend pour argent comptant les légendes colportées par Pline l'Ancien sur le diamant qui serait dissout par du sang de bouc...

La science expérimentale ne reçoit pas la vérité des mains de sciences supérieures ; c'est elle qui est la maîtresse et les autres sciences sont ses servantes.

– Roger Bacon

Duns Scot, le Docteur subtil

Sa pensée marque, contre la scolastique de la génération précédente fortement structurée par l'aristotélisme (Thomas d'Aquin) et contre un certain retour à l'esprit du platonisme et du néoplatonisme (saint Bonaventure), un certain désir de réalisme. Beaucoup le considèrent aujourd'hui comme le plus grand philosophe du Moyen Âge. Sa pensée, difficile, est en effet d'une rigueur telle qu'elle lui a valu le surnom de Docteur subtil.

Pour Duns Scot, l'objet propre de l'intelligence humaine n'est ni l'essence abstraite de la réalité matérielle comme le prétend Thomas d'Aquin à partir d'Aristote, ni Dieu lui-même comme le soutiennent les augustiniens inspirés par Platon, mais l'être même entendu de manière univoque (lorsque nous disons de la pierre, de l'animal, de l'homme et de Dieu qu'ils *sont*, c'est en un sens unique). Les choses ont une essence qui leur appartient en propre et qu'elles ne doivent ni à la matière ni à la forme. Les disciples de Duns Scot ont créé le terme d'haeccéité pour traduire cette essence singulière des choses, sur laquelle l'intelligence humaine doit se porter.

Par ailleurs, Duns Scot a tiré toutes les implications logiques de l'idée d'une volonté divine infinie. Dieu n'est limité dans sa volonté de créer par rien d'extérieur à lui, pas même par les prétendues Idées éternelles. Dès lors, le monde qu'il a créé aurait pu être autre qu'il n'est : la nécessité de la volonté divine ne peut que déboucher sur la contingence du monde. La créature humaine bénéficie d'un semblable pouvoir de choix – une thèse dont Descartes, malgré sa répugnance pour la scolastique, ne manquera pas de se souvenir.

Guillaume d'Occam et le rasoir critique

Principal représentant du nominalisme au Moyen Âge, Guillaume d'Occam est considéré comme un précurseur de l'empirisme classique (la théorie selon laquelle nos idées et connaissances viennent de l'expérience et sont par conséquent acquises). Selon le nominalisme, les idées générales désignées par des mots ne sont que des moyens commodes pour saisir en une unité ce que la réalité sensible nous offre de manière dispersée : grâce au seul mot « serpent », la pensée saisit l'ensemble des serpents sans crainte de se faire piquer.

On appelle rasoir d'Occam le principe nominaliste, adopté plus tard par les empiristes et selon lequel il ne convient pas de multiplier les entités sans nécessité. Dit également « de parcimonie », ce principe vise à éliminer les abstractions auxquelles ne correspond aucun fait réel et qui ne servent que pour des explications fictives : si, pour rendre compte d'un phénomène, on peut le faire sans recourir à une nouvelle entité, alors il convient de s'en tenir aux facteurs déjà connus.

Le rasoir d'Occam fait donc passer sous la joue (le joug) de sa pensée une lame critique. Lorsque, plus tard, Stahl imaginera, pour rendre compte du feu, un phlogistique contenu dans les corps qui brûlent et se libérant lors de leur combustion, lorsque des physiciens supposeront, pour expliquer la chaleur, l'existence d'un calorique en plus ou moins grande quantité, ils transgresseront le principe de parcimonie en inventant des entités fictives et en croyant qu'en les exhibant comme des miracles, les choses seraient enfin expliquées. S'il suffisait de baptiser une difficulté pour la résoudre, cela se saurait ! (En politique, on dit « créer une commission »).

Aristote pensait qu'il n'y a de science que du général. Guillaume d'Occam pense, à l'inverse, qu'il n'y a de science que du particulier. Au reste, l'absolue irréductibilité des choses singulières permet à Guillaume d'Occam de préserver la toute-puissance de Dieu : s'il y avait des modèles éternels (les universaux), ils auraient limité la volonté divine en la forçant à créer des individus qui auraient eu leur essence dans un pot commun.

Guillaume d'Occam est par ailleurs l'un des premiers à fonder une théorie de la causalité sur l'induction (mode de raisonnement qui conclut à l'universel à partir du singulier) : on constate qu'après avoir ingéré telle plante, un fiévreux recouvre la santé, on en conclut que cette plante est la cause de la guérison.

À l'opposé de Thomas d'Aquin, Guillaume d'Occam sépare la philosophie et la théologie. Les grandes notions d'unité, d'infinité, de Trinité de Dieu sont des articles de foi impossibles à établir en raison. Cette distinction métaphysique entre le domaine de la foi et celui de la raison aura, grâce à un courant de pensée issu du philosophe anglais et représenté par Jean Buridan et Nicole d'Oresme, des implications politiques particulièrement décisives : la séparation des deux pouvoirs, ecclésiastique et civil.

La vie risquée des philosophes

Le nom de Jean Buridan n'est plus célèbre aujourd'hui que pour l'âne qui reste attaché à son nom. En son temps (le XIVe siècle), Buridan, disciple d'Occam, était célèbre. Dans sa *Ballade des dames du temps jadis*, le poète François Villon se demande où est la reine qui commanda que Buridan fut jeté en un sac en Seine. Jeanne de Navarre, femme de Philippe le Bel roi de France, menait une vie assez libre : elle faisait amener dans ses appartements du Louvre les écoliers qui lui plaisaient et après avoir tiré le service qu'elle souhaitait d'eux, elle les faisait jeter dans la Seine par les fenêtres de sa chambre pour cacher les désordres de sa vie. Seulement l'histoire dit, contre Villon, que Buridan fut épargné et que son fameux dilemme : « Irai-je ou n'irai-je pas ? » persuada ses étudiants de ne pas céder aux invitations de la sirène royale…

Un âne (celui de Buridan donc), également tenaillé par la faim et la soif, est placé à égale distance d'un seau d'eau et d'un sceau d'avoine. Incapable de se décider pour un chemin plutôt que pour l'autre, il demeure immobile et meurt de faim et de soif. Une variante remplace le seau d'eau par un second seau d'avoine (c'est la version de Pierre Bayle) ou par un sceau de picotin. Leibniz, quant à lui, préférera placer la malheureuse bête entre deux prés.

L'âne de Buridan illustre la différence censée exister entre les bêtes dépourvues de libre arbitre et les hommes qui en sont munis. Dans un état d'indifférence, comme celui de la bête – indifférence signifiant littéralement : absence de différence – un être humain se déciderait pour l'un des deux partis, parce qu'il possède cette force, la liberté, lui permettant de sortir de cet état. L'âne, lui, n'a pas de raison (en quelque sens que l'on entende le mot) pour se décider en un sens ou en l'autre.

Nicole d'Oresme, le plus grand inventeur de mots français

Qui sait, à part les spécialistes, qu'un évêque de Lisieux, disciple de Guillaume d'Occam, fut sans doute celui qui introduisit, à partir du latin, le plus grand nombre de mots courants, et pas seulement philosophiques, dans la langue française ? C'est Nicole (ou Nicolas) d'Oresme qui inventa « civilité » et « immanent », c'est lui qui définit le premier l'« objet » (terme forgé en latin par Duns Scot) comme ce qui touche la sensibilité (on dit : « objet de perception » à partir de là).

Nicole d'Oresme eut l'intuition que c'est la terre qui bouge et non le ciel. Il en donne une raison métaphysique : puisque le mouvement est moins parfait que le repos (un axiome que l'on pourrait comprendre en éthique : un type agité nous paraît moins sûr qu'un homme tranquille), il est logique de penser que c'est la Terre qui tourne autour du Soleil.

Les brûlés de l'absolu

Les mystiques intéressent au plus haut point la pensée philosophique parce que, précisément, ils prétendent la dépasser ou l'esquiver. Le temps qui édifia les cathédrales et conduisit des centaines de milliers d'hommes dans l'épopée des Croisades n'est évidemment pas seulement celui des grammairiens, des logiciens et des métaphysiciens. La philosophie vit aussi de ce qui la récuse.

Hildegarde de Bingen fut peut-être, avec Héloïse, la femme sublime du Moyen Âge. Ses visions furent représentées dans des cosmogrammes (des images de l'univers construites à partir de cercles et de carrés) dont les seuls équivalents au monde sont les mandalas de l'Inde. Elle composa un nombre considérable de pièces musicales, qui sont parmi les plus belles de son temps, et écrivit sur la Trinité un texte dont Dante s'inspirera pour sa *Divine Comédie*. Elle rédigea également un traité de médecine. Et puisqu'elle ne fut pas seulement une grande mystique, une grande artiste, et un grand écrivain, elle doit être considérée comme une grande philosophe. Ne faut-il pas, en effet, être philosophe pour n'être pas seulement ce que l'on fait ?

Un autre grand mystique, Maître Eckhart, fut un créateur fécond de mots en langue allemande, l'équivalent de Nicolas d'Oresme outre-Rhin. Il n'est pas de philosophe allemand postérieur qui ne lui sera redevable de quelque pensée. Il avait le sens du tout de la nature et aussi une conception presque phénoménologique des états existentiels.

Ce mystique suscita l'admiration des communistes

Joachim de Flore fut l'un de ces grands ardents révoltés par les abus du pouvoir religieux. Il élabora une théorie des trois âges qui fit sentir son influence sur le millénarisme de Thomas Müntzer durant la Renaissance. L'histoire mystique de l'humanité est divisée en trois temps, chaque temps correspondant à un Testament et à une Personne. Le premier âge, celui de la Loi, dérive de l'Ancien Testament et du Père. Le second, l'âge de la Grâce, dérive du Nouveau Testament et du Fils ; le dernier, l'âge de la plus grande Grâce, dérivé de l'Évangile éternel (correspondant à la claire compréhension des deux Testaments), est celui de l'Esprit. L'âge du Père est aussi celui de la famille, l'âge du Fils, celui de la foi et des clercs, celui de l'Esprit verra le règne des moines, débarrassés des préoccupations doctrinaires. On devine chez Joachim de Flore un passage du millénarisme religieux à l'utopie politique : ce mystique italien accordait un rôle tout particulier aux petites gens – d'où son influence sur l'utopisme de la Renaissance.

Raymond Lulle, infatigable planteur d'arbres

Ce Catalan, dont le nom s'écrit Ramon Llull, est l'un des plus vastes esprits de l'histoire universelle. Il a écrit en trois langues (le catalan, le latin et l'arabe) quelque 300 ouvrages sur tous les sujets possibles. Il eut l'idée de répartir les sciences dans des cercles et dans des arbres, chaque science occupant un secteur des premiers ou représentant les racines et les branches des seconds. Dans l'esprit de Raymond Lulle, les principes de la science générale englobent ceux des sciences particulières à la manière dont une grammaire énonce des règles qui peuvent être appliquées à un nombre indéfini de phrases.

Raymond Lulle eut le projet, à des fins apologétiques, d'un grand art (*ars magna* en latin) qui eût exposé l'ensemble des idées possibles et permis de fournir tous les arguments et de répondre à toutes les questions. Leibniz, plus tard, reprendra à son compte cette utopie de logique universelle, qui serait à la pensée ce que le dictionnaire est aux mots et l'encyclopédie aux connaissances.

Raymond Lulle, qui quitta femme et enfants après avoir eu la vision du Christ en croix, était un grand illuminé. Il cherchait la conversion des musulmans et son propre martyre. Il mourut probablement des suites d'une lapidation.

Chapitre 9

Du côté des deux autres monothéismes

Dans ce chapitre :

- Des pensées aussi riches que des palais d'Orient
- Croire et réfléchir
- Une galerie de génies universels : Avicenne, Averroès, Maïmonide…

Du côté de La Mecque

Ce n'est pas parce qu'Allah est grand et que Mahomet est son prophète qu'il est interdit de penser. Faisons un tour d'horizon de la pensée de l'islam.

Un nouvel universalisme ?

On sait que les cavaliers arabes sont partis à la conquête de la terre et que seules les barrières naturelles (en Afrique) ou humaines (Poitiers) les ont arrêtés dans leur formidable élan. Comme avec le christianisme, l'universalisme de droit et de fait que constitue l'islam repose sur une conception de l'homme. Un hadith (parole de Mahomet) proclame que tous les hommes sont égaux comme les dents du peigne d'un tisserand.

Mais, en outre, l'islam apporte une innovation décisive par rapport au christianisme : selon la tradition musulmane, un enfant naît musulman – de la même manière que, selon Jean-Jacques Rousseau et la déclaration des Droits de l'homme et du citoyen de 1789 (évidemment, nous faisons ce rapprochement par provocation), l'homme est né libre. Ainsi l'islam, dans les pays d'islam, est-il pensé comme la religion naturelle de tous les hommes. Et si un homme est malgré tout juif ou chrétien, c'est parce que ses parents infidèles l'ont fait ainsi. Quant à savoir quel premier parent a conçu une aussi funeste idée, le Coran ne pipe mot.

Car l'universel islamique ne va pas sans son envers : si l'islam est le seul champ de l'universel, le monde qui n'appartient pas à l'islam est proprement hors champ. Le monde se divise en deux parties : le *dar al-islam*, le domaine de l'islam, et le *dar al-harb*, le domaine de la guerre. L'un des premiers devoirs de la souveraineté musulmane est d'étendre ce domaine de l'islam au détriment des pays infidèles : la paix avec les non-musulmans ne saurait être autre chose qu'une trêve. Une négation analogue se trouve en pays chrétien – et l'Église n'a pas été loin de faire sienne, avant sa formulation même, la célèbre boutade de George Orwell : si tous les hommes sont égaux, certains sont plus égaux que d'autres.

Un sérieux bémol dans la mélodie

L'égalité que l'islam reconnaît est celle des hommes libres et musulmans. Non seulement le Coran accepte l'esclavage, mais il le légitime. Quant aux femmes, une longue nuit tombe sur elles, dont elles ne sont, quinze siècles plus tard, toujours pas sorties. Même la mystique, cette formidable échappée hors du monde réel, leur est interdite : l'histoire n'a retenu le nom d'aucune femme mystique musulmane.

Ceux qui prennent des maîtres à côté d'Allah ressemblent à l'araignée qui se fait à elle-même une maison. En vérité, c'est la plus frêle des maisons que la maison de l'araignée.

– Mahomet

Donner sa langue au shah

Si le Coran a été envoyé à Mahomet par l'ange Gabriel, il a été réservé à ceux qui pouvaient l'entendre, c'est-à-dire non aux clercs et aux érudits, comme l'ont été les textes sacrés de l'Inde ou de l'Europe, mais à ceux qui lisaient l'arabe. C'est en terre d'islam un dogme : la langue arabe est consubstantielle au Coran. Alors que la Pentecôte chrétienne accorde aux disciples du Christ le don des langues, aucune pentecôte islamique n'accorda jamais aux infidèles le don de la langue arabe. Cela rend inaccessible ou incompréhensible la parole d'Allah à la plus grande partie du monde habité. Les fondamentalistes se servent de ce dogme pour frapper d'une nullité *a priori* toute lecture critique du Coran ; ceux qui ignorent l'arabe n'ont fait en fait jamais lu le Coran puisque le Coran ne peut pas être traduit. Raisonnement totalitaire type : la parole contraire au Livre est à l'avance privée de sens.

La communauté, bon, mais laquelle ?

Mahomet avait dit que sa communauté ne tomberait pas d'accord sur une erreur. Mais quelle extension accorder à cette « communauté » ? Pour l'école hanbalite, l'*ijma* (le consensus de la communauté) ne concerne que les seuls compagnons du Prophète ; pour l'école malékite, elle ne touche que les habitants de Médine (la ville du Prophète), tandis que les mutazilites vont jusqu'à dire que l'*ijma* n'est pas infaillible…

Il n'est guère de mots qui, comme « communauté », n'ouvrent sur toute une série d'interprétations possibles.

Le sceau de la prophétie

Dès l'origine, l'islam s'est pensé comme accomplissement plutôt que comme inauguration. L'islam fut en effet la seule religion à avoir explicitement et méthodiquement présenté la prophétie qui la fondait (celle de Mahomet) comme la synthèse de la prophétie universelle : Mahomet est le sceau des prophètes, il est le dernier prophète avant la fin des temps, il vient mettre un terme au cycle qui fut celui de l'Histoire entière.

D'où cette double tendance contradictoire qui caractérise l'esprit musulman pour le meilleur et pour le pire. Du côté du meilleur : une soif d'étude et de compréhension ouverte sans exclusive sur le monde présent et passé. Cela donnera les grands savants et les grands voyageurs. Du côté du pire : puisque l'islam est l'accomplissement de l'Histoire, tout le reste, c'est-à-dire le monde, n'a plus aucune espèce d'importance. Et lorsqu'il en a, il est regardé comme une force hostile qu'il convient de conquérir ou, à défaut, de détruire. Les deux tendances n'ont pas cessé de coexister dès l'origine mais la seconde l'emporte presque exclusivement sur la première depuis plusieurs siècles.

Peut-on penser grec si l'on écrit arabe ?

En 527, l'empereur byzantin Justinien ferme l'école d'Athènes où enseignaient les derniers philosophes païens (néoplatoniciens). Ceux-ci allèrent alors se réfugier en Perse où ils firent sentir leur influence jusqu'après la conquête musulmane, qui eut lieu au siècle suivant.

En gagnant à lui le monde grec, l'islam, même guerrier, n'en fit pas table rase. Les philosophes musulmans se sont retrouvés devant un problème particulier, qui ne pouvait pas avoir été aperçu en Europe : puisque la grammaire arabe est censée être celle de la vérité, que faire de la logique grecque ? La controverse de Bagdad, qui eut lieu au Xe siècle, a exposé les termes de cette confrontation. Pour les Grecs, grammaire et logique étaient coextensives et même homologues : l'ordre des mots est nécessairement celui des idées. Pour les Arabes, cette adéquation n'allait plus de soi. D'où un remarquable effort de clarification qui fait d'eux des pionniers en ce domaine.

Quand tous les arbres de la terre seraient des roseaux et la mer un encrier avec sept mers encore pour l'emplir, je ne pourrais, Seigneur, transcrire toute ta parole.

– Mahomet

Croire et penser

Considéré comme le Livre par excellence, le Coran, comme tous les grands livres sacrés, est à la fois océan et source. En terre d'islam, l'opposition entre foi et raison a été celle du *kalam* (la théologie) et de la *falsafa* (la philosophie : le mot arabe est le décalque du mot grec). On l'a vu, les penseurs chrétiens au Moyen Âge ont rencontré un problème analogue.

Commençons par le point de vue du fanatique. On a attribué à Omar, responsable du second incendie de la bibliothèque d'Alexandrie, au moment de la conquête musulmane, ce propos qui éclate comme la devise de tous les fanatismes religieux. De deux choses l'une : ou bien ce qu'il y a dans ces livres se trouve dans le Coran, et alors ils sont inutiles, ou bien ce que ces livres contiennent ne se trouve pas dans le Coran, et alors ils sont dangereux. Dans les deux cas, il faut brûler ces livres. Ce raisonnement de fanatique a sa variante philosophique : ou bien la raison philosophique est en accord avec le Coran ou bien elle ne l'est pas. Dans le premier cas, elle est inutile, dans le second, elle est dangereuse, dans les deux cas, elle est à rejeter.

D'autres, les mutazilites, les plus libéraux (en fait, les seuls) de toute l'histoire de l'islam, tenaient un raisonnement exactement inverse : ou bien la prophétie est conforme à la raison ou bien elle la contredit. Dans le premier cas, elle est superflue ; dans le second, elle est absurde. Dans les deux cas, elle est à rejeter.

Antiphilosophe exemplaire, Ghazali représente la réaction religieuse face à la philosophie. Son grand œuvre s'intitule (au choix des traductions) *Incohérence*, *Destruction* ou *Effondrement des philosophes*. Ghazali s'efforce de démontrer que, pour ce qui concerne l'âme, le monde et Dieu, donc tout le domaine de la connaissance, la philosophie ne peut que tomber dans l'incohérence. Et par philosophie, Ghazali entend la philosophie musulmane en général, Avicenne en particulier (les Grecs étant hors jeu). C'est par conséquent l'idée même d'une philosophie islamique que Ghazali conteste : le Coran est l'expression de toute la vérité, il est donc blasphématoire d'aller chercher ailleurs et autrement.

Contre le point de vue qui élimine la raison philosophique au nom de la révélation religieuse, il y a deux stratégies possibles :

- la raison et la foi sont toutes deux légitimes mais chacune dans son domaine propre, qui est séparé de l'autre ;
- la raison et la foi s'entraident mutuellement, la raison aidant la foi à s'éclaircir et à s'approfondir.

La vérité mène double jeu

La tradition a fait d'Averroès le père de la doctrine dite de la double vérité : il y a une vérité selon la foi et une vérité selon la raison, indépendantes l'une de l'autre, voire contradictoires entre elles. En fait, Averroès évoquait un problème précis, celui de l'intellect agent (l'intelligence qui saisit les idées) et encore, à titre d'hypothèse : selon la raison, écrit-il, je suis bien obligé de conclure qu'il n'y a qu'un seul intellect ; selon la foi, c'est le contraire que je soutiens fermement.

En fait, comme les chrétiens, la plupart des philosophes musulmans refusent la doctrine de la double vérité : la vérité ne peut être qu'une, deux énoncés contraires ne peuvent être vrais en même temps. Quant aux autorités religieuses, elles s'opposent à cette doctrine pour une autre raison : tout ce qui contredit la vérité révélée ne peut être que blasphématoire.

Les couches de sens

Cela dit, même si l'on récuse la doctrine de la double vérité, il est possible d'admettre pour un même texte une pluralité d'interprétations. Celles-ci, bien entendu, ne seront pas conçues comme dépendant du regard et de la lecture personnels mais comme dérivées objectivement du texte lui-même.

Un hadith dit que le Coran a une apparence extérieure et une profondeur cachée, un sens exotérique et un sens ésotérique, mais que ce dernier a à son tour un sens exotérique et un sens ésotérique (cette profondeur a une apparence extérieure et une profondeur cachée) et ainsi de suite, jusqu'à sept sens ésotériques (sept profondeurs cachées) emboîtés les uns dans les autres à la manière de sphères concentriques.

Dans la tradition chi'ite qui développa au sein de l'islam le courant ésotérique, le prophète puis son gendre Ali étaient réputés détenir la totalité des sens du Coran, mais cette intégralité fut ensuite perdue et ceux qui prirent et gardèrent le pouvoir donnèrent au Livre (dans la version dite d'Osman) une direction défectueuse.

Quelle liberté face au Destin ?

La religion musulmane a souvent été synonyme de fatalisme. *Mektoub* ! C'était écrit ! Vus d'Europe, la Providence d'Allah et l'antique Destin semblent se confondre. Leur toute-puissance en tout cas se conjugue pour réduire à rien la marge de manœuvre humaine.

L'histoire du rendez-vous à Samarkand est une illustration puissante de ce pouvoir retors, pervers, du Destin qui se joue des humains comme ferait un chat d'une souris. Un jour, au marché de Boukhara, le vizir se promène en regardant les étalages des marchands. Soudain, parmi la foule, il voit la Mort qui fait un geste d'étonnement en le regardant fixement. Transi de peur – la Mort m'a regardé avec un tel air de stupéfaction qu'elle veut m'emmener, à moins qu'elle ne m'ait cru déjà mort, se dit-il –, le vizir quitte précipitamment le marché et, sans même prendre le temps de prévenir sa famille et ses amis, monte sur son cheval et part. Toute la nuit, il chevauche, avec la pensée insistante, que chaque lieue gagnée est un peu plus de distance mise entre la Mort et lui. Le lendemain matin, il est à Samarkand.

À la fin de l'après-midi, au palais du sultan, à Boukhara, tout le monde parlait du départ soudain du vizir. Le sultan, qui s'informe, apprend qu'au marché la Mort était présente et que c'est après l'avoir vue que le vizir est parti en toute hâte. Il fait donc venir la Mort dans son palais pour l'interroger : « Est-il vrai que tu as fait peur à mon ministre ? demande le sultan.

– Je n'ai pas voulu lui faire peur, mais seulement j'ai été très étonnée de le voir tout à l'heure au marché de Boukhara, car demain matin, nous avons rendez-vous à Samarkande ! »

Le fatalisme musulman est d'autant plus aidé que, à la différence du christianisme, l'islam donne à la foi une priorité absolue sur les œuvres : l'essentiel n'est pas ce que l'on fait mais l'existence de la foi. Dès lors, la destinée finale (le paradis pour les meilleurs, l'enfer pour les pires) ne dépend plus tellement de la responsabilité individuelle. Mieux vaut être le pire des meilleurs (les musulmans) que le meilleur des pires (les autres). Cela dit, les plus belles pensées, comme les plus belles œuvres de la culture musulmane (*Les Mille et une Nuits*, par exemple) sont volontiers nées contre plutôt qu'avec l'islam, malgré lui plutôt que grâce à lui.

Des libres penseurs en islam !

Le mutazilisme est un courant d'origine politique qui, dans les premiers siècles de l'islam, représenta ce que cette religion connut de plus abouti en matière de liberté de pensée. Condamné comme hérétique (les mutazilites ne croyaient pas au caractère incréé, c'est-à-dire en fait, divin, du Coran !), le mouvement disparut au XIIIe siècle. Il n'est pas excessif de dire que le monde musulman, qui ne connaîtra ni Renaissance ni siècle des Lumières, ne s'en est jamais remis.

Le mutazilisme est un humanisme, l'un des premiers à être apparu : il donne à la raison (qui est la faculté de penser) et à la liberté (qui est la faculté d'agir) humaines une place et une importance non seulement inconnues dans les autres tendances de l'islam mais même dans la plupart des courants philosophiques et religieux. Contre le fatalisme, qui fut la tendance dominante en islam, le mutazilisme affirme que l'être humain est responsable de ses actes. Contre la doctrine coranique d'une foi qui suffit seule à sauver, le mutazilisme affirme que le fidèle qui est en état de péché tient le milieu entre la foi et l'infidélité.

C'était beaucoup plus que ce que pouvaient en supporter les docteurs de la loi, car l'islam (à l'exception notable du chi'isme) a beau n'avoir eu ni pape, ni clergé, ni église, il a su imposer au cours des siècles ses rigidités et préjugés.

Le problème des noms et des attributs d'Allah

Le débat théologique qui, en terre d'islam, s'est élevé autour de la question des noms et attributs d'Allah s'explique en référence au problème philosophique de la dualité de l'un et du tout.

Le dilemme est le suivant : même si les noms et les attributs ne sont pas des parties réelles mais des signes (dire d'Allah qu'il est clément et miséricordieux ne veut pas dire que la clémence et la miséricorde sont des parties d'Allah), il n'en reste pas moins qu'ils ne peuvent être identifiés à Allah lui-même, car alors leur évocation serait superflue (si la clémence était identique à Allah, alors on ne dirait rien de plus en énonçant qu'Allah est clément). Mais cela voudrait dire que quelque chose d'Allah lui échapperait en quelque manière, mettant ainsi en péril son unicité et son infinité. Ibn Arabi a résolu de manière radicale le problème : le nom d'Allah résume tous les noms d'Allah.

Un idéal de savoir universel

L'islam des premiers siècles a cultivé aussi bien la plus haute et la plus subtile spéculation philosophique que la plus attentive des recherches empiriques. L'encyclopédisme arabe joua un rôle historique considérable en intégrant une bonne partie de la culture grecque et en la transmettant à l'Europe chrétienne. Et de même que Mahomet était le sceau des prophètes, de même la culture arabe se conçut comme l'accomplissement des précédentes, de la grecque en particulier.

Les Arabes utilisent volontiers deux images pour désigner leur entreprise encyclopédique : celle du collier et celle du jardin. La métaphore du collier renvoie à l'idée de liaison entre les sciences ainsi qu'à celle de cercle. Comme les perles qu'un fil relie, les parties du savoir sont liées entre elles et, comme dans un collier, la première perle peut être aussi la dernière, le commencement du savoir coïncide avec sa fin. Dans le *Collier* d'Ibn Abd Rabbih, les 25 chapitres portent le nom de pierres précieuses. L'encyclopédie est aussi conçue comme un jardin des sciences. De la même façon que le jardin, avec ses plantes, son ordonnance et ses fontaines, représente en miniature l'univers entier, l'encyclopédie est la mise en ordre par les mots de cet univers.

Des génies universels, des génies de l'universel

Comme le Prophète qui déclarait voir dans son dos, Ibn Arabi se présente comme un visage sans nuque, un œil total capable de saisir l'ensemble de l'espace. Il disait que son cœur peut prendre toute forme : une prairie pour gazelles, un cloître pour moines chrétiens, un sanctuaire pour les idoles, une Kaa'ba pour les pèlerins, les tables de la Loi et le livre du Coran. 850 ouvrages lui sont attribués – et pas des plus minces : son *Livre des conquêtes spirituelles* ne fait pas moins de 3000 pages !

Ses contemporains disaient d'Al Biruni, mathématicien et astronome, linguiste et géographe, historien et physicien, pharmacologue et poète, que, sauf pendant deux jours de fête chaque année, sa main ne quittait pas la plume, ses yeux ne cessaient d'observer ni son esprit de réfléchir.

On a attribué à Al Farabi, autre génie universel, la connaissance de 70 langues. Au vu de son œuvre, la chose n'est peut-être pas impossible ! Al Farabi savait tout et il voulait tout concilier : Platon et Aristote, la Grèce et l'islam, et tous les hommes de la Terre pour lesquels il projetait une cité parfaite. Excellent musicien, Al Farabi écrivit un *Grand livre de la musique* et les derviches mevlevis chantent encore de nos jours des compositions qui lui sont attribuées.

Tous les grands penseurs arabes ont été des esprits encyclopédiques (270 ouvrages sont attribués à Al Kindi, 230 à Razi). Le premier à apparaître historiquement fut Jabir (VIIIe siècle).

Jabir n'est pas seulement le grand nom de l'alchimie arabe. Sa théorie de la balance est une sorte d'encyclopédie raisonnée qui traduit l'univers dans toutes ses dimensions, sensible, astrale et spirituelle. Balance veut dire mesure. Il s'agit d'établir le rapport qui existe entre le manifeste (l'exotérique) et le caché (l'ésotérique). Il y a une balance aussi bien pour le monde animal que pour l'âme du monde.

Une secte pas sectaire : les Frères de la pureté

Au Xe siècle, à Bassora, un ensemble d'intellectuels fonda une société secrète (ses membres taisaient leurs noms) d'inspiration chi'ite et désireuse d'épurer et de bonifier la loi religieuse grâce à l'apport d'autres traditions de pensée. Les réunions de ces Frères de la pureté ou Amis fidèles ou encore Frères sincères (leur nom varie en fonction des traductions) permettaient des discussions libres entre musulmans de toutes tendances, juifs, chrétiens et même athées. Dans notre Moyen Âge chrétien, il est impossible, même chez un Raymond Lulle (qui représente à cet égard un point d'avancée extrême) de trouver un tel esprit de tolérance.

Les Frères laissèrent une œuvre colossale : leur encyclopédie en 52 volumes embrasse la totalité du savoir de l'époque grâce à la synthèse des apports des civilisations grecque, indienne et persane. Naturellement, il s'est plus tard trouvé en la personne du calife de Bagdad un imbécile pour ordonner que l'on brûle cet insupportable travail.

Avicenne, un colosse de l'esprit

Chateaubriand parlait d'effrayant génie à propos de Pascal. Avicenne fut un effrayant génie. À l'âge de 10 ans, il connaissait par cœur tout le Coran et quand il eut atteint ses 17 ans, il avait parcouru le cercle du savoir de son temps. Lors de l'incendie de la bibliothèque de Boukhara, les gens se consolaient en pensant qu'Avicenne vivait et qu'elle était contenue dans son esprit. Le catalogue des œuvres d'Avicenne comporte environ 500 titres, 456 rédigés en arabe et 23 en persan. Sur cet ensemble, 160 livres nous sont parvenus. Son *Livre de l'arbitrage équitable* en 20 volumes, détruit lors du sac d'Ispahan (1034), répondait à… 28 000 questions ! Comparé à Avicenne, Pic de la Mirandole (voir chapitre 10, p. 195) mérite indiscutablement le bonnet d'âne.

Un savoir utile

Le *Livre de la guérison de l'âme* (*Kitab al-Shifa*, on dit *Shifa* par abréviation), son ouvrage le plus célèbre, est un livre philosophique total traitant de logique, de mathématiques, de physique et de métaphysique. Avicenne ne fut pas seulement un génial compilateur. Il fit ce que très peu d'encyclopédistes furent capables de faire : il fit avancer la science de son époque. Le *Canon de médecine* a été pendant des siècles la base de l'enseignement médical dans les facultés du Moyen-Orient et de l'Europe. Avicenne fut le premier à décrire correctement les ventricules du cœur et les muscles de l'œil humain, ou encore certaines maladies comme la petite vérole et la rougeole. C'est lui qui inventa la méthode de percussion consistant à déceler des maladies au moyen de petits coups secs du doigt sur le corps, c'est lui qui exposa le principe d'inertie, six siècles avant Galilée…

Une inspiration platonicienne

Une idée sous-tend la pensée et l'œuvre d'Avicenne : l'un est présent dans le multiple, qui en émane et y retourne. Inspiré par le néoplatonisme, Avicenne pense comme lui la dérivation de l'univers physique à partir de la réalité spirituelle en termes d'émanation et non en termes de création. L'idée de création, en effet, creuse un abîme entre le principe créateur et la chose créée. L'idée d'émanation, en revanche, conserve le lien entre les deux : lorsque le soleil diffuse lumière et chaleur, il n'y a pas de rupture entre cet astre et ces effets. On dit, justement, que la lumière et la chaleur émanent du soleil.

Le système d'Avicenne est une architecture compliquée qui divise le monde en dix Intelligences (cette doctrine est largement inspirée de Farabi). Dieu constitue la première Intelligence. Il crée en se pensant lui-même. Par émanation dérivent une sphère et une Intelligence de rang inférieur identifiée à un ange. Ainsi passe-t-on d'Intelligence en Intelligence, de Dieu à Gabriel, l'ange de la révélation coranique, qui fut en contact direct avec la multiplicité des âmes humaines. Parallèlement aux Intelligences, les sphères célestes qui constituent l'univers sont emboîtées les unes dans les autres. Ainsi le système d'Avicenne permet-il de penser en même temps la totalité de l'univers physique et la totalité de l'univers spirituel.

L'envol de l'âme-oiseau

Avicenne a également écrit un *Récit de l'oiseau* dans lequel l'âme, qui effectue son ascension vers Dieu, est comparée à l'oiseau qui, de ciel en ciel, s'élève jusqu'au sanctuaire du Roi des rois. De même que l'oiseau a d'abord les plumes empêtrées dans les filets des chasseurs, l'âme est d'abord engluée dans le filet du corps. Mais l'oiseau finit par se libérer et, après avoir franchi les montagnes jusqu'au neuvième Ciel, se retrouve devant le Roi suprême.

Un siècle après Avicenne, un poète persan, Attar, d'inspiration soufie, écrira un *Langage des oiseaux* dans lequel on voit la huppe conduire une expédition à laquelle tous les oiseaux participent pour rejoindre le Simorgh, leur roi. Dans ce périple, les oiseaux rencontrent toutes les difficultés imaginables : la chaleur, le froid, la faim, la fatigue, le découragement. La plupart d'entre eux meurent en route. Les survivants auront traversé successivement les vallées de la Recherche, de l'Amour, de la Connaissance, de l'Indépendance, de l'Union, de la Stupeur, du Dénuement. À la fin, ils ne sont plus que 30 sur plusieurs milliers à parvenir jusqu'au Simorgh. Mais ils découvrent aussi que cette incarnation de la connaissance suprême n'est autre qu'eux-mêmes : Simorgh, en effet, signifie « trente oiseaux ».

Averroès, l'autre géant de la philosophie musulmane

Plus encore qu'Avicenne, originaire de Perse, Averroès, qui vécut en Espagne, eut sur l'histoire de la pensée arabe et chrétienne une influence considérable. Il représenta pour le monde musulman ce que Maïmonide fut au monde juif et Thomas d'Aquin au monde chrétien. Le point de départ de sa pensée est analogue.

Où est la vérité ?

Dans le *Traité décisif*, Averroès établit contre Ghazali, qui récusait la philosophie au nom du Coran, qu'il ne saurait y avoir de contradiction entre la philosophie et la religion car la vérité ne peut contredire la vérité. La tâche de la raison philosophique consiste à aller aussi loin qu'elle le peut en son domaine. Mais s'il récuse la théorie de la double vérité (une vérité rationnelle pour et par la philosophie, et une vérité révélée pour et par la religion), Averroès pense qu'il existe une dualité de sens : un sens extérieur donné par la lettre du texte et un sens intérieur, plus profond, plus conforme à l'esprit. La grande masse des hommes peut se contenter du premier sens ; les philosophes, quant à eux, doivent aller jusqu'au second. Pour le rendre accessible à tous, Allah a communiqué aux hommes le Coran sous une forme qui n'arrête pas mais enclenche le travail d'interprétation.

Averroès différencie ainsi :

- ceux qui lisent sans interpréter : pour eux, le sens tombe littéralement sous le sens ;
- ceux qui interprètent de manière dialectique : leur trop grande habileté leur fait manquer le sens ;
- ceux enfin qui interprètent de manière philosophique et qui sont seuls dans le vrai.

Le problème de la création du monde

Aristote pensait que la matière et l'univers sont éternels. Logiquement, les religions monothéistes refusent cette thèse parce qu'elle contredit la création divine : si Dieu crée l'univers, celui-ci a donc commencé d'être à un certain moment. Seulement, cette idée de création est apparue à certains philosophes comme Averroès incompatible par certains côtés avec l'infinité et la perfection d'Allah : pourquoi l'Être unique se serait-il décidé un jour de se mettre au travail ? Pourquoi ce jour-là plutôt qu'un autre ? Ces questions, les philosophes arabes, juifs et chrétiens se les sont posées et les réponses qu'ils ont données sont diverses. Averroès reprend à Aristote l'idée d'éternité du monde : la création est inhérente à l'intelligence divine, elle ne dérive pas d'elle « à un moment donné ».

Une seule intelligence pour tous !

À partir d'une lecture d'Aristote, Averroès soutient l'idée de distinction entre l'âme individuelle et l'intelligence collective. L'humanité tout entière disposerait d'une seule intelligence (intellect) un peu à la manière dont tous les hommes respirent une seule atmosphère. Leibniz a forgé le terme de monopsychisme pour désigner cette doctrine – qui a été condamnée comme hérétique par l'Église, car incompatible avec le dogme de l'immortalité personnelle. Cette idée d'une intelligence universelle (qui peut nous sembler quelque peu mythologique) a été récemment reprise par ceux qui, surtout aux États-Unis et au Canada, dans la mouvance du New Age, voient dans Internet une manière de pensée commune.

Averroès eut sur les penseurs chrétiens une influence considérable qui ne manqua pas d'inquiéter les autorités de l'Église. Sous le nom d'averroïsme furent dénoncées et condamnées des thèses dont celle de la double vérité, qui en réalité n'était pas soutenue par Averroès lui-même.

« Je suis Allah »

Le hadith (parole du Prophète) qui différencie le sens exotérique et le sens ésotérique du Coran est à la base du soufisme et du chi'isme. Le soufisme est un mysticisme musulman et le chi'isme est l'une des deux branches (la minoritaire) de l'islam, qui fait suivre la Prophétie (la révélation du Coran à Mahomet) d'une série d'imams, c'est-à-dire de religieux dont le douzième, espèce de Messie encore caché, est censé apporter la révélation définitive à la fin des temps.

Aux yeux du sunnisme majoritaire, l'ésotérisme mystique est une hérésie. Le mysticisme musulman eut son martyre en la personne d'Al Halladj, qui fut supplicié d'horrible manière pour avoir proféré ce mot inouï : « Je suis Allah. » Quelle religion instituée pourrait-elle en effet admettre une semblable parole ? Un hadith pourtant avait dit : « Je suis l'œil par lequel il voit, l'oreille par lequel il entend. » Mais cela ne suffit pas à arracher Al Halladj à la mort. Dire « Je suis Allah » ne signifie pourtant ni l'athéisme (Dieu n'existe pas puisque je le suis) ni le panthéisme (Dieu est partout dans le monde, donc en moi) mais exprime cette expérience du ravissement que nous avons tous connue dans l'extase musicale. Al Halladj disait : « Je suis Allah » comme nous pouvons dire, lorsque la musique a plongé en nous (nous disons plus volontiers que nous sommes plongés dans la musique mais la relation véritable est inverse) : « Je suis musique. »

Ibn Khaldoun, dernière flamme

Certains spécialistes considèrent Ibn Khaldoun comme l'inventeur de la sociologie. Les ouvrages qu'il écrivit sur l'histoire universelle dégagent de façon très moderne le concept de civilisation. Ibn Khaldoun a le sens de l'unité organique d'une société, chaque élément ou dimension étant considéré en relation nécessaire avec les autres, ainsi que celui de son devenir animé par une causalité spécifique. Il a vécu au XIVe siècle. Il est le dernier grand penseur de l'islam.

Bientôt l'Europe, par sa science et sa technique, part à la conquête de la terre. C'est à ce moment-là que le monde musulman plonge dans une nuit intellectuelle dont il ne sortira pas.

Retour à Jérusalem

La culture et la pensée juives ont été l'objet d'un refoulement et d'une occultation aussi violents de la part de l'islam que de celle du christianisme. Dans son entreprise guerrière, Mahomet a exterminé toute une tribu juive. Et c'est à partir de Jérusalem (main basse symbolique) que la tradition l'a fait s'envoler vers le ciel d'Allah. Le Coran est en partie une reprise de la Bible au sens où l'on parle de reprise pour une pièce de théâtre : les personnages et les événements sont souvent les mêmes mais la mise en scène est changée.

Les juifs ont eu pour tâche première de continuer à exister dans un monde qui non seulement ne voulait pas d'eux mais s'imaginait fantasmatiquement qu'ils n'avaient jamais existé. Il n'est pas possible de ne pas penser à la catastrophe ultime du XXe siècle lorsque l'on considère ce qui s'est joué entre la conquête romaine et l'apparition des monothéismes chrétien et musulman.

Penser pour survivre

Pour les juifs de la diaspora, la pensée n'était pas le luxe d'une élite mais une nécessité de l'existence. C'est par la pensée, c'est-à-dire en premier lieu par la lecture et la récitation, que la langue hébraïque, cas unique dans l'histoire, continua à mener une espèce de vie parallèle, bien qu'elle ne fût plus parlée. Bien plus tard, au XXe siècle, c'est ce fantôme de langue qui de nouveau et à nouveau s'est incarné dans une langue vivante.

On comprend que le savoir eut chez les juifs une importance et un sens particuliers. César avait dit préférer être premier dans son village que second à Rome. Parole typique d'homme de pouvoir qui préfère dominer des médiocres plutôt qu'être soumis à des meilleurs. Le Talmud dit à l'inverse qu'il vaut mieux être la queue d'un lion que la tête d'un chien : mieux vaut faire partie d'un cénacle de gens éminents qu'être associé à des inférieurs, fût-ce pour les commander.

Le Talmud : la Bible a réponse à tout

Plus encore que la Bible chrétienne et le Coran, la Bible juive fut la source océanique dont dérivent les mouvements de la pensée qui, au lieu de se réunir comme les rivières et les fleuves d'eau, semblent couler à rebours et se ramifier en une multitude de courants. Un exemple extraordinaire de prolifération de textes et de pensées à partir d'un livre fondateur et dont l'Inde est la seule à offrir un équivalent.

Le Talmud est un ensemble gigantesque de textes issus des interrogations multiples que les livres de la Bible ont posées au fil des siècles aux rabbins. À l'opposé des textes de la tradition grecque, il porte une attention extrême aux détails plutôt qu'aux généralités. Mais, par les détails justement, ce sont les questions essentielles qui sont posées. Pourquoi, parlant à Moïse, Yahvé s'est-il fait entendre au milieu d'un buisson ? Réponse : pour que l'on sache qu'il n'existe aucun lieu où Yahvé ne soit présent, fût-ce un insignifiant buisson. Et par cette réponse, l'insignifiant buisson acquiert plein sens.

À quoi ressemble un professeur ? À un flacon qui contient un onguent aromatique. Quant on le débouche, le parfum se répand ; quand on le ferme, le parfum disparaît.

– Le Talmud

Penser dans tous les sens

Comme la théologie chrétienne, la tradition rabbinique distingue quatre niveaux de lecture de la loi :

- **le sens littéral ;**
- **le sens allusif** (métaphorique) ;
- **le sens profond** (moral, religieux) ;
- **le sens secret** (ésotérique, mystique).

Philon d'Alexandrie est connu pour son interprétation systématiquement allégorique de la Bible. Exemple : Abraham se marie deux fois. La première fois, il épouse la sagesse profane (la culture libérale), la seconde fois, il épouse la sagesse divine. Le patriarche avait besoin de passer par l'une pour atteindre l'autre. Isaac, dont le nom signifie « le rire », n'épouse qu'une seule femme, Rebecca. C'est le signe que Dieu lui a donné la vertu infuse, Isaac n'a pas besoin de passer par la science pour rencontrer la sagesse.

D'après la Kabbale de Luria, chaque mot de la Torah a 600 000 visages, sens ou entrées, ce chiffre correspondant à celui des Enfants d'Israël qui, d'après la tradition, se trouvaient sur le mont Sinaï pendant l'Exode. Chaque visage est visible pour l'un d'entre eux seulement, tourné vers lui seul, et ne peut être ouvert que par lui.

Une formule pour les siècles à venir

C'est à un juif d'Égypte, Isaac Israëli, que l'on doit la fameuse formule (traduite en latin) de la vérité comme *adaequatio intellectus et rei*, adéquation de l'intellect (intelligence) et de la chose. Influencé par le néoplatonisme,

Isaac Israëli prenait la formule en un sens plutôt mystique. Sa définition sera appliquée en théorie de la connaissance : il y a vérité dès lors que l'idée colle exactement à la réalité (l'idée que la Terre tourne autour du Soleil est vraie si effectivement la Terre tourne autour du Soleil, fausse dans le cas contraire).

Cette conception de la vérité sera contestée par tous ceux qui voient en celle-ci non pas une image de la réalité mais la construction (nécessairement conventionnelle, sinon arbitraire) d'un autre ordre de réalité.

Maïmonide, l'Averroès juif

Comme Averroès, dont il est le contemporain, Maïmonide était médecin en même temps que philosophe. Il est né dans cette Espagne musulmane qui fut l'un des plus brillants foyers de culture du Moyen Âge. La persécution religieuse l'obligea à professer extérieurement la religion musulmane pendant seize ans. Au bout de ce temps, il voyagea beaucoup, de Fès en Palestine puis en Égypte où il finit par se fixer et mourir.

Comme Averroès, comme Thomas d'Aquin, dont il est en quelque sorte l'équivalent juif, Maïmonide se considère comme un disciple d'Aristote. Son *Guide des égarés* (également traduit en *Guide des perplexes*), écrit en arabe, s'adresse à ceux que la science a rendu hésitants devant la difficulté de concilier la raison humaine et la révélation divine. Il défend une idée originale qui ne sera reprise qu'avec la cosmologie moderne : la création de l'univers coïncide avec celle du temps. Il n'y a pas un *avant* la création puisque celle-ci marque le commencement de toute réalité physique. En dehors du temps, il n'y a que l'éternité de Dieu.

La Kabbale ou l'art de transformer les problèmes en mystères

La Kabbale constitue au sein du judaïsme une philosophie spécifique. Elle est née avec un ouvrage, le *Zohar*, abréviation du titre hébreu signifiant *Le Livre de la splendeur* qu'un certain Moïse de Léon, au XIIIe siècle, avait rédigé tout en se cachant derrière un rabbin célèbre du IIe siècle. Le *Zohar* est une exégèse mystique de la Torah (la Loi juive contenue dans les premiers livres de la Bible).

La Kabbale développe une théorie émanatiste des puissances : l'infini divin ineffable (appelé En Sof) est situé au sommet d'une hiérarchie d'esprits. De l'En Sof émanent dix séphiroth (forces créatrices, perfections) qui sont les symboles fondamentaux de la réalité universelle en même temps que les qualité divines : la couronne, la sagesse, l'intelligence, l'amour, la puissance, la beauté, la victoire, la splendeur, le fondement, le royaume. Le *Zohar* affirme la présence d'un élément féminin en Dieu.

Une autre idée centrale correspond à quelque chose que l'on retrouve dans la plupart des traditions magico-religieuses : la correspondance entre l'être humain et l'univers – l'homme est un univers en miniature tandis que l'univers est comme un grand corps. Puisqu'il est dit dans la Genèse que Dieu créa l'homme à son image et à sa ressemblance, la Kabbale en déduit que les séphiroth existent également en l'homme et qu'ils constituent aussi les parties, les membres de l'homme mystique. La Kabbale suppose qu'un Adam primordial (Adam Kadmon) ajouté au monde et à Dieu s'étend sur le cosmos du zénith au nadir.

C'est au XVIe siècle que le terme de cabale est introduit dans la langue française pour désigner une entreprise hostile menée par un groupe secret. Ce terme péjoratif témoigne du mépris et de la haine que la société chrétienne vouait alors aux juifs. Un autre terme de la tradition juive a été littéralement démonisé : celui de sabbat. Le jour de repos juif (*shabbat*) a été transformé en réunion diabolique – le recueillement juif est devenu une orgie de démons et de sorcières !

La magie des nombres

Dans la tradition ésotérique juive, le sceau de Salomon composé de deux triangles équilatéraux entrelacés (la fameuse étoile à six branches) figure l'union du microcosme et du macrocosme. La Kabbale est fondée sur l'interprétation symbolique des textes et sur l'idée du caractère magique des lettres de l'alphabet. Comme les Grecs, les juifs n'avaient pas de chiffres pour écrire les nombres, ils se servaient des lettres dans leur ordre alphabétique pour désigner le 1, le 2, etc. Un mot, une phrase, un texte pouvait ainsi avoir valeur numérique. Cette valeur numérique est censée contenir leur sens caché. Les 22 lettres de l'alphabet hébraïque ajoutées aux 10 séphiroth doivent ainsi contenir tous les secrets de l'univers : d'ailleurs, tous les sens ne sont-ils pas déployés grâce à la combinaison de ces seuls éléments ?

Le philosophe juif Franz Rosenzweig a organisé son ouvrage *L'Étoile de la rédemption*, écrit dans les tranchées de la guerre de 1914-1918, autour du triangle formé par Dieu, le monde et l'homme. La philosophie occidentale a généralement tendu à rabattre deux de ces sommets sur le troisième considéré comme l'essence fondamentale, les deux autres n'étant que ses manifestations : le monde et l'homme sur Dieu, Dieu et l'homme sur le monde, Dieu et le monde sur l'homme (c'est-à-dire sa conscience). On aura reconnu là les figures successives de la théologie, du matérialisme et de l'idéalisme. La pensée juive garde, à l'inverse, pour chacun des trois sommets du triangle sa spécificité. Un autre triangle équilatéral, superposé au premier, mais inversé, vient constituer l'étoile à six branches. Ses trois sommets signalent des rapports irréductibles (la création est le rapport de Dieu au monde, la révélation, le rapport de Dieu à l'homme, et la rédemption, le rapport de l'homme au monde).

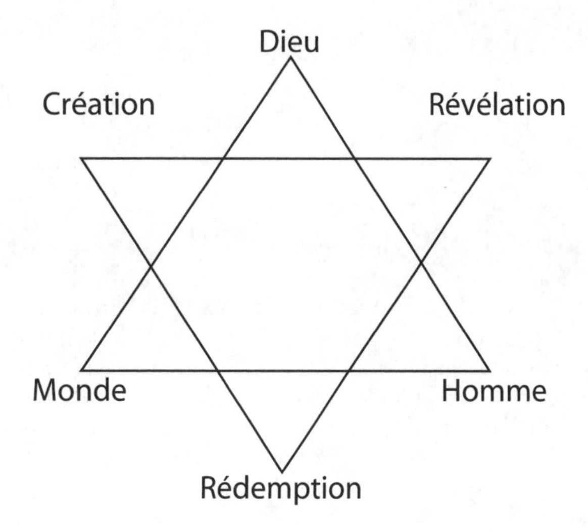

Figure 9-1 : L'étoile de Rosenzweig.

Un coup de cymbales spéculatif : le tsimtsoum

Au XVIe siècle, Isaac Luria donnera à la Kabbale une impulsion nouvelle avec sa théorie du *tsimtsoum* qui renvoie au mouvement d'autocontraction de l'essence divine qui finit par n'occuper qu'un point imperceptible. Cette rétraction libère un espace primordial où l'univers prend place, littéralement. Alors que pour la Kabbale espagnole (celle de Moïse de Léon, la première Kabbale), la création consistait en une projection de la puissance divine dans une espace extradivin – une manière d'univers en expansion métaphysique –, pour la Kabbale lurianique, la naissance du monde est due à un mouvement de retrait, de retour, de repli sur soi. La langue française, dans une heureuse rencontre, ne parle-t-elle pas de contraction pour désigner le travail musculaire de la femme qui donne naissance à un enfant ?

L'échappée du sens

En 1808, un grand maître du hassidisme, Rabbi Nahman de Braslav, sentant la mort venir, décida de brûler l'un de ses livres auquel il fut donné par la suite le nom de *Livre brûlé*. Le geste, tout comme la réflexion nourrie du Talmud sur les livres à sauver en priorité en cas d'incendie un jour de shabbat, est le signe du souci constant de la tradition juive de ne pas transposer l'autorité du texte révélé en un discours à la fois totalisant et totalitaire.

Chapitre 10

La Renaissance, à double battant

Dans ce chapitre :

- Une période charnière entre le Moyen Âge et l'époque moderne
- La naissance de l'humanisme
- Machiavel
- La Réforme protestante
- Montaigne et le doute

Du monde clos à la terre entière et l'infini

On a dit du Moyen Âge qu'il était toujours l'Antiquité tandis que la Renaissance était encore le Moyen Âge. Certes, le terme de Renaissance n'a pas été inventé par elle mais les contemporains eurent bien conscience du brusque élargissement de leur monde. Cardan écrit dans son autobiographie que, parmi les prodiges naturels, le premier et le plus rare, c'est d'être né dans le siècle où toute la terre a été découverte alors que les Anciens n'en connaissaient guère plus du tiers.

La Renaissance est gourmande et même boulimique. Dans tous les secteurs de la culture se manifeste et s'illustre la volonté d'embrasser la totalité : Pic de la Mirandole dans la connaissance, Brueghel en peinture, Rabelais en littérature font ce que fait Magellan : le tour du monde. Il semble même que l'époque ignore jusqu'à la catégorie de l'impossible : elle accorde sans méfiance à Nostradamus et à Faust un savoir et un pouvoir fantasmatiques, elle fait de l'alchimie et de la magie des disciplines par excellence à cause de la connivence secrète que celles-ci supposent entre l'homme et la nature.

Mais l'inachèvement ne caractérise pas moins la Renaissance que la totalité : Magellan justement n'eut pas le temps d'achever son tour du monde, il fut dévoré avant. Nous ne sommes jamais chez nous, constata Montaigne avec une inquiétude que le Moyen Âge n'avait pas connue.

Du monde clos à l'univers infini, tel est le titre d'un ouvrage, devenu célèbre, qu'Alexandre Koyré consacra à la révolution astronomique à laquelle Tycho Brahé, Copernic et Kepler lièrent leur nom. La Renaissance ne fut pas seulement le temps de la géographie enfin terrestre, elle fut aussi celui d'un univers à la fois décomposé et recomposé. À partir du XVIe siècle, en effet, la pression des observations et des idées fait sauter le couvercle de la marmite monde : le cosmos limité des Grecs perd de sa consistance, l'univers prend à Dieu son infini (un Dieu qui n'en a plus pour longtemps, du moins en philosophie).

Nicolas de Cues : une nouvelle pensée de l'infini

Enveloppez, développez !

Nicolas de Cues reprend à la théologie négative l'idée selon laquelle Dieu, l'absolu, est ineffable et étend cette méthode à l'ensemble de la philosophie (pour saisir les sens d'une chose, il convient de dire ce qu'elle n'est pas au lieu de tâcher de déterminer ce qu'elle est). Il effectue une considérable révolution de (et dans) la pensée en faisant de l'infini l'attribut de la création (pour réserver l'infini à Dieu, la scolastique avait repris la tradition d'un monde fini).

Pour Nicolas de Cues, Dieu est toutes choses à l'état compliqué, le monde est toutes choses à l'état expliqué. On peut dire « enveloppement » pour la complication et « développement » pour l'explication. L'enveloppement représente le monde de l'unité, le développement, celui de la multiplicité. Dieu *enveloppe* l'univers, inversement l'univers *développe* Dieu (si vous ne pensez pas vélo, vous êtes sur la bonne voie). Dans l'enveloppement, qui dépasse la logique et le langage de la raison humaine, les opposés coïncident au lieu de diverger.

Les opposés se rencontrent : quelle coïncidence !

La règle de non-contradiction qui dit qu'une chose ne peut être à la fois une chose et son contraire est valide dans le seul monde humain et pour la seule raison humaine, dit Nicolas de Cues. Dans l'infini, qui est la nature de Dieu, les extrêmes finissent par se fondre l'un dans l'autre et par coïncider. C'est ce que le philosophe appelle la coïncidence des opposés.

Seule l'intelligence, qui n'a pas les limites logiques de la raison, peut la reconnaître. Nicolas de Cues donne une image géométrique de cette coïncidence des opposés où Hegel, vous l'avez très certainement deviné, reconnaîtra une idée dialectique : lorsque le rayon du cercle grandit, le rayon de courbure se réduit.

Si l'on imagine un rayon de cercle tendant vers l'infini, comme un soleil pris de folie, un segment de circonférence sera tellement détordu qu'il finira droit. Ainsi, à l'infini, le courbe et le droit (qui sont des contraires au regard de la raison, j'espère que vous l'avez compris) deviennent identiques. Nicolas de Cues appelle docte ignorance (bel oxymore) la conscience que l'intelligence prend du non-savoir de la raison. La docte ignorance est connaissance de la non-connaissance (avouez que la philosophie est un voyage !).

Pic de la Mirandole : un puits de science mirobolant

Le nom de Pic de la Mirandole est devenu synonyme d'homme de gigantesque culture.

Doté d'une phénoménale mémoire, Pic de la Mirandole a publié un recueil de 900 thèses qu'il projetait de soutenir publiquement. Mais, inquiètes (on l'aurait été à bien moins), les autorités religieuses l'en empêchèrent. Poursuivi pour hérésie, Pic, qui était italien, se réfugia en France, où il fut enfermé au donjon de Vincennes (notre cher et vieux pays a toujours eu un sens un peu spécial du droit d'asile…). Rentré en Italie, le savant homme mourut empoisonné par son secrétaire à l'âge de 31 ans.

Comme la plupart des grands philosophes érudits, Pic était éclectique et œcuménique. Le Moyen Âge avait opposé Aristote à Platon, les jouant l'un contre l'autre. Pic de la Mirandole visait une paix philosophique en projetant une gigantesque dispute à laquelle auraient participé tous les grands esprits de son temps. Puisque la connaissance est partout, la vérité doit être partout aussi.

Sur le plan moral, Pic donne à la *dignité* une valeur toute nouvelle qui fonde l'idéal humaniste. Dans les sociétés d'Ancien Régime, la dignité était une fonction privilégiée, liée au rang (en ce sens, le terme était volontiers utilisé au pluriel : les dignités). Avec Pic, la dignité devient une valeur proprement humaine, et donc universelle.

Dans sa *Fable de l'homme*, Vivès, philosophe espagnol, imagina Jupiter offrant aux Olympiens le spectacle du théâtre du monde. Parmi les acteurs, le plus général, donc le plus génial, est l'homme, sans conteste : pantomime accompli, il interprète tous les rôles (plante, animal, être humain, dieu). Il joue même le rôle de Jupiter, si bien que les dieux, après avoir hésité, l'invitent à leur festin céleste. C'est Pic de la Mirandole qui avait développé cette idée qui inspira Vivès : la nature de l'homme consiste en fait à n'avoir pas de nature. Une pierre est déterminée par ses qualités physiques, un animal a une forme et des instincts déterminés qui le font être de telle ou telle manière. Seul l'homme n'a pas de nature fixée à l'avance.

Aux yeux de Pic, la nature de l'homme n'est pas déterminée, même pas comme animal raisonnable. C'est pourquoi le caméléon le symbolise assez bien : avec lui, tout est possible. C'est en cela que consiste la dignité de l'homme, à laquelle Pic consacre un traité. Qui n'admirerait ce caméléon que nous sommes ?, s'exclame-t-il. Ni céleste ni terrestre, ni immortel ni mortel, il peut, s'il le veut, dégénérer en formes inférieures, comme celles des bêtes ou, régénéré, atteindre les formes supérieures, qui sont divines.

Qu'est-ce que l'humanisme ?

L'homme à la place de Dieu

L'homme n'a évidemment pas attendu le XVe siècle européen pour savoir qu'il existe, il n'a pas non plus attendu cette époque et ce lieu pour avoir une petite idée de lui-même. Cela dit, c'est réellement à partir du XVe siècle européen que l'homme commence à se placer lui-même au centre d'un monde jusqu'alors gouverné par ces puissances non humaines, surhumaines, voire inhumaines, que sont la Nature, le Destin ou Dieu. L'humanisme est d'abord cela : la conviction que l'homme est au centre des représentations et qu'il constitue la valeur la plus haute.

Cette conception représente par rapport au Moyen Âge une révolution profonde. Le Moyen Âge plaçait l'homme sous le regard de Dieu ; la Renaissance le place sous son propre regard. L'invention de la perspective en peinture en est peut-être le meilleur signe. Car, si cette technique est fondée sur le projet de rendre le plus fidèlement possible une troisième dimension qui n'existe pas sur une surface (mur, toile ou papier), elle a pour sens essentiel la priorité donnée au regard horizontal, humain, sur le regard vertical, qui est idéalement celui que Dieu poserait sur notre monde. La perspective est l'humanisme en peinture parce qu'elle met un sujet en position de spectateur d'une certaine scène qui devient de fait son monde.

Et si, à la même époque (le XVe siècle), les peintres commencent à signer de leur nom leurs œuvres, cela veut dire que, à la différence de leurs prédécesseurs et ancêtres peintres d'église, ils ne se placent plus d'abord sous la loi et la garde de Dieu, mais sous celles d'un prince mécène. Le héros comme idéal d'homme remplace désormais le saint.

Rire est le propre de l'homme.

– Rabelais

La culture humaniste

C'est Cicéron qui fut le premier à dégager la notion de culture de ce qu'elle pouvait avoir de littéralement infantile (la *paidéia* grecque traduite en *cultura* par les Romains venait d'un mot signifiant « enfant » et la culture était avant tout l'apprentissage). Avec Cicéron, la culture n'est pas seulement ce qu'un individu encore jeune peut apprendre mais l'ensemble des valeurs qu'un être humain se doit de conserver et d'illustrer pour mériter son nom d'être humain. En d'autres termes, cette culture, qui est à l'esprit ce que le travail des champs est à la nature (le même double sens existe en latin), ne va pas sans la reprise du passé dans ce que celui-ci a laissé de plus beau et de plus grand.

Au Moyen Âge, la culture avait été prioritairement ordonnée par le pouvoir et l'esprit religieux. La Renaissance coïncidera avec un formidable mouvement de retour à l'Antiquité d'avant le christianisme, aussi bien en art qu'en littérature. D'où cette idée (évidemment illusoire) d'une renaissance après des siècles de sommeil.

Des génies universels

Les hommes de la Renaissance sont des conquérants en tous les domaines. Les valeurs de l'action se substituent à celles de la contemplation tant louée au Moyen Âge. Rabelais se moque des moines qui ne font rien. Le travail commence à être une valeur positive.

La Renaissance a cultivé l'idéal d'homme universel – que des artistes comme Alberti ou Léonard de Vinci, maîtres en tant d'activités diverses, ont incarné de somptueuse façon. Désormais, les sommes et les encyclopédies du Moyen Âge sont considérées comme des fatras. Un nouveau don apparaît : le don d'observation. Tout se passe comme si les hommes voyaient les choses et les êtres de la nature pour la première fois.

Érasme fut le plus célèbre des humanistes. Il poussa la charité chrétienne jusqu'au point de ne pas porter le nom de son père, qui était prêtre. Une psychanalyse noterait que ce bâtard n'en conçut aucune amertume : Érasme détestait les dogmatismes et les fanatismes. Les certitudes de Luther le désolaient tout autant que les abus de l'Église catholique.

> *Suivant la définition des stoïciens, la sagesse consiste à prendre la raison pour guide ; la folie, au contraire, à obéir à ses passions ; mais pour que la vie des hommes ne soit pas tout à fait triste et maussade, Jupiter leur a donné bien plus de passions que de raison.*
>
> – Erasme

Des amis du monde

Les médiévaux se voulaient des amis de Dieu et leur existence était tendue vers cet objectif : le salut de l'âme. Les hommes de la Renaissance sont les amis du monde et de l'humanité. En ce XVIe siècle déchiré par les guerres de religion, nombre de penseurs désirent avec ardeur la paix universelle et l'unité des croyances.

Connaisseur du grec, de l'hébreu et de l'arabe, comme s'il s'agissait pour lui d'autres langues maternelles, Guillaume Postel rêve de l'unité religieuse de la terre, chose qu'il croit possible grâce au caractère rationnel des vérités révélées : hostile aux protestants qui rompent l'unité chrétienne non moins qu'au catholicisme autoritaire qu'établit le concile de Trente, celui de la contre-réforme, il ne voit de salut que dans l'origine oubliée de toutes les religions, qui, selon lui, est la raison.

Une utopie : la communauté des croyances

Dans un ouvrage, Jean Bodin fait se rencontrer et discuter ensemble à Venise, ville ouverte sur le monde s'il en fut, sept savants : un catholique, un luthérien, un calviniste, un juif, un musulman, un partisan de la religion naturelle et un sceptique. Le but de la conversation (Jean Bodin reprend une situation imaginée par Raymond Lulle et Nicolas de Cues avant lui) est de savoir quelle religion est la meilleure. Le résultat est qu'il n'y en a aucune et que toutes sont des avatars d'une même religion naturelle. Profession de foi typiquement humaniste : il existe une croyance naturelle, commune à tous les peuples, qui transcende les formes particulières où, pour leurs malheurs, les hommes demeurent accrochés et qui constitue l'unité morale de l'univers. On peut, selon Bodin, extraire de toutes les religions un contenu commun qui serait la religion universelle. Le programme du déisme qui caractérisera le siècle des Lumières est donc déjà mis en place : suppression des dogmes, affirmation de l'existence de Dieu, pratique des vertus morales, au premier rang desquelles la tolérance.

Francisco de Vitoria, l'inventeur du droit universel

Avec Suarez, Francisco de Vitoria est le principal représentant de ce que l'on a appelé la seconde scolastique et qui a correspondu à un renouveau de la pensée scolastique à la Renaissance, au moment où l'humanisme l'emporte sur la philosophie médiévale. Mais l'importance de Francisco de Vitoria tient moins à une réhabilitation hypothétique de la pensée antérieure qu'à l'invention de l'idée de droit universel qui, elle, pointe directement en direction de notre modernité. Avec l'effondrement de la chrétienté médiévale et du projet implicite, jamais abouti mais constamment présent, d'un empire chrétien unifié sous l'autorité de l'Église, l'Europe entrait alors dans une période historique nouvelle, caractérisée la naissance des États et par la valeur inhérente de souveraineté. Le schisme qui cassait la chrétienté en deux et la conquête du monde mettaient par ailleurs les penseurs de cette époque devant des défis entièrement nouveaux.

L'idée de droit universel présentée par Francisco de Vitoria s'oppose aussi bien aux ambitions impériales de Charles Quint, fier de ce que le soleil ne se couchait jamais sur ses terres, qu'aux menées théocratiques du pape. Par ailleurs, la conquête violente du Nouveau Monde, avec les massacres et la mise en esclavage qui l'accompagnèrent et la suivirent, suscita par réaction chez certains intellectuels une redéfinition élargie de l'humanité dont les frontières n'étaient désormais plus celles de l'Europe blanche et chrétienne.

Francisco de Vitoria affirme qu'il existe une communauté humaine antérieure et supérieure aux États et donc une universalité de droit. Ce qui sauve croît avec ce qui perd, dira le poète. L'idée moderne des droits de l'homme commence à apparaître avec les premiers crimes mondiaux. Contre la valeur naissante de souveraineté dont nombre de philosophes feront l'alpha et l'oméga de la pensée politique, Francisco de Vitoria affirme que si une guerre est utile à une province ou à un État mais porte préjudice au monde ou à la chrétienté, elle est injuste par le fait même. Nul, depuis les stoïciens, n'avait parlé de société universelle comme le fit Francisco de Vitoria.

Machiavel: la fin justifie les moyens

Aux antipodes d'un Guillaume Postel ou d'un Francisco de Victoria campe Nicolas Machiavel dont le seul nom, dans les siècles suivants, en fera trembler et pâlir plus d'un.

La légende noire du penseur florentin

Dans les termes qui ont été tirés de ce nom (machiavélisme, machiavélique) flotte un parfum de satanisme qui a séduit quelques-uns et répugné au plus grand nombre. Même Frédéric de Prusse, qui ne fut pas en politique exactement une rosière, se crut obligé, pour cacher le cynisme réel de son action, d'écrire un *Anti-Machiavel* pour prouver ses bonnes intentions. En quoi il se montra, à l'inverse, très machiavélique. La sulfureuse réputation de l'Italien est moins venue de sa vie et de ses mœurs que d'un petit écrit, *Le Prince*, et des thèses percutantes qui y sont exposées.

Le caractère proprement révolutionnaire de la pensée de Machiavel tient en une idée simple: alors que depuis les Grecs (Platon, Aristote) la philosophie politique était subordonnée à la morale (et, depuis le christianisme, à la religion), l'Italien considère la politique comme un domaine autonome, indépendant à la fois de la morale et de la religion. D'où le scandale d'une pensée qui apparut à la fois comme immorale et athée.

Pour Platon et Aristote, la meilleure politique est celle qui organise du mieux qu'il est possible le bien collectif. Au Moyen Âge, un bon roi est un roi chrétien qui obéit (ou fait semblant d'obéir, mais ceci est une incise typiquement machiavélienne) aux préceptes de la religion chrétienne. Pour Machiavel, la politique est l'art d'acquérir le pouvoir qu'on n'a pas et celui de conserver celui qu'on a. Dès lors, les valeurs politiques sont les valeurs pragmatiques d'utilité et d'efficacité, mais pas les valeurs morales du bien et du juste, et encore moins les valeurs religieuses.

Alors que le point de vue des philosophes politiques de l'Antiquité était de type moral, celui de Machiavel est purement politique, et il n'est que cela. C'est ce réalisme qui vend la mèche qui a tant choqué (les cyniques au pouvoir n'aiment rien tant que le sirop de la morale pour faire avaler leur potion). Dire que la franchise peut être la forme la plus raffinée du mensonge, ce n'est pas seulement annoncer le constat désabusé d'un La Rochefoucauld, c'est aussi du même coup décrire l'action politique et pointer son champ d'efficacité possible. Machiavel va jusqu'à dire que le prince (on appelle ainsi, depuis son livre, le détenteur du pouvoir) se trouve obligé d'agir *contre* les règles de la morale et même contre celles de la religion. Ainsi conseille-t-il au prince de ne pas tenir ses promesses lorsque cet accomplissement lui serait nuisible et que les raisons qui l'ont conduit à les faire n'existent plus.

Cicéron avait écrit que l'on peut être injuste de deux manières, par violence ou par ruse. La ruse est l'affaire du renard, la violence, celle du lion. Machiavel reprend ces images mais les détourne à son profit. Le prince doit être tantôt lion tantôt renard, user tantôt de force, tantôt de ruse. Car s'il est vrai, concède Machiavel, que la manière de combattre par la force est propre aux bêtes, la manière de combattre par les lois, qui est propre aux hommes, bien souvent ne suffit pas.

Le jeu de la fortune et de la vertu

Ce que Machiavel appelle fortune n'est ni le Destin antique, force stupide, ni la Providence chrétienne, intelligence suprême, mais un mélange de hasard et de nécessité, d'événements inopinés et de force des choses. La vertu n'est pas à entendre en son sens moral de qualité opposée au vice mais, conformément à son étymologie latine, comme une force d'action et de caractère. Le grand prince est celui dont la vertu tire parti de la fortune.

Diodore de Sicile raconte cette histoire sur Denys, le tyran de Syracuse : Denys était injuste et cruel et les habitants de Syracuse le haïssaient. Or, l'opinion des autres avait du prix pour lui, il voulait tout contrôler, tout savoir. Aussi aimait-il se poster en dehors de la ville à un endroit des carrières, les Latomies, où le moindre son des alentours parvenait amplifié : c'était un trou, une entrée de grotte comme un énorme pavillon d'oreille en pierre (on appelait ce lieu l'oreille de Denys et il existe encore, on peut le visiter). Denys découvrait les pires horreurs murmurées sur son compte : elles étaient méritées. Évidemment, il ne manquait pas de s'en venger après.

Un jour pourtant, le tyran entendit pour la première fois une petite vieille dire du bien de lui et lui souhaiter prospérité et longue vie. Stupéfait, Denys la fit venir dans son palais et l'interroger : « Je t'ai entendu me souhaiter la santé et la richesse. Penses-tu ce que tu dis ?

– Certes oui, répond la vieille.

– Alors, tu me considères comme un bon roi ?

– Oh ! Pas du tout », répliqua aussitôt la vieille.

Denys était intrigué : « Je ne comprends pas, explique-moi.

– Eh bien, fit la vieille, c'est très simple. Lorsque j'étais jeune, j'ai connu ton grand-père, qui était méchant. Alors j'ai adressé des prières aux dieux pour qu'il disparaisse de la terre et c'est ce qui est arrivé. Son fils, ton père, lui succéda alors sur le trône : c'était pire encore ! Alors j'ai fait les mêmes prières et elles ont été aussi exaucées. Tu es arrivé et c'est toi qui, de loin, es le plus méchant des trois ; c'est pourquoi à présent je fais des prières nuit et jour aux dieux pour qu'il te conserve à nous. »

L'utilité ponctuelle de la violence

Si Machiavel justifie la violence occasionnelle, il n'en fait pas l'apologie. Il remarque seulement que le prince fait preuve de plus de clémence en étant cruel de temps en temps qu'à laisser pourrir une situation, car les désordres continus dérangent la société tout entière tandis que les sévérités ponctuelles ne touchent que les particuliers.

Machiavel est trop fin observateur pour ne pas voir qu'une cruauté arbitraire ou permanente finirait par se retourner contre celui qui l'exercerait. Puisque le premier objectif de l'action politique est l'efficacité, mieux vaut une violence rapide et éphémère qui impressionne les esprits plutôt qu'une violence installée qui exaspérerait tout le monde. Si l'auteur du *Prince* n'était pas démocrate, c'est le moins qu'on puisse dire, il fut peut-être le premier dans l'histoire de la pensée politique à tenir autant compte de cette force centrale dans les démocraties modernes, qu'on appelle l'opinion publique.

Thomas More, l'inventeur de l'utopie

Après être parvenu au poste de chancelier qui faisait de lui le second personnage du royaume juste après le roi, Thomas More fut emprisonné et exécuté sur ordre d'Henri VIII pour avoir désavoué celui-ci dans l'affaire de son divorce et du différend consécutif avec le pape.

Thomas More fut l'un des rares philosophes à avoir eu une expérience directe du pouvoir. Comme Boèce, il la paya de sa vie. La pensée politique de la Renaissance a produit deux chefs-d'œuvre : *Le Prince* de Machiavel et *L'Utopie* de Thomas More. Rien de plus opposé que ces ouvrages : alors que Machiavel décrit la réalité du pouvoir en rabattant le possible sur le réel, Thomas More imagine une société idéale en élargissant le réel jusqu'à l'impossible.

En écrivant *L'Utopie*, sous-titrée *De la meilleure république*, Thomas More n'invente pas seulement une fiction, il introduit dans l'histoire des idées un nouveau concept. Le titre du livre de Thomas More a eu, en effet, le privilège de devenir un nom commun. « Utopie », terme forgé par l'auteur, vient de deux mots grecs signifiant « non » et « lieu ». « Utopie » signifie littéralement « non lieu », « absence de lieu ».

Dans la première partie, l'auteur fait une critique en règle des différents maux dont souffre la société anglaise de son époque : le despotisme du pouvoir politique, la servilité des gens de cour, la vénalité des charges, la soif de luxe des privilégiés et l'injustice dont eux et les moines profitent. La propriété personnelle est dénoncée comme la source de tous les désordres. Dans la seconde partie, Thomas More décrit par contraste une société idéale dans une île, Utopie, située très loin dans l'océan. Ainsi les idées, au lieu d'être abstraitement exposées comme elles l'eussent été dans un programme, sont-elles présentées comme déjà réalisées.

En inventant un concept, Thomas More inaugure du même coup un genre : l'utopie, en effet, apparaît historiquement comme l'héritière des eschatologies religieuses (conceptions de l'au-delà et des fins dernières de l'homme) avec cette différence décisive qu'il n'y a plus transcendance ni sacré, donc plus de religion dans ce monde présenté comme parfait et en activité. C'est pourquoi l'idée d'utopie est représentative de l'humanisme de la Renaissance : l'homme n'attend plus son salut dans un au-delà après la mort comme au Moyen Âge mais ici-bas, dès cette vie.

L'Utopie a fécondé les utopies qui ont été ensuite écrites et pensées. Elle en présente les espérances (la croyance en un monde enfin meilleur qui soit le nôtre et pas celui de Dieu) mais aussi les risques (dans les utopies, la sécurité anéantit la liberté, l'individu n'existe qu'en tant que membre anonyme du groupe).

Jean Bodin : la république et la souveraineté

Avant d'être défini comme le régime politique opposé à la monarchie, la république est, conformément à son étymologie latine, l'État lui-même en tant qu'il organise politiquement la chose publique. Pour montrer que la république n'est ni un lieu ni un peuple mais ce que l'on appellerait aujourd'hui une structure, Jean Bodin se sert de l'image du bateau de Thésée.

Sur l'acropole d'Athènes, dans l'Antiquité, était conservé le bateau que la tradition disait être celui du héros Thésée. Les années, les décennies puis les siècles passant, le bateau dut être restauré pièce à pièce si bien que, dans sa dimension matérielle, plus rien du bateau d'origine ne subsistait. Les Athéniens continuaient néanmoins à parler du « bateau de Thésée ». En quoi consistait donc l'identité de ce bateau ? Non pas dans ses pièces de bois, puisque celles-ci avaient été remplacées plusieurs fois, mais bien plutôt dans la forme, l'agencement et, ajouterions-nous, le nom.

Bodin se sert de l'anecdote du bateau de Thésée pour dire que la république n'est pas un ensemble d'individus mais désigne bien plutôt la façon dont leur vie collective est organisée. Ce sont les lois qui font la république, de même que c'est la disposition des différentes pièces de bois qui faisait le bateau de Thésée.

La Boëtie : c'est l'obéissance qui fait le pouvoir !

Le *Discours sur la servitude volontaire* est l'un des grands textes de la philosophie de la Renaissance. L'ami cher de Montaigne y lève un lièvre de belle taille : les hommes courbent l'échine devant le pouvoir des rois sans se rendre compte que c'est leur obéissance qui fait la force de ceux-ci : soyez résolus à ne plus servir, écrit crânement La Boëtie, et vous voilà libres ! Le pouvoir, en effet, a toujours été considéré comme une force qui coulait de haut en bas, mais sans l'obéissance qui lui répond, quelle consistance aurait-il ? L'idée d'une servitude volontaire ne manqua pas d'apparaître comme paradoxale, voire scandaleuse. Il fallut attendre la psychanalyse pour en pénétrer l'énigme.

De la révolution protestante à l'esprit du capitalisme

Ce qui est resté dans l'Histoire sous l'appellation de Réforme est infiniment plus profond et violent que ce que ce terme désigne comme un simple aménagement d'un état de choses existant. Le schisme qui eut lieu au sein de la chrétienté au XVIe siècle avec Luther et Calvin eut des conséquences autrement plus importantes que celui qui détacha l'Église d'Orient (Byzance) de Rome au XIe siècle. Cette fois, ce n'étaient pas seulement quelques points de dogme et du rituel qui étaient en question, mais bien une nouvelle philosophie de l'homme et de l'Histoire.

En contestant frontalement le pouvoir et les institutions du clergé catholique, le protestantisme entendait supprimer les écrans entre l'homme et Dieu, et revenir à l'esprit du christianisme des origines. En réalité, la Réforme ne fut pas davantage un retour aux sources religieuses que la Renaissance italienne ne fut un retour aux sources artistiques antiques. Il faudra, en effet, attendre les Lumières pour que les hommes prennent enfin conscience que les ruptures qu'ils effectuent dans la trame des événements ne sont pas de simples reprises du passé mais des *inventions* de *faits*.

Ce que la Réforme inventait sans le savoir, c'était l'individualisme en matière religieuse, donc la tolérance. Avec, à la clé, cet extraordinaire ruse de la raison historique : les défenseurs de l'idée de prédestination (Dieu a décidé de toute éternité qui irait cuire dans la fournaise de l'enfer et qui irait bénéficier de l'air doux du paradis) ont été aussi ceux qui ont jeté la base de l'idée moderne, démocratique, de liberté personnelle.

D'où vient le capitalisme ?

Alors que Marx avait assigné à la naissance du capitalisme, durant la Renaissance, des causes sociales et économiques, le sociologue Max Weber lui trouvera plutôt des causes philosophiques et religieuses. Pour lui, en effet, le capitalisme est apparu à partir du moment où le travail n'a plus seulement été perçu comme le châtiment nécessaire du péché originel (c'est la thèse traditionnelle de l'Église) mais comme un moyen efficace de rachat, analogue à la prière. Le capitalisme est né lorsque l'échange monétaire et le prêt à intérêt n'ont plus été vus comme des actions indignes ou pécheresses, mais comme des nécessités normales de la vie pratique.

Dante, au Moyen Âge, avait réservé un cercle spécial de son enfer (dans la *Divine Comédie*) aux usuriers (confondus avec tous les prêteurs d'argent) parce que ceux-ci font du temps, dimension appartenant exclusivement à Dieu, leur affaire. Spéculer, en effet, c'est toujours agir à partir du temps et sur lui. Or, avec la Réforme, l'homme prend possession de son futur et laisse à Dieu les fins dernières.

Par ailleurs, le capitalisme représente le triomphe de l'individualisme en matière économique : la libre entreprise est l'entreprise personnelle, et non la corporation. Les artistes eux-mêmes, dont nous avons vu qu'ils commencent à se donner un nom à cette époque, deviennent de véritables entrepreneurs. Et pour celui dont l'affaire principale consiste à faire des affaires, la liberté de penser et de croire est, plus qu'une exigence, une évidence.

Montaigne : que sais-je et qui suis-je ?

Le scepticisme ancien est né du brusque élargissement des cadres du monde de la cité opéré par la conquête d'Alexandre le Grand. Le scepticisme moderne est né du brusque élargissement des cadres du monde médiéval opéré par les grandes découvertes. Le doute vient en effet volontiers de la confrontation des regards. Pour celui qui, comme Montaigne, vit à l'époque des guerres de religion, le sauvage n'est peut-être pas celui qu'on pense. Le scepticisme naît aussi du gonflement des connaissances. « Que sais-je ? » ne signifie pas seulement : « Je ne sais rien », mais : « Dans une telle masse de connaissances, que puis-je savoir ? »

Les lois de la conscience que nous disons naître de la nature naissent en réalité de la coutume, disait Montaigne. Une leçon que retiendra Pascal : les hommes ont vite fait d'attribuer à une prétendue nature ce qu'ils ont eux-mêmes inventé de façon plus ou moins arbitraire. Seulement, pour Pascal, il y avait derrière cette illusion un fondement et une réalité solides : Dieu. Tandis que pour Montaigne tout fuit et flotte, le monde, les hommes, les idées, les événements.

Montaigne disait aussi que chaque homme porte en soi la forme entière de la condition humaine. Aussi s'autorise-t-il à faire de son moi la matière première et dernière de ses *Essais*.

Les imprudences d'un sceptique

Avec Montaigne, les catégories les plus nettement déterminées deviennent mouvantes : il y a autant de différence de soi à soi que de soi à autrui, d'un être humain à un autre être humain que d'un être humain à une bête. Pris dans son enthousiasme à brouiller les frontières, il va jusqu'à évoquer les rites religieux pratiqués par les éléphants... Il est en effet allé si loin dans sa volonté de combler l'abîme entre l'homme et l'animal qu'il a cru que les éléphants, lorsqu'ils lèvent la trompe devant le soleil de l'aurore, participent à quelque rituel religieux. Montaigne parle encore d'ablutions et de méditations à leur propos. Le scepticisme ne garantit pas toujours contre les imprudences de la pensée...

Le monde n'est qu'une branloire pérenne.

– Montaigne

Du côté des rêveurs

La Renaissance ne fut pas seulement l'âge des grands artistes et des grands découvreurs. Elle fut aussi l'époque des grands songeurs. Ne faut-il pas d'ailleurs songer grandement lorsqu'on entreprend de sculpter des héros dans le marbre ou de faire le tour du monde sur une coquille de noix ? La Renaissance prolonge le Moyen Âge autant qu'elle y met un terme. L'idée d'une correspondance entre le macrocosme et le microcosme, dont nous avons vu l'importance chez les Arabes, les juifs et les chrétiens du Moyen Âge, est partagée par la plupart des auteurs de cette époque.

Agrippa de Nettesheim, occultiste célèbre, voyait dans l'homme l'image parfaite du cosmos, qui symbolise (c'est-à-dire entretient) avec toutes choses des liens formant réseau. Lorsque Léonard de Vinci compare le sol à la chair, les rochers aux os et les fleuves au sang, il faut comprendre ces images pour ce qu'elles sont : plus que des images, car la nature est pensée comme un corps. Des rapports magiques entretiennent l'idée d'unité de plan : se souvenant peut-être que des pierres précieuses étaient mélangées aux couleurs dans les vitraux du Moyen Âge, Titien ajoutait du sang dans sa palette au moment de peindre les corps humains.

Représentatif de la culture et de l'esprit de la Renaissance, Paracelse offre un mélange bizarre de curiosité ouverte et d'obscurantisme. Il voulait du passé médical faire table rase au point de brûler publiquement les œuvres de Galien et d'Avicenne. S'il fit des découvertes utiles en chirurgie et en chimie, il prétendit aussi avoir fabriqué l'élixir de longue vie (un breuvage censé assurer l'immortalité) ainsi qu'un homonculus (petit homme artificiel que les alchimistes croyaient pouvoir faire sortir de leur cornue). Pour Paracelse, l'homme est la quintessence du monde, son corps est fait de soufre, de sel et de mercure (les trois éléments alchimistes primordiaux). Le savant rêveur développa une théorie des signatures : entre les organes du corps et les éléments du monde (minéraux, végétaux, animaux) existent des correspondances secrètes qui assurent la guérison en cas de maladie.

Giordano Bruno, allumé au feu de l'infini

L'éclectisme est une autre réponse possible, à l'opposé du scepticisme, à l'abondance et à l'entrechoc des idées. Giordano Bruno est un éclectique. Il admet tous les philosophes – sauf un, qui sera aussi l'ennemi commun des premiers modernes, Francis Bacon, Thomas Hobbes, Descartes : Aristote. Sans doute y a-t-il de la folie chez un homme qui se désigne lui-même comme celui qui a dépassé les frontières du monde, renversé les murailles du ciel et enjambé les étoiles.

Giordano Bruno a cette particularité d'avoir été excommunié par les trois grandes religions de son temps : par les calvinistes à Genève, par les luthériens à Wissembourg et par les catholiques à Rome. Condamné pour ses idées hérétiques, il mourut sur le bûcher. On rapporte qu'avant d'y monter, il eut cette parole passablement désabusée : « Ce sont toujours les plus intelligents qui sont les plus couillonnés. » On ne peut pas dire que l'histoire postérieure lui ait donné complètement tort.

Giordano Bruno a une conception organique de l'univers : celui-ci forme un tout harmonieux grâce à la vie qui le traverse de part en part. La pensée de Bruno est un panvitalisme, c'est-à-dire qu'elle conçoit la vie comme animant la totalité de la nature : les astres sont des êtres animés (vieille croyance due au fait que le mouvement est le premier signe de vie), la pierre elle-même sent à sa façon. La mort n'affecte que les êtres particuliers ; elle n'atteint pas ce Grand Animal qu'est l'univers. Dans ce Tout, tout est immanent ; il n'y a plus de transcendance – et c'est bien cela qui inquiétait les autorités religieuses de l'époque.

Dans chaque partie, la présence du tout se fait sentir. Pour la faire comprendre, Giordano Bruno reprend la belle comparaison de Plotin : imaginez une voix qui se fait entendre dans une salle. Toute la voix est à la fois dans toute la salle et dans chacune de ses parties, de sorte que chaque auditeur d'une assemblée perçoit toute la voix (et non un fragment qui lui reviendrait).

Ce qui exalta Bruno fut aussi la cause de sa mort. L'orthodoxie religieuse voit dans l'infini le privilège exclusif de Dieu. Il ne saurait donc être question d'affirmer l'infinité du monde, car ce serait nier l'infinité de Dieu (deux infinis ne sauraient coexister), voire nier Dieu lui-même. C'est la raison pour laquelle les philosophes du Moyen Âge avaient accepté le modèle sphérique finitiste que Platon et Aristote avaient proposé de l'univers. Bruno conçoit un univers infini composé de mondes innombrables, tournant avec leurs planètes autour de leur soleil. Cet infini n'est pas seulement physique, il possède une dimension intérieure. L'élan infini de l'âme humaine répond littéralement à l'infinitude du monde.

Il n'est plus rien qui doive nous épouvanter.

– Giordano Bruno

Troisième partie

L'âge classique (XVIIe-XVIIIe siècles)

Dans cette partie…

Vous allez sortir définitivement de l'ancien monde, marqué par l'Antiquité grecque et la religion chrétienne. L'âge classique est la porte de la modernité. La philosophie prend appui désormais sur cette base nouvelle : le sujet humain solidement pourvu d'une raison et d'une sensibilité. D'où les deux grands courants qui dominent cette période : le rationalisme et l'empirisme. La religion, elle, reflue. Dans l'ordre politique, l'individu surgit, en même temps que le sens de l'État. Le XVIIe siècle est le temps des grands systèmes avant que son successeur, le siècle des Lumières, ne les conteste. Ainsi va la vie historique de la pensée, qui se pose en s'opposant (la formule est de Hegel).

Chapitre 11

L'aube des temps modernes : Bacon, Hobbes, Descartes

Dans ce chapitre :

- Les trois penseurs qui ont posé les bases de la modernité philosophique
- Francis Bacon, le théoricien de la science expérimentale
- Thomas Hobbes, le premier penseur de l'État moderne
- René Descartes, le penseur de la subjectivité de la conscience

À la fin de la Renaissance, comme l'a aussitôt compris John Donne avec son intuition de poète, le monde s'en est allé en morceaux. L'idée d'une radicale discontinuité entre l'homme et la nature, qui aura pour double conséquence la thèse d'une infinie supériorité de l'homme sur les animaux grâce à la pensée et la disparition du modèle de l'homme image du monde, finit par s'imposer.

Francis Bacon : la science physique sera expérimentale

Les Français, qui sont aussi chauvins que leurs voisins en ce qui concerne les idées et leur développement, parlent de révolution galiléo-cartésienne à propos de la naissance de la science physique moderne, au début du XVIIe siècle. Connaître la nature ne consiste plus à spéculer sur elle, comme on le faisait depuis les Grecs, mais à l'observer et à la mesurer.

Les Français ont associé Descartes et Galilée à cette noble entreprise – d'où l'expression de révolution galiléo-cartésienne. Or, l'importance de Bacon dans ce changement d'esprit est au moins aussi grande que celle de Descartes, car si ce dernier a bien fait avancer la physique en plus d'un domaine (celui de l'optique en particulier), il a malgré tout davantage songé à appliquer sa métaphysique que les mathématiques à la connaissance des choses. Galilée dit que la nature est un livre écrit en langage mathématique et il faut entendre par là, qu'elle n'est pas à lire comme un poème. Et c'est Bacon qui fait la première théorie de la science expérimentale, non Descartes. Il eût été plus juste par conséquent de parler de « révolution galiléo-baconienne ».

Les livres doivent suivre les sciences et non le contraire.

– Francis Bacon

Deux légendes ont couru sur le compte de Francis Bacon : il aurait été le fils naturel de la reine Elizabeth et on lui a attribué la paternité des œuvres de Shakespeare (voir la plaisanterie d'Alphonse Allais : Shakespeare n'a jamais existé, c'est un inconnu du nom de Shakespeare qui a écrit toutes ses pièces). Bref, un homme à la filiation et à la paternité brouillées. (Pour un philosophe qui a attaché son nom à la recherche de la certitude des faits, le paradoxe est croquignolet.) Il a mené une carrière politique qui l'a conduit aux plus hautes charges de l'État. Comme Thomas More, il a été chancelier, l'équivalent de notre poste de Premier ministre. Accusé de vénalité, il fut exclu de la vie publique (décidément, les philosophes n'ont pas de chance en politique). Le mot qu'il a produit pour sa défense est resté dans l'Histoire, grâce à Beaumarchais qui l'a repris dans son *Barbier de Séville* : « Calomniez, calomniez, il en restera toujours quelque chose ! »

La vertu peut être comparée à certains aromates précieux qui ne répandent jamais plus d'odeur que lorsqu'on les broie ou qu'on les brûle ; la prospérité découvre nos vices et l'adversité nos vertus.

– Francis Bacon

On ne commande à la nature qu'en lui obéissant

Cette phrase de Bacon signifie que, pour agir sur la nature, il convient tout d'abord de la connaître. Ce n'est, par exemple, pas en rêvant comme Icare au vol des oiseaux que l'homme a pu s'élever dans les airs, mais en dégageant les lois de la mécanique. L'articulation de la science et de la technique, leur dialectique, est ce qui a fait, à partir de la Renaissance, la puissance de l'Europe sur le monde. Les Grecs puis le Moyen Âge avaient tellement séparé la théorie de la pratique qu'ils s'étaient, sans le savoir, interdits d'agir efficacement sur leur milieu.

La science s'applique dans la machine, laquelle, en retour, permet d'autres découvertes. Les découvertes (scientifiques) et les inventions (techniques) entretiennent ainsi des relations dialectiques, chaque découverte permettant de nouvelles inventions, lesquelles déboucheront sur d'autres découvertes. Ainsi, les travaux des mathématiciens grecs sur les sections coniques (cercles, paraboles, hyperboles, ellipses) ont conditionné la fabrication des lentilles, donc de la première lunette astronomique par Galilée, et du premier microscope par Leeuwenhoek. Grâce à sa lunette astronomique, Galilée découvre les cratères de la Lune et les satellites de Jupiter, et grâce au microscope, les biologistes découvriront la cellule.

On appelle technosciences l'ensemble constitué aujourd'hui par l'unité des sciences et des techniques, et ce phénomène est l'un des plus caractéristiques de notre modernité telle qu'elle s'est mise en place à partir de la Renaissance.

L'abeille est supérieure à l'araignée et à la fourmi. L'esprit, dit en effet Francis Bacon, dispose de trois façons de travailler. Il peut, comme l'araignée, tout tirer de son propre fond : c'est ainsi qu'opèrent les dogmatiques. Il peut, comme la fourmi, se contenter d'amasser ce qu'il trouve çà et là : on reconnaît la manière des empiristes. Enfin, il peut faire comme l'abeille, c'est-à-dire élaborer son miel à partir de ce qu'il trouve, et telle est, aux yeux de Bacon, la méthode supérieure qui effectue une synthèse habile des deux précédentes.

La division des sciences

Francis Bacon divise les sciences en trois groupes d'après la faculté de l'esprit qui est concernée :

- **la philosophie,** qui est la science de la raison ;
- **l'histoire,** qui est la science de la mémoire ;
- **la poésie,** qui est la science de l'imagination.

Diderot et d'Alembert reprendront cette tripartition pour classer en rubriques les articles de l'*Encyclopédie.*

On notera que sous le terme de philosophie sont englobées les sciences mathématiques et les sciences de la nature. Pendant longtemps, jusqu'aux débuts du XIXe siècle, l'expression de philosophie naturelle désignera la physique. Ainsi, l'ouvrage dans lequel Newton expose sa théorie de la gravitation universelle s'intitule *Principes mathématiques de philosophie naturelle.*

La science n'est rien d'autre que l'image de la vérité. Car la vérité d'être et la vérité de connaître sont une seule et même chose et ne diffèrent pas plus entre elles que le rayon direct et le rayon réfléchi.

– Francis Bacon

La chasse aux idoles et aux faits

Une théorie de la connaissance comprend nécessairement une partie critique : pas de doctrine de la vérité sans doctrine de l'erreur. Francis Bacon appelle *idoles* (ou fantômes) les erreurs que l'esprit doit absolument éviter s'il veut accéder à la connaissance véritable. Il en distingue quatre, déterminées d'après leur origine :

- **les idoles de la tribu** sont les préjugés les plus communs de l'espèce humaine, ceux que tous partagent, comme la tendance à réduire la réalité à ce que les sens en montrent, l'idée que le monde est simple et uniforme, le fait de ne tenir compte que des cas favorables, etc. ;
- **les idoles de la caverne** (ainsi appelées par allusion à l'image de la caverne dont Platon s'était servi pour illustrer le monde des apparences et des illusions) naissent de la situation et de la nature particulières de l'individu (de sa caverne intérieure), elles viennent de l'éducation, de l'habitude, de la constitution propre à chacun ;
- **les idoles de la place publique** désignent les erreurs qui proviennent des limites du langage (rareté du vocabulaire, existence de mots pour désigner des entités fictives et qui ainsi font croire à leur réalité, divisions superficielles ou arbitraires, etc.) ;
- **les idoles du théâtre** naissent, quant à elles, de l'autorité et des systématisations abusives des philosophes, comme on peut le constater avec les rêveries des alchimistes ou bien encore avec les interprétations délirantes de la Bible.

Rien n'est aussi vaste que les choses vides.

– Francis Bacon

La chasse peut aller dans deux sens : la capture et le refoulement. Chasser les idoles, c'est les repousser ; chasser les faits, c'est les prendre. Francis Bacon appelait chasse de Pan l'activité de collecter des faits observés (Pan est le nom que les Romains donnaient à la nature).

Une autre logique

Le grand ouvrage programmatique de Bacon s'intitule *Novum Organum scientiarum* (on dit par abréviation *Novum Organum*), *Le Nouvel Organon*. Le terme d'*organum* fait référence à la *Logique* d'Aristote dont les six parties ont été réunies sous le titre latin d'*organum* qui signifie « outil », la logique étant considérée comme l'outil de la pensée.

Dans son *Novum Organum*, Bacon entend par conséquent dépasser la logique d'Aristote. Aristote faisait de la déduction, qui tire une conclusion à partir d'énoncés premiers, le raisonnement type. Le syllogisme est une déduction en trois parties (une majeure : « Tous les hommes sont mortels », une mineure : « Socrate est un homme » et une conclusion : « Donc Socrate est mortel »).

Aux yeux de Bacon, la déduction ne rend pas bien compte de l'avancement des sciences (le philosophe anglais fut le premier à introduire l'idée de progrès des connaissances). La déduction, en effet, tire une idée d'une précédente qui la contenait. Elle n'invente donc pas réellement ; tout au plus se contente-t-elle de découvrir. L'induction, en revanche, et tel est le genre de raisonnement que Bacon promeut, élargit réellement la connaissance, car, à partir d'un certain nombre de faits observés, elle conclut à une proposition générale. Par exemple, de ce qu'une pomme, une pierre, la pluie tombent, on en conclura que les corps (tous les corps) tombent.

Alors que la déduction passe du général au particulier (de l'homme à Socrate dans l'exemple du célèbre syllogisme), l'induction est une généralisation. Seulement, au lieu d'être une généralisation hasardeuse (comme avec la fameuse exclamation « Les Anglaises sont rousses ! » d'un Français fraîchement débarqué après observation de deux femmes Britanniques assez rouges de cheveux), l'induction est une généralisation rationnelle. Certes, Aristote parle de l'induction dans sa logique, mais il n'envisage que celle qui récapitule un ensemble donné d'informations. Par opposition à cette induction dite aristotélicienne (ou totalisante), l'induction dite baconienne (ou amplifiante) laisse ouverte la possibilité de faits à connaître (par exemple, la loi de la gravitation universelle établie par Newton avait d'abord une validité limitée au système solaire, alors seul connu ; c'est par induction que l'on supposait que la force de gravitation concernait tous les corps de l'univers).

À la fin de sa vie, Francis Bacon écrivit un roman utopique intitulé *La Nouvelle Atlantide* d'après l'Atlantide que Platon avait évoquée dans *Critias*. Cette île idéale (depuis *L'Utopie* de Thomas More, les sociétés idéales, isolées du reste corrompu du monde, sont presque toujours situées sur des îles) est une république utopique de savants. Elle est organisée selon les principes de la connaissance nouvelle. Périodiquement, des savants et chercheurs de la Nouvelle Atlantide sont envoyés incognito aux quatre coins de la terre pour rapporter les renseignements utiles sur toutes sortes de choses : l'étude du sous-sol de l'atmosphère, l'élevage des animaux, la culture des plantes, l'examen de la chaleur et de la lumière… Cette utopie est devenue notre réalité.

Ce ne sont pas des ailes qu'il faut à notre esprit mais des semelles de plomb.

– Francis Bacon

Thomas Hobbes : la science politique sera mécanique

La pensée de Hobbes a été, comme celle de Machiavel avant lui et comme celle de Spinoza après lui, l'objet de simplifications et de caricatures qui ont poussé systématiquement les traits au noir.

La légende noire de Hobbes

On a accusé Hobbes de matérialisme (un crime inexpiable contre l'esprit dans la société de l'époque) sous le prétexte qu'il réduisait la totalité du réel à des corps. Il serait plus juste de parler à propos de lui de corporalisme : aux yeux du philosophe anglais, même Dieu a un corps – ce qui ne signifie pas nécessairement qu'il a des muscles et des os, des poils et des dents. La république forme un corps politique – ce qui ne veut pas dire qu'il y ait identité entre lui et un organisme individuel (une analogie comme réseau de relations n'est pas la même chose qu'une identité).

On a accusé Hobbes d'athéisme – un autre crime contre l'esprit, au même titre que le matérialisme avec lequel d'ailleurs il était confondu. Comment en juger ? À la question de savoir s'il croyait en Dieu, Einstein, par exemple, répondra : « Définissez-moi d'abord Dieu et je vous dirai si j'y crois ou non. »

Ne pas confondre les mots avec les choses

Hobbes est nominaliste : pour lui, les termes généraux sont des moyens utiles, commodes pour désigner des réalités possédant entre elles suffisamment de points communs. La vérité n'est pas dans les choses mais dans les énoncés de la langue portant sur elles (ce n'est pas le cheval qui est vrai mais le fait que je dise que cet animal-là, pourvu d'une grande crinière et qui piaffe d'impatience, est un cheval).

Le monde des mots et des idées est pour Hobbes un monde de conventions, comme l'est également, dans le domaine politique, le monde des lois. Ainsi le crime n'existe pas en tant que tel : il n'y a pas de crime comme il y a des roses ou des marronniers. « Crime » est le terme par lequel on désigne une certaine catégorie d'actes – ceux qui transgressent le plus gravement la loi. Ainsi est-ce la loi qui littéralement détermine le crime. De même, la définition de la secte ne doit pas être cherchée du côté d'une improbable essence de nature (telle serait la démarche des réalistes ou des platoniciens). Une secte ne se définit pas par ses caractères propres mais simplement par le fait qu'elle n'a pas la légitimité d'une Église.

Le vrai et le faux sont des attributs du langage, non des choses. Et là où il n'y a pas de langage, il n'y a ni vérité ni fausseté.

– Thomas Hobbes

Une pensée mécaniciste et artificialiste

Pour Hobbes, il n'existe que des corps, des forces et des mouvements. Contrairement à ce que prétendait Aristote, la société et le pouvoir politique ne sont pas naturels à l'homme ; ils sont apparus à la suite d'une convention qui, pour mettre fin à l'état d'insécurité permanente qui caractérise l'état de nature, fonde la souveraineté de l'État. À cet égard, l'image du frontispice du *Léviathan* qui le présente sous l'apparence d'un corps de colosse est trompeuse. Le Léviathan qui figure l'État est un automate plutôt qu'un organisme. (L'animal biblique qui porte ce nom n'est-il pas précisément un animal imaginaire, un animal de pensée ?)

« Léviathan »

L'édition originale du *Léviathan* (dont le titre entier est *Léviathan ou la matière, la forme et le pouvoir de la république ecclésiastique et civile*), qui comme *Le Prince* de Machiavel inaugure une nouvelle ère dans l'histoire de la pensée politique, s'ouvre par une image qui représente de manière spectaculaire un colosse bienveillant couronné. Ce géant aimable surgit d'une ligne d'horizon barrée par des montagnes et domine une ville qui, avec son église, son château et ses maisons, apparaît comme petite à côté de lui.

Léviathan est le nom d'un monstre de la mythologie phénicienne qui apparaît dans le Livre de Job sous la forme d'un crocodile et dans les prophéties d'Isaïe comme l'incarnation de la puissance païenne destinée à être soumise à Dieu. Hobbes reprend la figure du Léviathan pour en faire le symbole de la puissance politique de l'État, seule apte à assurer la sécurité et la liberté des hommes dans la cité. Comme le sphinx égyptien ou le dragon chinois, le Léviathan est un monstre, mais un monstre bénéfique.

L'ouvrage de Hobbes comprend quatre parties. La première développe une conception matérialiste et pessimiste de l'homme : celui-ci n'est pas l'être de raison décrit par les stoïciens mais un être de passions violentes. La rivalité qui oppose les individus les uns aux autres est inexpiable : l'homme est un loup pour l'homme (Hobbes reprend une formule du poète comique latin Plaute : *homo homini lupus*). Hobbes appelle état de nature cette situation de violence extrême exacerbée par cette fondamentale égalité : sans pouvoir pour les contraindre et les retenir, les hommes jouissent de cette égalité terrible, celle de donner la mort à quiconque, car ceux qui ne disposent pas d'une grande la force physique peuvent toujours user de ruse ou de trahison.

Fénelon répondra en écho à Hobbes que les hommes pourtant tous frères s'entre-déchirent (les bêtes farouches sont moins cruelles, qui ne font la guerre qu'aux autres espèces ; l'homme seul, malgré sa raison, fait ce que les animaux sans raison n'ont jamais fait). Seul un pouvoir fort, donc, est susceptible de sortir les hommes d'un état aussi épouvantable et de leur assurer le premier des biens, qui est la condition de tous les autres, la sécurité.

Dans la deuxième partie, Hobbes évoque le pacte social qui institue l'État. L'État est une institution, un artefact comme une machine. Dans les deux dernières parties, Hobbes traite de la nécessaire subordination du pouvoir ecclésiastique au pouvoir civil.

La théorie politique de Hobbes justifie-t-elle le despotisme ?

Déjà Pufendorf, sensible au fait que le souverain n'est pas lui-même engagé dans le contrat (telle est la définition même du pouvoir absolu de conditionner les lois sans être lui-même conditionné par aucune loi) reprocha à Hobbes de faire la théorie du despotisme. Aussi, pour écarter une telle conséquence, propose-t-il de distinguer deux pactes, le pacte d'association par lequel les hommes décident de s'unir et le pacte de soumission par lequel les contractants renoncent à une partie de leur liberté naturelle en faveur du souverain.

Souvent invoqué par les partisans de l'absolutisme monarchique, Hobbes est parfois apparu aussi comme un précurseur des théories totalitaristes du pouvoir telles qu'elles ont proliféré au XXe siècle. C'est doubler un anachronisme d'un contresens. Alors que les régimes totalitaires sont ceux qui plongent les hommes dans une terreur prolongée, l'État tel que le pense Hobbes a pour première fonction d'assurer la sécurité. De plus, alors que le totalitarisme régente toutes les dimensions et tous les aspects de la vie humaine, depuis le berceau jusqu'à la tombe, le pouvoir du Léviathan ne concerne que la vie publique des citoyens et ne s'immisce pas dans leurs projets et croyances. La liberté des sujets, rappelle Hobbes, dépend du silence de la loi ; or le totalitarisme est ce monstrueux régime qui prétend parler de tout et dicter sur tout ce qu'il est interdit ou obligatoire de faire, l'autorisé étant réduit à néant.

Aussi longtemps que les hommes vivent sans un pouvoir commun qui les tienne tous en respect, ils sont de cette condition qui se nomme guerre et cette guerre est guerre de chacun contre chacun.

– Thomas Hobbes

L'absolutisme n'est pas le totalitarisme

L'absolutisme du souverain n'est pas le pouvoir personnel d'un individu mais une fonction sociale indépendante de la personne qui l'exerce. Cette fonction d'origine divine impose des devoirs plus encore que des droits. Le roi absolu de droit divin n'était ni le tyran de la Renaissance ni le despote des régimes totalitaires modernes. Certes, Hobbes justifie la toute-puissance de la monarchie, mais avec cette réserve toutefois qui fait toute la différence entre l'absolutisme et le totalitarisme : le prince peut tout dans l'exacte mesure où il protège l'intégrité corporelle de celui qui lui est assujetti ; son pouvoir absolu n'est pas total : il s'arrête là où commence la propriété privée du corps propre. Si le souverain ordonne à un homme, même justement condamné, de se tuer, de se blesser, de se mutiler ou de ne pas résister à ceux qui l'attaquent, écrit Hobbes, cet homme a la liberté de désobéir.

Le totalitarisme : une invention contemporaine

En 1942, Franz Neuman, marxiste allemand exilé, publia au Canada l'un des tout premiers ouvrages de fond sur le pouvoir nazi intitulé *Behemoth*, où il s'efforce de soustraire le philosophe anglais et sa pensée politique à l'emprise des zélateurs hitlériens. Béhémoth est un monstre biblique comme Léviathan mais, alors que celui-ci symbolise la toute-puissance de l'ordre, celui-là représente les forces du chaos. L'État Léviathan de Hobbes n'est pas une machine à broyer les existences mais au contraire à les préserver. Ce n'est pas, comme le sont les régimes totalitaires, un appareil à rendre les hommes fous mais, à l'inverse, il garantit leur existence d'êtres raisonnables : la vie, la raison, tels sont aux yeux du philosophe anglais les deux biens les plus précieux et c'est parce que l'état de nature les ignore ou les met en péril que l'État puissant est nécessaire.

Un adage latin dit : le silence de la loi est la liberté des citoyens. La liberté civile existe en effet là où la loi est muette. Or, pour Hobbes, il est bon que la loi se taise souvent. Parmi ces silences de la loi, l'auteur du *Léviathan* évoque ces choses essentielles que représentent pour les membres de la république la liberté d'acheter, celle de vendre et de conclure des contrats, la liberté de choisir sa résidence, son genre de nourriture, son métier, la liberté d'éduquer ses enfants comme on le juge convenable, et ainsi de suite. Le « ainsi de suite » est évidemment capital. Rappelons, par contraste, la devise consacrée du totalitarisme : tout ce qui n'est pas obligatoire est interdit.

Point décisif : Hobbes admet, sous l'appellation de cultes privés, l'existence d'autres religions que celle de l'État. Il va même jusqu'à admettre l'athéisme (que Thomas More, dans son *Utopie*, punissait de mort !). Aux yeux de Hobbes, la parole et la communication sont la condition de la société. Or, le totalitarisme, une fois les clameurs tues, tend vers le silence, celui de la mort.

Religion et politique : premier aperçu sur la laïcité

Le frontispice de l'édition originale du *Léviathan* met en scène les symboles du pouvoir politique d'un côté et du pouvoir religieux de l'autre. Tout le Moyen Âge avait été déchiré par la lutte des deux principes incarnés d'une part par l'empereur (ou le roi) et d'autre part par le pape.

Hobbes milite pour la subordination de l'Église au pouvoir politique : il ne peut y avoir selon lui deux sources de la loi. Hobbes fut le tout premier penseur de ce que l'on pourrait appeler la privatisation des croyances : tant qu'elles n'empiètent pas sur les prérogatives du souverain, les croyances sont affaire personnelle, elles font partie du domaine privé. C'est pourquoi Hobbes peut être considéré comme le premier philosophe de la laïcité avant et avec Spinoza. La protection des sujets est le premier devoir et la première fonction du souverain : elle doit s'étendre à la liberté de pensée. La prééminence du pouvoir politique sur le pouvoir religieux non seulement garantit la paix civile mais assure aussi la paix des consciences.

René Descartes, le cavalier français parti d'un si bon pas

La formule est de Charles Péguy. Descartes est un philosophe mousquetaire qui a passé une bonne partie de sa vie à sillonner l'Europe centrale à cheval. Il est contemporain de ce temps baroque du règne de Louis XIII qui nous apparaît léger en comparaison de celui qui va suivre. Dans notre mémoire, tous les commencements ont cette vertu de légèreté.

Y a-t-il un système cartésien ? Premier constat : de toutes les grandes philosophies, celle de Descartes paraît la moins complète : on n'y trouve ni esthétique, ni politique, ni pensée juridique, sans même parler de philosophie de l'histoire, laquelle ne prendra son essor qu'au siècle suivant.

L'histoire a retenu de Descartes ses découvertes fondamentales en mathématiques (la géométrie analytique, les coordonnées dites cartésiennes) et en physique (les lois de réfraction en optique, entre autres). On sait qu'il fit des observations et expériences approfondies en physiologie (il pratiquait la dissection d'habile manière). Ce que l'on sait moins, en revanche, c'est qu'il s'intéressa aussi aux avalanches, décrivit la structure des flocons de neige, songea à faire construire une lunette assez puissante pour voir s'il y a des animaux dans la Lune et voulut comprendre pourquoi, près de Rome, on crut voir, certain jour, plusieurs soleils.

On rapporte que, arrivé en Suède où il transporta Descartes après une traversée de trois semaines, le pilote du bateau raconta à la reine Christine qu'il lui avait amené non un homme mais un demi-dieu, car il en aura appris davantage en trois semaines sur la marine et les vents qu'il n'avait fait en soixante ans sur la mer.

La raison cartésienne

La raison se définit comme bon sens – à prendre non dans l'actuelle acception abâtardie, mais dans l'entière vigueur de ces termes « sens » et « bon ». C'est ainsi qu'il faut entendre la première phrase du *Discours de la méthode* : le bon sens, ce n'est pas l'opinion commune, ni la sagesse populaire un peu bécasse, mais la faculté de penser clairement et distinctement. Inversement, le fou, le forcené, « fors sené », c'est littéralement celui qui est en dehors du bon sens. La folie, c'est la dé-raison, cette sortie hors de soi qu'exprime bien le mot latin d'aliénation (*alienus* signifie « étranger » en latin).

Quand je pense, je suis : je suis moi-même, et non un objet ou un animal, entre les mains ou sous le pouvoir d'un autre. La raison suppose donc, en même temps qu'elle les détermine, conscience de soi et conscience du monde (dont autrui fait partie), pensée ordonnée, méthodique des éléments de ce monde, création d'idées nouvelles à partir des idées antérieures.

Mais humaine, la raison ne l'est pas seulement en ce sens qu'elle en représente la plus haute gloire. Elle l'est aussi en ce qu'elle constitue cet idéal d'unité humaine auquel les grands penseurs de l'histoire ont songé : alors que l'irrationnel divise, la raison rassemble. Dans les fantasmes, je suis seul avec moi-même et les autres ne sont plus que les otages de mes désirs. Tandis que dans le dialogue de la raison – lorsque, par exemple, j'échange des arguments avec mon interlocuteur –, je fais partie d'un monde commun qui, tendanciellement, peut s'élargir à l'humanité entière.

On comprendra que la raison puisse être rare en même temps qu'essentielle et que la phrase introductive du *Discours de la méthode*, dont on n'a retenu que la première partie (« le bon sens est la chose du monde la mieux partagée ») doive être comprise en un sens ironique : on se plaint de son apparence physique (on ne se trouve jamais assez beau), on se plaint de son sort matériel (on ne se trouve jamais assez riche), on se plaint à la rigueur de son peu de mémoire, jamais en revanche on ne se plaint de son peu de raison et ceux qui auraient tout lieu de le faire en tireraient presque gloire : nous nous vantons davantage de nos folies que de nos calculs.

Le bon sens est la chose du monde la mieux partagée car chacun pense en être si bien pourvu que ceux mêmes qui sont les plus difficiles à contenter en toute autre chose n'ont point coutume d'en désirer plus qu'ils n'en ont.

– René Descartes

La porte grande ouverte au songe

Dans la langue commune, « cartésien » signifie « méthodique », « rationnel », avec un rien de rigidité et pour tout dire d'ennui. Il n'est plus sûr que l'adjectif « cartésien » accolé à l'esprit soit une louange. On y verrait plutôt une marque d'étroitesse, comme si une raison serrée (au sens où un café noir peut l'être) nous empêchait de voir la réalité dans toute sa largeur.

Il serait naïf de croire que Descartes lui-même a toujours vécu et travaillé de manière exclusivement rationnelle (la remarque vaut, évidemment, pour n'importe quel homme de science). On a gardé le récit des rêves que le jeune philosophe (il avait alors 23 ans) fit durant une nuit de novembre. Il n'est pas impossible d'y reconnaître une impulsion qui décida de son destin ou bien le signe inconscient de ce que Sartre appellera un projet fondamental. C'est d'ailleurs bien ainsi que Descartes comprit lui-même ses rêves, à la façon d'une espèce de conversion philosophique. Interrogé sur ceux-ci, Freud se récusa : le père de la psychanalyse pensait qu'il n'est pas réellement possible de connaître le sens d'un rêve en l'absence du rêveur et sans pouvoir parler avec lui. Nous serons moins prudents que lui et tenterons d'éclaircir un peu la chose.

Les trois rêves de Descartes

Dans le premier rêve, Descartes voit un personnage lui présenter un melon – où il n'est pas impossible de reconnaître une image du globe, symbole du monde à posséder. Certes, le melon peut être une image érotique – en anglais argotique, *mellon* désigne le gros sein. Mais cette dimension (c'est le cas de le dire) ne contredit pas tout à fait la précédente, car il y a entre le désir de savoir couramment figuré par un globe et le désir tout court, figuré par un fruit, rapport d'équivalence.

Le troisième rêve (passons sur le second) qui sembla à Descartes lui désigner sa mission est le moins énigmatique. Le philosophe voit sur sa table un dictionnaire et une anthologie poétique. Ouvrant celle-ci, il tombe sur un vers latin disant : « Quel chemin suivrai-je dans la vie ? »

Une philosophie de la certitude

La pensée de Descartes est une philosophie de la certitude, c'est-à-dire une philosophie de la vérité *prouvée*. D'ailleurs, à partir de Descartes, l'expression de vérité prouvée commence à devenir un pléonasme. N'est vrai que ce qui peut être démontré. Or, seule la raison peut démontrer quelque chose.

Cela dit, la philosophie cartésienne n'est pas un rationalisme au sens moderne (athée) : elle repose sur une métaphysique chrétienne. Aux yeux de Descartes, l'existence de Dieu est la garantie ultime de la réalité de ce monde et des vérités qu'on peut en extraire, tandis que l'âme (on dirait aujourd'hui le psychisme) contient en elle les idées innées que Dieu y a déposé.

La philosophie de Descartes peut être comprise comme une réponse à la question sceptique de Montaigne : « Que sais-je ? » Elle inaugure la modernité pour une raison essentielle : c'est une philosophie du sujet.

Je pense, donc je suis

Le fameux « Je pense, donc je suis » (on dit aussi : le *cogito*, « je pense » en latin, du verbe *cogitare*, qui nous a bien entendu donné « cogiter ») est d'abord important en ce qu'il dit *je*. *Je*, et pas *il* (le roi, le père, le chef, Dieu), *je* et pas *nous* (la société, la chrétienté, l'Église), *je* et pas *on* (la foule anonyme, le quidam, l'individu qui n'est personne). C'est un tournant radical dans l'histoire de la civilisation : l'homme prend conscience de lui en tant que personne. Le cogito cartésien s'inscrit dans un grand mouvement historique qui voit l'émergence du moi dans toutes les dimensions de la culture. Au XVe siècle, le peintre Van Eyck a pour la première fois signé ses tableaux ; au XVIe siècle, la Réforme protestante (Luther, Calvin) invente la subjectivité religieuse (l'examen de conscience, le rapport personnel à Dieu). Le capitalisme naît également à cette époque : il est l'expression en même temps que le fondement de l'individualisme en matière économique et sociale ; enfin Montaigne écrit un gros ouvrage (les *Essais*) dont le sujet n'est autre que lui-même.

L'unité de la connaissance

L'arbre de la connaissance qui tenta Adam mortellement (et dans le bois duquel la tradition sculpta la croix de Jésus) fut redressé par Descartes : ne dit-on pas *tronc commun*, *branches* (pour disciplines) et *racines* (pour fondements) ?

La première des règles énoncées dans les *Règles pour la direction de l'esprit* énonce le principe de l'unité des connaissances, de cette mathématique universelle dont l'idée se retrouvera chez Malebranche et Leibniz. Les sciences, dit Descartes, sont tellement liées ensemble qu'il est plus facile de les apprendre toutes à la fois que d'en isoler une des autres. C'est une grande différence avec les techniques (on dit arts à cette époque) : on ne peut connaître tous les métiers en même temps, une spécialité technique ferme l'accès aux autres (on ne peut être à la fois excellent cuisinier, navigateur très habile et maréchal-ferrant émérite). De même que la lumière éclaire une multitude d'objets sans rien perdre de son unité, la raison peut se porter sur une multitude d'objets sans rien perdre de sa cohérence (l'expression de lumière naturelle désigne, à l'âge classique, la raison humaine par opposition à la lumière révélée des livres sacrés). D'où la possibilité et même la nécessité d'une *méthode*.

Toute la philosophie est comme un arbre, dont les racines sont la métaphysique, le tronc est la physique et les branches sont toutes les autres sciences, qui se réduisent à trois principales, à savoir la médecine, la mécanique et la morale.

– René Descartes

La méthode contre l'encyclopédie : un coup de froid fatal

Descartes a eu l'occasion de rencontrer deux personnalités qui, curieuses de tout, avaient accumulé une masse considérable de connaissances. La première était l'humaniste tchèque Comenius. Lui et Descartes se sont parlé (en latin) pendant quatre heures. Ce fut la confrontation de deux esprits opposés, le choc de l'idéal humaniste de savoir universel d'un côté et de l'exigence moderne de connaissance méthodique de l'autre. Sans la méthode, le savoir, aussi étendu soit-il, ne peut être, aux yeux de Descartes, qu'un fatras. Il sera même d'autant plus fatrasique qu'il sera étendu.

La reine Christine de Suède fut la seconde personnalité que Descartes tenta de convaincre à la nécessité de la méthode. L'esprit de cette femme était si rempli de connaissances de toutes sortes que notre philosophe en fut, dit-on, presque effrayé. Le voyage que Descartes fit jusqu'à Stockholm où Christine l'avait appelé pour s'instruire encore allait être, on le sait, le dernier. L'auteur du *Discours de la méthode* dormait volontiers douze heures par jour, la reine était plus ou moins insomniaque. Une nuit, en plein hiver, elle fit venir Descartes pour un problème de mathématiques. Le philosophe, qui avait prévu qu'en se soignant convenablement lui-même, l'homme pourrait vivre si vieux qu'il en deviendrait presque immortel, attrapa froid et ne se rétablit pas. Il mourut à l'âge de 54 ans, c'est-à-dire à l'âge où Kant n'aura encore pratiquement rien écrit de son grand œuvre.

Le « Discours de la méthode »

Le *Discours de la méthode* est paru en même temps que trois traités scientifiques dont il constitue la préface. Son titre complet est *Discours de la méthode pour bien conduire sa raison et chercher la vérité dans les sciences*. Descartes l'a écrit en français et non en latin (langue savante utilisée par tous les penseurs de l'époque) pour être compris même des femmes. Alors que le sujet traité porte sur la connaissance vraie et certaine, l'auteur n'hésite pas à mettre en avant son *je* qui pense. Avec les *Essais* de Montaigne, le *Discours de la méthode* marque l'entrée en fanfare du sujet qui dit *je* dans la pensée (certes, Augustin l'avait fait il y a très longtemps dans ses *Confessions* mais son *je* était en grande partie suspendu à la transcendance de Dieu).

La première partie du texte de Descartes s'ouvre par la fameuse phrase déjà évoquée : le bon sens est la chose du monde la mieux partagée. Il y a le fait que tous les hommes, sauf les fous, sont doués de raison et le fait que si personne ne se juge assez riche ou assez fort, personne ne croit manquer de bon sens. Mais si tous les hommes sont également doués de raison, tous ne l'appliquent pas de manière égale. D'où la nécessité d'une méthode qui permette l'accès à la connaissance vraie et certaine.

Descartes dresse ensuite le bilan de ses études. Cette autobiographie intellectuelle écrite à la première personne a valeur générale : des différentes disciplines étudiées (humanités, philosophie, mathématiques), seules les mathématiques trouvent grâce à ses yeux à cause de la rigueur de leur méthode.

C'est dans la deuxième partie que Descartes établit la liste des quatre règles de la méthode :

- **la règle de l'évidence :** n'admettre comme vrai que ce que l'on conçoit clairement et distinctement ;
- **la règle de l'analyse :** diviser la difficulté en autant de parties qu'elle en comporte ;
- **la règle de la synthèse :** reconstituer l'ensemble à partir des éléments ;
- **la règle de l'énumération :** s'assurer que la question a été traitée de manière exhaustive.

Dans la troisième partie de son ouvrage, Descartes énonce les règles de la morale dite provisoire (car la vie pratique ne peut attendre) :

- **l'obéissance aux lois et coutumes de son pays, et en particulier de sa religion** (on n'a pas manqué de noter le contraste entre cette prudence et le caractère novateur de la théorie de la connaissance) ;
- **la fermeté et la résolution dans les actions** (mieux vaut marcher droit dans une forêt, même si l'on est perdu, plutôt que de tourner sans cesse en rond) ;
- **la sagesse qui veut que l'on change ce qui dépend de nous (nos désirs) plutôt que ce qui ne dépend pas de nous (l'ordre du monde)** – cette maxime est d'origine stoïcienne.

La quatrième partie du *Discours de la méthode* traite de deux grandes questions métaphysiques : les preuves de l'existence de Dieu et de l'âme. C'est au début de cette partie que l'on rencontre le fameux *cogito*. On pourrait traduire cela par la certitude de la conscience de soi. Le *cogito* apparaît en effet aux yeux de Descartes comme le premier principe indubitable de la philosophie. On peut en effet douter de tout, mais pas de sa pensée elle-même puisque douter, c'est penser. Or, penser, c'est exister comme être pensant. On peut douter que l'on a un corps mais pas que l'on est un être pensant. Le *cogito* est à la fois le prototype (le premier exemple) et l'archétype (le modèle) de l'idée claire et distincte : toutes les fois que je serai en possession d'une idée aussi claire et distincte que le *cogito*, je pourrai dire que je suis en possession d'une idée vraie.

Ensuite, Descartes expose deux preuves de l'existence de Dieu : la preuve par l'idée de parfait énonce que je possède en moi une idée de parfait dont je ne peux être la cause, étant moi-même imparfait. La cause de cette idée de parfait ne peut être qu'un être parfait, qui est Dieu. La seconde preuve de l'existence de Dieu est une variante de la preuve ontologique imaginée par saint Anselme au Moyen Âge : dans l'idée d'un être parfait, l'existence est nécessairement incluse comme une propriété du triangle dans l'idée de triangle. Inversement, l'inexistence est une imperfection. Donc Dieu existe.

Dans la cinquième partie, Descartes passe aux questions de physique. La matière se ramène à l'étendue et au mouvement. Les animaux, qui n'ont pas d'âme (à la différence de l'homme), ne sont que des machines.

Le *Discours de la méthode* s'achève sur l'espoir de voir la connaissance de la physique utilisée pour la maîtrise de la nature et la santé du corps. C'est dans cette sixième dernière partie que figure l'expression célèbre des hommes rendus comme maîtres et possesseurs de la nature, qui aujourd'hui met les écologistes tellement en colère.

Le concept plus fort que l'image

Pour montrer la supériorité de la pensée abstraite sur l'imagination, Descartes suggère cette expérience de pensée : il est aisé, dit-il, d'imaginer un carré (imaginer est ici pris au sens originel : former une image mentale), il est aisé également de concevoir un carré (il suffit pour cela de connaître sa définition : quadrilatère possédant quatre côtés égaux se coupant à angle droit). Maintenant, si j'imagine un octogone, cela me demandera un certain effort (il est plus difficile de « voir dans sa tête » un octogone qu'un carré) ; en revanche, il ne me sera pas plus difficile de concevoir un octogone qu'un carré : il suffit que je sache que c'est un polygone régulier convexe à huit côtés.

Soit à présent un chiliogone, polygone régulier convexe à 1 000 côtés : il est clair que je ne peux plus m'en forger une image mentale. En revanche, je peux très facilement le concevoir dès lors que j'en connais la définition. Contrairement à ce que l'intuition nous suggère volontiers, le concept, c'est-à-dire l'idée symbolisée par un mot, va plus loin que l'image. La pensée abstraite est donc plus libre que l'imagination. Je peux, par exemple, penser et l'absence et l'infini. Je ne peux pas, en revanche, me les *imaginer*.

« Les Méditations métaphysiques »

Le titre latin de cet ouvrage dit littéralement : *Méditations touchant la première philosophie dans lesquelles l'existence de Dieu et la distinction réelle entre l'âme et le corps de l'homme sont démontrées*. Pour parvenir à la vérité (objective) et à la certitude (conscience subjective de posséder la vérité), il est nécessaire de soumettre toutes ses croyances et connaissances au doute : la certitude qualifiera par définition ce qui aura su surmonter cette épreuve. Ce doute extrême, hyperbolique, n'épargne rien, même pas les évidences le mieux assurées. Descartes va même jusqu'à imaginer qu'un esprit tout-puissant, aussi rusé que subtil, s'ingénie à nous plonger dans un monde de mensonges. Cette fiction du malin génie joue le rôle de critère décisif. Avant même d'en connaître les résultats et bénéfices, la pensée découvre le pouvoir de son infinie liberté : rien ne saurait la contraindre dans un sens ou dans un autre. À malin, malin et demi !

Au fond même du doute le plus profond, une certitude inattaquable se dégage : celle-là même de la pensée et de l'existence : je pense, j'existe. Pour douter, en effet, il faut penser, et pour être trompé, il faut être. Le doute ne peut être lui-même mis en doute. Le célèbre passage du morceau de cire est destiné à montrer que la pensée se connaît beaucoup mieux que la matière : avec elle, dira Hegel, la pensée est chez elle.

Mais l'esprit qui pense n'est pas seul : il y a un Dieu – dont Descartes, dans la troisième méditation, prouve l'existence à l'aide de deux variantes de l'argument ontologique :

- l'idée d'infini qui est en moi suppose un être infini qui n'est pas moi, qui suis un être fini ;
- si j'avais eu le pouvoir de me créer, je me serais donné toutes les perfections dont j'ai l'idée, seul un Dieu infini est l'auteur de mon existence.

En lui-même, mon entendement, qui est mon pouvoir de juger, est parfait. Mais, à la différence de la volonté, il est fini. C'est, explique Descartes, de la disproportion entre ces deux facultés que provient l'erreur. Énoncer une idée, c'est en effet la concevoir (œuvre de l'entendement) d'une part et l'affirmer ou la nier (œuvre de la volonté) d'autre part. L'homme se trompe parce que sa volonté affirme ou nie des idées qui ne sont pas claires et distinctes.

La cinquième méditation expose l'argument ontologique : puisque l'essence de Dieu contient toutes les perfections et que l'existence est une perfection, Dieu existe.

Les *Méditations métaphysiques* s'achèvent sur la considération des relations entre l'âme et le corps. Le problème est particulièrement trapu, car ces deux substances radicalement distinctes et même opposées (le corps est matériel, l'âme ne l'est pas) sont en très étroite union l'une avec l'autre : Descartes dit « comme un mélange », ce que prouve assez l'expérience banale de la douleur.

Le mécanisme cartésien

La réalité chez Descartes est coupée en deux : la matière d'un côté, l'esprit de l'autre. Il n'y a dans la nature que de la matière et du mouvement : ce sont les objets de la mécanique. Le corps chez l'être humain est susceptible du même traitement : la physiologie, à laquelle Descartes fut l'un des premiers à s'intéresser, est une espèce de physique appliquée. Là encore, il faut effectuer un retour en arrière pour mesurer le caractère révolutionnaire d'une telle démarche : pendant des siècles, voire des millénaires, le corps humain a été considéré comme une chose sacrée, d'où le tabou qui pesait sur la dissection. La Renaissance bouleverse cela : pour la première fois, les organes du corps sont exposés comme des choses dans les planches anatomiques des premiers livres qui faisaient par là du corps un livre aussi.

Le morceau de cire

En quoi consiste la matière ? Descartes la définit comme une substance, c'est-à-dire comme une réalité irréductible à aucune autre. Pour dégager la nature (l'essence) de cette substance, le philosophe prend l'exemple d'un morceau de cire. Ce matériau comprend un certain nombre de qualités immédiatement repérables : il est froid, de couleur jaune, solide, il rend un son lorsqu'on le frappe, il a gardé une odeur de miel.

Dira-t-on que ces qualités constituent l'essence du morceau de cire ? Non, car que l'on chauffe celui-ci et toutes ces qualités disparaîtront pour faire place à d'autres : le froid est devenu chaud, le dur est devenu mou et même liquide, la couleur a changé, l'odeur a disparu. Il y a une chose en revanche, observe Descartes, qui a été conservée par-delà toutes ces transformations : la cire occupe toujours un certain fragment d'espace. Descartes en déduit que l'étendue est l'essence de la matière. On ne peut, en effet, pas concevoir de matière sans étendue (alors qu'on peut parfaitement concevoir un esprit sans étendue).

Dieu toujours en place

Si Descartes est considéré comme le père de la philosophie moderne, c'est parce qu'il fut le premier philosophe du sujet, le premier philosophe à avoir fait de la conscience le fondement même de la pensée. C'est Dieu qui, au Moyen Âge, représentait le fondement ultime de l'être comme de l'idée.

Cela dit, chez Descartes, Dieu n'est pas pour autant évacué, bien au contraire ! Descartes est un croyant sincère, et plutôt conservateur en matière religieuse et politique. En tout cas, il a toujours fait montre d'une extrême prudence

– ainsi lorsqu'il apprit la condamnation de Galilée, il se garda bien de publier son *Traité du monde* où il exposait la même thèse de la Terre tournant autour du Soleil. Dieu, donc, reste le créateur de l'univers, sa liberté infinie est même, aux yeux de Descartes, à l'origine des vérités éternelles : s'il avait plu à Dieu de faire en sorte que la somme des angles d'un triangle fût différente de 180 degrés, il en eût été ainsi. En fait, c'est grâce à Dieu que tout tient debout.

Le monde est une fable

Un tableau peint par un artiste hollandais montre Descartes tenant entre ses mains un livre sur lequel est écrite en latin cette phrase énigmatique : « Le monde est une fable. » L'expression figure dans un passage du *Traité du monde* où Descartes compare d'ailleurs son travail à celui d'un peintre, capable, pour plaire à l'amateur, de répartir de façon variée les ombres avec les couleurs claires. Nombre de commentateurs ont voulu baroquiser Descartes et voir en lui l'analogue philosophique de Shakespeare et de Calderón, dont le théâtre jouait constamment sur la réversibilité de la scène et du monde : le monde est une scène avec ses personnages, ses décors et ses prestiges ; inversement, le théâtre est le monde (celui de Shakespeare s'appelait ailleurs le Globe).

Lorsque Descartes parle de sa fable du monde, il ne veut certainement pas dire que sa physique est à mettre sur le même plan que les contes et les légendes que les grands-mères transmettent à la veillée à leurs petits-enfants, mais que les mots dont se sert la raison pour traduire la réalité des choses ne sont pas identiques à cette réalité, ils n'en sont que la représentation, de même que nous savons faire la distinction entre un visage et un portrait. Pour Dieu seul, qui a une connaissance parfaite du monde à cause de son entendement et aussi parce qu'il en est le créateur, le monde ne serait pas une fable.

L'étrange dialogue de l'âme et du corps

On aime tous cette situation burlesque habituelle aux dessins animés classiques : un personnage court comme un fou sans s'apercevoir qu'il a dépassé le bord de la falaise et qu'il a le précipice sous lui. Dès qu'il s'en rend compte, ses yeux sortent d'horreur de leurs orbites et il tombe. C'est la conscience qui fait exister les choses.

Descartes se penche sur l'une des énigmes les plus curieuses de la médecine : un amputé du bras dit qu'il a mal au bras. On appelle membre fantôme cette illusion. Comment peut-on avoir mal à une partie du corps que l'on n'a plus ? Descartes suppose (à juste titre) que le cerveau possède inscrite en lui une certaine image du corps qui ne suit pas toujours automatiquement l'état réel de ce corps (c'est un peu ce qui se passe lorsqu'on ne se voit pas vieillir). La pensée ordonnée par le cerveau peut donc présenter un certain décalage.

La nature m'enseigne aussi, par ces sentiments de douleur, de faim, de soif, etc. que je ne suis pas seulement logé dans mon corps ainsi qu'un pilote en son navire, mais outre cela que je lui suis conjoint très étroitement et tellement confondu et mêlé que je compose comme un seul tout avec lui. Car si cela n'était, lorsque mon corps est blessé, je ne sentirais pas pour cela de la douleur, moi qui ne suis qu'une chose qui pense ; mais je m'apercevrais cette blessure par le seul entendement comme un pilote aperçoit par la vue si quelque chose se rompt dans son vaisseau.

– René Descartes

Pourquoi est-on séduit par des défauts physiques ?

Dans un texte étonnant, Descartes raconte qu'il a toujours craqué pour les femmes qui louchaient. Il est clair que le strabisme est une disgrâce objective et qu'une femme qui ne louche pas est plus belle qu'une femme qui louche. On n'a encore jamais vu de femmes qui louchent remporter un prix de beauté. Le politiquement incorrect n'est pas allé jusqu'à franchir cette barrière symbolique. Pourtant, on peut trouver plus séduisante une laideur qu'une beauté ; la chose est même banale.

Dans une lettre, Descartes se souvient qu'étant enfant, il aimait une petite fille qui présentait cette particularité de loucher. Ainsi le philosophe du *cogito*, le penseur de la conscience, avait-il deviné l'existence de l'un des principaux mécanismes de l'inconscient psychique : l'être humain cherche spontanément à retrouver les situations et à renouveler les expériences qui lui ont procuré du plaisir dans le passé, tandis qu'il cherche à fuir celles qui lui ont procuré du déplaisir. Comme le passé où se mettent en place ces points de fixation psychologique est l'enfance de l'individu, on comprend que celle-ci sera considérée par la psychanalyse comme la période la plus importante de la vie : c'est le moment en effet où se dessinent les grands traits du caractère, celui où se cristallisent les amours et les détestations qui, plus tard, trouveront d'autres objets. Ainsi se comprend ce mot en apparence paradoxale, mais que la psychanalyse a rendu presque banal : « L'enfant est le père de l'homme. »

Une morale de la générosité

La morale de Descartes est un mélange de stoïcisme et de christianisme. Il existe chez l'être humain une volonté qui n'a pas de limite *a priori*. Cette volonté a un usage théorique aussi bien que pratique : émettre un jugement, c'est toujours dire oui (acquiescer) ou dire non (refuser) à un certain nombre de représentations proposées par l'intelligence.

La connaissance qu'il peut prendre des passions (à l'époque classique, on appelle ainsi tout ce qui, émotion, sentiment ou affectivité, se déroule chez le sujet tout en échappant à son pouvoir de décider) permet à l'être humain de s'en rendre maître. Descartes n'est pas, comme on l'a dit, un ennemi des passions, mais il pense qu'elles doivent et peuvent être dirigées.

La *générosité* dont il fait le point ultime de sa morale n'est pas seulement la bonté dont on peut faire preuve envers autrui. Elle est d'abord l'estime de soi qu'un être raisonnable comme l'homme doit avoir. Il faut avoir conscience de sa vertu d'être libre et raisonnable pour bien agir, car celui qui s'estime ainsi donnera aux autres l'occasion de s'estimer également.

La liberté de notre volonté se connaît sans preuve par la seule expérience que nous en avons.

– René Descartes

Chapitre 12

La raison à l'infini : Spinoza ou Leibniz

Dans ce chapitre :

- Deux esprits opposés mais tous deux dans le sillage de Descartes
- Spinoza, celui qui détruit joyeusement les idoles et les préjugés
- Leibniz, celui qui bâtit avec enthousiasme tout un monde d'idées et de projets

Spinoza, comète dans le ciel des idées

Issu d'une famille juive portugaise réfugiée en Hollande, Baruch Spinoza bénéficia d'une éducation juive complète (la Bible, le Talmud, les philosophes juifs du Moyen Âge, la Kabbale). Sa liberté de pensée lui valut, à l'âge de 24 ans, une excommunication majeure de la part de sa communauté, ce qui équivalait à une espèce de mort civile : Spinoza ne devait plus apparaître en public, nul ne pouvait l'approcher, son nom était exécré. Un fanatique tenta même de poignarder le philosophe, lequel garda chez lui le manteau avec le trou qu'avait fait le couteau.

Menant une vie retirée, à la fois par nécessité et par choix (il refusa un poste que l'université allemande de Heidelberg lui proposa), il vécut de manière très simple en polissant des verres d'optique. On peut voir dans ce métier un signal philosophique. L'époque de Spinoza est celle des progrès considérables qui furent faits dans l'observation des mondes extrêmes, grâce justement à l'invention des lunettes astronomiques et des microscopes. Mais les verres sont aussi des symboles de vue claire et distincte : le travail manuel de Spinoza n'allait-il pas tout compte fait dans le même sens que son travail intellectuel ?

La légende noire de Spinoza

Le jugement d'excommunication prononcé contre Spinoza était particulièrement violent : « À l'aide du jugement des saints et des anges (rien que cela !), nous excluons, chassons, maudissons et exécrons Baruch de Spinoza avec le consentement de toute la sainte communauté. Qu'il soit maudit le jour, qu'il soit maudit la nuit ; qu'il soit maudit pendant son sommeil et pendant qu'il veille. » Les membres de la communauté ne devaient avoir avec le réprouvé aucune relation ni écrite ni verbale. Personne ne devrait l'approcher à moins de quatre coudées (c'est-à-dire environ deux mètres), personne ne devrait demeurer sous le même toit que lui ni bien sûr lire aucun de ses écrits.

Par la systématisation de la haine qu'il exprime et le désir d'anéantir l'autre jusqu'au point de rêver à son éternelle inexistence, ce type de discours est déjà d'essence totalitaire. La différence toutefois avec le totalitarisme effectif de l'époque moderne tient au tabou de l'élimination physique : il est de fait que Spinoza n'a pas été condamné à mort ni (malgré une tentative) assassiné.

L'excommunication dont Spinoza fut victime fit sentir ses effets bien au-delà de la communauté juive de Hollande. De son vivant, Spinoza eut la réputation sulfureuse d'un penseur matérialiste et athée, qui niait à la fois la liberté humaine et la Providence divine. Ses ennemis firent courir le bruit que son occupation favorite consistait à voir des araignées combattre et s'entre-dévorer !

Le prétendu matérialisme de Spinoza vaudra d'ailleurs à son auteur une réputation de précurseur auprès des philosophes marxistes. Au XVIIIe siècle et pour la génération romantique, Spinoza représenta celui qui, seul parmi tous les philosophes de l'âge classique, aurait eu un sens panthéiste, voire mystique de la nature. Inutile de dire que ces deux lectures opposées sont également éloignées de la pensée du philosophe mais n'oublions jamais que la vie des pensées est volontiers faite des déformations que l'on a pu leur faire subir. Comme Platon, Spinoza est un philosophe que l'on a tiré en tous sens ou presque, et cela même contribue à constituer ce que nous appelons « la philosophie de Spinoza ».

L'Éthique, ouvrage unique en son genre, possède cinq parties dont chacune a une disposition et une subdivision calquées sur les *Éléments* d'Euclide : d'abord des définitions, parfois suivies d'explications, puis des axiomes, enfin des propositions, suivies de leurs démonstrations et éventuellement de corollaires et de scolies.

La première partie traite de Dieu, la seconde de la nature et de l'origine de l'âme, la troisième de l'origine et de la nature des affections, la quatrième de la servitude de l'homme et la cinquième, de la liberté.

La réalité est parfaite !

Spinoza est le plus antiaristotélicien des philosophes : sa pensée exclut toute idée de possibilité non réalisée. Tout ce qui doit exister existe et il n'y a pas à chercher une quelconque perfection au-delà de la réalité elle-même.

On comprend que Spinoza fut l'un des très rares lecteurs non hostiles à Machiavel : il partage avec le philosophe italien son radical refus des idéaux et des utopies. Ainsi dans son *Traité politique* reprend-il la tripartition grecque des régimes politiques : il n'y a pas, écrit-il, à chercher d'autres types que la monarchie, l'aristocratie et la démocratie, car le passé a épuisé tous les possibles en ce domaine.

L'éternité ici et maintenant !

Il n'y a pas chez Spinoza d'au-delà du temps. L'éternité n'est pas cette échappée que les religions promettent à l'âme, mais le mode propre d'existence de l'âme qui coïncide avec Dieu, la substance unique, lorsqu'elle pense la vérité. Dans la vérité qui est adéquation, non de la réalité et de la chose (selon la définition traditionnelle) mais de l'âme avec la substance unique, nous sentons et nous expérimentons que nous sommes éternels, dit Spinoza. La béatitude n'est pas la récompense qui attend l'âme dans l'au-delà pour une vie de bonnes actions, mais l'état actuel, effectif de l'âme qui se sent en conformité complète avec la substance unique qui est Dieu ou Nature.

Ainsi la philosophie de Spinoza nous apparaît-elle comme une formidable promesse, non pas promesse de type religieux qui ne cesse de séparer l'ici du là-bas et le maintenant du plus tard, mais promesse de type éthique, qui concerne l'existence actuelle, effective de l'être humain.

Substance, attributs, modes

Spinoza reprend les termes scolastiques de substance, d'attribut et de mode pour leur donner un contenu très différent. La substance est une réalité qui est en soi et est conçue par soi, ce dont le concept n'a pas besoin du concept d'une autre chose dont il devrait être formé. Le propre d'une substance est d'être irréductible : à la fois non dérivable et non assimilable à quelque chose d'autre. Pour Descartes, il y a deux substances, la matière et l'esprit ; pour Leibniz, il y en a une infinité, les monades ; pour Spinoza, il n'y a qu'une seule substance appelée Dieu ou Nature.

Un attribut est ce que l'entendement perçoit de la substance comme constituant son essence. Il existe selon Spinoza une infinité d'attributs mais nous n'en connaissons que deux : l'espace et la pensée. L'attribut est infini mais en son genre seulement (car chaque attribut est limité par tous les autres), tandis que la substance est infinie absolument.

Un mode enfin est la manière particulière dont l'attribut de la substance est déterminé : un corps est un mode de l'attribut « étendue », une idée est un mode de l'attribut « esprit ».

La philosophie est une méditation de la vie et non une méditation de la mort, écrit Spinoza. Comme l'épicurisme, le spinozisme est une morale de la liberté parce qu'elle vise la délivrance vis-à-vis de la crainte et de l'ignorance, qui sont des servitudes.

Notre âme en tant qu'elle perçoit les choses d'une façon vraie est une partie de l'intelligence infinie de Dieu.

– Spinoza

Dieu ou Nature (au choix)

Spinoza appelle Dieu ou Nature la substance unique (nous dirions la réalité fondamentale unique). Ce Dieu n'a plus rien du Dieu judéo-chrétien : il n'est pas une personne, il n'est pas transcendant (séparé du monde et supérieur à lui), il n'a pas créé le ciel et la terre, il ne surveille pas providentiellement les pauvres êtres que nous sommes… C'est cette accumulation de refus, autant de ruptures révolutionnaires, qui ont valu à Spinoza l'accusation d'athéisme. Si Dieu ne crée pas, s'il n'est pas une personne, s'il n'est pas transcendant, est-il encore Dieu ? N'est-il pas réduit à un mot, que le philosophe se sentirait obligé de conserver par prudence ?

Dans son *Traité théologico-politique*, Spinoza montre que les épisodes bibliques et les discours des prophètes s'expliquent par le contexte intellectuel de l'époque où ils ont été produits. Cette pensée qui fonde l'exégèse critique en matière religieuse doit être appliquée au philosophe lui-même : l'auteur de *L'Éthique* appelle Dieu, substance, nature ce que nous nommons réalité, monde, chose. La question se pose d'autant plus volontiers que Spinoza lui-même établit l'équivalence : *Deus sive Natura*, ce qui signifie « Dieu ou la Nature », « Dieu ou si l'on veut la Nature ». Est-ce à dire que les deux termes sont strictement identiques ?

Les choses ne sont pas si simples. D'abord le Dieu de Spinoza garde, en dehors de son unicité, une qualité essentielle du Dieu judéo-chrétien : il est infini. Ce qui signifie d'abord qu'il possède une infinité d'attributs (nous dirions aujourd'hui de dimensions). Si nous n'en connaissons que deux, l'étendue et la pensée, cela est dû au caractère limité de notre entendement. Et chacun de ces attributs est infini en son genre, si bien que le Dieu est défini comme un infini contenant une infinité d'infinis. Ce Dieu est la réalité même, dont nous avons vu qu'elle s'identifie à la perfection.

Spinoza est-il panthéiste ?

Il y eut en Allemagne dans la deuxième moitié du XVIIIe siècle une célèbre controverse philosophique appelée querelle du panthéisme et qui impliqua l'interprétation donnée alors de Spinoza. Le panthéisme est la conception selon laquelle l'univers est de nature divine dans la moindre de ses parties : de même que l'étincelle est du feu, la plus humble des créatures (ver de terre, moustique, microbe) est une parcelle de divinité. Spinoza est on ne peut plus éloigné de telles considérations. Chez lui, la Nature n'est pas d'abord l'ensemble des éléments et des êtres vivants, et l'infinité de Dieu n'implique pas que tout soit divin. Enfin, il n'y a pas de divine nature chez Spinoza au sens où le panthéisme l'entend.

Toute détermination est une négation

Si nous définissons un carré comme un quadrilatère qui possède quatre angles et quatre côtés égaux, nous impliquons par là même toute une série (en droit infinie) de négations : nous disons par exemple que le carré n'a ni cinq, ni six, ni sept, etc. côtés, qu'il n'a pas des angles inégaux, etc. Toute affirmation implique logiquement une infinité de négations : cette *Philosophie pour les Nuls* n'est ni une *Philosophie pour les Médiocres*, ni une *Philosophie pour les Misérables*, ni une *Philosophie pour les Incompétents*. C'est ce que voulait dire Spinoza lorsqu'il disait que toute détermination est une négation : déterminer, délimiter, définir (c'est tout un), c'est nier l'infini – lequel, comme chez Descartes, apparaît comme le départ positif, affirmatif de toutes choses (c'est là que l'esprit moderne est en rupture la plus radicale avec l'esprit grec antique).

Le mode est une détermination de l'attribut, lequel est une dimension de la substance. C'est par où Pierre Bayle et Voltaire (qui ont tous deux assimilé sa pensée à un panthéisme), ainsi que tous les lecteurs pressés d'en finir avec Spinoza, se sont, non sans irresponsable jubilation, mis l'index dans l'orbite oculaire le plus proche : un mode n'est pas une partie de la substance comme une branche est une partie de l'arbre, ou le bras une partie du corps. Lorsque je pense à faire une bêtise, ce n'est pas Dieu qui pense en moi et par moi (le lâche !) à faire une bêtise, d'abord parce que Dieu n'est personne et ensuite parce qu'il ne désigne pas l'ensemble des pensées.

Et l'homme dans tout ça ?

L'homme, dit Spinoza, n'est pas un empire dans un empire, ce qui signifie que dans le monde il n'occupe aucune position privilégiée, sinon d'être un être susceptible par sa pensée d'éprouver de la joie.

L'homme a une âme, qui est un mode de l'attribut « pensée » et un corps qui est un mode de l'attribut « étendue ». Rien n'a été fait en vue de lui : Spinoza fut l'un des critiques les plus radicaux du finalisme et de l'anthropocentrisme qui en constitue la forme privilégiée. Ce que la raison humaine décrète mauvais n'est pas mauvais en soi mais selon sa propre nature. L'homme, en effet, a tendance à voir les choses non telles qu'elles sont mais telles qu'il est : une mauvaise digestion suffit à le mettre en mauvaise humeur et à en accuser le monde entier. La philosophie a un effet libératoire lorsqu'elle dénonce comme illusoires ses tendances naïves à tout rapporter à soi.

Les trois genres de connaissance

Spinoza distingue trois genres de connaissance :

- la connaissance du premier genre correspond à l'expérience vécue et à ce que nous savons par ouï-dire : c'est par elle que nous savons ce qu'est la douleur ou bien la date de notre naissance ;
- la connaissance du deuxième genre correspond à celle que la raison discursive, qui procède par méthode et déduction, peut découvrir (elle est bien entendu supérieure à la précédente mais se trouve néanmoins dépassée par la suivante) ;
- la connaissance du troisième genre constitue aux yeux de Spinoza la connaissance supérieure, celle à laquelle conduit la raison intuitive qui coïncide avec les objets singuliers et qui ne touche que des généralités : la connaissance du troisième genre touche des singularités.

La raison contre les êtres de raison

Il existe un rapport étroit entre Spinoza et le nominalisme, cette philosophie selon laquelle les termes généraux comme le bien et le mal, la liberté et la servitude sont des moyens commodes pour dire et pour penser ce qu'il peut y avoir de commun entre un nombre indéfini d'objets mais certainement pas des descriptions d'essences éternelles, comme le croient les réalistes platoniciens. Spinoza appelle *être de raison* non pas l'être doué de raison mais l'entité abstraite, l'hypostase à laquelle on accorde une réalité objective et autonome alors qu'en réalité il n'est que le produit de notre entendement. L'être humain, en effet, construit dans sa pensée des fictions qu'il croit être des images adéquates de la réalité. L'une des tâches principales de la philosophie, sinon sa tâche principale, consiste à faire la critique de ces abstractions – dont la plupart, d'ailleurs, sont le fait des philosophes eux-mêmes.

Ainsi pour Spinoza il n'y a réellement ni le bien ni le mal mais des choses qui sont bonnes dans la mesure où elles augmentent notre puissance d'agir et mauvaises dans la mesure où elles la diminuent. Critiquer par la raison les êtres de raison, c'est remplacer le bien par le bon et le mal par le mauvais. L'homme fait l'expérience de liqueurs qui lui tordent le ventre, de paroles qui l'insultent, de violences qui le blessent, et de là il tire l'idée du mal. Puis il finit par croire au mal et lui donne une figure avec une tête de bouc et une petite queue de rat. Ainsi d'un bond passe-t-on des intestins qui se tortillent à Belzébuth.

L'âme et le corps de conserve

Descartes s'était lui-même mis la tête dans la farine de son pétrin lorsqu'il s'efforçait de comprendre la communication de l'âme immatérielle avec le corps matériel. Ces deux parties de l'être humain ont été au départ posées comme tellement séparées que leur échange devenait incompréhensible (le problème est analogue à celui que rencontrent les religions monothéistes : à vouloir creuser la distance infinie entre Dieu et l'homme, on rend impossibles leurs relations).

Pour Spinoza, l'âme et le corps ne sont pas deux parties de l'être humain mais deux dimensions strictement parallèles : la série des états de l'âme (nous dirions aujourd'hui des événements psychiques) et celle des états du corps (nous dirions des événements physiques) coïncident au point que l'une des deux peut être considérée comme la traduction, l'expression de l'autre. De même que l'on peut décrire une même cathédrale en termes matériels (les pierres, les forces) et en termes formels (les lignes, le style), on peut donner une traduction psychique d'états physiologiques, comme on peut donner une traduction physiologique d'états psychiques.

L'ordre et la connexion des idées sont les mêmes que l'ordre et la connexion des choses.

– Spinoza

Puissance égale joie égale liberté

Spinoza ne définit pas les passions par leurs objets mais par leurs forces. La joie est le passage de l'homme d'une moindre à une plus grande perfection ; la tristesse, inversement, est le passage de l'homme d'une plus grande à une moins grande perfection. L'amour est joie, la haine est tristesse, lorsque s'y ajoute l'idée d'une cause extérieure. Nietzsche écrira dans un esprit voisin : lorsque nous disons à quelqu'un « je t'aime », cela doit s'entendre de cette manière : il y a en moi un désir dont je pense que tu pourras le satisfaire.

Le désir est l'essence de l'homme, c'est-à-dire l'effort par lequel l'homme s'efforce de persévérer dans son être.

– Spinoza

La liberté, tant qu'elle est définie comme faculté de choisir entre des options contraires (libre arbitre) ou semblables (liberté d'indifférence) n'est, aux yeux de Spinoza, qu'un être de raison, une abstraction illusoire. Le homme se croit libre parce qu'il ignore les causes qui le déterminent : il est comme la pierre qui s'écrierait (la sotte !) : « J'ai bien fait de choisir de tomber ! » Il y a des choses que nous ne pouvons pas ne pas faire mais dont nous pensons néanmoins que c'est nous qui les avons choisies.

Mais si Spinoza récusait comme illusoire la liberté abstraite des hommes malheureux comme des pierres, c'est pour mieux la définir par rapport à la *puissance*. Être libre, ce n'est pas « pouvoir faire », c'est *faire* (que l'on songe à la plaisanterie : « Il peut le faire… Il peut le faire ! Applaudissons-le ! », alors qu'il s'est contenté de dire qu'il peut le faire).

Les hommes se trompent lorsqu'ils pensent être libres et cette opinion consiste en cela qu'ils sont conscients de leurs actions et ignorants des causes par lesquelles ils sont déterminés.

– Spinoza

Le penseur de la démocratie

Vivant comme un reclus, pour les raisons qu'on a plus haut évoquées, Spinoza a néanmoins toujours pensé que l'être humain est plus libre dans la cité où il vit sous la loi commune que dans la solitude où il n'obéit qu'à lui-même. Avec Locke, Spinoza partage l'honneur d'avoir été le premier penseur de la démocratie.

Philosophie et démocratie : une antique méfiance

En général, la philosophie n'aime pas la démocratie, essentiellement à cause de la bêtise attribuée à la foule. Le préjugé remonte à Platon, qui déteste les sophistes en grande partie à cause de leur préférence démocratique en matière politique. Que l'on considère l'histoire de la philosophie dans son ensemble et l'on sera frappé par ce trait : la plupart des philosophes ont pensé que le meilleur régime était monarchique (le despotisme dit éclairé, dont l'idée remonte à l'utopie platonicienne du philosophe roi, a séduit un grand nombre de philosophes) ou bien aristocratique. La démocratie est presque unanimement dénoncée comme stupide, ignorante, aveugle, anarchique. À cet égard, Locke, Spinoza, Rousseau et Marx sont des exceptions notables.

L'originalité de la pensée politique de Spinoza tient à ce qu'elle ne pose pas le problème en termes d'idéal politique. Si la démocratie est à ses yeux préférable aux autres régimes, c'est parce qu'elle est le régime de la raison, donc de la puissance, donc de la liberté. La démocratie est le régime qui convient à la nature raisonnable de l'être humain ; les autres le traitent en animal.

Les pires tyrans sont ceux qui savent se faire aimer.

– Spinoza

Spinoza en précurseur de la laïcité

Le théologico-politique, comme son nom l'indique, mélange le religieux et le politique et subordonne celui-ci à celui-là. Spinoza est partisan d'une séparation stricte entre les deux domaines et en ce sens il peut être considéré, plus encore que Hobbes avec qui il partage plusieurs thèses, comme un précurseur de l'idée moderne de laïcité.

Le *Traité théologico-politique* se présente d'abord comme un formidable travail critique sur les Écritures. Certes, la lecture allégorique des textes sacrés est une antique tradition dans la culture juive. Philon d'Alexandrie, pour ne citer que lui, l'employait systématiquement. Mais si elle dépasse la lettre des textes, l'allégorie reste malgré tout dans le sens religieux qui y est déployé ; elle le renforce même, car au moindre détail elle trouve un sens religieux.

Spinoza procède tout autrement : derrière les images et les idées de la Bible, il repère des façons détournées de signifier des situations et des besoins effectifs. Là où Philon interprète le vent comme le symbole de l'esprit divin, Spinoza voit bien plutôt le vent derrière l'esprit divin (et même, si l'on peut dire, jusque dans le sens vulgaire de l'expression : il n'y voit que du vent). Les prophètes ont parlé et écrit pour des ignorants comme eux, aussi ne faut-il pas voir dans leurs textes plus que ce qu'ils peuvent contenir et dont la première fonction était de fournir un cadre de vie, un système de valeurs au peuple juif.

Spinoza vivait dans un pays, les Provinces-Unies (aujourd'hui les Pays-Bas) qui à travers crises et convulsions était alors le plus tolérant d'Europe en matière religieuse (Descartes y avait trouvé refuge). Ce pays, avant les autres, avait « privatisé », intériorisé la croyance religieuse. Le protestantisme avait essaimé un grand nombre de sectes ; il y avait par ailleurs des juifs et des catholiques, l'essentiel étant de travailler et de vivre en paix. La séparation du politique et du religieux coïncidait avec celle du public et du privé. Telle est la position de Spinoza : la fonction de l'État est de garantir aux individus la liberté de leurs cultes et de leurs croyances sans en privilégier aucun ni aucune parmi eux.

Leibniz, soleil de tous les mondes

Le terme d'éclectisme a peut-être été inventé par Leibniz. Il désigne une pensée qui, au lieu de se tenir dogmatiquement à un point de vue particulier, se constitue à partir d'une pluralité de doctrines. Leibniz disait que la plupart des écoles philosophiques (on disait sectes à l'époque) ont raison dans ce qu'elles affirment mais tort dans ce qu'elle nient – tendance caractéristique du philosophe à ne rien rejeter hors du pensable.

Un philosophe éclectique

De fait, à l'exception notable de Spinoza qui lui est apparu comme une manière d'impossibilité, Leibniz intègre Platon et Aristote, le finalisme et le mécanisme, le cartésianisme et la scolastique. Avec lui, les écoles opposées ne sont plus exclusives ; et si elles restent concurrentes, c'est précisément parce qu'elles concourent à faire surgir la vérité.

Comme Aristote avant lui, comme Hegel après lui, Leibniz est un esprit universel dont on peut dire, en détournant le mot célèbre de Térence, que rien de réel ne lui fut étranger. Il nous a laissé 100 000 pages manuscrites dont un certain nombre attend toujours, après trois siècles, une publication ou une traduction en français… C'est bien sûr à sa propre philosophie que Leibniz pense d'abord lorsqu'il dit de la monade qu'elle exprime la totalité de l'univers. Il ne faut rien mépriser, disait-il, chaque connaissance a son prix. Nul dilettantisme, au demeurant, chez cet affamé : s'il apprend, c'est pour découvrir, et s'il cherche, c'est pour trouver.

Un authentique savant

Leibniz est le premier à comprendre que certaines roches sont d'origine interne et d'autres d'origine externe. Il devine, et là encore il fait œuvre de pionnier, que les fossiles ne sont pas, comme on le croyait à l'époque, des jeux de la nature artiste mais des restes d'animaux pétrifiés. Se met-il aux mathématiques ? Il découvre l'analyse en même temps que Newton, ce qui suffit à faire de lui l'un des plus grands mathématiciens de l'histoire.

Conseiller aulique (vous n'attendez tout de même pas que j'ouvre le dictionnaire à votre place !), Leibniz aura à cœur de s'occuper de l'état des routes et de l'exploitation des mines aussi bien que des écoles et des académies. Intéressé par la mécanique (mais par quoi ne l'aurait-il pas été ?), il conçut une machine pour l'assèchement des mines de Harz, un nouveau système de fermeture des bouteilles (la technique connaît plus de systèmes encore que la philosophie), des montres de poche qui se remonteraient et se régleraient d'elles-mêmes et des voitures sans frottement… Aujourd'hui, les philosophes ne savent même plus comment fonctionnent les machines qu'ils utilisent !

Une philosophie de l'intégration

L'intégration est la construction ou la reconstruction d'un tout à partir d'une valeur donnée. Elle est davantage qu'une sommation ; elle ne se réduit pas à l'addition des éléments pris séparément puisque l'addition d'un nombre infini d'éléments d'une série est impossible (on ne peut pas faire la somme de 1 plus 2 plus 3 plus 4 à l'infini). Mais il arrive que la série converge lorsque par exemple ces termes tendent vers 0 (ou l'infiniment petit). On peut faire le total de l'infini. Telle est la qualité d'une série convergente découverte par Leibniz : $1/2 + 1/4 + 1/8 + 1/16... = \pi/4$.

Et l'expérience commune rejoint là les mathématiques. Pour Leibniz, la pensée et la perception sont des intégrations, donc des manières de calcul. Tel est le sens du fameux exemple du bruit de la mer. Lorsque nous entendons le bruit de la mer, nous n'entendons pas le bruit que fait la multitude des vagues qui constituent la mer, ni celui que fait la multitude des gouttes d'eau qui constituent ces vagues. Pourtant, il faut bien que le bruit de ces gouttes et de ces vagues soit *perçu* pour que le bruit de l'ensemble soit *aperçu*. Leibniz distingue ainsi une aperception consciente qui se porte sur un tout intégré (le bruit de la mer) et une perception inconsciente qui se porte sur l'unité élémentaire dont ce tout est fait. Pareillement, écouter une musique, c'est intégrer des sons que nous n'apercevons pas séparément, quoique nous les percevions indistinctement. La musique est du calcul inconscient, dit Leibniz.

Une bête de sommes

Archimède avait entrepris de compter les grains de sable de la terre, Leibniz se proposa de compter le nombre de propositions possibles dont les vraies font partie. Il a pensé que le nombre des énoncés vrais possibles est fini. L'argument qu'il en donne est le suivant : toutes les connaissances humaines peuvent être exprimées par les lettres de l'alphabet. Or, le nombre de combinaisons cohérentes entre ces lettres est fini (même s'il est très grand). Leibniz a été fasciné par l'écriture chinoise capable de transcrire un nombre indéfini de langues parlées, justement parce qu'elle traduit des idées et non des paroles.

Avec Leibniz, l'infini est partout. Il n'est pas seulement l'attribut de Dieu et de l'univers. Il n'est pas non plus seulement ce qui contient mais aussi ce qui est contenu : par exemple, dans chaque perception, un infini est impliqué.

Dans plusieurs domaines, Leibniz a cherché le moyen d'apprivoiser cet infini. Très jeune, il conçut un alphabet des pensées humaines, une sorte de logique universelle qui aurait eu son système propre de signes, la *caractéristique universelle*. Par celle-ci, on pourrait écrire la totalité du pensable. On a reconnu dans cette utopie l'une des origines de l'informatique.

Le labyrinthe, l'océan et le jeu de miroirs

Une comédie italienne de l'époque faisait dire à Arlequin qui prétendait avoir accompli un voyage dans la Lune : « Là-bas, c'est tout comme ici ! » Leibniz cite à plusieurs reprises ce mot. L'univers est un, comme son nom l'indique. S'il y avait une pluralité de mondes comme certains le pensent depuis les matérialistes de l'Antiquité, rien ne nous empêcherait d'appeler univers l'ensemble englobant tous ces mondes, de sorte que c'est bien à un seul univers que nous avons affaire, et non à plusieurs. Mais cet univers est compliqué.

Avec Leibniz, l'image et le modèle du labyrinthe des connaissances remplacent ceux de la chaîne privilégiée par Descartes. La forêt au lieu de l'arbre. Ce labyrinthe est à l'échelle du monde : tenir le bout d'un fil, c'est s'engager à parcourir tous les corridors et à visiter toutes les salles. C'est ainsi qu'à partir de ses recherches généalogiques sur la maison de Brunswick, Leibniz fut conduit à s'interroger… sur la formation primitive de la Terre ! Car les ducs de Hanovre sont inséparables de leur peuple et celui-ci est relié à son sol et celui-ci à son tour à la terre, donc à la Terre.

Une autre image, souvent utilisée par Leibniz pour signifier la foncière unité de toutes choses, est celle de l'océan : le corps entier des sciences peut être considéré comme un océan unique qui fait communiquer toutes les mers.

Une troisième image est celle de la salle des miroirs. Chaque secteur du savoir ouvre un point de vue sur tous les autres. Ainsi, dans un texte intitulé *Pour mettre en ordre le droit romain*, Leibniz prévoit que seront nécessaires une grammaire du droit, une logique du droit, une métaphysique du droit, une physique du droit (où l'on traite, par exemple, de la nature des animaux, des champs…), une mathématique du droit, une éthique du droit, une politique du droit. C'est là que réside la *complication*. La pensée de Leibniz est compliquée au sens où l'une quelconque de ses dimensions appelle toutes les autres.

Toute substance est comme un monde entier ou comme un miroir de Dieu ou de tout l'univers.

– Leibniz

Pas de sauts, pas de bâtons rompus

Le principe de continuité a une validité aussi bien objective, physique, que gnoséologique : il s'applique aux choses et aux idées. La nature ne nous parle pas à bâtons rompus, répète Leibniz ; elle ne fait pas de sauts. L'infini loge au creux de n'importe quel intervalle. Le principe de continuité nous conduit nécessairement à l'idée que rien ne saurait apparaître d'un coup, par brusque bond hors du néant, pas plus la pensée que le mouvement. Cela veut dire qu'il n'y a pas de repos absolu qui serait une absence totale de mouvement, pas d'inertie absolue qui serait une absence totale de force, pas de mort absolue qui serait une absence totale de vie. En d'autres termes, il n'y a pas un commencement pour la perception ou la force ou la vie qui serait non-perception, non-force, non-vie.

La table est déjà mise

Le refus opposé par Leibniz à l'hypothèse empiriste de la table rase (notre esprit à la naissance serait comme un tableau sur lequel rien ne serait écrit) découle du principe de continuité : de même qu'il n'y a pas d'être vivant sans germe, aussi ténu soit-il, il n'y a pas de raisonnement sans les idées innées qui sont ses conditions. Leibniz dit un jour à un ami qu'il pourrait bien y avoir dans la tasse de café qu'il prenait des monades qui vivraient un jour comme des âmes humaines douées de raison. La croyance de Leibniz en la métempsycose doit être rapportée au principe de continuité. L'âme ne se trouve jamais sans corps naturellement. Ainsi au lieu de croire à la transmigration des âmes, il faut croire à la transformation d'un même animal.

Pour Leibniz, il n'y a ni génération ni mort absolue, mais seulement des développements et des enveloppements, des augmentations et des diminutions des animaux déjà formés et toujours en vie, quoique avec différents degrés de sensibilité. Comme Malebranche, Leibniz croit à l'extravagante théorie de l'emboîtement des germes mais pour des raisons différentes : l'idée qu'Adam contenait en lui la totalité des hommes à venir, emboîtés à la manière des poupées russes, correspondait à la nécessaire puissance créatrice de Dieu aux yeux de Malebranche ; tandis que pour Leibniz, elle découle du principe de continuité et de l'idée d'unité de la vie.

Chaque portion de la matière peut être conçue comme un jardin plein de plantes et comme un étang plein de poissons. Mais chaque rameau de la plante, chaque membre de l'animal, chaque goutte de ses humeurs est encore un tel jardin ou un tel étang.

– Leibniz

La pensée du lien

Leibniz n'oppose pas mécanisme et organisme : la machine est un organisme simple, l'organisme, une machine compliquée. Une machine faite par l'homme n'est pas une machine dans chacune de ses parties, dit Leibniz. Mais les machines de la nature, c'est-à-dire les corps vivants, sont encore machines dans leurs moindres parties jusqu'à l'infini. C'est ce qui fait, aux yeux de Leibniz, la différence entre la nature et l'art, c'est-à-dire entre l'art de Dieu et l'art des hommes.

Si Leibniz reprend à Aristote le vieux concept d'entéléchie, ce n'est évidemment pas pour faire le malin, c'est parce qu'il y reconnaît une idée unificatrice de physique et de métaphysique susceptible de s'appliquer aux formes du vivant aussi bien qu'aux forces de la mécanique.

Que diable peut être l'entéléchie ?

On raconte de Barbaro, un humaniste italien du XVe siècle, que, désespérant de comprendre le terme d'entéléchie, il invoqua le diable pour en savoir le sens. Nous pensons pouvoir rassurer le lecteur sur ce point. Il n'aura pas besoin du diable. Chez Aristote, qui a inventé le mot, l'entéléchie désigne la perfection de l'acte, c'est-à-dire l'accomplissement entièrement achevé d'une tendance. Pour Leibniz, le terme renvoie plutôt à la tendance qui caractérise la substance simple ou monade, et dont l'âme est l'expression la plus connue.

Semblable ne veut pas dire identique

Avec le principe de continuité, le principe des indiscernables constitue le grand principe qui, comme lui, gouverne l'ensemble de la pensée leibnizienne. Il signifie qu'entre deux choses quelconques, aussi ressemblantes qu'on voudra, il y aura toujours une différence qui les distinguera. En d'autres termes, deux choses seront toujours distinctes dans leur nature et pas seulement par le fait qu'elles constituent chacune une unité.

La critique que fait Leibniz de l'idée de liberté d'indifférence est une application de ce principe. Selon cette théorie, l'être humain aurait la capacité de choisir entre deux options strictement identiques. Aux yeux de Leibniz, cette situation d'indifférence, c'est-à-dire au sens propre d'absence totale de différence entre le terme A (un grain de sable) et le terme B (un autre grain de sable) du choix, n'existe pas, car il y a toujours une différence entre deux termes, aussi petite soit-elle. L'apologue de l'âne de Buridan (voir chapitre 8, p. 172) est artificiel. Aux yeux de Leibniz, il n'y a jamais réellement situation d'indifférence, c'est-à-dire d'absence radicale de différence entre deux côtés. La parfaite symétrie est une fiction : il y a plus d'intestins et d'estomac de l'âne d'un côté que de l'autre, ce qui le poussera vers un côté plutôt que vers l'autre.

Une pluralité de substances toutes différentes

Descartes pensait qu'il y a deux substances, la matière et l'esprit. Spinoza pensait qu'il n'y en avait qu'une : Dieu ou la Nature. Pour Leibniz, il existe un nombre infini de substances. Avec lui, l'individualité reçoit une promotion sans pareille, car la monade (c'est le nom qu'il donne à la substance spirituelle) est à la fois différente de toutes les autres monades et semblable à elles.

La monade

Leibniz emprunte à Plotin le terme de *monade* mais lui donne un tout autre sens. Alors que chez Plotin la monade désigne l'Un absolu, à l'origine de tout ce qui existe, chez Leibniz le terme renvoie à l'unité spirituelle élémentaire dont ce qui existe est composé. La monade est un point métaphysique, l'analogue en métaphysique du point géométrique.

Il n'y a pas chez Leibniz l'esprit d'un côté et la matière de l'autre. Même les plantes, même les pierres possèdent une dimension spirituelle. Leibniz appelle entéléchie la monade en tant qu'elle constitue un centre dynamique de perceptions. On trouve des monades douées de mémoire chez les animaux. L'esprit ou âme raisonnable est une monade douée de raison.

Toutes les monades sont différentes. Elles représentent le monde de manière plus ou moins claire, à la manière de miroirs plus ou moins bien polis. Dieu, leur créateur, les a réglées de manière à ce qu'elles toutes ensemble constituent un tout harmonieux, car chacune est comme un monde fermé, sans portes ni fenêtres, c'est-à-dire sans communication.

Un centre de forces et de perceptions

Pour Spinoza, l'âme n'était que l'idée de son corps ; pour Leibniz, elle est l'idée du monde. Comme une même ville peut être vue selon différentes perspectives, l'univers est représenté différemment et singulièrement par chaque monade, laquelle est une réalité spirituelle dynamique.

De même qu'un sujet grammatical représente l'ensemble des attributs que l'on peut lui accorder (au sujet Henri IV, nous attribuerons les qualités de roi de France, amateur de poule au pot, initiateur de l'Édit de Nantes, père de Louis XIII, assassiné par Ravaillac…), la monade représente l'ensemble des événements (situations, perceptions, actions) auxquels elle peut être associée. Ainsi constitue-t-elle une série. Une série non développée est comme un livre plié ; une série développée, comme un livre ouvert.

Le présent est gros de l'avenir: le futur se pourrait lire dans le passé ; l'éloigné est exprimé dans le prochain. On pourrait connaître la beauté de l'univers dans chaque âme si l'on pouvait dépouiller tous les replis, qui ne se développent sensiblement qu'avec le temps.

– Leibniz

L'harmonie universelle

Descartes croyait que la quantité de mouvement (le produit de la masse par la vitesse) est constante dans le monde. Pour Leibniz, c'est la force vive (le produit de la masse par le carré de la vitesse) qui est constante. La force se répartit, mais elle ne se dissipe pas – à la manière dont une grosse pièce de monnaie est échangée contre plusieurs petites : la somme totale doit rester la même.

Une belle idée

Depuis les pythagoriciens, l'idée d'harmonie opère la synthèse des mathématiques et de l'art (musique, danse, architecture, poésie), de l'intelligence et de la sensibilité, elle est au cœur, on le sait, de l'esthétique classique. Pour Leibniz, l'ordre est partout, même dans des domaines qui, comme le droit, semblent n'être que des fatras. Certes, il y a bien des règles qui paraissent aberrantes mais un système juridique absurde est impossible, il ne tiendrait tout bonnement pas.

Leibniz cite souvent ce mot d'Hippocrate, le père de la médecine : « Toutes les choses sont conspirantes. » Les substances sont entre elles dans des rapports harmoniques et les séries d'événements qui les définissent sont elles aussi dans des rapports harmoniques. L'univers est constitué de ce double ensemble infini de lignes horizontales et verticales.

La symphonie de l'âme et du corps

Pour éclaircir le difficile problème de l'union et de la séparation de l'âme et du corps sur lequel Descartes avait déjà achoppé, Leibniz utilise l'image des deux horloges. Figurons-nous deux horloges qui marquent très exactement la même heure. Cette concordance ne peut s'expliquer que de trois manières :

- ou bien les deux horloges s'influencent mutuellement ;
- ou bien un préposé aux horloges ne cesse de passer de l'une à l'autre pour annuler le plus petit décalage ;
- ou bien les deux horloges ont été dès le départ réglées avec la plus minutieuse exactitude.

Leibniz penche vers la troisième hypothèse, car c'est la plus économe et la plus élégante. Il sous-entend évidemment que le réglage de départ a été effectué par Dieu.

Pour que les musiciens jouent ensemble leur concert, pour que les chanteurs fassent ensemble un chœur, il ne faut pas qu'ils se concertent (justement !), car cela n'aboutirait qu'à une lamentable cacophonie (Fellini l'a montré d'amusante manière dans *Prova d'orchestra*). Les instrumentistes et les choristes ne se voient pas, ils s'entendent à peine et pourtant ils produisent une harmonie parfaite à l'oreille de ceux qui les écoutent. Cela s'explique par le fait qu'ils règlent leur musique et leur chant d'après les indications d'un chef d'orchestre. Le chef d'orchestre de la symphonie que joue le monde s'appelle Dieu et, de même que la musique exécutée suit une partition écrite à l'avance, l'ordonnancement du monde, dont celui de l'âme et du corps est un cas particulier, a été prévu et calculé dès l'origine : c'est ce que Leibniz appelle *l'harmonie préétablie*.

Vérité de raison, vérité de fait

Descartes traite de la vérité comme si elle était une. Même si les choses sont liées et dépendantes les unes des autres, Leibniz distingue les vérités que la raison peut établir par le seul raisonnement déductif et celles qui tiennent à l'existence même des choses et des êtres.

Pour les vérités de raison, le principe de non-contradiction suffit : en mathématiques, il suffit, en effet, qu'une conclusion ne soit pas contradictoire avec un axiome pour être considérée comme vrai. Mais, pour ce qui concerne l'être des choses, le fait qu'elles soient, le principe de non-contradiction, ne suffit pas : il n'est, par exemple, pas logiquement contradictoire qu'une montagne de diamant existe ; cela ne suffit pourtant pas à fonder son existence.

Le principe de raison, dit plus précisément principe de raison suffisante, sert à combler ce vide : il énonce que tout ce qui existe a une raison d'être. Le principe de causalité (tout ce qui existe a une cause qui le détermine à exister) en dérive. Aristote répétait que la nature ne fait rien en vain. Pour Leibniz, Dieu ne fait rien en vain.

> *Descartes a logé la vérité à l'hôtellerie de l'évidence, mais il a négligé de nous en donner l'adresse.*
>
> – Leibniz

Le meilleur des mondes possibles

À la fin de ses *Essais de théodicée*, Leibniz imagine un prêtre romain, Théodore, visitant pendant son rêve le palais des destinées où se trouvent les représentations non seulement de ce qui arrive (le monde réel) mais encore de tout ce qui est possible. Avant le commencement du monde existant, Jupiter (qui, dans l'apologue de Leibniz, figure bien sûr le Dieu créateur) a passé en revue tous les mondes possibles et parmi eux a fait le choix du meilleur.

Pallas, la fille de Jupiter, incarnation de la sagesse, guide Théodore dans son songe ; elle lui propose d'observer différents mondes qui auraient pu exister, si telle condition initiale avait été choisie à la place d'une autre. Par exemple, il existe un monde possible où Jules César n'a pas franchi le Rubicon, où il n'a pas conquis la Gaule, où il n'a pas été assassiné, etc. Chaque bifurcation donne naissance à des mondes possibles différents en un nombre, sinon infini, du moins indéfini, car il suffit qu'une seule condition initiale change pour que le monde possible qu'elle détermine change lui aussi.

La pyramide des destinées

Dans les appartements du palais des destinées imaginé par Leibniz, on peut voir comme en un théâtre la scène entière des vies : il suffit de mettre le doigt sur le livre où elles sont inscrites. Le palais a la forme d'une pyramide dont la base se perd dans l'infini. Plus on s'y élève et meilleur est le monde possible. Le meilleur des mondes possibles correspond à l'étage ultime, au sommet de la pyramide. La base, en revanche, est infinie, car il n'y a pas de pire des mondes possibles. Il est toujours possible, en effet, de trouver une bifurcation de malheurs plus intenses.

La théodicée : Dieu ni responsable ni coupable

Le monde dans lequel nous vivons est le produit d'un calcul : Dieu, avant de le mettre à l'existence, a développé la série entière de chaque terme (un peu à la manière dont un ordinateur joueur d'échecs déroule la série complète de la partie à partir d'un coup hypothétique), évalue les différents mondes possibles (calcule leur intégrale) et choisit parmi tous ces mondes le meilleur (à la manière dont l'ordinateur jouera à chaque fois le meilleur coup possible).

Cette philosophie bute évidemment sur le problème du mal, que Leibniz s'efforcera de résoudre dans ses *Essais de théodicée*. « Théodicée » est un terme forgé par le philosophe à partir de deux mots grecs signifiant « justice » et « Dieu ». Il s'agit de rendre justice à Dieu et en particulier de le laver de l'affreux soupçon de malveillance et de faiblesse que l'existence du mal fait porter sur lui.

Dieu est aussi peu la cause du péché que le courant de la rivière est la cause du retardement du bateau.

– Leibniz

Pour ce travail de relativisation du mal, Leibniz recourt à une série d'arguments dont la plupart remontent aux stoïciens (car eux aussi défendaient philosophiquement l'idée d'une harmonie du monde) :

- ce qui est un mal d'un point de vue ne l'est pas sous un autre point de vue (voir la maxime cynique : le malheur des uns fait le bonheur des autres) ;
- un mal peut apporter un bien (la piqûre de l'infirmière) ;

- le mal est plus immédiatement visible que le bien (nous faisons plus attention à la maladie qu'à la bonne santé), d'où l'illusion pessimiste selon laquelle le mal a tout envahi (on pense au catastrophisme systématique des médias modernes) ;
- le mal est nécessaire pour faire sortir un bien, de même qu'en musique une dissonance contribue à renforcer l'harmonie totale.

Voltaire, le non-dupe, erre

On connaît peut-être le conte ironique que Voltaire a écrit pour répliquer à ce qu'il croyait être la pensée de Leibniz et dans lequel il s'amuse à faire subir à son héros tous les malheurs possibles et imaginables, ponctués par le constat de sagesse imbécile du leibnizien Pangloss : « Tout est pour le mieux dans le meilleur des mondes possibles. » Le lecteur ne peut qu'approuver Voltaire, compatir avec son Candide et rire de Pangloss que le savoir universel (son nom en grec signifie « toutes les langues ») ne garantit pas de l'ineptie.

En fait, comme toujours, Voltaire se moque d'une pensée qu'il a commencé par simplifier et caricaturer à l'extrême (il procède de la même façon avec Rousseau qu'il a aussi peu compris que Leibniz, ce qui n'est pas peu dire !). Voltaire confond Leibniz avec Alexander Pope, ce poète anglais qui avait écrit que tout est bien. Le meilleur des mondes possibles ne signifie pas que le mal n'existe pas – il faut faire un minimum confiance à l'intelligence des philosophes avant de se mettre à les critiquer –, cela signifie que le mal est relatif à l'ensemble dont il fait partie et qui est celui d'un optimum.

Tous ces arguments ont leur valeur mais cèdent devant la souffrance d'un seul innocent, dont Leibniz ne parle pas. Dostoïevski dira : si ma place au paradis doit être achetée au prix de la souffrance d'un enfant, je rends mon billet. Que dire alors lorsque des millions d'innocents souffrent, comme en Arménie, à Auschwitz, dans le Cambodge des Khmers rouges ou au Rwanda ? Devant de telles tragédies qui rendent dérisoire jusqu'à leur nom de « tragédie », les théodicées ne font pas le poids.

Il est dans le grand ordre qu'il y ait un petit désordre.

– Leibniz

L'œcuménisme leibnizien

Leibniz se disait lui-même philanthrope. À la différence d'un Descartes qui, bien que grand voyageur, n'a jamais manifesté la moindre curiosité géographique ou historique, Leibniz pense l'humanité sinon dans son ensemble (il faudra attendre le XVIIIe siècle pour que l'Océanie et le XIXe siècle pour que l'Afrique entrent dans la conscience de l'Europe) du moins hors des limites de la chrétienté. À un correspondant, il écrivit qu'il irait jusqu'en Chine s'il était plus jeune pour établir la communication des Lumières. Peut-être se prit-il à rêver d'être l'Aristote d'un nouvel Alexandre qui eût été Louis XIV ?

Leibniz avait la nostalgie du médiéval Saint Empire romain germanique avec le pape pour chef spirituel et l'empereur pour chef temporel en même temps qu'il aimait à projeter sa pensée vers un futur idéal. Alors que Bossuet, à la même époque, travaillait pour l'unité de la seule Église catholique, Leibniz œuvrait pour l'union des Églises, ce qui est d'une ampleur autre : il s'agissait ni plus ni moins de réconcilier les catholiques et les protestants, et de fonder une confédération des États européens.

Chapitre 13

Dieu fait de la résistance

Dans ce chapitre :

- Les platoniciens de Cambridge
- Malebranche, celui qui voit en Dieu
- Pascal, le meilleur ennemi français de Descartes

Le XVIIe siècle n'a pas seulement été une époque de pensée soumise aux dogmes de la religion. Nous avons déjà pu voir que le Dieu de Spinoza n'avait plus guère de choses à voir avec le Dieu d'Abraham, d'Isaac et du curé du coin. Il y eut même alors tout un ensemble d'hommes appelés libertins qui menaient contre la religion joyeuse guerre, mangeant volontiers (mais en cachette, bien sûr) du jambon le jour de carême et troussant les filles de belle manière dans les meules de foin. Parmi ces gens, peu croyaient au mystère de la Résurrection et au diable cornu, certains allaient même jusqu'à nier l'existence de Dieu et de l'âme.

Philosophiquement parlant, il y avait bien des passerelles entre ceux qui, comme Hobbes, affirmaient que tout n'est que corps et machine, ceux qui, comme Gassendi, reprenaient pour l'essentiel les thèses de l'épicurisme antique et ceux qui, enfin, s'engageaient dans la voie d'un franc matérialisme et d'un athéisme radical. Même si les libertins n'ont pas produit de « grande » philosophie, ils constituent néanmoins un courant de pensée important et peuvent à bien des égards être considérés comme les précurseurs du siècle des Lumières à venir.

La réaction des platoniciens de Cambridge

À partir du XVIIe siècle, l'empirisme sera la philosophie dominante de l'Angleterre. Mais la philosophie vit sans cesse du jeu des réactions nécessaires de ceux que ne satisfait pas telle ou telle pensée dominante. C'est pourquoi cheminera parallèle à l'empirisme un idéalisme indigné, jusqu'en notre époque. Il y eut, à Cambridge, un groupe de philosophes, dont

R. Cudworth et H. More sont les plus célèbres, qui prônaient un certain retour à Platon pour contrecarrer le matérialisme et l'empirisme de Hobbes et de Gassendi. On les appelle les platoniciens de Cambridge.

Les idées viennent d'ailleurs

Pour un empiriste ou un matérialiste, les idées sont issues des impressions sensibles, donc forcément acquises. Selon les platoniciens de Cambridge, la connaissance ne dérive pas des choses mêmes, mais de Dieu, qui a déposé dans l'intellect humain les notions communes grâce auxquelles les choses peuvent être reconnues : ainsi la vérité n'est-elle issue ni du monde ni du travail de l'esprit mais d'une réalité transcendante (Dieu) dont l'esprit humain a en lui l'image déposée. Certes, le recours à Dieu n'est pas précisément dans la lignée platonicienne ; ce qui l'est, en revanche, c'est la thèse selon laquelle les idées viennent d'ailleurs (de l'étage du dessus, si l'on peut dire) et qu'il existe en nous des idées innées.

La nature est une artiste

L'autre grande thèse des platoniciens de Cambridge concerne la nature dont ils déplorent que le mécanisme cartésien la transforme en chose inerte. La nature, selon eux, est un organisme actif, vivant, créateur de formes à partir des modèles conçus par Dieu. Jusqu'à la naissance de la géologie et de la paléontologie modernes, au XIXe siècle, les fossiles trouvés dans la terre seront parfois, conformément à cette idée de la « nature artiste », considérés comme les œuvres d'un sculpteur caché.

Malebranche : qui n'a pas vu Dieu n'a rien vu

Comme Berkeley avec lequel il partage plus d'un point commun, Malebranche est un homme d'Église – ce qui se remarque aussitôt sur son portrait (de tous les philosophes, il est celui qui ressemble le plus à une vieille femme) et dans ses écrits.

L'imagination est la folle du logis.

– Malebranche

L'occasion fait bien des choses

Le temps de Malebranche était sur le plan politique celui de l'absolutisme monarchique. Malebranche donne ou plus exactement redonne à Dieu un pouvoir absolu sur sa création.

On connaît la distinction entre la cause, qui produit son effet, et l'occasion, qui permet à la cause de produire son effet. Ce n'est pas la queue du billard qui est la cause du mouvement de la boule ; elle n'en est que l'occasion. De même, aux yeux des croyants, les parents ne sont pas la cause de l'existence d'un enfant, ils n'en sont que l'occasion. Bref, l'occasion est apparente et la cause est réelle. Le système de Malebranche est appelé « occasionnalisme ».

C'est, selon Malebranche, Dieu seul qui fait, comme cause véritable, par les lois générales de l'union de l'âme et du corps, ce que les hommes font, comme cause occasionnelle ou naturelle – si bien que sans Dieu je ne pourrais même pas bouger le petit doigt. Dieu est, aux yeux de Malebranche, la cause réelle de tout puisque c'est lui qui a établi les lois de la nature ; tous les autres facteurs ne sont que des occasions.

Cela dit, si Dieu est la cause de tout, cela ne signifie pas qu'il s'occupe de l'intendance dans ses moindres détails. La simplicité est aux yeux de Malebranche le mode de l'action de Dieu – lequel agit toujours par des lois générales et non pas par des volontés particulières. La théorie des causes occasionnelles est un moyen de décharger Dieu d'une intervention directe dans l'ordonnancement des choses, qui ne manquerait pas de tomber dans le ridicule.

La preuve de l'existence de Dieu la plus belle, la plus relevée, la plus solide et la première, c'est l'idée que nous avons de l'infini.

– Malebranche

Voir en Dieu est donné à tout le monde !

L'originalité de la théorie malebranchiste de la vision en Dieu est de n'être pas du tout mystique. Percevoir, penser, c'est, aux yeux du philosophe, voir en Dieu. Autant dire que tous les hommes, même les plus aveugles, sont capables de le faire.

La vision en Dieu est l'application de la théorie des causes occasionnelles au domaine des idées. Pour Malebranche, le lien qui unit l'esprit à Dieu est beaucoup plus solide et nécessaire que celui qui unit l'esprit au corps. De même que lorsque nous percevons les choses sensibles, nous les percevons nécessairement dans un cadre physique, lorsque nous portons notre attention sur les idées, nous les pensons dans un espace symbolique qui n'est autre, aux yeux de Malebranche, que l'entendement de Dieu. Puisque c'est en Dieu que sont les idées, les modèles de toutes choses, grâce auxquelles nous connaissons toutes choses, connaître, c'est littéralement voir en Dieu. Si les idées sont en Dieu, c'est parce que celui-ci les a utilisées pour créer les êtres et les choses de ce monde. Il n'y aurait, en effet, pas eu de création s'il n'y avait pas eu de modèles originaires.

L'homme ignore souvent ce qu'il pense savoir et il connaît bien certaines choses dont il s'imagine ne pas avoir d'idées.

– Malebranche

Par le moyen de la raison, dit joliment Malebranche, je puis avoir quelque société avec Dieu. En pensant, en effet, l'être humain fait exactement, quoique de manière bien imparfaite, ce que Dieu faisait lorsqu'il créait les êtres et les choses. Dieu est le plan d'être infini à partir duquel je peux agir et penser. Certes, ce n'est pas Dieu que je vois en bougeant mon petit doigt, la vision en Dieu n'est pas la vision de Dieu et la pensée de Malebranche est étrangère au panthéisme. Mais si Dieu, en tant que plan d'être infini n'existait pas, alors rien ne pourrait plus être perçu ni accompli car, lorsque nous pensons, ce n'est certainement pas dans l'esprit des autres que nous le faisons.

La théorie de la vision en Dieu peut être interprétée comme une façon de résoudre les problèmes posés par l'idée d'omniprésence divine. Malebranche part de l'idée suivante : si elle est infinie, l'étendue n'est pas une créature (une créature ne peut, en effet, qu'être finie, sinon elle se confondrait avec son créateur). Mais si l'étendue n'est pas une créature, cela signifie qu'elle est en Dieu.

L'emboîtement des germes

Nous avons déjà rencontré cette étrange théorie avec Leibniz : l'ensemble de tous les êtres constituant l'humanité aurait été présent dès l'origine dans le corps du premier homme. Fantastique hypothèse : à la manière des poupées russes, tous les hommes auraient été emboîtés les uns dans les autres à l'état de germes minuscules.

Pourquoi des philosophes qui sont gens intelligents, même diminués, comme tous les hommes, de leur plage de préjugés et de bêtise, ont-ils soutenu une théorie aussi extravagante ? Il convient d'abord de rappeler que ce n'est qu'au XVIIe siècle, justement à l'époque de Malebranche et de Leibniz, que l'on découvre (grâce au microscope nouvellement inventé) que le spermatozoïde n'est pas un homoncule, un homme miniature avec une tête, un tronc et des membres extrêmement petits. Ce n'est qu'au siècle suivant, d'autre part, que l'on découvrira que l'ovule des femmes est la cellule originaire de la fécondation – et que lui non plus n'a pas forme humaine.

La théorie de l'emboîtement des germes attribuait à l'homme seul, au mâle, un pouvoir actif dans la fécondation : l'homme dépose dans le corps de la femme un minuscule bonhomme déjà bien formé (jusqu'aux ongles et aux oreilles) qui trouvera le gîte et le couvert lui permettant de se développer de manière à atteindre la taille d'un bébé à naître. Mais ce petit bonhomme contient à son tour dans son corps les petits bonshommes qui seront ses enfants et ainsi de suite à l'infini, c'est-à-dire pour la suite des siècles des siècles, amen !

C'est sa théorie de l'infini qui fait soutenir cette thèse à Leibniz (la vie est infiniment repliée sur elle-même, elle ne surgit pas de la non-vie), tandis que le Malebranche y voit plutôt le signe de la très grande gloire de Dieu. Puisque Dieu est la cause de tout, il crée les corps aussi bien que les âmes, et comme il procède toujours par les voies les plus simples, il se contente de créer les germes des corps qui n'auront plus qu'à se développer sans lui. C'est pour sa gloire que Louis XIV a construit le château de Versailles, c'est pour la sienne que le Dieu de Malebranche, cette espèce de Roi-Soleil universel, a créé le ciel et la Terre.

Pascal, effrayé par le silence éternel des espaces infinis

Le monde de Descartes est plein, compact, resserré sur lui-même : les corps glissent les uns à côté des autres et ne laissent entre eux aucun interstice. Le monde de Pascal, à l'inverse, est hanté par le vide : vide physique qui troue la matière et dont la réalité objective a été établie lors de la célèbre expérience du puy de Dôme ; vide des espaces infinis de l'univers et auquel le silence seul répond en écho ; vide intérieur dont l'horreur, retirée à la nature, creuse le roseau pensant ; vide abyssal dont l'homme Pascal lui-même se croyait environné ; vide enfin entre les fragments du discours à jamais inachevé des *Pensées*.

> *Qu'on s'imagine un nombre d'hommes dans les chaînes, et tous condamnés à la mort, dont les uns étant chaque jour égorgés à la vue des autres, ceux qui restent voient leur propre condition dans celle de leurs semblables et se regardant les uns les autres avec douleur et sans espérance, attendent à leur tour. C'est l'image de la condition des hommes.*
>
> – Pascal

L'effrayant génie

La vie, si courte (39 ans) de Blaise Pascal comprend trois phrases d'inégale longueur. Jusqu'à l'âge de 28 ans, Pascal s'adonne à des travaux scientifiques et techniques marqués par de multiples découvertes et inventions (un boulier mécanique aujourd'hui volontiers présenté comme l'ancêtre des machines à calculer, les expériences sur la pression atmosphérique, etc.). À 12 ans, le jeune Pascal avait retrouvé seul les trente-deux premières propositions d'Euclide. D'où le mot célèbre de Chateaubriand sur « l'effrayant génie ». Ensuite, pendant trois ans, Pascal mène une vie mondaine en compagnie de libertins passionnés de jeu (c'est pour eux qu'il jettera les bases du calcul des probabilités). Et à partir de 1654 jusqu'à sa mort, Pascal mène une vie de rigueur ascétique. La nuit du 23 novembre 1654 fut pour lui un point de rupture, d'extase mystique qu'il consigna par des mots enflammés dans un *Mémorial* qu'il cousit dans la doublure de son vêtement et que l'on retrouva après sa mort.

D'une santé physique et psychologique délabrée (il croyait son fauteuil entouré par le vide d'un abîme), il mourut en 1662, laissant derrière lui des liasses de feuillets qui seront publiés sous le titre de *Pensées*.

Des nains juchés sur des épaules de géants

Lui-même grand découvreur en plusieurs sciences, Pascal fut l'un de ceux qui, avec Bacon, posèrent les bases de la théorie du progrès dans le domaine des connaissances. Nous vénérons les Anciens, dit-il, comme des modèles indépassables, mais c'est nous qui devrions plutôt être appelés Anciens, car c'est nous et non pas eux qui sommes les plus éloignés de la naissance du monde. Ceux que nous appelons Anciens étaient en réalité nouveaux en tout.

Par ailleurs, si nous sommes des nains relativement à ces géants (allusion à l'admiration vouée à des modèles jugés indépassables), nous voyons plus loin qu'eux, car nous sommes juchés sur leurs épaules (l'image vient de Bernard de Chartres, un auteur du Moyen Âge et Pascal la reprend à son compte).

Les trois ordres

Ce que nous appellerions aujourd'hui système ou table des valeurs a, chez Pascal, trois sources :

- la *chair* renvoie aux plaisirs sensibles et aux activités mondaines (intérêts matériels, vie en société) ;
- l'*esprit* renvoie au travail intellectuel et à ce que les philosophes appellent d'une manière générale la pensée ;
- le *cœur* renvoie non seulement à l'affectivité, mais aussi à l'intuition et surtout aux valeurs religieuses ; le Dieu de Pascal est sensible au cœur, il ne se démontre pas par des raisonnements.

Il y a, aux yeux de Pascal, un abîme infini entre ces ordres : abîme infini entre la chair et l'esprit, abîme infini entre l'esprit et le cœur. Descartes, qui a tout voulu rabattre sur la raison, s'est fourvoyé, selon Pascal : le cœur a ses raisons que la raison ne connaît point, écrit-il. La raison a beau crier, affirme-t-il avec force, elle ne peut mettre le prix aux choses, c'est-à-dire fournir une quelconque valeur.

Pascal appelle tyrannie le désir ou la tentative de soumettre un ou deux de ces ordres à l'un des trois jugé primordial. Il y a tyrannie à tout vouloir soumettre à l'ordre de la chair, il y a tyrannie à tout vouloir soumettre à l'ordre de l'esprit, il y a tyrannie à tout vouloir soumettre à l'ordre du cœur.

Esprit de géométrie, esprit de finesse

Une autre distinction opérée par Pascal concerne le mode de penser. L'esprit de géométrie est le raisonnement méthodique, déductif. L'esprit de finesse est l'intuition. Le premier chemine pas à pas et passe d'une idée à l'autre selon des règles déterminées. Le second va droit au but et saisit son objet immédiatement ; sa visée est une vision. Les notions communes (axiomes) de la géométrie ne peuvent être saisies que par l'esprit de finesse puisqu'elles échappent à la démonstration. La plupart des termes généraux échappent d'ailleurs, selon Pascal, à toute définition : ainsi le temps, l'espace, le nombre, l'existence sont des idées que tout le monde entend et ce serait les obscurcir au lieu de les éclaircir que de vouloir les définir.

Les deux infinis et l'homme au milieu

L'infinité du monde était une découverte récente au XVIIe siècle. Giordano Bruno y avait laissé sa peau. La théorie officielle de l'Église penchait pour un univers fini, l'infini devant rester l'attribut exclusif de Dieu et la coexistence de deux infinis apparaissant par trop abracadabrantesque. Ce cadre étroit craque petit à petit à partir de la Renaissance. La lunette astronomique, ancêtre de nos télescopes, lance le regard au-delà des étoiles visibles.

Pour dire l'infinité de l'univers, Pascal reprend la formule que Nicolas de Cues avait lui-même reprise du *Livre des XXIV philosophes* écrit au Moyen Âge : une sphère dont le centre est partout et la circonférence nulle part. Cette infinité dit deux choses d'un coup : la grandeur de Dieu, la petitesse de l'homme.

Mais si l'homme est petit, il ne l'est pas infiniment. D'abord, il connaît sa misère et peut ainsi prendre sur elle une revanche symbolique : l'homme est plus noble que tout cet univers qui l'écrase car il connaît sa faiblesse, alors que l'univers ignore tout de sa propre grandeur. Mais si l'homme n'atteint pas le fond de l'infime, c'est parce que sous lui il y a un autre infini qui, de ce fait, le place au milieu.

L'homme n'est qu'un roseau, le plus faible de la nature ; mais c'est un roseau pensant. Il ne faut pas que l'univers entier s'arme pour l'écraser ; une vapeur, une goutte d'eau suffit pour le tuer. Mais quand l'univers l'écraserait, l'homme serait encore plus noble que ce qui le tue, parce qu'il sait qu'il meurt et l'avantage que l'univers a sur lui, l'univers n'en sait rien.

– Pascal

Une bonne partie des *Pensées* de Pascal tient dans ce balancement : misère de l'homme sans Dieu, grandeur de l'homme avec Dieu.

À l'époque de Pascal, qui connut l'invention des premiers microscopes, le ciron, un acarien, était connu pour être le plus petit animal visible à l'œil nu. Pascal prend cette bestiole pour illustrer son idée de l'abîme de petitesse dans lequel tombe la nature, et nous avec, et qui fait le pendant de cet abîme du colossal dans lequel notre regard est plongé lorsqu'il se tourne vers le ciel la nuit. Il nous faut, dit Pascal, imaginer que dans le corps du ciron auprès duquel la puce fait presque figure de baleine, il y a des jambes, et dans ses jambes des veines, et dans ses veines du sang, et dans ce sang des liquides, etc. Entre les deux infinis, l'homme tient le milieu. Telle est sa grandeur, mais aussi sa faiblesse.

Un drôle de pari

Ami de libertins qui passaient des jours à jouer et à jurer, Pascal transpose la situation du pari sur le plan métaphysique.

Nous avons le choix entre l'existence de Dieu et sa non-existence. Le choix de l'existence de Dieu implique une perte réelle – les plaisirs fugitifs de la vie sensible et mondaine – et un gain possible : la vie éternelle. Le choix de la non-existence de Dieu implique un gain réel – les plaisirs – et une perte possible : la vie éternelle. La disproportion est telle entre chance de gain et risque de perte qu'il n'y a pas à hésiter, selon Pascal. Si vous gagnez, vous gagnez tout ; si vous perdez, vous ne perdez rien. Pariez donc que Dieu existe.

Les libertins, évidemment, penseront qu'on met en balance, de façon trompeuse, les pertes réelles (les plaisirs) et les gains seulement hypothétiques. Et puis, faut-il encore que Dieu tienne le pari – car s'il existe, peut-être a-t-il son mot à dire ! Mais la situation du pari est celle, après tout, dans laquelle est placé n'importe quel joueur de loto : la disproportion entre la somme dépensée, donc risquée, et le gain escompté est telle que la plupart jugerait déraisonnable de ne pas en profiter.

La controverse du jansénisme

Le jansénisme est une forme particulièrement rigoureuse de pensée et de vie chrétiennes. Son nom vient de son fondateur Jansénius, un théologien hollandais. Celui-ci avait écrit un ouvrage intitulé *L'Augustinus*, par référence à saint Augustin, à la pensée duquel il entendait revenir par réaction contre le laxisme des molinistes qui accordaient tant de pouvoir à la liberté de l'homme que plus rien ne restait à la puissance de Dieu.

En France, le jansénisme constitua une machine de guerre contre les jésuites qui, depuis la fondation de leur ordre par Ignace de Loyola et la Contre-Réforme catholique, avaient acquis une position dominante dans l'Église. Par ailleurs, en un temps où les partis politiques n'existaient pas encore, des mouvements comme le jansénisme représentaient des moyens indirects de combattre le pouvoir monarchique. Derrière les controverses compliquées sur la grâce et auxquelles Pascal prit une part active, on peut déceler l'expression d'une lutte d'influence entre groupes et individualités. Ainsi, plus près de nous, les guerres de clans dans les régimes stalinien et maoïste auront volontiers pour motif officiel des disputes très scolastiques qui, rétrospectivement, n'apparaissent plus que comme des prétextes à l'expression de purs rapports de force.

Cela dit, au XVIIe siècle, les débats sur la grâce efficace et sur la prédestination engageaient de très importantes questions sur la nature humaine et son pouvoir de liberté.

Pascal écrit un ouvrage, *Les Provinciales*, pour prendre contre les jésuites la défense du jansénisme. Il est intéressant de noter qu'il ne rejette pas les jésuites avec des arguments moraux (le fameux laxisme) ni par esprit de parti (Pascal est janséniste), mais pour des raisons philosophiques qui ne sont pas sans faire songer à celles de Platon dans son hostilité aux sophistes : les jésuites disposent d'un système rhétorique qui leur permet de tout justifier, y compris les actions les plus condamnables. Leur discours est donc tyrannique. À l'opposé de Descartes, Pascal ne croit pas à l'existence d'une seule méthode susceptible de faire voir clairement la vérité dans tous les domaines. Chaque problème requiert sa méthode spécifique.

Vanité des vanités

Lorsque l'on est comme le fut Pascal adossé à l'absolu, tout ce qui est humain finit par revêtir un sens dérisoire. On ne s'étonnera pas dès lors si le penseur le plus constamment présent, quoique de manière cachée, dans les *Pensées*, est Montaigne, le penseur sceptique.

Pascal met le scepticisme philosophique au service de l'apologie de la religion chrétienne. Tout est vain comparé à Dieu et toute activité qui n'a pas Dieu pour but ou pour objet est vaine. La philosophie qui prétend et entend connaître la totalité des choses ne sait pas de quoi elle parle : comment se pourrait-il que la partie (l'esprit humain) connût le tout ? Toutes choses étant liées, à la fois causes et effets, il est impossible de connaître l'une sans l'autre et l'une sans toutes les autres.

La raison échoue, donc, mais l'imagination ne vaut pas davantage. Pascal appelle l'imagination maîtresse d'erreur et de fausseté d'autant plus fourbe qu'elle ne l'est pas toujours, car elle serait règle infaillible de vérité si elle l'était infaillible du mensonge – à la manière dont une montre qui retarde régulièrement de cinq minutes toutes les 24 heures pourrait être malgré tout utilement consultée.

Aucun régime de faveur pour le moi

Le moi est haïssable, écrit Pascal contre tous ceux qui à son époque n'aiment rien tant que de se regarder dans les miroirs (voir la galerie des Glaces du château de Versailles et les plans d'eau de ses jardins). Le moi est aussi une illusion : qu'aime-t-on quand on aime quelqu'un ? Une apparence physique, une qualité de l'esprit, qui peuvent se perdre sans que le moi soit détruit ?

J'ai découvert que tout le malheur des hommes vient d'une seule chose, qui est de ne pas savoir demeurer au repos dans une chambre.

– Pascal

Pascal appelle divertissement tout ce qui détourne l'homme de son salut. Aussi est-ce la société tout entière avec ses goûts et ses usages qu'il passe au feu de sa critique. Il taxe la peinture de vanité car elle attire l'admiration par la ressemblance des choses dont on n'admire pas les modèles. Argument curieux, mais significatif : n'est-ce pas justement parce que la mort n'est pas belle qu'elle peut l'être à l'extrême lorsqu'elle est représentée en peinture ?

Le point de vue de Dieu (comme, en d'autres circonstances, le point de vue de Sirius) permet de pousser l'analyse à un point rare de contestation critique. C'est ainsi que Pascal écrit à l'adresse des grands qui portent plume au chapeau et épée au côté : votre naissance dépend d'un mariage ou plutôt de plusieurs mariages. Mais d'où ces mariages sont-ils issus ? D'une visite faite par rencontre, de paroles dites en l'air, de mille petits riens et minuscules occasions imprévues. Voilà le rang que l'ordre établi voudrait faire passer pour nécessaire et qui se trouve réduit à la pure contingence d'un choc d'épidermes. Il y a bien des comtes et des ducs qui sont nés parce que leur père, tel jour, a été saisi par la vision d'un grain de beauté sur un sein à moitié nu.

Saint Augustin avait écrit de l'habitude qu'elle est une seconde nature et Montaigne avait déjà bien dégagé ce mécanisme : pour justifier leurs plus extravagantes actions, les hommes ont tôt fait d'appeler nature leurs artifices. Leur justice ne peut apparaître que dérisoire, voire grotesque, comparée à ce qui serait la véritable justice et qui est évidemment celle de Dieu. Plaisante justice qu'une rivière borne !, s'exclame Pascal. Vérité au-deçà des Pyrénées, erreur au-delà. L'Histoire dans son ensemble ne nous donne pas à contempler un spectacle moins comique.

La coutume est une seconde nature, qui détruit la première. Mais qu'est-ce que nature ? Pourquoi la coutume n'est-elle pas naturelle ? J'ai grand peur que cette nature ne soit elle-même qu'une première coutume, comme la coutume est une seconde nature.

– Pascal

Si le nez de Cléopâtre avait été plus court, écrit Pascal, toute la face de la Terre aurait changé. C'est d'abord la face de la belle qui eût été changée, crut bon de faire observer l'humoriste Pierre Dac. Que voulait dire Pascal ? Si Marc Antoine, amoureux de la reine d'Égypte, avait préparé son combat contre Octave au lieu de se prélasser, il serait devenu empereur à la place de son rival. En changeant de maître, Rome aurait changé le monde. Ainsi l'histoire tient-elle à des riens parce que, encore une fois, rien n'est sérieux, Dieu excepté.

Chapitre 14

L'empirisme : retour à la réalité commune

Dans ce chapitre :

- Des philosophes qui ne se paient pas de mots
- Locke, l'expérience pour la connaissance et la liberté individuelle pour la politique
- Berkeley, la négation de l'existence d'une matière objective
- Hume, le Newton du monde intérieur
- Condillac, l'animation des statues à partir d'une simple odeur de rose

Qu'est-ce que l'empirisme ?

Depuis l'Antiquité, deux écoles de médecine se sont affrontées : pour les dogmatiques, la compréhension et le soin des maladies doivent partir de principes universels (par exemple, l'opposition entre le chaud et le froid, le sec et humide) ; pour les empiristes, à l'inverse, il convient de s'appuyer sur l'observation des cas concrets, chaque cas étant singulier.

En philosophie, l'empirisme est la conception selon laquelle les idées dérivent de l'expérience sensible. L'empirisme s'oppose au dogmatisme des rationalismes et des idéalismes bâtisseurs de système.

L'empirisme est analytique

Il ne cherche pas à construire un système qui serait dans l'ordre du langage l'image du système du monde. Il tente plus modestement de comprendre les mécanismes de la pensée et de la morale humaines en les décomposant en unités élémentaires. De Thomas Hobbes, le premier (après Guillaume d'Occam, toutefois) à avoir lié la vérité au langage, à Thomas Reid, le philosophe du langage ordinaire, la pensée anglaise à l'âge classique fut celle qui se défia avec le plus de constance de la recherche de l'absolu.

L'empirisme est nominaliste

Pour l'empirisme, il n'y a que des choses singulières : le triangle prétendument universel, écrit Berkeley, n'est qu'un triangle particulier que l'on envisage comme le représentant des autres triangles possibles. Pour l'empirisme, l'idée générale n'est pas à l'origine mais à la fin de la pensée. L'esprit commence toujours par des sensations singulières, par des idées particulières. Ce n'est qu'ensuite, grâce en partie au langage, qu'il peut s'élever jusqu'aux idées générales. Seulement, il arrive en philosophie que la prudence extrême finisse en imprudence. Ainsi Locke, Berkeley et les disciples de Gassendi récusèrent comme dépourvu de sens le calcul infinitésimal sous prétexte qu'on ne saurait faire l'expérience ni avoir la moindre perception de l'infiniment petit.

L'empirisme est subjectiviste

En déplaçant la question fondamentale de la philosophie de l'être des choses au sujet humain, l'empirisme annonça à bien des égards le criticisme de Kant et la phénoménologie. Les problèmes ne sont plus tant ceux de l'être et de la vérité que : qu'est-ce que connaître ? Qu'est-ce que croire ? Comment connaissons-nous ?

L'empirisme est relativiste

Si tout ce qui est connu, cru, pensé dérive de l'expérience, alors les idées, les croyances et les connaissances varient selon les circonstances. La relativisation des facultés humaines conduit logiquement les empiristes à combler l'abîme que les rationalistes avaient creusé entre les hommes et les animaux : pour Hume, par exemple, les animaux possèdent la raison tout comme les hommes et Condillac écrit un *Traité des animaux* où il montre que les qualités que nous attribuons à l'homme en tant que déterminations de sa nature sont aussi possédées par les animaux, quoique dans une moindre mesure.

L'empirisme est émotiviste

L'émotivisme est la conception selon laquelle les valeurs morales dérivent d'émotions de base comme la joie (qui nous fait approuver certaines actions) et la peine (qui nous fait désapprouver certaines autres actions). Lorsque l'empirisme tend vers le matérialisme, les idées de bien et de mal sont pensées comme dérivant des expériences du plaisir et de la douleur. La sympathie est, chez les philosophes anglais du XVIIIe siècle, l'analogue moral et politique de l'association des idées dans le champ de la pensée. De même que l'association des idées a été jugée nécessaire pour penser le lien d'idées d'abord considérées comme isolées, la sympathie a été jugée nécessaire pour penser le lien d'individus d'abord considérés comme isolés. Hume pensait que la sympathie est universelle. Ainsi l'empirisme ne débouche-t-il pas nécessairement sur un individualisme radical.

Locke, ennemi des idées innées et père du libéralisme politique

Les deux grandes dimensions de la philosophie de Locke sont étroitement liées: le libéralisme politique du philosophe anglais n'est en effet pas compréhensible sans sa théorie relativiste de la connaissance: puisque aucune représentation ne peut être dite vraie absolument (les mots désignent des idées et non des choses), la liberté de pensée et de croyance doit être garantie dans un État gouverné selon des lois soucieuses du bien commun.

Au commencement, l'expérience

Pour penser, il faut d'abord éprouver des sensations. L'expérience des empiristes n'est pas celle des laboratoires de recherche (*Experiment* en allemand) mais le vécu quotidien des êtres sensibles que nous sommes (*Erfahrung* en allemand). C'est parce que les idées ont cette attache sensible que Locke estime que l'idée d'infini ne correspond à rien de réellement pensé. L'expérience n'est donc pas seulement une origine objective; elle sert de critère pour faire le partage entre les idées vraies et les idées illusoires.

Il n'y a rien dans l'entendement qui n'ait d'abord été dans les sens.

– Locke

Le problème de Molyneux: un aveugle pour voir

Un certain Molyneux avait posé ce problème à l'adresse de la communauté savante de l'époque: si, par hasard, un aveugle de naissance, opéré avec succès, voyait pour la première fois un cube et une sphère qu'il avait appris à distinguer par le toucher, cet homme pourrait-il reconnaître ces deux volumes simplement par le sens de la vue? La question concernait la théorie dite des sensibles communs, qui remontait à Aristote: les différents sens sont-ils connectés les uns aux autres ou bien sont-ils séparés ? Ceux qui croyaient à une connexion nécessaire entre les sens (et les rationalistes étaient dans ce cas) répondaient oui à la question de Molyneux. Les empiristes, en revanche, dont Locke faisait partie, répondaient non. Pour eux, le sens du toucher et celui de la vue sont indépendants, un aveugle opéré devrait donc apprendre à distinguer par les yeux le cube et la sphère qu'il verrait pour la première fois.

Locke ne sera plus là pour apprendre qu'une expérience lui donnera finalement raison. Vers 1730, un aveugle de naissance est opéré avec succès. On lui fait passer le test de Molyneux : l'homme ne put distinguer par la vue le cube et la sphère. Mais la controverse ne s'éteignit pas pour autant : et si, à cause de l'opération, les yeux avaient été trop abîmés pour remplir toutes leurs fonctions ? Une expérience est rarement cruciale. Bien que n'étant pas des oiseaux, les philosophes défendent bec et ongles leurs théories, il est difficile pour eux de parler de verdict de l'expérience.

L'acquis contre l'inné

Contre l'innéisme défendu par les rationalistes, Locke tient le raisonnement suivant : si les idées étaient innées, alors elles devraient être universelles, présentes en tout homme, en tous temps et en tous lieux. C'est bien d'ailleurs ce que soutenaient, explicitement ou pas, les rationalistes. Mais c'est ce que contestait Locke et que contesteront les empiristes après lui : les idées sont éminemment variables selon les individus (et chez un même individu au cours de sa vie), selon les époques et selon les lieux. On comprend que les empiristes aient trouvé des arguments favorables à leurs thèses du côté de l'histoire et de la géographie, que la tradition philosophique rationaliste ou idéaliste dominante avait complètement laissés de côté.

Les deux sortes d'idées

Locke distingue deux sortes d'idées : les idées simples et les idées complexes. Les idées simples sont des représentations élémentaires, indécomposables : des atomes de représentation. Il existe, selon Locke, trois types d'idées simples :

- les idées simples de sensation comme le chaud, le froid, le salé, le sucré, l'étendue, la forme, le mouvement, qui proviennent directement de notre expérience sensible ;
- les idées simples de réflexion, qui sont issues de nos facultés internes (mémoire, attention, volonté) ;
- les idées simples qui sont à la fois de sensation et de réflexion comme celles d'existence, de durée, de nombre, qui requièrent aussi bien l'expérience sensible des choses extérieures que le travail de nos facultés internes.

L'existence des idées de réflexion suffirait à elle seule à laver l'empirisme de Locke de la critique qu'on n'a pas cessé de lui adresser, avec plus ou moins de bonne foi, de réduire l'être humain à une simple chambre d'enregistrement, à un support passif.

Les idées complexes sont des combinaisons d'idées simples. Locke en distingue plusieurs sortes selon qu'elle renvoient à des substances (des réalités qui peuvent subsister par elles-mêmes) ou à des modes (des réalités qui ne peuvent pas subsister par elles-mêmes). Les modes sont différenciés en modes simples (lorsque la même idée simple est combinée avec elle-même, exemple : le nombre, qui est une combinaison d'unités identiques) et en modes complexes ou mixtes composés d'idées simples hétérogènes, (par exemple l'idée de meurtre, décomposable en trois éléments : tuer, homme, volontaire). L'homicide (idée complexe) est composé des idées de tuer et d'homme. Lorsqu'on y ajoute le caractère volontaire, on l'appelle meurtre et lorsqu'on y ajoute l'idée de préméditation, on l'appelle assassinat.

Pas de pensée sans mots

Les rapports des mots et des idées sont un exemple de cercle du type de la poule et de l'œuf : pas de pensée sans mot, mais pas de mot sans pensée. C'est ce dont rendait compte déjà le double sens du mot grec *logos* dont nous avons tiré notre « logique » et tous les noms de disciplines se terminant par la désinence « -logie ».

Les empiristes attachent une importance particulière au langage. Ce sont eux qui ont attiré l'attention des philosophes sur le problème du langage. La tradition idéaliste et rationaliste classique en effet a tendance à prendre la langue ou bien comme un absolu d'origine divine ou bien comme un moyen transparent, neutre, qui ne sert que de véhicule aux idées. À l'inverse, les empiristes, parce qu'ils s'intéressent aux conditions concrètes, effectives de la pensée et de la connaissance, ont fait du langage un objet propre de réflexion et de critique.

Enfin l'enfant paraît !

Il faudra attendre longtemps pour que les philosophes, comme les peintres et les poètes s'intéressent aux enfants. Le mot, d'origine latine, est négatif : l'enfant est celui qui ne parle pas. C'est tout dire ! Dans ses *Essais*, Montaigne nous rapporte qu'il a perdu quatre ou cinq enfants en bas âge, il ne se souvient plus très bien…

Puisque les idées sont acquises, il est normal que les empiristes attachent une importance particulière à l'éducation, domaine que les rationalistes laissent généralement de côté. Locke a écrit des pensées sur l'éducation dans lesquelles il établit la distinction entre l'instruction, qui ne concerne que l'acquisition des savoirs objectifs, et l'éducation véritable, qui a pour enjeu le développement de la personnalité de l'enfant. Rousseau, qui a bien lu Locke, s'en souviendra lorsqu'il écrira *Émile*.

Une philosophie de la tolérance

L'*Essai sur l'entendement humain* a un sens pratique : il s'agit, en montrant les limites du pouvoir de penser et de connaître, de donner une légitimité philosophique à la tolérance religieuse. L'innéisme, c'est-à-dire la thèse selon laquelle il existe dans l'esprit humain dès la naissance des idées vraies (censées avoir été déposées là par Dieu soi-même, excusez du peu !) conduit nécessairement selon Locke à l'intolérance puisqu'il implique l'idée d'une certitude qui ne s'autorise finalement que d'elle-même. Pour Locke, la vie, la liberté, la propriété sont des droits naturels que l'État doit garantir en sanctionnant les violations. Le seul droit naturel auquel l'individu doive renoncer dans la société civile est celui de se faire justice soi-même.

La légitimation de la propriété privée

Locke est le véritable père du libéralisme anglo-saxon, c'est lui qui est l'inspirateur central de la Déclaration des droits proclamée en Amérique presque un siècle plus tard : liberté politique et liberté économique sont conçues comme inséparables. Locke parachève le formidable travail de légitimation de l'activité économique, entrepris à partir de la Réforme au XVIe siècle. Le travail n'est plus conçu comme la conséquence nécessaire et juste du péché originel, une manière de châtiment perpétuel, il est aussi pour l'être humain le moyen de se racheter et de trouver grâce au yeux de Dieu. L'argent n'est plus cette chose sale que l'on laisse traîner dans les mains des juifs, mais le moyen le plus commode pour l'échange des biens. La propriété privée n'est plus cette chose douteuse, qui fait plus ou moins vaguement penser à une usurpation (toujours cette idée que Dieu est le seul véritable propriétaire de tout) mais le juste produit du travail de l'homme.

Tel est le point de vue de Locke : par son travail, l'homme acquiert automatiquement un droit sur les choses. Et cela commence même avant toute institution sociale : le fruit est à celui qui le cueille, car le geste de cueillir est déjà un travail. Ce sera la fonction centrale de l'État que de garantir ainsi aux individus le juste produit de leur travail.

Comme Hobbes, Locke pense que la société est le résultat d'un pacte mais, à la différence de Hobbes, il ne pense pas que l'état de nature soit un état de violences perpétuelles. Il existe, selon Locke, un droit naturel que la société devra protéger. Celle-ci est donc en continuité et non en rupture avec l'origine.

La plus grande et la principale fin que se proposent les hommes, lorsqu'ils s'unissent en communauté, c'est de conserver leurs propriétés.

– Locke

Une philosophie individualiste

L'individualisme est la traduction du réductionnisme en matière politique : la société, selon Locke, repose sur le consentement effectif de chaque citoyen, elle n'est pas un ensemble préalable, une personne morale qui viendrait couvrir de son surplomb ses membres. Le contrat est agrégatif : aucune volonté générale différente des volontés particulières ne vient les englober.

C'est donc à juste titre que l'on parlera au XXe siècle d'individualisme méthodologique par opposition au holisme. Alors que le holisme part des ensembles (*holos* signifie « tout » en grec) pour en déduire les éléments et considère que ce sont les ensembles qui donnent le sens aux éléments (il traitera donc de la culture, de la société, de l'histoire, etc.), l'individualisme, héritier du nominalisme, considère que seuls les éléments ont une existence réelle, les ensembles ne sont que des mots commodes qui en aucun cas ne peuvent jouer un rôle explicatif.

Les trois pouvoirs

Locke distingue trois pouvoirs :

- le pouvoir législatif, pouvoir suprême qui appartient à la société politique tout entière ou à ses représentants et ne peut être cédé ;
- le pouvoir exécutif, qui applique les lois décidées par le pouvoir législatif auquel il est subordonné ;
- le pouvoir fédératif, chargé des relations avec les puissances extérieures (l'équivalent de nos ministères des affaires étrangères).

Locke préconise (comme plus tard Montesquieu, qui en recevra l'influence directe) la distinction mais non la séparation des pouvoirs. Mais c'est l'idée de séparation des pouvoirs qui symbolisera pour les siècles futurs l'idéal démocratique dont Locke a été l'un des tout premiers théoriciens.

Innovation considérable en matière de philosophie politique : pour Locke, la souveraineté appartient non au pouvoir exécutif mais au pouvoir législatif (qui, en outre, comprend le judiciaire). C'est, aux yeux de Locke, l'assemblée qui détient la souveraineté. Alors que chez Hobbes le pacte qui lie les individus au souverain est unilatéral, chez Locke, il est bilatéral. Le souverain est donc engagé vis-à-vis du peuple. S'il rompt sa promesse et transgresse sa fonction en violant le droit naturel des individus, ceux-ci ont le droit de se révolter. Locke fut l'inspirateur de la révolution de 1688 qui, en mettant à bas l'absolutisme royal, jeta les bases de la démocratie anglaise.

Berkeley, un évêque non sans toupet

Une grande partie de l'œuvre de Berkeley est consacrée à la critique de l'idée d'une matière objective, substantielle, idée qui ne peut conduire, selon ce philosophe, qu'à l'athéisme.

Être, c'est être perçu

Les *Trois dialogues entre Hylas et Philonous* font converser entre eux un partisan de l'idée de matière objective (le nom d'Hylas vient d'un mot grec signifiant « matière ») et un négateur de cette idée, porte-parole de Berkeley (le nom de Philonous est formé de deux mots grecs signifiant « aimer » et « esprit », soit « l'ami de l'esprit »). Philonous parle : « Je nie l'existence de la substance matérielle non pas uniquement parce que je n'en ai aucune notion mais parce que sa notion est contradictoire. »

De nationalité irlandaise, George Berkeley est le dernier grand dignitaire de l'Église à avoir été un grand philosophe (il était évêque, Condillac ne sera qu'abbé). Il fut le premier à faire le voyage d'Europe en Amérique où il se retrouva, tout en obéissant à son vœu de chasteté, dans la position du missionnaire. Il dut bientôt rentrer, faute d'argent.

La philosophie de Berkeley constitue le plus radical des idéalismes : être, c'est être perçu (*esse est percipi* en latin). Elle repose sur une théorie particulière de la vision : contrairement à ce que soutiennent les philosophes et l'opinion commune, ce n'est pas le monde extérieur que nous percevons lorsque nous ouvrons les yeux. Nous ne voyons ni les grandeurs, ni les distances, ni les déplacements. Notre perception n'est pas un contact avec le monde matériel mais une traduction analogue à celle que nous opérons lorsque nous comprenons la signification d'un énoncé : nous voyons un rocher avec sa grandeur et sa distance au même sens que nous l'entendons lorsque son nom vient frapper nos oreilles. Ce constat entraîne un renversement radical : le réel n'est pas la chose mais l'idée perçue dans la perception même. La matière n'est pas une substance, mais un mot.

Berkeley récuse la distinction que Locke avait reprise du philosophe et chimiste Boyle entre les qualités premières appartenant à la chose et les qualités secondes venant du sujet percevant. Il n'y a pas de qualité première, objective, de la matière (Descartes citait l'étendue, Leibniz l'impénétrabilité, d'autres la solidité, etc.). Toutes les qualités que nous lui attribuons viennent de nous, selon Berkeley. Quand j'entends passer dans la rue une voiture, dit le philosophe évêque, ce n'est pas une voiture que j'entends mais un son. C'est à partir d'un son que je déduis dans mon esprit que j'entends une voiture. De même, lorsque je lis un livre qui me parle de Dieu, ce n'est pas Dieu que je vois mais les taches noires qui représentent des mots.

Au bout de son argumentation, Berkeley n'est plus très éloigné de Malebranche : la perception est l'effet que produit sur l'esprit un autre esprit qui n'est autre que Dieu. Le monde est un ensemble de signes que Dieu envoie aux hommes.

Le bon sens se rebiffe

Ce pauvre Berkeley, écrivit le médecin de la reine, a maintenant une *idée* de santé qu'il a eu beaucoup de peine à se faire car il avait une étrange *idée* de fièvre, idée si forte qu'il lui a été fort difficile de la supprimer en en prenant une contraire.

On appelle argument du bâton l'irruption passablement brutale de la sensation physique (le coup de bâton) chez celui qui serait tenté de mettre en doute la réalité objective des choses. L'argument du bâton a été utilisé contre les sceptiques : vous niez existence de tout ; nierez-vous l'existence de ce bâton ? Et du coup de bâton que je vous donne ? Et de la douleur que vous allez ressentir ?

Par extension, on appelle argument du bâton toute expérience qui place les sceptiques ou le critique devant la crudité des choses et des événements. Berkeley eut à le subir de la part de Swift, son compatriote irlandais. On raconte qu'un jour, l'immortel auteur des *Voyages de Gulliver* laissa grelotter dans la pluie le penseur de l'immatérialisme, refusant de lui ouvrir : « Si sa théorie est vraie, disait-il, pourquoi s'obstine-t-il à frapper ? Ne peut-il pas aussi bien entrer la porte fermée que la porte ouverte ? »

L'eau de goudron mène à tout, à condition d'en sortir

Le paradoxe (et aussi la difficulté) de la philosophie de Berkeley est d'être à la fois empiriste et immatérialiste. Ce n'est pas le seul paradoxe, ni la seule difficulté. À la fin de sa vie, Berkeley écrit un curieux ouvrage au curieux titre, *Siris*, dans lequel il fait l'apologie de l'eau de goudron. *Siris* veut dire « chaîne » en grec. Non seulement l'eau de goudron est présentée comme une panacée, mais elle est décrite comme le premier maillon d'une chaîne qui embrasse tous les êtres de la nature jusqu'à la Trinité divine. On ne pourrait guère, en effet, aller au-delà.

Du bitume à Dieu, l'écart n'est pas minime. Mais le plus curieux est ailleurs – il est dans l'énigme que représentent pour un lecteur moderne ces considérations sur la plus opaque des matières de la part d'un auteur qui a inventé l'immatérialisme. Bel exemple de sujet de controverse entre les spécialistes (chaque université est comme une tige de rosier, ils y prolifèrent comme des pucerons) : faut-il supposer un reniement chez l'évêque d'Irlande ou bien y voir plutôt la preuve que l'immatérialisme ne doit pas être compris de manière trop simple ? Nous laisserons aux insomniaques et aux curieux le soin d'en décider.

Hume, celui qui a empêché Kant de dormir plus longtemps

Les systèmes métaphysiques du XVIIe siècle (Descartes, Malebranche, Spinoza, Leibniz) reposaient sur les idées de substance et de cause. Berkeley avait fait la critique de l'idée de substance matérielle et de celle de causalité physique, ne laissant debout que la causalité des esprits. Hume pousse la critique jusqu'à un point radical : c'est la notion de substance spirituelle et celle de causalité en général qui se trouvent balayées. Avec lui, le sujet n'est plus considéré (comme il l'était encore chez Berkeley) en tant que substance mais bien en tant qu'auteur de la connaissance. Kant dira que Hume l'a réveillé de son sommeil dogmatique.

Les philosophes sont les moins précoces de tous les penseurs. Si l'on n'est pas joueur d'échecs ou mathématicien génial à vingt ans, on ne le sera jamais. À l'inverse, la quasi-totalité des philosophes ont écrit leur grand œuvre à 40 ans passés. Kant avait 60 ans lorsqu'il a publié sa *Critique de la raison pure*. Il faut, en effet, un certain temps pour accumuler lectures et expériences. Mais il y a dans l'histoire de la philosophie deux exceptions notables : Hume et Schopenhauer ont tous deux eu cette particularité rarissime d'avoir été en possession de leur système avant l'âge de 30 ans.

Les atomes psychiques

C'est depuis Hume qu'a été établie l'analogie entre l'élément premier de la représentation et le grain de matière. L'atomisme de l'empirisme est à la fois psychologique, logique et physique : un tout, qu'il soit représenté, pensé ou matériel, est, pour l'empirisme, un ensemble réductible aux éléments qui le composent. Tout contenu mental se réduit en perceptions qui comprennent les impressions (passions et images immédiatement présentes à l'esprit) et les idées (copies affaiblies des impressions).

Au départ, il y a les impressions qui sont les effets que font les choses sur l'être humain. Hume appelle impressions les sensations, passions et émotions lorsqu'elles surgissent dans notre esprit. Les idées sont les reflets, les copies des impressions. Alors que les impressions sont vives, les idées sont pâles. Mais la théorie selon laquelle les idées sont des copies des impressions a une conséquence immédiate radicale : elles ne sont pas l'expression des choses mêmes

Le scepticisme de Hume vient de cette position de départ : nos représentations disent quelque chose de nous mais restent muettes sur les choses mêmes. C'est une illusion que de croire que les idées sont l'expression de la réalité objective, mais cette illusion est fort commune, tant l'homme a l'habitude d'attribuer aux choses extérieures ce qui en réalité vient de lui. En d'autres termes, lorsqu'il pense, l'homme n'aurait affaire qu'à lui-même alors même qu'il croit saisir les qualités du monde.

Générosité du sujet

Prenons un exemple qui, s'il n'est pas dans le texte de Hume, est dans la pensée du philosophe écossais. En hiver, nous mettons des vêtements chauds, ce qui signifie que nous accordons avec une certaine générosité à des morceaux de tissus rassemblés une qualité (la chaleur) qui en réalité vient de notre corps. C'est par métonymie (déplacement) que nous disons d'un vêtement qu'il est chaud.

L'association des idées

Hume fut l'un des premiers à prendre pour modèle la mécanique céleste de Newton pour rendre compte de la façon dont les idées s'attirent les unes les autres dans le monde mental qui est le leur. Il compare explicitement l'association des idées à une sorte d'attraction qui produit dans le monde mental d'aussi extraordinaires effets que dans le monde de la nature et se manifeste sous des formes aussi nombreuses et aussi variées. Si les idées que l'on peut et que l'on doit considérer à part pour les besoins de l'analyse restaient à jamais isolées les unes des autres, nous ne pourrions formuler aucune pensée, aucun raisonnement.

Il faut donc qu'une force les lie les unes aux autres, de même que dans le monde physique une force lie les uns aux autres les corps célestes (sans elle, ils partiraient dans l'infini de l'espace, en ligne droite, à la manière d'une pierre lâchée par une fronde). Cette force d'association des idées est spontanée (nous dirions aujourd'hui qu'elle est inconsciente).

Hume distingue trois types d'associations : la ressemblance, la contiguïté, la causalité.

L'association par ressemblance

Une idée en appelle une autre si, par un élément ou en totalité, elle présente une analogie avec celle-là. Ainsi un inconnu dans la rue peut-il nous faire aussitôt penser à un ami parce qu'il a la même allure générale ou parce qu'il porte une verrue sur le front comme lui. L'association par contraste, bien qu'inverse, peut être considérée comme une variante : un inconnu très maigre peut nous faire penser à notre ami très gros justement parce qu'il y a dissemblance accusée entre eux (après tout, l'homme n'aurait pas à ce point cru aux paradis religieux puis politiques s'il n'avait pas lui-même vécu de tels enfers).

L'association par contiguïté

Une idée en appelle une autre si, par un élément ou en totalité, elle a été associée dans un même contexte spatial ou temporel à une autre. Ainsi une musique peut-elle nous faire penser à celui ou à celle avec qui nous avons couché pendant les vacances, un soir de saoulerie. La madeleine de Proust est un fameux exemple littéraire (et plus distingué) d'association par contiguïté.

L'association par causalité

Une idée peut nous faire penser à une autre si elle en est la cause ou bien l'effet. Ainsi une publicité pour voiture neuve peut faire penser aux inconnues que je pourrais séduire en cascade dans les rues. Notons à ce propos que la publicité qui fuit le raisonnement comme une petite peste fonctionne exclusivement à l'association d'idées : la poitrine du mannequin ne sert pas seulement à vendre telle marque de soutien-gorge, elle pointe vers le yaourt et le taboulé aussi bien.

Pourquoi une telle attention à la causalité ?

Si Hume attache une telle importance à la critique de l'idée de causalité (plus d'un nul parmi les lecteurs serait en effet en droit de se demander : pourquoi s'énerver pour si peu ?), c'est pour plusieurs raisons.

D'abord la causalité est un principe d'association des idées, l'un des trois principes. Ensuite, l'idée de causalité est au cœur de tous les systèmes métaphysiques – que l'on pense au rôle exorbitant que l'on a donné à Dieu au XVIIe siècle. Les rationalistes pensaient que la relation de causalité est une déduction : de l'idée de la cause, je tire par la seule pensée l'idée de l'effet. Hume le conteste : de l'idée de refroidissement, je ne pourrai jamais tirer celle de glace. Si je le sais, c'est que je l'ai vu de nombreuses fois, que j'en ai fait l'expérience.

Enfin, *last but not least* comme disent les Anglais, la causalité semble dès le départ mettre en échec l'idée de base de l'empirisme. Cette relation, en effet, conduit la pensée à passer d'une cause donnée (le feu) à un effet *non encore* donné (l'ébullition de l'eau) mais seulement attendu. Faut-il en conclure que l'esprit, par ses seules ressources, soit capable de dépasser l'impression reçue ?

Fine mouche, Hume cherche l'impression particulière d'où naît l'idée de causalité. Qu'avons-nous dans la tête lorsque nous parlons de causalité ? Tout d'abord une relation de contiguïté inscrite dans l'espace et le temps proches (le feu touche la casserole d'eau, l'ébullition suit immédiatement la chaleur du feu). Même lorsque la cause et l'effet semblent éloignés l'un de l'autre, nous supposons quelque chose qui les relie : si le soleil grille les feuilles des arbres l'été, c'est parce que son énergie chauffe l'air de manière excessive, l'atmosphère étant le lien entre le soleil et la plante.

La causalité est en nous, pas dans les choses

Pour Hume, la relation de causalité ne tient ni à la réalité objective, physique des choses, ni à la structure logique de notre pensée, mais à un facteur psychologique : il existe dans l'esprit humain une tendance universelle à passer d'un terme à l'autre, qui naît de l'expérience de la répétition. L'expérience, en effet, nous montre la constance de certaines successions : la glace suit le froid, l'ébullition suit le feu. L'idée de causalité naît en fait de l'habitude.

Et si le soleil ne se levait pas demain ?

Hume, comme tous les empiristes, considère l'induction comme un pari imprudent et, pour tout dire, intenable. Pari sur l'avenir (rien ne dit que demain sera comme aujourd'hui), pari sur l'ordre des choses (rien ne dit qu'une relation doive être universelle). En donnant à l'induction un fondement non pas logique mais psychologique (elle serait une conjecture probable dérivée de l'expérience usuelle), Hume d'une part rabat la généralisation sur la répétition, d'autre part comble l'écart entre la pensée scientifique et les manifestations les plus rationnelles de la vie affective. Enfin, c'est bien parce qu'elle procède par induction et qu'elle ne peut faire autrement que la science, aux yeux de Hume, n'apporte pas de certitude absolue sur les objets qu'elle étudie.

La science n'échappe pas au domaine de la croyance. Certes, il est hautement probable que le soleil se lèvera demain mais, dit Hume, il n'est pas complètement impossible qu'il ne se lève pas – ce qui signifie qu'il n'est pas contradictoire ni logiquement ni physiquement que son lever n'ait pas lieu. Par habitude, nous avons mis notre réveil à telle heure et, jusque-là, ça a plutôt bien marché. Mais l'induction est un pari sur le futur que personne n'est tenu de tenir, pas même Dieu. Bertrand Russell dira à propos de l'induction qu'elle est le raisonnement que fait le poulet lorsque il associe la main de la fermière au grain qui le nourrit, jusqu'au jour où cette main lui tord le cou.

Pas de pourquoi, rien que du comment

Comme Newton, Hume estime que la science doit borner ses prétentions à la découverte des lois, c'est-à-dire de relations constantes dont nous échappe la raison. C'est l'idée d'où partira bientôt le positivisme d'Auguste Comte. Je ne forge pas d'hypothèses, disait Newton à propos de la force gravitationnelle. Autrement dit : la science est capable de la repérer et de la mesurer, quant à savoir en quoi elle consiste au juste… La philosophie de Hume part des appréciations et des croyances de l'homme pour en chercher par analyse et par induction le principe ; mais elle se gardera d'évaluer à son tour le principe par lequel nous évaluons, comme le newtonien se garde d'expliquer la gravitation par laquelle il explique le reste.

La réhabilitation de la croyance

Hume donne au terme de croyance un sens particulier : idée forte et vive dérivée d'une impression présente, en conjonction avec elle. Contrairement à ce que laissait entendre une philosophie d'inspiration rationaliste, la pensée n'est pas seulement le travail ardu d'un esprit qui gravit méthodiquement les difficultés une à une. Elle dispose aussi d'une marge de fantaisie et de liberté. La philosophie rationaliste avait l'habitude de rejeter la croyance du côté de l'ignorance et de la déraison, lorsque ce n'était pas du côté du mystère religieux. Avec les empiristes en général et Hume en particulier, la croyance devient un thème central car, même dans le savoir le mieux établi, la part de croyance est irréductible. Nietzsche en tirera cette conclusion radicale : il n'y a pas de science sans la croyance en la vérité et cette croyance, par définition, n'est pas de l'ordre de la vérité.

Toute connaissance dégénère en probabilité.

– Hume

Le monde plus important que mon doigt ?

Lorsque Einstein s'exclamait qu'il n'est pas possible de démontrer logiquement qu'il n'est pas bon de détruire l'humanité, il ne faisait pas l'apologie de l'apocalypse nucléaire. Il constatait seulement, et son ton était, à l'évidence, tragique, que la raison logique est incapable de fonder nos certitudes morales. Nous savons presque tous qu'il ne serait pas bon que l'humanité tout entière périsse dans une guerre mondiale, seulement ce n'est pas la raison logique qui nous l'apprend et qui peut nous le démontrer.

Einstein disait autrement ce qu'avait déjà constaté Hume deux siècles avant lui : il n'est pas contraire à la raison de préférer la destruction du monde entier à une égratignure de mon doigt. Plus tard, on parlera de loi de Hume pour désigner la grande division (autre expression consacrée) entre les énoncés descriptifs qui disent ce qui est et les énoncés prescriptifs qui disent ce qui doit être. En termes philosophiques, on dira que le devoir-être ne saurait être déduit de l'être.

Par exemple, de ce que les femmes ont, sauf rarissime exception, toujours été soumises aux hommes, il ne s'ensuit pas que cela doit toujours être ainsi – sinon, les pires horreurs dont le passé nous donnent l'exemple auraient indéfiniment continué. Il y a pourtant des gens qui continuent de croire, même aujourd'hui, que l'argument par le fait est un bon argument : c'est normal, c'est naturel, c'est juste puisque cela a toujours été ainsi ! Hume nous apprend ou nous rappelle que, entre l'être et la valeur, le fait et la norme, il y a rupture de plan et qu'on ne passe pas de l'un à l'autre de manière continue.

La mise en question de l'identité personnelle

Il n'y a pas de *cogito* chez Hume, ni substance pensante ni chef d'orchestre intérieur : le moi est un terme commode pour désigner un ensemble fluctuant et discontinu d'états. Les psychologues de la fin du XIXe siècle verront en Hume un précurseur de l'atomisme psychologique. L'unité du moi érigé en substance pensante est une illusion qui ne tient pas devant l'observation empirique : notre conscience est trouée par des vides et des absences, constamment interrompue (par le sommeil, la distraction, l'ivresse, la colère…), elle passe du coq à l'âne. Vue loin, elle apparaît comme une évidence, vue de près, elle éclate en mille fragments.

Un scepticisme mitigé

Par opposition au scepticisme radical des Anciens, Hume appelle mitigé son scepticisme. Pour lui, en effet, il existe une certitude des mathématiques. L'existence du monde extérieur ne peut raisonnablement pas être mise en doute et toutes les croyances ne se valent pas. En outre, et le fait a pour la philosophie morale une portée considérable, il existe des sentiments universels de sympathie et d'antipathie qui offrent à la réflexion et à l'action des points d'appui solides. C'est, aux yeux de Hume, le sentiment (par les jugements d'approbation et de désapprobation qu'il induit) qui est au fondement de la morale, comme il est au fondement de la religion sous la forme de la peur.

Condillac, l'abbé animateur de statues

Depuis les Grecs, on considérait que parmi les cinq sens de l'être humain, les deux supérieurs étaient l'ouïe et la vue, les trois autres, l'odorat, le goût et le toucher, étant ravalés au rang animal. La presque totalité des termes désignant le travail de l'esprit ont pour métaphores originaires les sens de la vue et de l'ouïe : on dit « entendre » et « voir » pour « comprendre ». « Idée » et « théorie » font directement référence à la vue.

Il suffirait d'une rose pour éveiller une statue à la pensée

Contre toute cette tradition qui hiérarchisait les sens au profit de l'ouïe et de la vue, Condillac montre par son exemple de la statue (une expérience de pensée) que n'importe lequel des cinq sens, à commencer par celui qui est considéré comme le plus bas de tous, peut engendrer l'ensemble de la vie mentale humaine.

Pour montrer que n'importe quelle sensation suffirait à engendrer toutes les facultés de l'esprit, Condillac imagine en effet une statue qui n'aurait au départ qu'un seul contact avec le monde extérieur, par l'odorat. Si une odeur de rose venait à frapper la narine ouverte et frémissante de la statue, alors on pourrait dire qu'elle est entièrement odeur de rose : sa conscience serait tout entière occupée par cette sensation. Seulement, du fait même que cette sensation est unique, exclusive, elle induit une activité mentale particulière : l'*attention*. Ainsi la sensation d'odeur de rose ne serait plus seule, mais compliquée d'un état mental qui, en la répétant, la dédoublerait.

Si l'on suppose à présent que l'odeur de rose disparaît pour faire place à une autre odeur, de jasmin ou de chèvrefeuille (pour rester dans le registre agréable), alors surgira en sus de la sensation nouvelle une autre faculté, la *mémoire*.

Maintenant, notre statue est presque sur le point de ne plus savoir où donner de la tête, car si elle fixe son attention tour à tour sur l'odeur de rose et sur l'odeur de chèvrefeuille, alors elle effectue une opération mentale qui s'appelle *comparaison*. Cette comparaison peut être diversement qualifiée selon que les ressemblances ou bien au contraire les différences l'emportent : il n'en faut pas davantage pour que notre bonhomme (ou bonne femme) de pierre effectue ce que tout être raisonnable effectue depuis qu'il existe : un *jugement*. Et il suffira à présent que la comparaison et le jugement soient effectués à plusieurs reprises pour que la *réflexion* apparaisse. Enfin, s'il arrivait à notre statue de sentir une odeur de vomi et de se rappeler, par contraste, l'ancienne odeur de rose (c'est du fond du fumier que l'on rêve aux oasis possibles), alors ce souvenir aurait une force supplémentaire et l'on verrait surgir l'*imagination*.

Toutes ces facultés réunies (attention, mémoire, jugement, réflexion, imagination) constituent l'*entendement*. Mais ce n'est pas tout, tant la sensation d'odeur de rose est féconde. Toute sensation est nécessairement qualifiée de bonne (agréable) ou de mauvaise (désagréable), il n'en est pas réellement d'indifférentes (ceux qui disent que les caresses ne leur font rien mentent: ou elles leur plaisent ou elle les agacent, ne serait-ce qu'un tout petit peu). De ce caractère agréable ou désagréable de la sensation combinée avec les facultés de l'entendement naîtront les facultés de la *volonté*. Le souvenir d'une odeur agréable, s'il a lieu en un moment où la statue est désagréablement affectée, est un *besoin* et la tendance qui en dérive, un *désir*. Si le désir domine le besoin, nous avons affaire à une *passion:* amour et haine, espérance et crainte naissent de cette manière.

Voilà notre statue tout à fait prête à courir le guilledou. Lorsque la statue a atteint l'objet de son désir et que l'expérience du désir satisfait induit l'habitude de juger qu'elle ne rencontrera aucun obstacle à ses désirs, le désir débouche alors sur le *vouloir*, qui n'est rien d'autre qu'un désir accompagné de l'idée que l'objet désiré est en notre pouvoir.

De fil en aiguille, la statue est devenue une philosophe

Enfin la statue, même bornée au sens de l'odorat, a le pouvoir d'abstraire les idées et de les rendre générales, en considérant par exemple le plaisir commun à plusieurs modifications; elle a donc l'idée du nombre puisqu'elle distingue les états par lesquelles elle passe; elle a l'idée du possible puisqu'elle sait qu'elle peut cesser d'être l'odeur qu'elle est actuellement et redevenir ce qu'elle a été; elle a l'idée de la durée puisque, sachant qu'une sensation est remplacée par une autre, elle a l'idée de la succession; enfin, elle a l'idée du moi qui est la collection des sensations qu'elle éprouve dans le présent et de celles dont elle se souvient. Bref, la statue bornée au sens de l'odorat se retrouve avec toutes les facultés qui qualifient un être humain.

L'empirisme de Condillac est-il un sensualisme?

On a appelé sensualisme l'empirisme radical de Condillac. Il existe, cela dit, aux yeux de Condillac, un phénomène susceptible de dépasser les strictes déterminations de la sensation: le langage, dont les signes conventionnels permettent le développement d'une pensée logique et mathématique. Ces deux sources de la connaissance – l'expérience et les signes conventionnels – seront ceux que reconnaîtra, au XXe siècle, l'école philosophique dite empirisme logique, dont Condillac représente de fait l'un des précurseurs.

Chapitre 15

La philosophie des Lumières : éclairage, illumination ou éblouissement ?

Dans ce chapitre :

- Une galerie d'idées et de portraits qui ont préparé notre modernité
- L'amour de la nature en dehors des fleurs et des oiseaux
- La naissance de la philosophie de l'histoire
- Des fondateurs qui ont repensé la loi et la société

Qu'est-ce que les Lumières ?

Lumières en France, *Enlightenment* en Angleterre, *Illuminismo* en Italie, *Aufklärung* en Allemagne, le XVIIIe siècle fut le seul à s'appeler du même nom dans tous les pays d'Europe, et ce nom est celui de la lumière – laquelle est descendue littéralement du ciel sur la terre. Au Moyen Âge, la lumière était le signe de Dieu. Désormais, elle sera celui de la grandeur humaine.

À la question : « Qu'est-ce que les Lumières ? », à laquelle il consacre un opuscule, Kant répond : sortir de l'état de minorité, être libre, ne dépendre d'aucune autre loi que celle de sa raison.

Le siècle des Lumières fut un grand siècle de l'esprit. Montesquieu disait que l'étude a été pour lui le souverain remède contre le dégoût de la vie, n'ayant jamais eu de chagrin qu'une heure de lecture n'ait dissipé. Heureux temps, heureux hommes qui, faute de drogues et de médecines, avaient les livres !

Les philosophes des Lumières, à l'opposé de ceux du siècle précédent, n'ont pas cherché à édifier leur pensée à la manière d'un château royal. Ils se méfient de ces vastes constructions qui prétendent être l'image du monde et n'en sont finalement que le substitut. La *Dissertation en forme de paradoxe contre les aristotéliciens* de Gassendi, écrit au siècle précédent, peut être comprise comme la première dénonciation philosophique de l'idée de système. Le philosophe épicurien y montre que le corpus aristotélicien, loin de constituer un tout, comprend des lacunes et des contradictions.

Contre la métaphysique

Une idée rassemble la plupart des philosophes du XVIIIe siècle : l'opposition à la métaphysique considérée comme une œuvre d'imagination, une illusion – Voltaire dit de la métaphysique qu'elle est le roman de l'âme. L'école écossaise dite du sens commun, représentée principalement par Thomas Reid, est caractéristique de ce rejet de la métaphysique au nom de la vie. En prenant acte de l'échec de la métaphysique dans le domaine de la connaissance orienté par la valeur de vérité, Kant, à la fin du siècle, s'efforcera de sauver la métaphysique en la réorientant vers le domaine pratique.

Le siècle de la nature

Le siècle des Lumières fut le grand siècle de la nature. Celle-ci apparaît partout et finit par qualifier tout : une certaine façon de concevoir le droit, la religion, la loi, les sentiments et même la musique (la gamme naturelle). Déni d'intellectuels se refusant à voir le caractère éminemment culturel, donc forcément conventionnel et arbitraire du travail et des inventions des hommes (le calendrier révolutionnaire donnera de nouveaux noms aux mois en fonction des saisons et des travaux des champs) ?

L'illusion de l'homme blanc

Au XVIIIe siècle, l'Europe, déjà vieillie et doutant d'elle-même, se met à rêver à des sociétés lointaines et passées, souverainement libres parce que « naturelles ». Le sauvage et le primitif commençaient ainsi, chez certains penseurs, à représenter un idéal de vie et d'humanité désormais introuvable dans les sociétés policées. On crut reconnaître chez les peuples de Polynésie des Adam et des Ève qui n'auraient pas été chassés de leur paradis. Inutile de dire à quel point cette pensée fut une rêverie. Non seulement les Polynésiens ne vivaient pas plus libres que ceux qui les enviaient, mais encore on s'aperçut bientôt, les travaux anthropologiques aidant, qu'à bien des égards, leur société était beaucoup plus contraignante que l'européenne. Ironie de l'histoire, c'est à ce peuple qui fit tant rêver les Blancs par sa prétendue liberté de mœurs (les vahinés aux seins nus censées pratiquer un érotisme hospitalier…) que fut emprunté le mot « tabou ».

Aucun peuple, fût-il le plus sauvage, le plus primitif, ne vit naturellement. L'expression «vivre naturellement» est une contradiction dans les termes pour l'homme – appliquée à l'animal, elle n'est qu'une tautologie. Le pire contresens que l'on puisse commettre sur les peuples sans écriture (c'est la définition objective, non péjorative des «primitifs») est de les imaginer vivant comme des animaux. De ce qu'ils vivent proches de la nature, il ne faut pas conclure qu'ils vivent «naturellement». À bien des égards, leurs croyances et leurs mœurs sont plus complexes que les nôtres et leurs conventions, leurs artifices témoignent d'une ingéniosité dont nous avons perdu le sens. Parler à leur propos de sociétés non civilisées est aussi aberrant que parler d'un peuple sans langage.

Fonction de l'idée de nature

La nature n'a pas ce seul sens d'illusion et de nostalgie que nous venons d'évoquer. Elle prend la place de Dieu ou de la Providence. Certes, Dieu continue d'être généralement considéré comme le créateur de la nature, si bien que derrière le naturel se profile presque toujours le divin. Il n'en reste pas moins vrai que, sous la plume de la plupart des philosophes des Lumières, la nature et le naturel sont des moyens polis (et habiles) de congédier Dieu.

Ensuite, la nature a permis de penser le lien universel entre les êtres et même entre les êtres et les choses. Ce n'est plus la transcendance (le rapport à l'absolu divin) qui est censée fournir le sens, mais la double relation de coexistence dans un même espace et de succession dans un même temps. Diderot disait qu'un atome remue le monde, Shaftesbury, philosophe anglais, pensait que le monde est un grand vivant et que les êtres, tous solidaires, forment une chaîne.

Le modèle mécaniste qui assimile le monde à une machine s'oppose à ce modèle organique qui l'identifie à un corps, mais il abonde dans le même sens de totalité. Dans son *Système de la nature* (à l'époque, plusieurs ouvrages portent ce titre), le matérialiste d'Holbach voit la nature comme un grand tout qui résulte de l'assemblage de différentes matières, de leurs différentes combinaisons et des différents mouvements. La physique de Newton, qui domine la science de cette époque, semble conforter cette conception.

Mais entre le vivant et la machine, des synthèses sont possibles: ainsi La Mettrie, autre philosophe matérialiste, explique-t-il la naissance des formes vivantes par la rencontre de semences animales aussi bien que végétales présentes dans l'atmosphère – théorie que l'on nomme panspermie à notre époque.

L'unité et la continuité font de la nature une totalité dans laquelle les êtres sont des parties. Maupertuis, Buffon et Diderot devinent l'existence d'un plan unique à partir duquel les êtres vivants sont formés – une intuition qui sera développée et confirmée au début du siècle suivant par les pionniers de la paléontologie. La Mettrie, dans *L'Homme-plante*, reprend en un sens naturaliste l'antique analogie du sang et de la sève, tandis que dans *L'Homme-machine*, il renouvelle l'idée leibnizienne dans un sens matérialiste : la matière est aussi de la pensée et le passage est insensible de l'animal à l'homme.

Comme Spinoza, d'Holbach pense que l'homme n'est pas un empire dans un empire, il n'y a pas d'extériorité possible par rapport à la nature. L'homme est à la fois formé par la nature et circonscrit par elle. Sade, dans un autre registre et avec d'autres mots, ne pensera pas autre chose. Herder non plus lorsqu'il intégrera l'histoire humaine dans celle de la nature : les lois de l'Histoire sont un cas particulier, une application des lois de la nature.

Naissance de l'esthétique

Les grands philosophes du XVIIe siècle n'avaient ni théorie de l'art ni théorie du beau. Descartes a bien écrit un *Traité de musique* mais l'ouvrage est mathématique et physique, et non esthétique. Leibniz, qui a écrit sur tout, ne mentionne les arts et le sentiment du beau que de manière épisodique. Quant à Spinoza, il se contente d'observer que la musique n'est pas bonne pour le mélancolique, ce qui, on l'avouera, est un peu léger pour constituer une philosophie de l'art. C'est le XVIIIe siècle qui renoue avec les grandes interrogations de Platon et d'Aristote et s'intéresse de manière spécifique aux productions de l'art et au jugement de goût.

C'est le philosophe allemand Baumgarten qui, dans son ouvrage *Aisthetica* (1758), donne à l'esthétique et à l'adjectif « esthétique » leur sens moderne. Jusqu'alors, et conformément à l'étymologie grecque, « esthétique » signifiait : qui a la faculté de sentir et, par voie de conséquence, qui a rapport avec la sensibilité. C'est ce sens de sensibilité qui est retenu encore dans la partie de la *Critique la raison pure* de Kant consacrée à l'esthétique transcendantale.

Le sens esthétique, au XVIIIe siècle, est inséparable du sentiment de la nature. Parfois, comme chez Rousseau, il s'y résout. Un auteur méconnu, Karl Philip Moritz, mais qui aura sur la génération romantique allemande une influence décisive, considérait le Tout de la nature comme le modèle de ce qu'il appelait l'œuvre achevée en soi et éprouvait à son égard une extase quasi mystique : « J'ai eu parfois une sensation qui m'a effrayé jusqu'en mes profondeurs, écrit-il, il me semblait à contempler la grande nature qui m'environnait que je me sentais perdu, que j'aurais dû presser ciel et terre sur mon cœur, me marier à ce beau Tout. Je sentais mon existence ébranlée par cette sensation ; c'est comme si j'avais souhaité me perdre, soudain dissous dans ce Tout et ne plus exister, isolé et délaissé, comme une fleur qui se flétrit et se meurt. »

Naissance de la philosophie de l'histoire

Vico contre Descartes

Si l'expression de philosophie de l'histoire apparaît pour la première fois sous la plume de Voltaire et si la philosophie de l'histoire existe implicitement depuis l'Antiquité, chez les juifs surtout, parce que ce sont eux qui, les premiers, ont rompu avec la conception cyclique du temps, l'Italien Giambattista Vico peut être considéré comme le premier philosophe de l'histoire au sens où il fut le premier à avoir fait de l'histoire l'objet principal, et même exclusif, de ses spéculations.

Descartes n'avait accordé à l'histoire aucune place dans son système des sciences. Une bonne partie de la philosophie de Vico se définit par opposition à Descartes. Inversion radicale de la perspective : les actions des hommes, dit Vico, sont plus aisées à connaître que les actions de Dieu. Or, la nature est le produit de l'action de Dieu, l'histoire, celui de l'action des hommes. Par ailleurs, Vico, qui était professeur de rhétorique, accorde au langage, à la façon de parler et d'écrire, une attention particulière. Par là, il s'inscrit dans la tradition aristotélicienne, contre la platonicienne qui assimilait la rhétorique au mensonge, à l'illusion, bref à l'antiphilosophie. Les langues sont les témoins des choses : chaque mot figure un monde historique, chaque expression abrite un récit. La philologie doit faire partie de la philosophie. On comprend que, contre Descartes, Vico réhabilite l'érudition. Rien ne doit être perdu du trésor de la vie humaine.

Une conception élargie de la pensée

Une autre point de rupture avec la tradition platonicienne, largement dominante dans l'histoire de la pensée, est la continuité que Vico repère entre la sagesse « vulgaire » des poètes et des législateurs d'une part, et la sagesse savante des érudits et des philosophes d'autre part. Ces deux sagesses s'accordent sur les principes qui organisent la vie sociale à l'aube de l'humanité.

Une théorie de la culture

L'homme s'arrache à sa sauvagerie première grâce à la religion, apprivoise et modère ses passions grâce à la monogamie et devient, à la différence des animaux, un être de mémoire par l'institution de la sépulture. Reconnaissant les dieux, les femmes et les morts, l'être humain est autre chose qu'une brute. Cela a été senti par les poètes puis pensé par les philosophes.

Entre l'image et le concept, il n'y a pas cet abîme qu'un rationalisme sec a creusé. Les hommes primitifs étaient des poètes au sens grec de « créateurs ». C'est eux qui firent le monde des nations en forgeant une série de représentations sublimes, de mythes et de croyances qui reflètent la nécessité de la vie politique.

Vico peut être considéré comme l'inventeur de l'histoire sérielle : l'évolution des sociétés se déroule selon un schéma ternaire correspondant à l'actualisation successive, dans tous les champs de l'activité humaine, des trois facultés de la sensibilité, de l'imagination et de la raison. Ainsi y a-t-il trois âges, trois types de langues, trois types de régimes politiques, etc. Tel est l'objet de cette *Science nouvelle* (titre du grand œuvre de Vico), le monde de l'homme en sa totalité.

Les trois âges de Vico

La philosophie de l'histoire développée dans *La Science nouvelle* est fondée sur la nature de l'esprit humain. La tripartition des facultés – d'origine baconienne – en sentiment, imagination et raison détermine la triade des âges par lesquels les nations, chacune pour son compte propre, doivent passer :

- l'âge des dieux, marqué par les mythes ;
- l'âge des héros, marqué par les poèmes épiques ;
- l'âge des hommes, marqué par le droit et la philosophie.

Ce processus n'est ni unique ni définitif : les nations peuvent retomber dans la barbarie des origines et doivent alors refaire l'ensemble du parcours pour parvenir de nouveau à la civilisation.

Naissance de l'esprit encyclopédique

L'idéal encyclopédique contre le système

Le *Sapere aude* (« Ose savoir »), dont Kant fera le mot d'ordre de l'*Aufklärung*, était la devise du Gassendi. Dès Francis Bacon, qui fut l'inspirateur de Diderot et de d'Alembert, l'empirisme a joué l'encyclopédie contre le système : une déduction, fût-elle rigoureuse, ne vaut pas un bon dénombrement. Récusant toute forme de totalité systématique, l'empirisme nourrit par contrecoup une conception encyclopédique de la totalité. Caractéristiques à cet égard sont les hésitations et les scrupules d'un d'Alembert : craignant les résurgences métaphysiques, il se méfie de toute systématisation et, après avoir abattu l'arbre cartésien avec la hache de sa critique, il entend se faire maçon – pas même le constructeur (ce qui serait encore concevoir un ensemble ordonné) – du labyrinthe, le débroussailleur, comme il dit, du chemin tortueux où l'esprit s'engage sans connaître la route qu'il doit tenir.

Depuis que l'homme est parti en reconnaissance autour du monde entier, les pays, les peuples, les animaux, les plantes ont été répertoriés. L'or d'Amérique a afflué en Europe, la révolution industrielle se prépare, le XVIIIe siècle est mûr pour une grande récapitulation. Plus de 150 dictionnaires sont publiés avant, pendant et après l'*Encyclopédie*. Dans le prospectus qui annonce le projet, Diderot laisse éclater sa fierté : jusqu'ici, personne n'avait conçu un ouvrage aussi grand, écrit-il, ou du moins personne ne l'avait exécuté (l'écrivain philosophe français, évidemment, ne savait pas que, chez les Arabes et en Chine, des entreprises de plus grande ampleur encore avaient été menées à bien).

Un travail collectif

Les encyclopédistes sont porteurs d'une conscience nouvelle, toute moderne : ils se posent en héritiers de la civilisation universelle, en témoins de la mémoire de l'humanité. À ce souci de recollection visant une idéale exhaustivité fait pendant un égal souci d'unité. Le travail de coordination était d'autant plus indiqué que les progrès des connaissances avaient dispersé celles-ci aux quatre vents de l'esprit. En outre, la multiplicité et la diversité des collaborateurs (plus de 200) qui firent de l'*Encyclopédie* une œuvre sociale, risquait, sans idéologie commune, de ruiner cette exigence d'unité. Pour Diderot, l'*Encyclopédie* doit remplacer le système philosophique, construction abstraite et arbitraire, éloignée de la nature des choses.

Mais, comment assurer la cohérence du projet sans retomber dans le système récusé ? Les encyclopédistes ont cru trouver la solution en parlant de dictionnaire raisonné et en différenciant, comme le fait d'Alembert, l'esprit systématique de l'esprit de système.

D'une part, les articles sont classés d'après la tripartition des facultés dégagées par Francis Bacon : la mémoire pour l'histoire, la raison pour la philosophie et les sciences, l'imagination pour la poésie au sens large. En outre, les renvois forment un véritable réseau, un maillage capable d'enserrer le plus de connaissances possibles. D'Alembert avait remplacé l'image cartésienne de l'arbre par celle de la chaîne pour traduire le lien entre les différentes connaissances. Mais, comme ces chaînes se croisent en tous sens, elles finissent par former une boule.

L'indépendance absolue d'un seul fait est incompatible avec l'idée de tout ; et sans l'idée de tout, plus de philosophie.

– Diderot

Le triomphe de l'idée de progrès

On a bien plus loué les hommes occupés à faire croire que nous étions heureux que les hommes occupés à faire que nous le fussions en réalité, écrit Diderot. Quelle bizarrerie dans nos jugements !, ajoute-t-il. Nous exigeons qu'on s'occupe utilement et nous méprisons les hommes utiles.

Léonard de Vinci fut peut-être le premier « intellectuel » de l'Histoire à considérer avec curiosité et affection les machines, qu'il inventa et dessina en grand nombre dans ses carnets. Mais ce n'est qu'au XVIIIe siècle, celui de la révolution industrielle, des Lumières et de l'*Encyclopédie*, que la technique a enfin été placée au tout premier rang par les philosophes. Naquit alors ce qu'on pourrait appeler la légende rose de la technique. Jean-Jacques Rousseau, on le sait, n'y participa pas, c'est le moins que l'on puisse dire ; après lui, les romantiques ont le plus souvent chanté la nature et fui les villes et les machines.

Le XVIIIe siècle connut à la fois la considération toute nouvelle de la technique, jadis méprisée, comme phénomène culturel et la naissance de la théorie du progrès comme essence de l'histoire. Les deux sont liées. L'idée de progrès est inédite. Les sociétés anciennes et traditionnelles croyaient à la répétition et à la moindre nouveauté criaient à la décadence. Elles n'imaginaient évidemment pas le progrès comme « loi » de l'Histoire.

L'idée était née chez certains philosophes (Bacon, Descartes, Pascal) et hommes de science (Galilée) au XVIIe siècle : l'Antiquité n'était alors plus apparue comme un modèle indépassable (la chose sera plus longue à admettre dans le domaine littéraire). Le XVIIIe siècle, parce qu'il fut une période de progrès objectifs (le début de la révolution industrielle) élargit cette idée de progrès à l'ensemble de l'Histoire humaine, de la pensée aux mœurs, de la science à la morale. Il y a progrès lorsque, à partir d'une situation de référence, un processus conduit à un plus (point de vue de la quantité) ou à un mieux (point de vue de la qualité). Naît alors cette extraordinaire utopie, destinée à remplacer la notion religieuse de Providence divine : si l'homme est méchant, c'est parce qu'il est malheureux, et s'il est malheureux, c'est parce qu'il est misérable. Renversons la misère en abondance, alors le bonheur remplacera le malheur et le Bien régnera enfin sur terre.

Et qu'est-ce qui peut supprimer la misère, sinon les progrès scientifiques et techniques – qui donneront à chaque homme de quoi manger à sa faim et de quoi se loger et se vêtir ? Des esprits aussi différents que Victor Hugo et Karl Marx communieront au XIXe siècle dans cette même espérance. Quelle est l'origine du mal sur terre (haines, meurtres, guerres) ? Le malheur dû à la misère. Un homme heureux n'a plus de raison d'en vouloir à son voisin. Dans une situation d'abondance apportée par la technique, le mal politique (le despotisme) disparaîtra, le mal moral (la méchanceté) disparaîtra aussi. L'homme heureux sera bien gouverné et se gouvernera bien lui-même. Le paradis s'établira sur Terre. La technique est le moteur de ce mécanisme vertueux. Heureux temps, que ceux qui crurent ainsi aux temps heureux !

Une nouvelle pensée de la loi

Deux philosophes ont renouvelé au XVIIIe siècle la philosophie de la loi : le Français Montesquieu et l'Italien Beccaria.

Montesquieu, un homme de loi qui ne manque pas d'esprit

La diversité et la variabilité des lois étaient des thèmes sceptiques traditionnels. Elles étaient vues soit comme la preuve de leur caractère conventionnel (tel était l'argument des sophistes), soit comme la marque de la relativité de toutes choses (c'est l'idée de Montaigne), soit comme le signe de la vanité des choses humaines (un leitmotiv chez Pascal). Contre cette tradition, Montesquieu redonne à la loi son caractère de nécessité et diminue ainsi la distance qui peut séparer le sens physique (*loi* de la gravitation universelle) et le sens humain (*loi* du Parlement) de la loi.

Le pouvoir doit arrêter le pouvoir

S'il est favorable au régime monarchique, Montesquieu est d'abord un libéral. Il pense que seule la loi peut assurer la liberté des citoyens. Mais il est aussi trop averti pour ne pas savoir que le pouvoir tend par nature à l'abus. Aussi faut-il que, par la disposition des choses, le pouvoir arrête le pouvoir. Telle est en substance la fameuse théorie de la séparation des pouvoirs dont Montesquieu admire le fonctionnement en Angleterre. Il y a tyrannie lorsque le roi juge ou que le juge légifère ou exécute. Le but de Montesquieu dans *De l'esprit des lois* est de dégager le principe qui préside à existence des lois gouvernant une société. Pour Montesquieu, la forme du gouvernement est le facteur déterminant des lois dans tous les domaines (politique intérieure et étrangère, éducation, droit civil et criminel, etc.).

Les trois régimes politiques et leurs principes

La tripartition des régimes politiques dégagés par Montesquieu est différente de celle que la tradition a reçue de Platon et d'Aristote. Il s'agit, en effet, non plus de classer les régimes en fonction du nombre des dirigeants (la monarchie, gouvernement d'un seul ; l'aristocratie, gouvernement de quelques-uns ; la démocratie, gouvernement de tous) mais en fonction du principe qui y préside :

- l'honneur est le principe du régime monarchique ;
- la crainte est le principe du régime despotique ;
- la vertu est le principe du régime républicain, lequel se divise en aristocratie et en démocratie selon que la souveraine puissance est entre les mains d'une partie du peuple ou du peuple tout entier.

Avec Montesquieu, la vertu prend un sens politique : elle signifie l'amour de la patrie ou l'amour des lois. Les révolutionnaires de 1793 (Robespierre, Saint-Just) seront sur ce point les meilleurs disciples de Montesquieu – lequel pourtant n'était pas un républicain.

> *La liberté est le droit de faire tout ce que les lois permettent.*
>
> – Montesquieu

Préférer le monde à son pays

Un homme politique français contemporain, sinistre sire qui a mis sur la place publique les injures et les plaisanteries que l'on réservait autrefois aux murs des toilettes de gare, a un jour lancé qu'il préférait ses filles à ses cousines, ses cousines à ses voisines et ses voisines aux étrangères – et tous les braves électeurs d'applaudir une telle évidence. Montesquieu avait dit à peu près le contraire : si je savais quelque chose qui me fût utile et qui fût préjudiciable à ma famille, écrit-il, je le rejetterais de mon esprit. Si je savais quelque chose qui fût utile à ma famille et qui ne le fût pas à ma patrie, je chercherais à l'oublier. Et si je savais quelque chose utile à la patrie et qui fût préjudiciable à l'Europe et au genre humain, je le regarderais comme un crime.

Il est étrange et désolant, sans même accorder trop d'importance à l'imbécile évoqué plus haut, comme en ce temps de construction européenne et de mondialisation, pas un seul homme politique français, pas un seul intellectuel n'ose plus parler comme le faisait Montesquieu il y a presque trois siècles de cela !

Beccaria ou l'intelligence des lois

C'est dans un petit traité intitulé *Des délits et des peines* que l'on trouve la toute première argumentation philosophique contre la torture et la peine de mort. Par-delà ces questions particulières, qui ont leur importance (nous, philosophes d'aujourd'hui, ne pouvons pas lire sans douleur les passages où des esprits aussi éminemment justes, moraux et républicains que Kant et Rousseau ont justifié la peine de mort), Beccaria construit une théorie de la juste peine qui aujourd'hui encore et à jamais (espérons-le !) gouverne la philosophie pénale des États démocratiques. Six principes la définissent.

Le principe de publicité

Il garantit l'impartialité des jugements et leur valeur universelle. La publicité des lois – au sens premier de caractère public – s'oppose à la fois au privilège (littéralement « loi privée ») et au secret. Le secret et le privilège contredisent l'exigence d'égalité en interdisant la réciprocité. La publicité de la loi signifie qu'elle est portée à la connaissance du public – d'où la fiction, nécessaire dans un État de droit, selon laquelle « nul n'est censé ignorer la loi ».

Inversement, si *Le Procès* de Kafka a pu être compris comme une préfiguration du totalitarisme, c'est parce que le propre de ce régime (Hannah Arendt a remarquablement analysé ce point) est de placer les individus dans un état de culpabilité inévitable vis-à-vis des lois qu'ils ignorent.

Le principe de promptitude

Il n'est pas juste de juger et de punir un coupable longtemps après les faits. Ainsi considérera-t-on de nos jours comme anormal un temps trop long de prison préventive. Il convient toutefois d'ajouter qu'en matière judiciaire, la promptitude n'est pas la précipitation: une justice expéditive n'est pas moins inquiétante qu'une justice trop lente.

Le principe de nécessité

Le principe de nécessité avait déjà été implicitement dégagé par Montesquieu qui voyait la cause des relâchements non pas dans la modération des peines mais dans l'impunité des crimes. Ce n'est pas la rigueur du supplice qui prévient le plus sûrement les crimes, écrit Beccaria, mais la certitude du châtiment. La perspective d'un châtiment modéré mais inévitable fera toujours une impression plus forte que la vague crainte d'un supplice terrible annulé par l'espoir de l'impunité.

Le principe d'humanité

Il affirme à la fois la barbarie et l'inutilité de la cruauté en matière de châtiment. Contrairement à ce que croit volontiers l'opinion, la terreur n'est pas réellement dissuasive, elle n'impressionne que les innocents. L'assassin est presque toujours tellement hors de son bon sens que nulle disposition ne saurait à elle seule arrêter son bras. La justice n'est pas l'accomplissement de l'instinct de vengeance mais sa sublimation.

Le principe de légalité

C'est peut-être le plus important. Beccaria fut le premier à avoir voulu fonder le droit pénal sur la loi et rien que sur la loi. Le principe de la non-rétroactivité de la loi dont on admet aujourd'hui une seule exception (le procès qui a puni les responsables nazis pour crimes contre l'humanité à Nuremberg) est impliqué par ce principe de la légalité des peines dont l'idée est fort ancienne. *Nullum crimen sine lege* (il n'y a pas de crimes sans lois) disait l'adage latin. Cela signifie très exactement qu'au cours de l'histoire la loi criminalise des comportements d'abord admis, tolérés, voire approuvés (comme le viol, l'infanticide, la polygamie, etc.).

Le principe de la proportionnalité des peines

La distinction moderne entre les infractions (sanctionnées d'une simple amende), les délits (traités au tribunal correctionnel) et les crimes (jugés en cour d'assises) en dérive. Nous estimons scandaleux qu'un assassin soit moins puni qu'un voleur et que celui qui a tué son chat soit davantage pénalisé que celui qui a tué un homme (cela s'est vu à plus d'une reprise).

Dans toute affaire criminelle, le juge doit partir d'après un syllogisme parfait dont la majeure est la loi générale, la mineure l'action, conforme ou non à cette loi, et la conséquence l'élargissement ou la punition de l'accusé.

– Beccaria

Une nouvelle pensée de la société

C'est à l'époque de la montée de l'individualisme que parallèlement et par réaction émerge une pensée forte de la société. Le problème central étant évidemment l'adéquation entre ces deux plans : la liberté de l'individu et la force de la collectivité. C'est parce que, selon eux, il existe une solidarité naturelle de fait entre les hommes que les philosophes anglais, de Shaftesbury à Adam Smith, pensent la coïncidence des intérêts privés et de l'intérêt public. La conception d'un tout social n'est pas incompatible avec l'individualisme. Mandeville le prouve.

Les vices privés profitent à tous

La Fable des abeilles, de l'Anglais Bernard de Mandeville, raconte comment tout allait bien au royaume des abeilles jusqu'au jour où Jupiter, irrité par leurs vertueuses protestations contre l'immoralité régnant dans les ruches, décida de les rendre réellement vertueuses. Aussitôt, le travail s'étiola et les abeilles finirent par devenir misérables. Par cette fable, sous-titrée *Vices privés, vertus publiques*, Mandeville illustre l'idée selon laquelle la prospérité collective est le résultat de ce que la morale stigmatise sous le nom de vice (l'appât du gain, la compétition, l'envie, etc.). La métamorphose des vices privés en vertus publiques préfigure la fable de la main invisible.

Utilité des péchés

À y regarder de près, les sept péchés capitaux sont éminemment favorables à l'économie : l'envie, la gourmandise et la luxure font acheter, la colère fait travailler, la paresse fait jouir, l'orgueil avive la compétition et l'avarice favorise l'épargne. C'est d'ailleurs le propre du système capitaliste que de transformer ainsi tout ce qu'il touche, même le pire, en or.

Parce qu'ils étaient les citoyens d'un pays qui allait prendre la tête de la révolution industrielle, donc du monde, les philosophes anglais ont été les plus déterminés dans cette entreprise d'explication/justification de l'activité matérielle. Adam Smith invente l'économie politique en écrivant *La Richesse des nations*. Le commerce est une affaire humaine et rien qu'humaine. On n'a jamais vu de chien faire de propos délibéré l'échange d'un os avec un autre chien, remarque le philosophe anglais. La morale n'est pas en amont mais en aval : je ne dois pas attendre de bienveillance de la part de mon boulanger ; s'il me vend du bon pain, c'est qu'il y va de son intérêt. Le monde du travail et de l'argent est gouverné par des lois que les pionniers de la science économique pensent comme naturelles. Les collectifs n'obéissent pas nécessairement aux mêmes règles que les individus.

La main invisible : la providence du marché

Comment expliquer que, dans un contexte où chacun est en compétition contre tous, malgré tout, une harmonie sociale se dégage ? Adam Smith émet une hypothèse providentialiste pour expliquer le caractère spontané de cette harmonie lorsque aucune contrainte ne vient l'entraver. Tout se passe comme si une main invisible dirigeait l'ensemble dans l'intérêt de tous : chaque individu est comme conduit par une tendance irrésistible à remplir une fin qui n'entre nullement dans ses intentions. Tout en ne cherchant que son intérêt personnel, il œuvre souvent d'une manière plus efficace pour l'intérêt de la société que s'il avait réellement pour but d'y travailler.

La fiction de la main invisible est devenue le symbole de l'optimisme libéral en matière économique, qui croit aux règles spontanées du marché et à l'agrégation des intérêts individuels en intérêt collectif.

Le travail éloigne des nous trois grands maux : l'ennui, le vice et le besoin.

– Voltaire

Changer l'ordre du monde

Mais tous les penseurs des Lumières ne se contentent pas d'approuver les choses comme elles vont, ou plutôt comme elles ne vont pas. Loin de là !

En 1764, soit vingt-cinq ans avant la prise de la Bastille, Voltaire écrit à un correspondant : « Tout ce que je vois jette les semences d'une révolution qui arrivera immanquablement et dont je n'aurai pas le plaisir d'être témoin. La lumière s'est tellement répandue de proche en proche qu'on éclatera à la première occasion et alors ce sera un beau tapage. Les jeunes gens sont bien heureux ; ils verront de bien belles choses. »

La révolution, en effet, a éclaté dans les têtes avant de rugir dans les rues. Elle est un mélange complexe d'indignation et d'utopie, d'intelligence et d'espérance. L'idée de droit naturel qui avec le temps écoulé nous apparaît si tranquille, est peut-être ce qui a mis le feu aux poudres.

D'où vient l'idée de droit de l'homme ?

Tout a commencé avec le théorème de Thalès lorsque les Grecs découvrirent l'universalité de la raison et de la vérité. La théorie des droits de l'homme est la transposition, sur les plans éthiques et juridiques, du caractère d'universalité du concept : de même qu'une proposition vraie est vraie pour tous les hommes, une action juste doit être juste pour tous les hommes.

L'idée de droit naturel vient explicitement de Grotius et de Pufendorf (on appelle *jusnaturalisme* cette école du droit naturel au XVIIe siècle) mais elle remonte beaucoup plus loin, au stoïcisme et au christianisme qui ont pensé l'humanité en termes universalistes. À partir du moment où l'on pense qu'au-delà et en deçà du droit particulier qui gouverne la société civile il existe des droits universels, inaliénables, nécessaires, on est dans le concept de droit naturel. « Naturel » doit s'entendre comme l'équivalent d'universel, d'inaliénable, de nécessaire. Au siècle des Lumières, l'adjectif joue presque toujours une fonction critique et polémique contre la société présente.

Une autre étape importante dans l'institution de ce concept, qui évidemment triomphera dans les diverses déclarations américaines et françaises des droits de l'homme, est à chercher du côté des réflexions engagées en Espagne au XVIe siècle à partir de la découverte du Nouveau Monde chez les représentants de ce que l'on appellera la seconde scolastique (voir chapitre 10, p. 98) et chez le grand Bartolomé de Las Casas, le défenseur des Indiens. Le caractère humain de ces êtres découverts par l'Europe ne faisait en réalité de doute pour personne, même pas pour ceux qui les réduisirent en esclavage. Donc ils pouvaient être convertis et baptisés. S'ils n'étaient pas organisés en État, on pouvait passer avec eux des contrats : ils étaient sujets de droit.

La radicalité révolutionnaire

Le siècle des Lumières fut un grand siècle d'utopie. Les institutions séculaires, millénaires même, sont balayées d'un revers de plume dans une ribambelle d'écrits, souvent clandestins. La propriété privée et le mariage sont contestés. L'idéal communiste veut leur disparition. « Les fruits sont à tous et la terre n'est à personne. » La formule est de Rousseau et sera répétée par toutes les utopies communistes suivantes. Beaucoup de ces francs-tireurs se cachent. Diderot a été enfermé dans le donjon de Vincennes pour beaucoup moins que cela.

Qu'avez-vous à déclarer ? Ma liberté !

L'acte même de la déclaration inhérente à la dynamique révolutionnaire implique l'idée d'une liberté absolue qui ne dérive de rien d'autre que d'elle-même et dont tout dérive : c'est la liberté les révolutionnaires qui leur fera penser, dire et écrire que la liberté est un droit naturel, donc inaliénable.

Mais le genre de la déclaration reste éminemment policé. Avant même les massacres de Septembre, avant la guillotine et les têtes trimballées au bout des piques dans les rues de Paris, les écrits et les paroles montent volontiers aux extrêmes. Toute une modernité de violence se prépare ainsi. Diderot écrit dans l'un de ses poèmes : « Et ses mains ourdiraient les entrailles du prêtre/À défaut d'un cordon pour étrangler les rois. » L'image sera reprise par les révolutionnaires les plus radicaux puis, à partir du XIXe siècle, par les anarchistes : le monde sera enfin libre lorsque le dernier roi se balancera au bout d'une corde formée par les boyaux du dernier prêtre. Le siècle des Lumières fut aussi celui de ces utopies dont on se dit que leur principale qualité fut de n'avoir pas toujours été réalisées.

Un nouveau matérialisme

Plus encore que le matérialisme antique (Épicure, rappelons-le, admet l'existence de dieux menant une vie de rentier dans les arrière-mondes), le matérialisme français du XVIIIe siècle est un radicalisme philosophique, une pensée de combat et même de guerre. Voyez-vous cet œuf ? demande Diderot. C'est avec cela qu'on renverse toutes les écoles de théologie et tous les temples de la terre. Le mouvement de la nature produit la chaleur et la chaleur engendre des formes nouvelles. Point n'est besoin de supposer un esprit infini à l'origine.

La Mettrie, le philosophe de l'homme-machine

Le titre provocateur de l'ouvrage de La Mettrie, *L'Homme-machine*, est à lui seul un programme. Il dérive bien sûr de l'animal-machine de Descartes. La Mettrie entend en effet pousser le mécanisme cartésien jusqu'à son extension logique maximale : tout ce que la métaphysique de Descartes attribue à l'âme peut être expliqué, selon lui, comme une modification de la matière. Un rien, une petite fibre, quelque chose que la plus subtile anatomie ne peut découvrir (on peut voir dans la génétique d'aujourd'hui cette subtile anatomie imaginée par La Mettrie) eût fait deux sots d'Érasme et de Montaigne, écrit-il. S'il ne s'affirme pas explicitement athée, La Mettrie voit dans la religion une superstition à éradiquer.

Helvétius, la morale comme une physique

L'objectif de d'Helvétius dans *De l'esprit* est de traiter la morale comme une physique expérimentale. L'intérêt est présenté comme le seul ressort des actions humaines. En dernière analyse, les jugements moraux peuvent être réduits à la dynamique élémentaire du refus de la douleur et de la quête du plaisir. Les valeurs morales sont relatives à l'époque et au lieu, elles ne font qu'exprimer l'utilité ou l'inutilité de certaines actions. Ce matérialisme ne débouche pourtant pas sur un individualisme anarchique : Helvétius est le grand précurseur de Bentham ; l'expression « le plus grand bien pour le plus grand nombre », où l'on voit la devise de l'utilitarisme, figure dans *De l'esprit*.

Helvétius attache la plus grande importance à l'éducation et à la législation. Puisque les hommes dépendent de leur milieu, la transformation de celui-ci conduira à l'amélioration de ceux-là. Helvétius s'intéresse aux conséquences pratiques du matérialisme : maître des mécanismes psychophysiologiques, le pouvoir politique, par la mise en œuvre d'une éducation toute-puissante, peut façonner un ordre social meilleur et fabriquer en série des génies. C'est selon : on admirera l'utopie ou l'on s'inquiétera du despotisme virtuel que ces idées contiennent.

D'Holbach, un baron bien carré

Le Système de la nature du baron d'Holbach établit que l'homme moral n'est que l'homme physique considéré sous un certain point de vue. La matière pense : point n'est besoin d'en référer à une hypothétique âme pour rendre compte des idées. Pour d'Holbach, l'homme est poussé à agir par l'amour-propre, qui est l'équivalent moral de la force agissant sur tous les êtres naturels animés et inanimés (la gravitation ou force d'inertie). Cela dit, si l'homme suit les lois de la nature, il ne les subit pas. Il y a dans *Le Système de la nature* un optimisme prométhéen dans lequel le marxisme ultérieur se reconnaîtra. C'est avec jubilation que d'Holbach prônait et prévoyait l'émergence d'une société d'athées.

L'aspiration à la religion naturelle

Déisme et théisme

Deux termes ont été forgés et utilisés au XVIIIe siècle pour désigner la religion purgée de ses dogmes et de ses rites et réduite à son noyau essentiel (l'existence de Dieu, le devoir moral, éventuellement l'immortalité de l'âme) : le *déisme* et le *théisme*.

Le sens de ces deux mots varie d'un auteur à l'autre. Le plus souvent, le déisme désigne la religion philosophique, c'est-à-dire une religion rationnelle débarrassée de ce que les rites et les croyances véhiculent en fait de superstitions. Pour le déisme, en fait, tout est superstition en dehors des trois principes cités plus haut (existence de Dieu, observation des devoirs moraux, immortalité de l'âme). Le théisme serait un déisme plus étroitement lié au monothéisme, une sorte de moyen terme entre le déisme et la religion traditionnelle. Mais, encore une fois, ces définitions n'ont rien de rigoureux.

Le déisme est violemment anticlérical. « Écrasons l'infâme ! », mandait Voltaire à ses correspondants et parfois, en signe crypté de reconnaissance, il signait ses lettres « écrelinfe ». Les textes sacrés sont écartés comme des sottisiers (la Bible est pour l'antisémitisme voltairien inépuisable matière à jubilation). Reste que Dieu existe – on lui appliquera comme l'a fait Leibniz l'image d'un calculateur ou d'un géomètre, ou celle d'un architecte ou encore celle d'un horloger : « L'univers m'embarrasse et je ne puis songer / Que cette horloge existe et n'ait pas d'horloger », écrit Voltaire.

La morale est censée faire partie de la religion naturelle, mais pas nécessairement. L'idée selon laquelle une société d'athées vertueux est possible, et qui a fait scandale lorsqu'elle a été énoncée par Pierre Bayle, fait peu à peu son chemin dans les esprits : ni l'Église, ni même la religion chrétienne n'apparaissent plus aussi évidemment comme des remparts nécessaires pour que les hommes continuent de respecter les règles morales élémentaires. Sur ce point comme sur tant d'autres, Voltaire sera plus timoré (« Si Dieu n'existait pas, il faudrait l'inventer »), témoin de cet effroi devant l'abîme possible : une société d'athées ne risquerait-elle pas de devenir une société d'assassins ?

Si les triangles faisaient un dieu, ils lui donneraient trois côtés.

– Montesquieu

Si Dieu nous a faits à son image, nous le lui avons bien rendu.

– Voltaire

Naissance d'une vertu : la tolérance

L'idée de religion naturelle ou rationnelle ou philosophique (les trois adjectifs s'équivalent dans ce contexte) est inséparable de la valeur de tolérance : c'est parce qu'ils restent obstinément attachés au détail des dogmes et des rites que les croyants s'étripent mutuellement – comme en Russie où le signe de croix avec deux ou trois doigts a été l'origine de véritables guerres civiles. D'ailleurs, a-t-on fait mieux en France lorsqu'on s'est battu à mort entre ceux qui croyaient aux saints ou à la virginité de Marie et ceux qui n'y croyaient pas ?

Voltaire diffusera en France cette idée typiquement libérale au sens anglais (et protestant) : tant qu'ils s'adonnent au travail et au commerce, les juifs, les chrétiens, les guèbres et les mahométans ne songent pas à s'entre-exterminer. L'activité économique a pour effet la relégation de la religion dans la sphère privée, et donc une plus grande tolérance.

Une autre façon de dépasser les conflits entre les religions instituées est de reconnaître leur profonde unité.

Dans sa pièce *Nathan le Sage*, Lessing imagine le juif Nathan surnommé le Sage par le peuple, répondre par la fable des trois anneaux à la question que le sultan Saladin (la pièce se déroule durant les croisades) lui pose : des trois religions, la juive, la chrétienne et la musulmane, laquelle est la vraie ?

La parabole figure dans un texte juif du Moyen Âge et a été reprise par Boccace dans son *Décaméron*. Un homme riche décida un jour que son fils à qui il aurait remis un anneau précieux fût reconnu par les autres comme le chef de la famille et qu'avant de mourir l'héritier transmettrait à son tour l'anneau au fils qu'il voulait ainsi honorer. De cette manière, l'anneau passa de génération en génération.

Mais il advint un jour que celui à qui échut l'anneau avait trois fils qu'il aimait pareillement. Aussi, pour ne désavantager aucun des trois, se résolut-il à faire fabriquer deux anneaux si semblables à l'original que lui-même ne pouvait les distinguer. Juste avant sa mort, il donna en secret à chacun de ses trois fils un anneau, si bien que chacun se crut l'héritier légitime. Pour faire valoir leurs droits qu'ils croyaient exclusifs, les trois fils montrèrent leur anneau, seulement il était impossible de savoir lequel des trois était le véritable. Ainsi, dit Nathan à Saladin, en va-t-il des trois religions. Chacune peut être la véritable mais il n'y a pas moyen d'en décider.

Les forces vives de la déraison

On appela illuminisme la doctrine de ceux qui s'entendirent pour rejeter les pouvoirs et les règles de la raison au profit d'une intuition transcendante qui était censée leur donner un accès direct à l'absolu. Un illuminé n'est pas un éclairé. Il en représente même le contraire : un allumé.

L'illuminisme prend les Lumières à rebours, au point de leur faire de l'ombre : là où celles-ci voient l'accomplissement de l'homme et de l'histoire dans un avenir plus ou moins lointain, celui-là se prend à rêver d'un passé idéal où l'être humain savait tout (le mythe égyptien prend place à cette époque) et baignait dans une félicité sans trouble parce que le divorce entre lui et le grand Tout n'était pas encore consommé. L'homme est un être déchu et les illuministes sont plus que déçus. L'esprit humain est une table rasée, écrit crânement Claude de Saint-Martin, dit le philosophe inconnu, aujourd'hui méconnu et qui ne gagne pas trop à être connu. Le salut est dans la replongée vers l'origine, la symbolique des nombres et autres joyeusetés dont on vous passera charitablement le détail.

Dans *Le Nouvel Homme*, Claude de Saint-Martin définit l'homme, le Mikrothéos, le petit Dieu, comme une pensée du Makrothéos, le grand Dieu, tandis que Lavater proclame que chaque nature constitue la copie de toutes les autres. Balzac (voir en particulier son roman fantastique *Séraphita*) trouvera chez Swedenborg l'idée selon laquelle des correspondances relient le monde matériel et le monde spirituel.

Swedenborg en correspondance suivie avec les anges

Le plus grand allumé du siècle des Lumières fut Swedenborg, venu de Suède. Kant, à juste titre, le dénonça comme le type même du rêveur (*Schwärmer*) déraisonnable. En jouant sur les mots, cet olibrius tirait sa théorie des correspondances (une constante de tous les ésotérismes et hermétismes depuis l'Antiquité) de la *correspondance* qu'il prétendait avoir entretenue des années durant avec les anges et les esprits – une télépathie transcendante en quelque sorte.

Le système est le suivant: de la pierre à Dieu, l'être entreprend une ascension dont l'homme représente le refuge de mi-parcours. C'est vers l'homme que converge l'ensemble de la création matérielle – minéral, végétal, animal. Ainsi l'homme peut-il s'exclamer: « J'ai été tout cela ! » Car tout est vivant dans la nature.

Entre l'initié et le citoyen, il faut choisir !

Pourtant, avec l'illuminisme, c'est moins le concept d'une humanité globale qui se trouva développée – bien que la conjonction ait eu lieu plus d'une fois, par exemple à la fin du XVIIIe siècle avec la franc-maçonnerie – que celui du groupe des initiés formant depuis l'Antiquité des mythes une chaîne invisible dont une Égypte de rêve a forgé le premier maillon. La pensée du secret, donc de l'interdit, est essentielle à l'illuminisme et brouille l'utopie d'une humanité réconciliée. Elle est frontalement opposée à la *publicité*, ce caractère public des idées et des débats, dont Habermas a montré qu'il était constitutif de l'idéal démocratique moderne (dont la valeur commence précisément à être reconnue en cette fin du XVIIIe siècle).

Rousseau ou l'art de transformer ses rêveries en projets

Bien qu'il ait fait la guerre à pratiquement tous les philosophes de son temps, en riposte très souvent à celle que ceux-ci lui livraient, Rousseau est un authentique homme des Lumières et l'un des plus grands philosophes de l'Histoire, tout en étant l'un des plus grands écrivains français.

La représentation comme corruption

Une forte cohérence lie ses ouvrages apparemment si divers. Un thème se retrouve partout, dans ses textes littéraires aussi bien que philosophiques : l'idée que la représentation est non pas une autre présence, une présence redoublée (comme le suggère son étymologie) mais une *corruption* de la présence (laquelle se dit « nature » chez Rousseau).

Ainsi le théâtre – scène de représentations – est-il une corruption de la fête. Dans son *Paradoxe sur le comédien*, Diderot faisait en somme l'apologie du mensonge et de la manipulation, car le bon acteur serait celui qui feint d'éprouver ce qu'il n'éprouve pas. Contre la tradition classique qui tient son origine d'Aristote, Rousseau ne pense pas que les passions tristes et mauvaises sont purgées par le spectacle ; elles en ressortent à l'inverse intensifiées et légitimées.

Dans le monde du sentiment, la représentation s'est aussi substituée à la présence : ainsi, en société, les hommes sont comme des acteurs qui *jouent* au lieu de ressentir et de penser : l'amour, ce lien profond, est devenu une vaste pantalonnade.

Dans le monde politique, il en va de même. La liberté consiste dans l'expression directe de la volonté générale. C'est pourquoi Rousseau pense que la démocratie est davantage faite pour un peuple de dieux. Dans les grands États, la représentation (on appelle justement représentants les députés) est inévitable, mais alors cela signifie que la souveraineté du peuple est perdue. La représentation est strictement une dénaturation de la nature (présence).

Nature et société

La nature a fait l'homme heureux et bon, mais la société le déprave et le rend misérable, écrit Rousseau. Le *Discours sur les origines et les fondements de l'inégalité parmi les hommes* dresse un tableau littéralement catastrophique de la société et de la culture nées d'une rupture avec un insouciant état de nature dans lequel nos ancêtres vivaient sauvages mais libres.

Rousseau affirmait préférer être homme à paradoxes qu'homme à préjugés. Mais il lui est arrivé, dans sa volonté de combattre les préjugés, d'aller un peu trop loin. C'est ainsi que, dans son *Discours* sur l'inégalité, il range les orang-outangs parmi l'espèce humaine. Un peu plus tard, le cardinal de Polignac lancera à travers les barreaux d'une cage du Jardin des Plantes (alors appelé Jardin du Roi) où un premier spécimen avait été apporté : « Parle, et je te baptise ! »

Après avoir lu ce *Discours*, Voltaire, qui s'est avec une belle constance toujours raidi devant les grandes pensées, se fendit d'une lettre à Rousseau : on n'a jamais employé tant d'esprit à vouloir nous rendre bêtes, écrit-il, il prend envie de marcher à quatre pattes quant on lit votre ouvrage. Toujours en position de non-dupe, Voltaire aura oublié de lire ces quelques lignes où Rousseau se demande ce qui différencie l'homme de la bête.

Est-ce la sensibilité ? Les animaux en ont souvent davantage que nous. L'intelligence ? Ils font preuve volontiers d'une ingéniosité qui vaut bien nos ruses. Ce n'est ni la sensibilité ni l'intelligence qui fait de l'homme un animal pas comme les autres. Mais une autre qualité spécifique les distingue et sur laquelle il ne peut y avoir de contestation : la faculté de se perfectionner, faculté qui, à l'aide des circonstances, développe successivement toutes les autres et qui est présente aussi bien dans l'espèce que chez l'individu. L'animal, de son côté, est déjà au bout de quelques mois ce qu'il sera toute sa vie et son espèce au bout de mille ans ce qu'elle était à l'origine.

Tout est bien sortant des mains de l'Auteur des choses, tout dégénère entre les mains de l'homme.

J'ose presque dire que l'état de réflexion est un état contre nature et que l'homme qui médite est un animal dépravé.

– Rousseau

Rousseau n'était pas pour notre retour dans les bois !

On a écrit beaucoup de sottises, Voltaire le premier, sur la conception rousseauiste de la nature : il n'a jamais été dans l'intention de l'auteur du *Contrat social* de revenir à l'état de nature – on ne saurait revenir en effet à ce qui est passé – et l'on créditera Rousseau d'assez d'intelligence pour ne pas le soupçonner d'avoir méconnu le caractère irréversible du temps.

Certes, Rousseau se méprenait parfois sur la réalité de la vie des hommes de jadis, mais il n'était pas si dupe de son idéalisation qu'on a bien voulu le dire. Certes, la découverte de la préhistoire, au XIXe siècle, mettra à mal ses spéculations hasardeuses sur les origines de l'homme et l'on s'apercevra bientôt que ce n'était pas dans un paradis que vivait l'homme de Cro-Magnon. Mais ce n'est pas ainsi qu'il faut lire Rousseau : son état de nature n'est pas un moment de l'Histoire, c'est une construction théorique, un modèle au double sens épistémologique et moral – ce à l'aune de quoi on peut comprendre un phénomène et ce vers quoi nous devrons tendre.

Que faisons-nous d'autre aujourd'hui lorsque nous constatons, en nous indignant, que dans tel pays, il y a des miséreux qui ne mangent pas à leur faim ? Nous jugeons un état social présent par rapport à un état « naturel » : il est, en effet, pour nous « naturel », « normal », que tous les hommes mangent à leur faim (puisque le besoin de manger est lui-même naturel) et la société qui n'accorde pas à chacun de ses membres des ressources suffisantes pour subsister nous paraît, à bon droit, monstrueuse.

La grande richesse est inadmissible

Ainsi faut-il entendre la condamnation portée par Rousseau contre le luxe. Alors que la plupart des auteurs de son époque justifient le luxe par des arguments philosophiques (le luxe, c'est la civilisation dans ce qu'elle a de plus raffiné) ou économiques (le luxe fait travailler des milliers d'hommes), Rousseau y voit le signe d'une société mal faite : de quel droit une poignée de très riches vit-elle dans le gaspillage et dans l'ostentation, alors que, à leurs portes, le peuple implore et souffre ? Ont-ils l'estomac plus large, la cervelle mieux faite, travaillent-ils davantage ? Poser de telles questions, c'est y répondre. Un siècle et demi plus tard, Gandhi dira que le monde est assez grand pour satisfaire les besoins de tous mais trop petit pour contenter les désirs de chacun. C'est exactement ce que Rousseau pensait.

Il y a souvent bien de la différence entre la volonté de tous et la volonté générale ; celle-ci ne regarde qu'à l'intérêt commun ; l'autre regarde à l'intérêt privé, et n'est qu'une somme de volontés particulières : mais ôtez de ces mêmes volontés les plus et les moins qui s'entredétruisent, reste pour somme des différences la volonté générale.

– Rousseau

Le contrat social : tous les hommes doivent s'y retrouver

Quel est alors le sens du contrat social chez Rousseau ? Il ne légitime pas un pouvoir absolu, comme chez Hobbes, mais, à l'inverse, le pouvoir démocratique. Pour l'auteur du *Contrat social*, le souverain, ce n'est ni Dieu, ni le pape, ni le roi, c'est le peuple. Dès lors, rien n'est perdu, en quelque sens qu'on l'entende: l'état social n'aliénera pas la liberté naturelle de l'homme, mais au contraire la garantira. Le contrat social (ou pacte social) selon Rousseau est l'ensemble des conventions fondamentales qui, bien qu'elles n'aient peut-être jamais été formellement énoncées, sont cependant impliquées par la vie en société en tant que celle-ci repose sur la reconnaissance de la volonté générale qui transcende les volontés particulières.

Grâce au contrat social, la loi civile se substitue à la régulation spontanée de l'état de nature. Ainsi Rousseau distingue-t-il soigneusement la possession naturelle (le gibier tué à la chasse, par exemple) et la propriété civile. Alors que la possession n'est que l'expression momentanée d'un rapport de force ou une relation naturelle (on possède un corps, on n'en a pas la propriété), la propriété est l'expression durable d'un rapport social, une relation légale d'un sujet à un objet. Alors que la possession n'a nul besoin de reconnaissance, c'est la reconnaissance sociale qui fonde la propriété.

À prendre le terme dans la rigueur de l'acception, il n'a jamais existé de véritable démocratie et il n'en existera jamais.

– Rousseau

Si l'origine est la clé de tout, comment la trouver ?

Les problèmes d'origine butent sur une aporie, une difficulté logique apparemment insurmontable. Aux XVIIe et XVIIIe siècles, nombre de philosophes, qui ne se satisfaisaient pas de l'idée d'une création divine ou naturelle de la société humaine, ont supposé, pour expliquer l'apparition de celle-ci, un contrat originaire. Par cet acte fondateur, les hommes, jusque-là isolés, auraient formé la société. Seulement, comment expliquer que des individus sans communication aient pu passer ensemble un contrat ? Une objection analogue attend la théorie conventionnaliste du langage, car si les hommes, à l'origine, se sont mis d'accord sur le sens des mots, cela suppose qu'ils communiquaient entre eux et donc possédaient déjà un langage commun. On n'imagine pas une convocation ainsi libellée: « Assemblée générale mardi prochain sous le grand arbre pour convenir d'un langage commun ». Le contrat et la convention, loin de fonder la société, sont présupposés par elle.

Un test : tueriez- vous le mandarin ?

Pour montrer la faiblesse de la conception selon laquelle la morale humaine est réductible aux intérêts personnels, Rousseau s'écrie : que me font à moi les crimes de Catilina (un conspirateur du temps de la République romaine) ? Si j'apprends qu'un pauvre enfant innocent est torturé par une brute à l'autre bout de la terre, je n'en serais pas moins scandalisé que s'il s'agissait de mon propre voisin.

Rousseau croyait à l'existence d'une conscience morale universelle que la société, malgré toute sa force de dépravation, ne parvenait pas à anéantir totalement. Et pour tester l'existence de cette conscience morale, il conçoit l'expérience de pensée suivante. Imaginez que d'un simple signe de tête vous provoquiez la mort d'un mandarin de Chine, que vous ne connaissez pas, et que, par ce forfait, vous héritiez de toute sa fortune sans que personne sût jamais par quel moyens vous l'avez obtenue. Provoqueriez-vous la mort du mandarin ?

Rousseau pensait qu'on pouvait répondre non à cette question. Et vous ?

Chapitre 16

Kant, le philosophe de la limite et de l'universel

Dans ce chapitre :

- Le premier philosophe moderne (en concurrence avec Descartes)
- Une vie rangée qui dynamite la vie de l'esprit
- Une des pensées les plus complexes traduite en termes simples (mais non simplistes)

S'il a, durant sa vie entière d'universitaire, donné des cours de géographie, Kant n'est pratiquement jamais sorti de sa ville natale de Königsberg, où il est mort, à l'âge de 80 ans. Dans l'histoire de la philosophie, il n'y a guère que Socrate pour être resté aussi obstinément attaché au lieu de sa naissance.

La vie de Kant est celle d'un homme studieux dont l'emploi du temps avait une rigueur de métronome. La légende veut qu'il n'a dérogé qu'une seule fois à ses habitudes de promenade, au moment de la Révolution française dont il attendait avec impatience les nouvelles par les gazettes. On notera également que Kant est le premier philosophe à n'avoir été qu'enseignant – en cela aussi il inaugure quelque chose qui est resté un trait dominant de la philosophie contemporaine. Mais si Kant a mené une vie discrète de célibataire sans enfant, il n'était pas de cette famille des ours si largement représentée chez les philosophes. Il aimait la compagnie et les repas raffinés.

Les fondations

Qu'est-ce que le criticisme ?

Kant est considéré par beaucoup comme le véritable fondateur de la philosophie moderne à cause de la critique décisive qu'il fit des prétentions de la métaphysique à s'ériger en savoir absolu. Sa philosophie est appelée criticisme pour cette raison et aussi parce qu'une bonne part de son œuvre écrite tient dans les trois *Critiques* qu'il a successivement rédigées :

- la *Critique de la raison pure*, qui traite de la théorie de la connaissance ;
- la *Critique de la raison pratique*, qui traite de l'action morale ;
- la *Critique du jugement*, qui traite du goût et de la finalité.

Mais si Kant est un philosophe critique, il est aussi un philosophe du système. La *Critique de la raison pure* est un monument, l'ensemble de l'œuvre ressemble à une ville. Le souci architectonique (un mot qui revient constamment sous la plume du philosophe) est constant. D'où les symétries fondées sur des jeux d'opposition, d'où les analogies.

Le système est donné contre ce que Kant appelle la rhapsodie : la suite sans lien des données et des idées. Par exemple, la liste des dix catégories proposées par Aristote n'est qu'une rhapsodie. La table des douze catégories que propose Kant, elle, est systématique. Le criticisme est également éloigné du scepticisme et du dogmatisme et s'il regarde d'un œil sévère l'encyclopédisme sans ordre de l'érudit, il ne juge pas avec plus d'aménité le penseur d'une spécialité. Les spécialistes qui ne jettent qu'un œil sur le monde, dit Kant non sans humour, ne sont que des cyclopes. Il en existe dans toutes les disciplines – surtout aujourd'hui où nombre d'entre eux finissent par prendre leur parasitisme pour une marque de sérieux scientifique. Le spécialisme fait à l'esprit une injure analogue à celle que fait l'égoïsme à la vertu.

La raison humaine est, de par sa nature, architectonique, c'est-à-dire qu'elle envisage toutes les connaissances comme appartenant à un système possible.

– Kant

Ce que Kant pensait avant sa naissance

Jusqu'à 46 ans, âge auquel il écrit sa *Dissertation de 1770* sur la dualité du monde sensible et du monde intelligible, Kant se cherche sans se trouver encore. Tous les heureux lecteurs non encore parvenus à cet âge peuvent voir là un motif considérable d'espérance personnelle… On a appelé précritique la période qui a précédé la pensée fondatrice du projet critique, qui débouchera sur la rédaction de la *Critique de la raison pure* (1784). Jusqu'à ce tournant décisif, Kant est un philosophe rationaliste qui inscrit sa conception du monde dans le sillage de Christian Wolff, lui-même disciple de Leibniz.

Le tremblement de terre de Lisbonne, qui traumatisa l'Europe et fut à l'origine d'une controverse philosophique (comment croire encore à la Providence divine lorsque des milliers d'innocents périssent d'un coup dans un cataclysme ?) suscite chez Kant des articles qui se terminent par ce constat très leibnizien : nous sommes une partie de la nature et nous voulons être le Tout.

Kant s'intéresse alors à la nature, même dans sa dimension la plus empirique, la plus concrète. Il obtient sa promotion à l'université avec une… *Dissertation sur le feu* ! À l'université de Königsberg où il enseignera jusqu'à un âge avancé, les cours les plus nombreux que Kant donnera seront consacrés à la géographie ! Mais n'allons pas croire qu'il s'adonnait à ces sciences en simple amateur.

Un nom laissé dans l'histoire des sciences

Dans son *Histoire naturelle et théorie du ciel*, qui fut l'un de ses tout premiers textes publiés, Kant, à partir de la théorie de la gravitation universelle de Newton, émet l'hypothèse selon laquelle le système solaire est né d'une nébuleuse primitive tournant sur elle même. Le noyau resté dense et chaud est devenu le Soleil tandis que les matières éjectées par le mouvement tourbillonnaire se sont peu à peu refroidies et sont devenues les planètes. Repris par le savant Pierre-Simon de Laplace, une quarantaine d'années plus tard (d'où le nom d'hypothèses de Kant-Laplace donnée à cette théorie), ce schéma a été globalement confirmé par la science contemporaine.

Le programme critique : répondre à trois questions

Kant dit avoir été réveillé de son sommeil dogmatique par la lecture de Hume. Il s'est retrouvé vis-à-vis du philosophe écossais dans la même position que Descartes vis-à-vis de Montaigne : comment sauver la pensée du doute sans tomber dans l'illusion ?

Tout le travail de la raison, dit Kant, est compris dans les trois questions suivantes :

- Que puis-je savoir ?
- Que dois-je faire ?
- Que m'est-il permis d'espérer ?

Ces trois questions conduisent à cette quatrième qui les résume toutes : qu'est-ce que l'homme ?

Ainsi Kant passe-t-il de la nature physique au sujet humain.

La révolution copernicienne

Lorsque Einstein dit que la chose du monde la plus incompréhensible, c'est que le monde est compréhensible, il s'inscrit dans un cadre de pensée qui est celui du criticisme de Kant (Kant a eu une influence dominante sur la pensée allemande à la fin du XIXe siècle, date à laquelle Einstein fait ses études et où apparaît par réaction contre le matérialisme des sciences un courant appelé néokantisme).

Au début de la *Critique de la raison pure*, Kant compare sa méthode à celle de Copernic. Le savant polonais mit enfin l'astronomie sur la voie de la science moderne, au XVIe siècle, lorsqu'il plaça le Soleil au centre du système et en délogea la Terre (modèle héliocentrique). Toute l'Antiquité, à de très rares exceptions près, avait cru et vu la Terre au centre du monde et le modèle géocentrique avait reçu sa traduction mathématique grâce à Ptolémée. Kant compare le décentrement opéré par Copernic au sien propre : jusqu'alors, constate-t-il, on a cherché à résoudre le problème de la connaissance en faisant tourner le sujet autour de l'objet, d'où les impasses et les controverses. Décentrons l'objet, replaçons au centre le sujet qui connaît et mettons l'objet connu à la périphérie. Ainsi, affirme Kant, pourrons-nous savoir en quoi la connaissance consiste au juste et quelles en sont les limites.

Plus tard, Bertrand Russell, entre plusieurs autres, fera remarquer l'inconséquence de l'analogie kantienne car le sens du geste de Copernic fut précisément d'avoir délogé l'être humain de la position centrale qu'il s'était avec un bel orgueil attribuée. La science moderne, en effet, tient en bonne partie dans le rejet de l'anthropocentrisme millénaire (dont le géocentrisme est une expression). Kant part du principe que de l'être humain dispose de facultés – une sensibilité, un entendement, une raison – et que celles-ci dans leur structure et leur fonctionnement sont des données définitives. Or, cela peut être remis en question par la science contemporaine.

Une théorie de la connaissance

La connaissance doit être à la fois rigoureuse et féconde

Le scepticisme n'est pas une position tenable. La connaissance existe, il n'y a pas à mettre cette réalité en doute. Mais qu'est-ce que connaître et comment peut-on connaître ?

Un jugement est une relation établie entre un sujet et ce que l'on affirme de lui, un prédicat : « le tableau est noir » est un jugement, « l'âme est mortelle » est un jugement. Kant distingue deux sortes de jugements : ceux dans lesquels le prédicat ne fait que répéter, quoique sous une forme différente, ce qui est déjà contenu dans le sujet (par exemple: la ligne la plus courte reliant un point à un autre est la ligne droite) et ceux dans lesquels le prédicat ajoute quelque chose de nouveau rapport au sujet (par exemple: tous les corps sont pesants). Kant appelle *analytique* le jugement du premier type et *synthétique* le jugement du second type.

Le jugement analytique – dont la tautologie, qui ne fait que répéter la même chose: « un sou est un sou », est l'expression caricaturale la plus commune – est un jugement qui n'a pas besoin d'en référer à l'expérience. En d'autres termes, l'esprit n'a pas besoin de sortir de lui-même pour énoncer des jugements analytiques. Ces jugements indépendants de l'expérience sont donc *a priori*. Ils ont une qualité et un défaut. Leur qualité est la rigueur: si je répète la même idée, je suis sûr au moins de ne pas me tromper. Seulement, je bégaie au lieu de parler, je piétine au lieu d'avancer, je n'apprends rien.

Les jugements synthétiques, en revanche, nous offrent une information nouvelle: ils sont dérivés de l'expérience. Il faut, par exemple, avoir fait l'expérience de la glace pour savoir qu'elle est froide, comme il faut faire l'expérience des corps pour savoir qu'ils sont pesants: je ne l'aurais jamais su par la seule pensée. Les jugements synthétiques sont *a posteriori*. Comme les jugements analytiques, ils ont un avantage et un inconvénient. L'avantage des jugements synthétiques est leur fécondité: avec eux, j'apprends quelque chose. Seulement, leur inconvénient tient à leur absence de rigueur: l'expérience est aléatoire, je tire par induction des énoncés généraux dont rien ne me dit qu'ils ne seront pas plus tard invalidés.

Pour résumer, nous nous trouvons devant deux types de jugements: les jugements analytiques *a priori* qui sont rigoureux mais stériles, et les jugements synthétiques *a posteriori* qui sont féconds mais manquent de rigueur.

Kant se pose la question de savoir s'il n'y aurait pas une troisième catégorie de jugements qui seraient aussi féconds que les synthétiques et aussi rigoureux que les analytiques, donc des jugements synthétiques *a priori*. Kant pense que les mathématiques offrent l'exemple de tels jugements. Un énoncé aussi simple que 7 plus 5 égale 12 est à la fois synthétique (je ne peux tirer par analyse du 7 et du 5 le nombre 12) et *a priori* (je n'ai pas besoin de recourir à l'expérience pour l'affirmer). L'existence de jugements synthétiques *a priori* constitue aux yeux de Kant le point d'appui à partir duquel la *Critique de la raison pure* pourra être fondée.

Universel et nécessaire

La vérité, donc la connaissance, possède deux qualités qui la font reconnaître pour telle: elle est universelle et elle est nécessaire. Si je trouve que Rubens est le plus grand peintre, que Louis XIV est le plus grand roi et que Chirac est un grand manipulateur, ces jugements ont beau avoir un sens évident pour moi, ils restent de l'ordre de l'opinion, de la croyance et, fussent-ils aussi forts que des convictions, ils resteront infiniment éloignés de la vérité. De fait, ces jugements ne peuvent pas être dits universels.

Lorsque, en revanche, Thalès a énoncé le théorème qui porte son nom, non seulement il a dégagé une propriété constatable pour une série totale d'objets du même type (les triangles semblables) mais encore ce qu'il a ainsi affirmé pouvait être repris pour son propre compte par toute la communauté des êtres raisonnables, fussent-ils chinois ou grecs, femmes ou hommes, vieux ou jeunes, athées ou croyants. Le monde de la vérité est un monde commun, celui de l'opinion ne le sera jamais.

L'autre caractère et critère de la vérité est sa nécessité. Il est nécessaire que 7 plus 5 fasse 12, ce qui signifie qu'il est impossible qu'il en soit autrement. L'opinion, la croyance, la conviction sont en revanche contingentes : elles admettent toutes sans contradiction logique leur négation (il n'est pas contraire à la logique de ne pas croire aux fantômes).

« Critique de la raison pure »

Dans cet ouvrage, qui est le principal de son auteur, celui qui le symbolise aux yeux de ses successeurs, Kant analyse les conditions et les limites de la connaissance. La raison pure est la raison indépendante de l'expérience. Kant nie qu'elle ait la capacité de connaître au-delà du domaine de l'expérience. Si la *Critique de la raison pure* est volontiers considérée comme une rupture dans l'histoire de la philosophie, c'est parce que pour la première fois les prétentions de la métaphysique à être une science de la totalité et de l'absolu se trouvent radicalement contestées.

Le livre, d'imposante taille, se divise en deux grandes parties d'inégale longueur : la théorie transcendantale des éléments et la théorie transcendantale de la méthode. « Transcendantal » signifie : qui concerne les conditions *a priori*. Ceux qui, parmi les lecteurs les plus paresseux, identifieraient « transcendantal » et « *a priori* » simplifieraient (à ce stade, les spécialistes de Kant, de toute façon, seraient tous morts de rage) mais ne seraient pas très loin de la vérité.

Kant dégage deux facultés de connaissance : la sensibilité et l'entendement (on dirait : l'intelligence – je peux simplifier sans crainte puisque les spécialistes sont déjà morts). Il n'y a pas, pour Kant, de faculté suprasensible et supra-intellectuelle (comme l'intuition) susceptible de nous mettre directement en contact avec l'absolu des choses. À ces deux facultés, sensibilité et entendement, correspondent les deux parties de la théorie transcendantale des éléments : l'esthétique transcendantale et la logique transcendantale.

L'esthétique transcendantale ne traite pas d'art ni de beauté mais de la sensibilité, conformément au sens étymologique du mot grec dont nous avons tiré « esthétique ». La sensibilité a deux formes, qui sont ses cadres : l'espace et le temps. Ces formes sont *a priori*, elles ne dépendent pas de l'expérience (d'où le titre de cette partie : « Esthétique transcendantale »). Pour Kant, en effet, si nous voyons les choses dans l'espace et dans le temps, c'est parce que nous les y mettons. Un être tout autre que l'homme percevrait le monde tout autrement. Cette idée a été globalement confirmée : on sait aujourd'hui que la mouche et le putois vivent dans d'autres mondes que le nôtre.

La logique transcendantale concerne la seconde faculté de connaître, l'entendement, ainsi que la raison. De même que la sensibilité est structurée par deux formes (*a priori*) l'espace et le temps, l'entendement est structuré par douze catégories (*a priori* elles aussi) que Kant classe en une table de quatre séries de trois. Les catégories sont les structures logiques de la pensée qui sont présentes en tout jugement. Par exemple, si je dis que le ministre des Transports n'est pas bien malin, j'énonce un jugement de forme négative, la négation est une catégorie de l'entendement. Les catégories servent à la connaissance des choses, dont les sensations constituent le matériau premier.

Seulement, la raison, qui chez Kant n'a rien d'une vierge sage, ne se contente pas du monde de l'expérience : elle veut connaître l'univers dans son entier et l'auteur de toutes choses et le caractère immortel de l'âme. La logique transcendantale est donc divisée en deux sections : l'analytique transcendantale étudie le pouvoir légitime de l'entendement qui, grâce aux catégories, atteint une connaissance effective dès phénomènes, tandis que la dialectique transcendantale fait la critique des illusions dans lesquelles la raison tombe lorsqu'elle prétend, grâce aux outils de l'entendement (les catégories) établir une connaissance de l'âme, de l'univers et de Dieu.

L'opposition entre l'« analytique » (la logique de la vérité) et la « dialectique » (la logique de l'apparence) vient d'Aristote. C'est dans cette partie de la *Critique de la raison pure* que Kant procède à la critique (Derrida eût dit : la déconstruction) des preuves de l'existence de Dieu.

Qu'est-ce, enfin, que le transcendantal ?

Le transcendantal n'est pas seulement la marque spécifique de Kant, son estampille. Il est le signe par excellence du philosophe, son blason, son logo. Lorsqu'un universitaire dans un colloque parle d'un air entendu, qui n'est compris que par ses pairs, de transcendantal, alors on sent un subtil frémissement parmi les rares présents, une espèce de parfum d'extase intellectuelle. Le transcendantal vous pose son homme. Il est à la philosophie instituée ce que la crécelle était au lépreux du Moyen Âge : un avertisseur d'existence. Le vulgaire qui n'y entend goutte en sera pour ses frais.

Mais à vous, lecteurs nuls qui avez fait le sacrifice d'un certain nombre d'euros qui vous auraient permis, au lieu de ce livre, de vous payer avec votre partenaire du moment un dîner aux chandelles dans une pizzeria calabraise, je vais tâcher de vous en donner une idée. Si vous ne comprenez pas, alors sans doute aucun dieu ne pourra jamais rien pour vous.

La fourmi entasse, l'araignée sécrète. La première accumule ce qu'elle trouve à l'extérieur, l'autre tisse sa toile à partir de sa propre substance. Francis Bacon, les moins amnésiques d'entre vous s'en souviennent encore, a fait de ces deux bestioles les deux modèles de la connaissance, celle expérimentale, qui part à la chasse aux faits, et celle, rationnelle, qui part à la pêche aux idées.

Pendant deux siècles (le XVIIe et le XVIIIe), la question de savoir ce qui, de la raison ou de l'expérience, est la source principale de la connaissance, était la principale en matière de théorie et de connaissance. À la fin du XVIIIe siècle, Kant donne au problème une solution particulièrement élégante.

Toute connaissance, dit-il en substance, a l'expérience pour origine première et pour fin dernière, mais cela ne signifie pas qu'elle dérive d'elle. Une discipline comme la métaphysique qui traite de l'existence de Dieu, de l'immortalité de l'âme, de la liberté, ou encore de l'univers dans sa totalité, cette discipline, selon Kant, ne peut prétendre constituer une connaissance véritable parce qu'elle traite d'objets qui n'appartiennent pas au champ des expériences possibles. Les contradictions qui traversent cette discipline (entre ceux, par exemple, qui pensent que l'univers est fini dans le temps et dans l'espace, et ceux qui pensent, au contraire, que l'univers est infini) montrent assez qu'elle est étrangère à la vérité, laquelle est universelle et nécessaire, nécessairement universelle, universellement nécessaire.

L'idée de génie de Kant fut d'établir que les conditions de l'expérience ne sont pas elles-mêmes conditionnées par l'expérience ; en d'autres termes, ce qui nous permet de connaître un objet dans l'expérience, à savoir la structure de notre sensibilité et de notre intelligence, ne dérive pas de l'expérience. Kant nomme transcendantal tout ce qui concerne les conditions *a priori* (indépendantes de l'expérience) de possibilité de l'expérience. Kant admet avec les empiristes que toute notre connaissance commence avec l'expérience, mais cela ne suffit pas à prouver à ses yeux que toute connaissance dérive de l'expérience.

Il n'est pas trop difficile de se faire une représentation de ce concept retors grâce au langage. Deux conditions sont requises en effet pour parler une langue : l'apprentissage de cette langue et un ensemble d'organes et de structures physiologiques (un cerveau, un appareil phonatoire, etc.). L'apprentissage est par définition *a posteriori*, il dérive de l'expérience mais il est conditionné par cet ensemble d'organes et de structures qui, lui, ne dérive pas de l'expérience. Bien au contraire, c'est lui qui rend l'expérience langagière possible, car sans certaines zones spécialisées du cerveau et sans organes tels que la langue, le larynx, les cordes vocales etc., la parole serait impossible. L'expérience de la langue repose sur une synthèse d'inné et d'acquis, d'*a priori* et d'*a posteriori*. Il en va de même avec la connaissance.

Maintenant vous savez ce que le transcendantal veut dire.

L'imprudence de la prudence

Que voulait dire Kant lorsqu'il disait que la connaissance est limitée *a priori* au domaine de l'expérience possible? Il voulait dire qu'il y a un au-delà de l'expérience possible (la métaphysique) qui échappe à jamais à la connaissance. Soit. Mais comment peut-on fixer *a priori* les limites de l'expérience possible? De plus, comment concevoir ce possible? Car s'il est une chose que montre l'histoire des sciences, c'est bien l'extension progressive et imprévue du champ du possible. C'est une banalité de dire que ce qui paraît impossible à une époque est fort possible à une autre.

Les limites sont destinées à reculer

Du temps des Babyloniens, le champ de l'expérience possible dans la connaissance du ciel était déterminé par les capacités visuelles de l'œil humain – c'est ainsi que, jusqu'au XVIIIe siècle, on ne connaîtra que six planètes dans le système solaire, les cinq visibles à l'œil nu plus la Terre. Lorsque Galilée a inventé la première lunette astronomique, il a reculé le champ de l'expérience possible en découvrant les cratères de la Lune et les satellites de Jupiter; lorsque fut construit le premier télescope optique, ce fut un nouveau monde qui fut gagné à la science; puis les télescopes furent de plus en plus grands: plus ils étaient gros, plus ils permettaient de voir loin. Or, dans l'univers, l'espace, c'est du temps: plus on voit loin dans l'espace, plus on voit loin dans le passé.

Ce n'est pas seulement l'univers qui est en expansion, c'est aussi l'univers de notre connaissance. Kant pensait que l'univers comme totalité était inconnaissable. Deux siècles plus tard, il existe une cosmologie, une véritable science de l'univers, qui ne se contente plus de penser, comme le faisait la métaphysique ou la théologie, mais qui observe, mesure, déduit, induit, classe, compare, bref connaît.

Le pays de l'entendement pur est une île enfermée par la nature dans des limites immuables et environnée d'un vaste et tumultueux océan, siège propre de l'apparence.

– Kant

Ne pas manquer d'expérience

Les progrès de la technique ont tellement changé à nos yeux le sens du concept d'expérience que l'idée de Kant – idée selon laquelle les limites de notre connaissance correspondent à celles de notre expérience possible – pourrait tout aussi bien légitimer la thèse d'un accroissement illimité de la connaissance. Kant ne sépare pas l'expérience de la sensibilité (la vue, le toucher...). Il n'a pas envisagé le fait que la sensibilité (voir, entendre) pourrait un jour être indépendante du corps. Le robot sur Mars a *vu* pour nous le sol de la planète rouge. Les instruments de mesure et d'observation sont des yeux et des oreilles, des regards et des écoutes désormais transportables jusqu'aux confins de l'univers. Et l'objet de l'expérience n'a même plus l'apparence de la chose, avec la forme et la couleur que sa matérialité lui donne, mais celle d'un brouillard électronique ou celle d'une onde électromagnétique sur un écran d'ordinateur.

Phénomène et chose en soi

Étymologiquement, un phénomène est ce qui apparaît. Par dérivation, le terme a fini par désigner quelque chose d'exceptionnel (comme dans les expressions de « phénomène de foire », de mémoire « phénoménale »), mais il signifie d'abord pratiquement l'inverse : la chose telle qu'elle apparaît dans sa banalité. Plus précisément, chez les philosophes, le phénomène est l'objet comme il est présent dans l'acte de connaissance – par exemple le Soleil dans la lunette de l'astronome, le microbe sous l'œil du microscope. Il convient en effet de distinguer le phénomène, qui sera l'objet même de la connaissance vraie, des apparences qui peuvent être trompeuses ou illusoires.

Kant oppose le phénomène à la chose en soi. La chose en soi est la chose telle qu'elle n'a avec notre pensée aucune relation. Pour Kant, seuls les phénomènes sont connaissables, les choses en soi ne peuvent être que pensées. On remarquera à ce propos que ce sont précisément les choses inconnaissables qui sont le plus souvent pensées (sans la mort, par exemple, très peu de livres eussent été écrits). On peut penser des choses sur Dieu, on ne peut en revanche pas le connaître.

La conception selon laquelle ce sont les phénomènes seuls et non les choses en elles-mêmes qui sont objets de science est appelée phénoménisme. Elle barre l'accès de l'esprit humain à ce qui serait l'absolu des choses. Dans ses formes dérivées extrêmes, elle tend à faire de la science une espèce de construction, comme un langage. Ce point de vue a eu sur la moderne philosophie des sciences une influence considérable.

Le mariage réussi des cadres a priori et des contenus empiriques

Pour Kant, on l'a dit, il n'existe que deux facultés de la connaissance : la sensibilité et l'entendement. La sensibilité nous met en contact avec les choses de l'expérience : je vois cette boutique, j'entends ce bruit d'avion. Mais elle n'opère que si elle est structurée par des cadres qui eux-mêmes ne sont pas dérivés de l'expérience. Ces cadres *a priori* sont au nombre de deux : l'espace et le temps.

L'espace et le temps ne sont pas pour Kant des réalités objectives, extérieures, absolues comme ils le sont dans la physique de Newton. Si nous voyons les phénomènes *dans* l'espace (cette boutique dans la rue) et à travers le temps (ce bruit d'avion qui s'éloigne), c'est parce que nous les y mettons au préalable. L'espace et le temps sont des formes *a priori* de la sensibilité, c'est par leur truchement que nous percevons les phénomènes comme occupant de l'espace et se déroulant dans le temps.

L'exemple de la couleur

Cette théorie pourra sembler un peu fort de café mais elle nous étonnera moins si nous prenons l'exemple de la couleur. Spontanément, nous croyons qu'une couleur (le vert des feuilles, le bleu du ciel) appartient aux objets au même titre que leur forme ou leur grandeur. Or nous savons que les animaux ne voient pas les mêmes couleurs que nous. Conclusion : nous pouvons dire que la couleur dépend davantage de l'appareil de vision de l'organisme que de la nature propre du phénomène. Pour Kant, l'être humain est ainsi fait qu'il ne peut percevoir les phénomènes en dehors de l'espace et du temps, mais s'il était Dieu ou bien un être infiniment plat comme le sphéricole imaginé par Henri Poincaré, il en irait tout autrement.

Si l'espace se rapporte au sens externe, le temps, dit Kant, se rapporte au sens interne. Il est, à cet égard, caractéristique que pour Kant le temps ne nous est pas donné dans l'intuition par la perception des mouvements extérieurs (une feuille qui tombe à terre, un oiseau qui traverse le ciel, le ruisseau qui coule entre les pierres) mais par la perception de mouvements intérieurs, comme la succession des représentations. On comprend dès lors pourquoi Kant accorde au temps une prééminence sur l'espace : toutes nos pensées, en effet, doivent se succéder dans le temps. Même lorsque nous faisons un calcul, il faut bien que nos pensées se succèdent dans un certain d'ordre.

Pour ce qui concerne l'entendement, qui est l'autre faculté de connaissance, l'alliance se noue entre les catégories, qui sont ses cadres *a priori*, et le matériau, qui constitue le contenu propre du jugement. Par exemple, si je dis « Paris est la capitale de la France », le jugement associe une catégorie générale d'affirmation et un contenu empirique déterminé ; si je dis « New York n'est pas la capitale des États-Unis », ce jugement associe une catégorie générale de négation et un contenu empirique déterminé.

La vérité n'est pas une chose mais une qualité

L'assimilation de la vérité à une chose fut et reste une grande tentation et une longue paresse : à la fois le trésor et la clé qui en ouvre la serrure ! Toutes les cultures racontent ces histoires de quête du trésor semée d'embûches, mais finalement récompensée ! Plus tard, à l'aube des temps scientifiques, les occultistes rêveront de pouvoir tenir en une seule formule le secret des mondes ! En fait, la recherche de la vérité n'est pas une quête mais un travail, et ce travail est interminable.

Dans la *Critique de la raison pure*, Kant résout définitivement, et de manière négative, la question du critère universel de la vérité : un critère universel de la vérité devrait être valable pour toutes les connaissances, sans distinction de leurs objets. Mais puisqu'on y ferait abstraction de tout contenu de la connaissance et que la vérité porte justement sur ce contenu, il est clair qu'il est tout à fait impossible et absurde de demander une remarque distinctive de la vérité de ce contenu des connaissances. Toute vérité est en effet vérité de quelque chose ; or, par définition, ce quelque chose est particulier ; on ne peut donc trouver de critère universel de vérité.

Est-ce à dire qu'il existe autant de types de vérité qu'il y aurait d'énoncés vrais ? Ce serait renoncer à la détermination de la vérité comme concept. Or, ce concept existe. Un énoncé vrai est un énoncé prouvé. Un énoncé ni prouvé ni prouvable ne peut être dit vrai. Une hypothèse, par exemple, est un énoncé en attente de preuve : en droit, elle ne peut jamais être ni vraie ni fausse en tant que telle car dès qu'elle est validée ou invalidée, donc acceptée comme vraie ou rejetée comme fausse, elle perd *de facto* son caractère hypothétique. Les propositions métaphysiques (« l'âme est immortelle », « Dieu a créé l'univers », « l'homme est né libre »...) ne sont pas prouvables : elles ne sont donc pas vraies (ni fausses d'ailleurs).

Une sacrée énigme !

« Le paysan le voit souvent, le roi rarement, Dieu jamais ». Qu'est-ce ? Lorsque je posais cette énigme à mes classes de lycée, il y avait toujours un potache, peut-être fils de commerçant, pour répondre : le percepteur ! Comme si le percepteur échappait à l'œil de Dieu ! La difficulté de l'énigme tient au fait que l'esprit spontanément s'y oriente mal. Il cherche une réalité substantielle (une chose, un être) là où il faudrait chercher une relation. La réponse est : son semblable.

La table des catégories et la table des jugements

Les catégories, au nombre de douze, sont des formes *a priori* de l'entendement, qui rendent possible l'appréhension des objets dans l'expérience. Elles sont donc de nature transcendantale, elles prescrivent *a priori* des lois aux phénomènes. Alors que les catégories d'Aristote (le lieu, le temps, l'action, la passion, etc.) sont les genres suprêmes du réel, les catégories de Kant sont les concepts fondamentaux de la pensée. Par ailleurs, Kant reprochait aux catégories d'Aristote de se suivre sans ordre. Sa table des catégories les range en un ordre systématique, en quatre points de vue :

- du point de vue de la quantité : l'unité, la pluralité, la totalité ;
- du point de vue de la qualité : la réalité, la négation, la limitation ;
- du point de vue de la relation : la substance et l'accident, la causalité et la dépendance, la communauté ;
- du point de vue de la modalité : la possibilité et l'impossibilité, l'existence et la non-existence, la nécessité et la contingence.

La table des jugements est parallèle à celle des catégories, puisqu'elle donne les qualificatifs des jugements selon les catégories mises en jeu. Cela donne :

- du point de vue de la quantité : jugement universel, jugement particulier, jugement singulier ;
- du point de vue de la qualité : jugement affirmatif, jugement négatif, jugement indéfini ;
- du point de vue de la relation : jugement catégorique, jugement hypothétique, jugement disjonctif ;
- du point de vue de la modalité : jugement problématique, jugement assertorique, jugement apodictique.

La raison passe outre

La critique de la raison pure fixe les limites de la connaissance : en dehors des mathématiques, l'entendement ne peut connaître que les phénomènes saisis dans l'expérience. Mais, la raison, avide d'absolu, d'unité et de totalité ne se satisfait pas d'une telle discipline. Elle cherche à aller toujours plus loin, jusqu'aux bornes supposées de l'univers, ou à la cause première de toutes choses, pour découvrir ce qu'elle croit être la vérité foncière de tout. La discipline qui est le résultat de cette indiscipline porte un nom : elle s'appelle la métaphysique.

Kant n'est pas contre la métaphysique, à la manière dont on peut dire que Diderot et d'Holbach l'étaient. En revanche, il dénonce comme illusoire sa prétention à être une connaissance, suprême qui plus est. La partie de la *Critique de la raison pure* qui analyse ces illusions de la raison pure s'intitule « Dialectique transcendantale ». Kant, en effet, prend le terme de dialectique dans le sens que lui avait donné Aristote, par opposition à Platon : alors que Platon voyait dans la dialectique la philosophie par excellence, puisqu'elle donne accès aux Idées, pour Aristote, la dialectique n'est qu'une logique inférieure, une logique du vraisemblable (par opposition au vrai, dûment démontré).

Les trois illusions de la métaphysique

Christian Wolff, disciple de Leibniz, philosophe oublié aujourd'hui mais très influent au XVIIIe siècle, avait divisé la philosophie en trois disciplines : la logique, la physique et la métaphysique. La métaphysique était elle-même subdivisée en métaphysique générale (l'ontologie qui traite de l'être en tant qu'être) et en métaphysique spéciale qui traite d'un être particulier (la cosmologie concerne le monde, la théologie, Dieu, et la psychologie, l'âme). C'est cette dernière tripartition qui constitue le plan de la dialectique transcendantale.

Pour Kant, le monde, Dieu et l'âme sont inconnaissables, car ils échappent à l'expérience et, à la différence des nombres et des figures, ils ne sont pas des objets mathématiques connaissables *a priori* (sans le recours à l'expérience). Mais cela, la raison ne veut pas le savoir et elle croit (l'écervelée !) pouvoir établir une science du monde, une science de Dieu et une science de l'âme, réunies sous le nom de métaphysique spéciale. Pour ce faire, elle s'empare des catégories de l'entendement, car elle ne dispose d'aucun outil en propre. Imagine-t-on un quidam dérobant un marteau pour casser le crâne d'un fantôme ? On le dirait insensé parce que le fantôme et le marteau n'appartiennent pas au même plan de réalité.

C'est pourtant ce que fait la raison lorsqu'elle s'empare des catégories de l'entendement (par exemple, celle de causalité) pour établir la connaissance d'objets qui par nature n'appartiennent pas au champ de la connaissance possible. Pour prendre un exemple : si la question de savoir quelle est la cause du tonnerre a bien un sens pour l'entendement, celle de savoir quelle est la cause du monde ou la cause de Dieu n'appartient pas au même plan, car elle dérive de l'usage indu d'un outil de connaissance pour un inconnaissable.

On ne connaîtra jamais tout le monde

D'ailleurs, si la métaphysique était une science, elle mettrait tout le monde d'accord, comme on le voit en mathématiques et en physique. Or, les métaphysiciens se chamaillent comme des chiffonniers. Une idée est-elle à peine lancée qu'une idée contraire lui est aussitôt opposée. En lice à ma gauche les chevaliers du caractère fini du monde, à ma droite ceux du caractère infini. Les lances sont les arguments, les armures sont la rhétorique, mais tous les chevaliers finissent à terre. C'est à cela d'ailleurs que l'on reconnaît un métaphysicien : à son air d'éclopé. La métaphysique est un tournoi sans vainqueur. Comment d'ailleurs pourrait-il en être autrement puisque l'expérience ne peut départager les uns et les autres ?

La raison est avide de totalité, car elle juge mesquine la limitation à un domaine déterminé. Mais le monde comme totalité, selon Kant, n'est pas connaissable ; il est juste pensable. On ne connaîtra jamais le monde entier.

Dieu n'est pas démontrable

Depuis saint Anselme au Moyen Âge, la raison s'est fait fort de vouloir établir par la démonstration l'existence de Dieu. C'est Kant qui a donné un nom aux trois principales preuves de l'existence de Dieu :

- la preuve ontologique prétend tirer l'existence de Dieu de sa nature parfaite (un être parfait n'existant pas serait une contradiction dans les termes) ;
- la preuve cosmologique repose sur l'idée d'une nécessaire création du monde (puisque rien ne vient de rien, il est nécessaire que Dieu ait créé le monde) ;
- la preuve physico-théologique part de l'harmonie du monde pour en déduire l'existence d'un organisateur suprême (comment imaginer que cette belle ordonnance qui nous entoure soit le fruit du hasard ?).

Kant montre la fragilité et même l'inconsistance de ces preuves. La preuve ontologique tourne en rond : elle pose en principe qu'il existe un être parfait. De plus, elle pose l'existence comme une perfection supplémentaire et l'inexistence comme un défaut, alors que l'existence en tant que telle n'ajoute rien au concept. La preuve cosmologique présuppose l'existence d'une réalité sans cause extérieure, qui serait Dieu, et la preuve physico-théologique part d'une idée, et non d'un fait.

D'ailleurs la meilleure preuve que ces preuves n'en sont pas (des preuves), c'est qu'elles n'ont jamais convaincu personne (on n'a jamais vu athée courir se convertir après avoir pris connaissance des preuves de l'existence de Dieu). Aussi sont-elles des prétendues preuves, des pseudo-preuves. Mieux vaut parler d'argument à leur propos.

Une théorie de la morale

La religion dans les limites de la simple raison

C'est le titre de l'un des ouvrages de Kant. Le philosophe a été élevé dans une famille piétiste et ce trait le marquera à jamais. Le piétisme est une forme intériorisée de protestantisme : il estime que l'essentiel, en matière religieuse, n'est pas dans les gestes et attitudes extérieurs mais dans le sentiment vécu. Kant est déiste : il croit en Dieu, mais il ne lui laisse aucune fonction dans les affaires humaines – pas même dans le domaine moral, surtout pas dans le domaine moral, serait-on tenté de préciser. Enfin, la religion dans les limites de la simple raison n'est tout bonnement plus une religion mais une conception philosophique que les agnostiques et les presque athées peuvent admettre pour leur. C'est d'ailleurs ainsi que l'ont entendu nombre de contemporains qui, à cause de cela, ont regardé Kant d'un sale œil.

Nous ne tiendrons jamais nos actions pour obligatoires par la seule raison qu'elles sont des ordres de Dieu ; mais elles nous paraissent au contraire des ordres de Dieu parce que nous y sommes tenus intérieurement.

– Kant

L'usage pratique des noumènes

Le noumène est une idée de la raison qui n'a pas d'usage pour la connaissance, puisqu'il porte sur un domaine qui échappe à l'expérience mais qui, en revanche, a un usage pratique, c'est-à-dire moral. C'est cela que dit Kant lorsqu'il écrit : je dus abolir le savoir pour obtenir une place pour la croyance. Il ne s'agissait pas avec la *Critique de la raison pure* de détruire l'idée de Dieu ni celle de l'âme mais de les déplacer du domaine de l'illusion métaphysique (une prétendue connaissance) vers celui de l'action morale.

La raison pratique dispose de trois postulats, qui sont les principes à partir desquels la vie morale peut être pensée : l'immortalité de l'âme, la liberté de l'homme et l'existence de Dieu. Le premier découle de la condition pratiquement nécessaire d'une durée appropriée à l'accomplissement complet de la loi morale (on ne voit que trop bien que les justes sur cette terre n'ont pas réellement le temps d'être récompensés) ; le second, de la supposition nécessaire de l'indépendance à l'égard du monde sensible et de la faculté de déterminer sa propre volonté d'après la loi d'un monde intelligible (le propre de l'homme est de pouvoir dire non à ses impulsions) ; le troisième, de la condition nécessaire de l'existence du souverain bien dans ce monde intelligible par la supposition du Bien suprême indépendant.

Kant est le penseur des dichotomies et des limites. Mais il est aussi le penseur soucieux des passages. La raison pure et la raison pratique sont une seule raison dans deux usages différents. Comme l'universel et le nécessaire sont les marques de la vérité (une opinion fausse n'est ni universelle ni nécessaire), ils sont aussi les marques de l'action morale : une action est bonne moralement si elle peut être, sans contradiction, voulue comme une loi universelle.

Deux choses remplissent le cœur d'une admiration et d'une vénération toujours nouvelles et toujours croissantes, à mesure que la réflexion s'y attache et s'y applique : le ciel étoilé au-dessus de moi et la loi morale en moi.

– Kant

La liberté du sujet actif

Kant distingue deux plans chez l'être humain : le plan empirique, sensible, du corps (en tant qu'élément de la nature, l'homme est soumis à ses lois) et le plan transcendantal de la raison (dans une certaine mesure, l'être humain peut aller au-delà de la nature). Kant ne nie pas l'existence du déterminisme, il dit que nous pouvons, grâce à notre connaissance, nous servir de celui-ci.

La conception kantienne du sujet humain est donc marquée par une fracture analogue à celle qui sépare le monde sensible et le monde intelligible : les pieds et la tête de l'homme n'appartiennent pas au même monde. D'un côté, le caractère empirique des actions qui, tout comme les phénomènes de la nature, peuvent être comprises selon une loi de causalité déterminée (ce criminel a été battu par son père quand il était petit, il traînait dans la rue plutôt que d'aller en classe, etc.), de l'autre, le caractère intelligible par lequel l'être humain est responsable de ses actes, parce qu'il est un agent libre (c'est comme agent libre, donc responsable, donc punissable que le criminel doit être jugé). L'autonomie de la volonté, dit Kant, est le principe unique de toutes les lois morales et des devoirs qui y sont conformes.

La bonne volonté est meilleure qu'on ne pense

Pourquoi Kant dit-il qu'il n'est pas possible de concevoir dans ce monde et même hors du monde une chose absolument bonne si ce n'est la bonne volonté ? La thèse peut sembler arbitraire et des objections nous viennent aussitôt à l'esprit. Pourtant, Kant, amateur de bons vins, avait toute sa tête le jour où il a écrit cela.

D'abord, la bonne volonté dont il est ici question n'est évidemment pas celle dont le professeur gratifie l'élève médiocre mais méritant. La bonne volonté dont parle Kant est la volonté bonne, c'est-à-dire celle qui veut le bien et qui, voulant le bien, est bonne dans sa nature.

Il y a des biens qui ne sont pas bons

Pourquoi la bonne volonté serait-elle la seule chose bonne absolument ? Eh bien, considérons ce que nous appelons couramment des biens, c'est-à-dire des choses qu'il est bon de posséder, qu'il est meilleur d'avoir que de ne pas avoir : l'argent, le pouvoir, la force de séduction, la santé, l'intelligence, la culture. Toutes ces bonnes choses cesseront d'être des biens dès qu'elles seront mises au service d'une volonté mauvaise. Pour l'argent, le pouvoir, la force de séduction et la santé, c'est trop évident pour qu'il faille préciser, mais pour l'intelligence et la culture, il en va de même. Bien des malheurs de l'homme contemporain lui eussent été épargnés si des hommes intelligents et cultivés n'avaient pas eu, justement grâce à leur intelligence et leur culture, mais on serait tenté à présent de dire *à cause de* leur intelligence et de leur culture, autant d'influence et de puissance.

À la différence des philosophes qui le précèdent, Kant ne définit pas le bien de la volonté par un objet extérieur (l'ordre divin du monde, l'amour du prochain, l'intérêt propre) mais de façon intrinsèque par l'accomplissement de la loi morale – qui s'appelle devoir.

Toute chose dans la nature agit d'après des lois. Il n'y a qu'un être raisonnable qui ait la faculté d'agir d'après la représentation des lois, c'est-à-dire d'après les principes, en d'autres termes, qui ait une volonté.

– Kant

La nécessité de la loi

Une volonté libre et une volonté soumise à des lois morales sont une seule et même chose, dit Kant. La liberté ne consiste pas à faire ce qui nous plaît mais à agir selon la loi de la raison.

Dans son libre vol la colombe légère, écrit Kant dans l'une de ses rares pages poétiques, s'imagine qu'elle volerait bien plus vite dans le vide parce qu'elle sent la résistance de l'air. C'est ainsi, écrit Kant, que Platon quitta le monde sensible pour le monde intelligible parce que ce monde oppose beaucoup d'obstacles à la volonté de connaître.

On pourrait utiliser cette image de la colombe pour dire aussi notre rapport écervelé à la loi. La colombe, dans son vol, éprouve la résistance de l'air et elle se plaît à imaginer qu'elle volerait bien mieux sans cet obstacle : elle ignore que sans l'air, elle ne volerait pas du tout et que ce qu'elle ressent comme un empêchement est aussi une condition de possibilité. Nous aussi nous plaisons à imaginer une vie sans règles, au-delà des lois : suppression des impôts, des formalités, du code de la route, etc. Ce faisant, nous sommes aussi écervelés que la colombe, car nous oublions que sans ces contraintes subjectives, notre prétendue liberté ne pourrait plus s'exercer du tout. Nous ressentons comme un obstacle ce qui en réalité est une condition d'exercice de nos actions.

L'impératif catégorique

Tout comme Rousseau, Kant pense que la morale doit être compréhensible par le plus simple des hommes. D'abord parce que chacun a en lui-même une conscience qui ne dépend ni de son rang ni de son instruction, ensuite parce que la morale, à la différence de la connaissance, ne repose en fait que sur un seul principe évident pour tout le monde. Ce principe est un impératif. Il nous enjoint d'agir d'une certaine façon. Ce principe est qualifié de catégorique.

Chez Kant, « catégorique » veut dire absolu, indépendant des circonstances, par opposition à « hypothétique ». Un impératif hypothétique soumet un certain bien à des conditions : si tu ne veux pas perdre l'estime de tes amis, alors rembourse tes dettes – voilà un cas particulier d'impératif hypothétique qui s'exprime sous cette forme : « si… alors ». L'impératif catégorique, lui, ordonne d'agir de telle manière, quelles que soient les circonstances et, bien sûr, quels que soient les agents.

Il s'énonce sous la forme suivante : agis toujours de telle manière que la maxime de ton action puisse être érigée en loi universelle de la nature. C'est la forme un peu compliquée d'un principe très ancien que l'on retrouve implicitement dans nombre de morales traditionnelles (Confucius, Socrate, le stoïcisme) et qui apparaît dans l'Europe moderne comme l'expression philosophiquement élaborée de l'universalisme chrétien.

L'impératif catégorique donne un critère simple de la moralité de nos actions : si, en agissant de la même manière, les hommes voyaient leur sort amélioré, alors nous pourrions conclure à la moralité de notre action. Si, en revanche, en extrapolant à partir de notre acte, nous l'imaginons effectué par tous les hommes et si dans cette condition leur sort se trouvait empiré, alors nous pourrions conclure avec certitude que notre action n'était pas morale. Montesquieu disait que la loi de la lumière naturelle, c'est-à-dire de la raison (par opposition à la révélation) veut que nous fassions à autrui ce que nous voudrions qu'on nous fît. C'est le sens même de l'impératif catégorique.

Rien n'est plus simple que la morale

Il s'agit en somme de cette très commune expérience de pensée : et si tout le monde en faisait autant ? Une action n'est morale qu'à partir du moment où elle peut subir avec succès cette épreuve de l'universalisation. C'est pourquoi il est moral d'aider une petite vieille à traverser la rue et immoral de lui arracher son sac. Ce test de la réversibilité possible est imparable. Si j'aide mon prochain, je peux évidemment vouloir qu'il m'aide en retour. En revanche, si je lui mens ou si je le vole (*a fortiori* si je le tue), je ne peux vouloir qu'il me fasse la même chose, je ne peux vouloir qu'aucun homme fasse la même chose. Aucun cambrioleur ne peut vouloir être cambriolé, aucun politicien corrompu ne peut vouloir être lui-même victime de la corruption. Le devoir est le principe de cette réversibilité qui s'étend à l'ensemble de la communauté des êtres raisonnables.

La valeur d'une action ou d'une personne est toujours déterminée par sa relation avec le tout.

– Kant

D'abord le devoir ; pour le bonheur, on verra après !

Kant définit le devoir comme la nécessité d'accomplir une action par respect pour la loi. Il ne suffit pas qu'une action soit conforme au devoir pour être morale ; il lui faut être accomplie *par devoir*. Un commerçant qui fait payer le juste prix parce qu'il craint de perdre ses clients en se trompant dans ses calculs agit conformément au devoir, il est honnête selon toute apparence, et cela suffit d'ailleurs à la société et au droit ; en revanche, s'il fait payer le juste prix par devoir, alors son action peut véritablement être dite morale : il ne trompe pas ses clients par principe.

L'être humain est animé par les mobiles de sa sensibilité plus encore que par les motifs de sa raison mais la moralité serait toujours vaincue si les motifs ne l'emportaient pas sur les mobiles. Ce qui, évidemment, ne va pas sans difficulté. Si le bien plaisait, si le mal déplaisait, il n'y aurait pas de morale, ni bien ni mal, fera remarquer Paul Valéry. Il est beaucoup plus difficile d'être moral qu'immoral, car presque toujours cela va à l'encontre de notre intérêt personnel.

La loi morale est-elle plus forte que la crainte de la mort ?

Pour montrer la possibilité d'une victoire de la raison sur la sensibilité, Kant imagine la situation suivante : si, devant la maison où loge une belle avec qui un amoureux voudrait passer d'agréables moments, une potence était dressée pour lui faire connaître la grande mort aussitôt après la petite, ne surmonterait-il pas alors son envie ? Pour Kant, la réponse était évidente – car peut-être n'était-il pas lui-même taraudé par une libido si puissante qu'elle eût pu le mettre en danger de mort. Mais nous qui savons que chaque jour des millions d'individus jouent leur vie à la roulette russe pour un coït non protégé, nous ne serions pas sans doute aussi affirmatifs.

Kant imagine, aussitôt après la potence de l'amoureux, la situation suivante : si le gouvernement demandait à un homme, sous menace d'une mort immédiate, de porter un faux témoignage contre un honnête homme, celui que l'on soumettrait à une telle épreuve ne tiendrait-il pas comme possible de vaincre son amour pour la vie ? Certes, il n'osera peut-être pas assurer qu'il le ferait, mais il accordera sans hésiter que cela lui serait possible.

La morale de Kant est une morale du devoir, pas une morale du bonheur. Ce n'est pas le bonheur que nous devons viser, mais un état qui nous rend digne du bonheur. Le postulat de l'immortalité de l'âme a, entre autres, ce sens et cette fonction : il faut bien que nous croyions à la possible réconciliation du bonheur et de la moralité puisque dans cette vie et sur cette terre nous ne voyons que trop leur divorce (combien de méchants dans la joie et d'innocents dans la peine !).

Cela dit, Kant n'est pas, comme on l'a prétendu un peu vite, contre le bonheur. Il considère même qu'il est de notre devoir de tâcher d'être heureux, car le mécontent est toujours tenté de transgresser la loi morale.

Des mains pures mais pas de mains

La formule est de Charles Péguy : Kant a les mains pures, mais il n'a pas de mains. Le reproche de formalisme a été adressé très tôt à sa philosophie morale : on le trouve par exemple chez Hegel. Kant n'aurait proposé que des principes abstraits déconnectés de la vie réelle.

Rien ne le montre mieux que la façon dont il s'attaque à la thèse commune défendue par Benjamin Constant : certes, le mensonge est une faute mais il vaut mieux parfois mentir que dire la vérité. Kant n'accepte pas cette casuistique (littéralement : considération au cas par cas). Le mensonge est mauvais en soi, quel que soit le contexte. Rien ne saurait le justifier, pas même le cas d'un innocent qui viendrait se réfugier chez nous, rien ne nous autorise à mentir à la police.

L'argument de Kant est solide : tout l'ordre de la société, dit-il, repose sur la véracité. Le mensonge est destructeur. On ne peut, en effet, l'ériger en loi universelle. Certes, le mensonge est banal mais nous voulons tout de même croire à son caractère d'exception. À admettre cette entorse, toute la société boiterait.

Nous savons bien cela, mais nous pensons aussi qu'il existe des exceptions : du point de vue kantien, il serait à la limite plus moral de dénoncer à la Gestapo un juif réfugié chez soi plutôt que de taire la vérité. Nul évidemment ne le suivrait en d'aussi inacceptables conséquences – même s'il est vrai aussi qu'une loi avec des exceptions n'est plus une loi (cela dit, nous ne sommes guère dérangés par cela, tant notre doute à l'égard de la loi est devenu envahissant).

Kant dit que si en mentant nous avons empêché d'agir un homme qui cherchait à commettre un meurtre, nous sommes juridiquement responsables de toutes les conséquences qui pourraient en résulter, tandis que si nous nous en sommes tenus à la stricte vérité, alors la justice ne pourra rien retenir contre nous, quelles que soient les conséquences imprévues qui pourraient suivre.

Un nazi peut-il sérieusement se réclamer de Kant ?

Lors de son procès à Jérusalem, Adolf Eichmann, l'intendant et maître d'œuvre de la Solution finale (l'euphémisme sinistre par lequel les nazis désignaient l'extermination de tous les juifs d'Europe) a invoqué pour sa défense le nom de Kant pour dire qu'il n'avait fait que son devoir.

Pour certains, cet aveu était la preuve de la perversité de la notion de devoir, qui n'aboutirait qu'à faire des marionnettes sans conscience. Pour d'autres, heureusement plus nombreux, Eichmann n'avait rien compris à l'idée de devoir chez Kant. Pour Kant, en effet, la loi morale à laquelle nous devons obéir inconditionnellement est une loi de la raison, en tant que telle intérieure en chaque être raisonnable. Kant ne cesse d'opposer l'autonomie de la moralité (le fait qu'elle ne trouve sa loi qu'en elle-même) à l'hétéronomie du droit (le fait qu'il trouve sa loi à l'extérieur de lui-même). Invoquer le devoir kantien pour justifier la soumission aveugle à la contrainte la plus criminelle est donc un contresens grotesque.

Un témoignage vient d'ailleurs contrebalancer l'alibi d'Eichmann. Après la guerre, Einstein reçoit la visite de son ancien collègue, le physicien Ehrenfest, qui est resté en Allemagne pendant tout le temps du nazisme et de la guerre et lui demande comment il a fait pour endurer de telles épreuves : « Tu sais, lui répondit Ehrenfest, sans Kant, je n'aurais jamais tenu ! »

La dignité et le respect

Kant est le philosophe qui a donné à la dignité son sens actuel. Dans les sociétés de l'Ancien Régime, les *dignités* (le pluriel est significatif) sont les fonctions privilégiées de ceux que le pouvoir politique et l'ordre social favorisent. Avec Kant, la dignité devient une valeur inaliénable : la dignité est le simple fait qu'un homme existe en tant qu'être raisonnable.

Kant oppose la dignité au *prix*. Ce qui a un prix peut être aussi bien remplacé par quelque chose d'autre, à titre d'équivalent, et tel est le cas, bien sûr, de la marchandise. Au contraire, ce qui n'admet pas d'équivalent, parce qu'il est supérieur à tout prix, c'est ce qui a une dignité. Kant eût été horrifié par les récentes distorsions que cette valeur a pu subir de la part des croisés de l'euthanasie. « Mourir dans la dignité » est leur mot d'ordre – comme si la dignité pouvait se confondre avec l'image de soi ! Comme si la dignité pouvait être anéantie par les circonstances !

La dignité induit un impératif dont l'universalité permet de penser à un idéal règne des fins : agis de telle sorte que tu traites l'humanité aussi bien dans ta personne que dans la personne de tout autre toujours en même temps comme une fin et jamais simplement comme un moyen. On appelle *respect* cette connaissance ou reconnaissance de la dignité de l'être raisonnable qu'est l'homme.

Les limites d'un homme de génie

Les plus grands philosophes, comme les plus grands artistes ou plus grands savants, ne sont pas des icônes – surtout les plus grands philosophes, serait-on tenté de dire. On remplirait un gros volume à consigner les bêtises qu'ils ont pu dire et faire, les inepties dont ils ont pu se rendre coupables, les absurdités qu'ils ont proférées avec la meilleure conscience du monde. Les plus nobles et fins esprits n'échappent pas à cette faiblesse. Sur les femmes, les esclaves, les enfants, les sauvages, en d'autres termes sur tous les êtres humains qui avaient ce point commun d'être différents d'eux, les philosophes ont, à de très rares exceptions près, partagé les préjugés les plus grossiers de leur temps, donc de la masse des hommes qu'ils méprisaient souvent pour leur supposée sottise.

Ainsi voit-on Kant, républicain s'il en est, interdire aux femmes et aux domestiques le droit de vote sous le prétexte qu'ils ne sauraient avoir de jugement libre. Lui qui fut l'un des tout premiers penseurs de la dignité et du respect de la personne humaine, il en arrive à justifier le crime qu'une mère perpétrait sur son enfant illégitime car, dit-il en toutes lettres, un enfant qui est né en dehors des lois est comme une marchandise arrivée en contrebande et donc cela ne ferait rigoureusement rien si on le supprimait…

Une théorie du jugement

Jugement déterminant et jugement réfléchissant

La *Critique du jugement*, qui est la troisième et dernière *Critique* de Kant, part de la distinction entre le jugement déterminant, qui part de l'universel pour l'appliquer au particulier, et le jugement réfléchissant, qui pointe vers l'universel en prenant appui sur le particulier. Lorsque nous disons que les gorilles sont des singes, nous subsumons (plaçons sous) la catégorie gorille sous celle de singe – parce que nous possédons déjà cette généralité (nous savons ce qu'est un singe). Tandis que lorsque nous disons que *L'Agneau mystique* de Van Eyck est un chef-d'œuvre, nous n'usons pas de la notion de chef-d'œuvre comme d'un outil pour la connaissance. Le jugement de goût qui porte sur les œuvres et le jugement téléologique qui porte sur la place des phénomènes de la nature sont des jugements réfléchissants.

> *Là où il suffit pour pouvoir de savoir ce qu'il faut faire, pourvu seulement qu'on connaisse de façon satisfaisante les actions requises, on ne peut parler d'art.*
>
> – Kant

Le jugement de goût

Baumgarten, à qui l'on doit l'usage actuel du terme, pensait que l'être humain est doué d'une faculté *esthétique* autonome définie comme intermédiaire entre la sensation (obscure, confuse) et l'intellect (clair, distinct). Dans la *Critique du jugement*, Kant voit dans l'expérience de la beauté le moyen de concilier l'accord de l'homme avec le monde (accord exprimé par la valeur de vérité) et l'accord de l'homme avec son semblable (accord exprimé par la valeur du bien). Ainsi comprend-on la tâche que Kant se propose dans sa troisième *Critique* et qu'il explicite dans son « Introduction » : le rétablissement de l'unité de la philosophie après la sévère division que lui avaient fait subir les deux premières *Critiques*, la *Critique de la raison pure* qui traitait de la théorie de la connaissance et la *Critique de la raison pratique* qui traitait de l'action morale.

Le jugement, au sens que Kant lui donne dans la *Critique du jugement*, est pensé comme le moyen d'unir en un tout les deux parties, théorique et pratique, de la philosophie et cela grâce à l'œuvre d'art pensée comme la représentation même de l'idée de système. La faculté de juger est donnée comme ce qui constitue la liaison des législations de l'entendement et de la raison, et la finalité, qui est son champ propre, rend possible le passage du domaine du concept de la nature à celui du concept de liberté.

Les quatre définitions du beau

Le beau est l'objet d'une satisfaction désintéressée

Le jugement de goût n'est en effet soumis à aucune règle ou motif extérieur. C'est en cela qu'il diffère du sentiment de l'agréable : lorsque je bois un verre de bon vin, ma satisfaction n'est pas désintéressée puisqu'elle coïncide avec un plaisir sensible. Si, par exemple, je regarde l'*Olympia* de Manet d'un regard concupiscent, en me disant qu'il est dommage que je ne puisse connaître bibliquement cette femme (en d'autres termes, si je vois dans le tableau de Manet non pas un nu de la peinture mais une femme à poil), alors je ne suis certainement pas dans le jugement esthétique. Le mateur a remplacé l'amateur.

Bien sûr, une critique analogue à celle qui a pu être adressée à l'idée d'une action purement morale peut être faite à l'idée d'une satisfaction désintéressée : n'y a-t-il pas une contradiction dans ces termes ? Toujours est-il que la distinction entre le beau et l'agréable est précieuse : bien des choses belles ne sont pas agréables, inversement bien des choses agréables ne sont pas belles.

Le beau est ce qui plaît universellement sans concept

Cette formule contient deux éléments qui normalement devraient être séparés. Le concept est, par excellence, le moyen de l'universel : le cercle renvoie à tous les cercles, et cela pour tous les êtres pensants. Inversement, l'universel semble ne devoir être atteint que par le biais du concept : ni la sensation ni l'intuition n'ont ce pouvoir. Le jugement de goût, quant à lui, est subjectif. Le bon sens populaire en a tiré un adage : des goûts et des couleurs on ne dispute pas.

Chacun, en effet, aime ce qu'il veut et il est fondé à le faire. Dans le domaine du goût, pas de preuve ni de démonstration : comment pourrais-je démontrer à ma fille qu'elle a tort de préférer Mariah Carey à Mozart ? N'oublions pas néanmoins la distinction du beau et de l'agréable. La sensation de l'agréable est subjective et ne fait signe vers rien d'autre que le plaisir personnel.

Le jugement de goût, même s'il est subjectif, fait signe vers les autres jugements, c'est-à-dire, concrètement, vers les autres amateurs. En d'autres termes, lorsque je suis en présence d'une œuvre belle, il y a dans mon jugement l'idée implicite qu'à ma place n'importe quel être sensible et raisonnable comme moi émettrait un jugement analogue. Le monde esthétique est un monde commun, d'où les publics de théâtre, des salles de concert et des expositions de peinture. Idéalement, ce public amateur d'art et de beau peut coïncider avec l'humanité entière : c'est bien pour tous les hommes que Beethoven a composé ses symphonies et non pour les archiduchesses d'Autriche. Cela dit, il est impossible en matière esthétique de démontrer quoi que ce soit : on ne prouve pas la beauté d'une œuvre comme on prouve la vérité d'un théorème.

Le jugement de goût est sans concept. Reprenant l'antique opposition entre la discussion (conflit d'opinions sans issue) et la dispute (conflit de pensée où la preuve est possible), Kant concluait qu'en matière de goût, on ne peut disputer (on ne peut prouver son bon droit ni le tort de l'autre) mais on peut, en revanche, discuter.

Le beau est la forme de la finalité d'un objet en tant qu'il est perçu dans cet objet sans représentation d'une fin

Lecteurs nuls, ne faites pas comme le Nathanaël des *Nourritures terrestres* de Gide, ne jetez pas ce livre ! Kant est toujours clair dans sa pensée mais souvent obscur dans son expression. Il est comme ce ciel étoilé qui le plongeait dans une admiration égale à celle que celui donnait l'existence de la conscience morale : cela brille mais il fait nuit. Essayons donc d'y voir plus clair.

La finalité d'une chose est ce vers quoi elle tend, sa fonction, son sens (la vue est la finalité de l'œil). La beauté a une finalité, elle nous délivre un sens. Avant Kant, on voyait cette finalité à l'extérieur de la chose : de même que la finalité de l'œil n'est pas l'œil lui-même mais la vue, la finalité de la beauté était, par exemple, de chanter la plus grande gloire de Dieu, de flatter le roi ou de promettre le bonheur. Pour Kant, la finalité du beau n'est pas extrinsèque (extérieure) mais intrinsèque à la chose. Ici encore, le parallélisme avec l'action morale s'impose : agir par devoir signifie n'avoir pas d'autre but que l'accomplissement du devoir, ne viser ni son intérêt personnel, ni l'intérêt d'autrui, ni évidemment une petite place toute chaude au paradis. Dans le domaine esthétique, il en va de même : la beauté n'a pas d'autre fin qu'elle-même. C'est ce qu'exprime la formule elliptique de finalité sans fin.

Le beau est reconnu sans concept comme l'objet d'une satisfaction nécessaire

La nécessité impliquée dans le jugement de goût signifie qu'il nous est impossible de concevoir que notre satisfaction aurait pu ne pas exister (de la même façon que des amoureux ne peuvent plus imaginer qu'ils auraient pu ne pas s'aimer). Or, la nécessité est, comme l'universalité, normalement l'affaire du concept (une vérité est universelle et nécessaire). Kant rappelle, dans cette formule, que dans le jugement de goût, nous restons hors concept.

Voilà. Maintenant, vous savez tout sur la conception du beau chez Kant. Vous êtes prêt pour *Qui veut gagner des millions ?* Mais pour les persévérants, nous allons remettre une couche de sens sur la finalité sans fin.

La finalité sans fin (en guise d'éclaircissement supplémentaire)

L'expression désigne la finalité intrinsèque (fin en soi) caractéristique de l'œuvre d'art. Un objet technique sert de moyen pour une fin extérieure qui est sa fonction, son utilité : un stylo sert à l'écriture, une clé sert à l'ouverture d'une porte, un préservatif sert à écarter l'enfant et la maladie.

Pour l'amour de l'art, cessez de penser un autre chose !

À quoi sert la poésie ? Malherbe disait du poète qu'il n'est pas plus utile au pays qu'un joueur de quilles et Platon raconte que Socrate, dans le cachot où il attendait la mort, jouait de la flûte. Un disciple s'en étonnait : « Pourquoi, Socrate, joues-tu de la flûte avant de mourir ? » Le vieux sage lui répondit : « Je joue de la flûte avant de mourir pour jouer de la flûte avant de mourir. »

Faire de la musique pour faire de la musique. Voilà une activité qui, comme le jeu, justement, possède sa finalité en elle-même. Alors qu'en voyant un homme creuser un trou dans la terre, on ne manquerait pas d'être étonné s'il nous disait qu'il creuse pour creuser : le sens d'une activité technique est son utilité (finalité extrinsèque). Le sens d'une activité artistique est sa finalité intrinsèque : les moyens et les fins ne sont plus extérieurs les uns aux autres, ils finissent par se confondre. Une œuvre d'art ne sert qu'à être ce qu'elle est.

Le sublime : au-delà du beau

Kant distingue deux sortes de jugement esthétique : le premier porte sur le beau, le second sur le sublime. Le XVIIIe siècle est celui qui voit s'éloigner l'idéal classique (qui avait fait du beau sa valeur cardinale) et se préparer la sensibilité romantique. Le sublime est une catégorie qui, à cette époque, est volontiers opposée à celle du beau. Outre Kant, l'anglais Burke lui a consacré un texte important.

Kant oppose le sublime au beau comme l'infini au fini. Est sublime ce en comparaison de quoi tout le reste nous apparaît comme petit. Tel est le cas de l'océan tourmenté par la tempête, de la montagne couronnée de neiges éternelles. Avec le sublime, nos facultés de connaissance (sensibilité et entendement) sont dépassées et comme écrasées. Mais c'est précisément ce déplaisir réel qui nous exalte.

Le génie : l'édifiante histoire d'un petit dieu romain

Chez les Romains, qui ont introduit le mot (*genius*), le génie, qui hérite de bien des traits du *démon* grec (dont il faut rappeler le caractère non diabolique), est une sorte de petit dieu protecteur de l'individu qui naît et meurt après avoir été durant toute sa vie le guide de ses actions, le gardien et l'animateur de son bien-être. De là, les expressions de bon (ou de mauvais) génie pour désigner celui qui vous protège ou au contraire vous détruit. La croyance aux anges gardiens vient de là.

Le génie a ensuite été placé à l'intérieur de l'individu, sa force extérieure est devenue interne. Au sens moderne, le génie est une aptitude naturelle (les Latins disaient *ingenium*, d'où vient notre « ingénieux »), un goût inné pour une chose quelconque – on peut avoir le génie du dessin comme le génie de l'intrigue. Par métonymie, on passera de l'avoir à l'être, le don sera donc perçu comme incarné par individu : Rembrandt a davantage que du génie, il *est* un génie.

Le XVIIIe siècle commence à s'intéresser au génie, lequel finira par devenir un véritable mythe à l'époque romantique. Figure de surhumanité, le génie montre que Dieu n'a pas l'exclusivité de la puissance créatrice. De manière plus ou moins explicite, plus ou moins consciente, la thématique du génie signifie fondamentalement le remplacement de Dieu par l'homme. C'est ce qui apparaît dans le *Faust* de Goethe qui fournira à Nietzsche le terme de « surhumain ».

Kant conçoit le génie comme une disposition naturelle qui, à l'opposé de l'activité de connaissance, n'est pas l'application de règles mais l'invention de règles. Il n'y a pas de recettes de l'art comme il y a des recettes de cuisine. Aucun artiste n'est devenu génial pour l'avoir voulu (à l'âge de 12 ans, Picasso dessinait déjà mieux que son père professeur de dessin). Le génie est originaire, à la fois original (unique) et originel (sans modèle). Il est exemplaire : il devient lui-même un modèle. Il est mystérieux : une description et une explication rationnelle ne peuvent en rendre totalement compte. Il y a de l'infini dans le génie.

La finalité dans la nature

La *Critique du jugement* est divisée en deux parties, l'une consacrée au jugement esthétique, l'autre consacrée au jugement téléologique, c'est-à-dire de finalité, qui porte sur l'harmonie de la nature.

Comment expliquer cet étrange voisinage ? Certes, il existe bien de la beauté dans la nature mais ce n'est pas d'abord de cela qu'il est question dans la troisième *Critique* de Kant. Souvenons-nous de la distinction que fait le philosophe entre le jugement déterminant, qui est celui par lequel nous connaissons, et le jugement réfléchissant qui est celui par lequel nous apprécions. Il existe, selon Kant, deux domaines dans lesquels le jugement réfléchissant peut s'exercer : celui de la beauté (d'où l'esthétique) et celui de la finalité (d'où la philosophie de la nature). Ni la beauté ni la finalité ne peuvent être des objets de science. Certes, ce sont des concepts comme tout ce dont traite la philosophie, mais leur caractère spécifique est précisément d'échapper au concept.

Une idée nécessaire

De même que nous ne pouvons nous empêcher de trouver belles certaines œuvres, sans néanmoins pouvoir démontrer que nous sommes fondés à le faire, de même nous ne pouvons nous empêcher de penser le lien entre les phénomènes de la nature comme l'expression d'une finalité, bien que celle-ci excède de beaucoup notre capacité de connaissance. La finalité n'est pas un concept scientifique mais une espèce d'idéal de la raison dont nous ne pouvons pas faire l'économie dès lors que la nature n'est plus représentée en nous comme un agrégat mais comme un tout. De là vient, par exemple, l'image du ballet des planètes autour du Soleil.

Il existe deux finalités : une finalité interne qui s'inscrit dans un tout (comme l'arrangement des différents organes entre eux, de manière à constituer un organisme) et une finalité externe qui concerne la totalité (comme l'harmonie repérable entre les différents êtres et éléments de la nature et qui fait qu'aucun d'entre eux ne peut nous apparaître comme isolé).

Le jugement esthétique affirme une harmonie entre nos facultés (l'imagination et l'entendement), le jugement téléologique affirme une harmonie à l'intérieur de la nature elle-même. Kant oppose principe régulateur et principe explicatif. Un principe explicatif fait avancer nos connaissances (telle est la fonction des principes de la physique comme le principe d'inertie). Un principe régulateur est un idéal que la raison se donne et qui lui sert de repère et de fin pour saisir dans une unité ce qui autrement resterait incompréhensible. La finalité est un principe régulateur.

L'insociable sociabilité

L'être humain n'est ni complètement sociable ni complètement insociable, c'est ce dont rend compte l'oxymore « insociable sociabilité » utilisé par Kant. Comme les Anglais qu'il avait lus avec attention, Kant sait que la vie en société n'obéit pas aux règles de bienveillance mutuelle que la raison morale voudrait voir propager. Et comme les Anglais, plutôt que de déplorer l'immoralité commune, il lui trouve une fonction pratique.

Dans la forêt, remarque Kant, les arbres poussent beaux et droits parce que tous cherchent l'air et la lumière. Leur rivalité leur est profitable. Les arbres qui, en revanche, poussent à l'écart des autres, lancent leurs branches à la va-comme-je-te-pousse, ils en sont tout tordus et rabougris. Kant est un réaliste.

Une philosophie idéaliste mais non utopique de l'histoire

Kant est un idéaliste réaliste. Rien ne lui est plus étranger que les rêveries où se complaisent les utopistes. Reprenant une image de Luther, il dit que le bois dont l'homme est fait est si noueux que l'on ne peut y tailler des poutres bien droites. L'idéal n'est pas défini comme un programme à remplir mais comme une finalité vers laquelle nous devons tendre. Alors que l'utopiste considère comme devant être réalisé l'idéal posé, au risque de tomber dans les moyens despotiques (ainsi qu'on ne l'a que trop vu avec le communisme), Kant conçoit l'idéal comme s'il était possible de s'en approcher. Cette politique du « comme si » nous préservera de toute tentation totalitaire.

Kant prend toutes les précautions pour éviter l'écueil de l'utopie : la fin de l'histoire universelle est un horizon. Car, de même que l'horizon est visible à partir du lieu où notre corps est présentement situé, de même, la fin (l'objectif) est pensable à partir du temps actuel qui est celui de notre esprit.

L'État cosmopolitique universel que Kant appelle de ses vœux n'est pas l'empire mondial. Kant est opposé à la constitution d'un État mondial qui, à ses yeux, ne pourrait être que despotique. Dans un passage trop peu cité (tant on préfère de nos jours souligner les turpitudes des grands hommes du passé plutôt que leur traits prémonitoires), Kant va jusqu'à mettre en parallèle pour les désapprouver la violence coloniale et la terreur révolutionnaire. Pour lui, la fin ne saurait justifier les moyens : toutes ces prétendues bonnes intentions, dit-il, n'arrivent pas à effacer l'injustice qui entache les moyens employés.

Les formulations de Kant ne peuvent que résonner et raisonner dans le monde actuel ; elles nous permettent de prendre la mesure des lenteurs et des retards : les liaisons plus ou moins étroites, écrit Kant, qui se sont établies entre les peuples, ayant été portées au point qu'une violation de droit commis en un lieu est ressentie partout, l'idée d'un droit cosmopolitique ne pourra plus passer pour une exagération fantastique du droit ; elle est le dernier degré de perfection nécessaire au code tacite du droit civil et public.

Attendre une paix universelle et durable de ce qu'on appelle l'équilibre des puissances européennes, c'est une pure chimère, semblable à cette maison de Swift qu'un architecte avait construite d'une façon si parfaitement conforme à toutes les lois de l'équilibre qu'un moineau étant venu s'y poser, elle s'écroula aussitôt.

– Kant

Kant invente l'ONU !

C'est Kant qui invente l'expression « société des nations » (*Völkerbund* en allemand) pour désigner l'organisation internationale susceptible d'assurer la paix universelle. Après la Première Guerre mondiale, sous l'influence du président américain Wilson dont l'idéalisme devait beaucoup à la philosophie kantienne, une Société des nations (plus connue sous le sigle SDN) fut instituée avec ce même objectif : assurer la paix mondiale. Affaiblie dès le départ par la défection américaine (le Congrès vota non à la participation des États-Unis), la SDN se révéla totalement impuissante à prévenir la montée des fascismes et les agressions dont ils se rendirent aussitôt coupables. La Seconde Guerre mondiale signa son arrêt de mort. En 1945, l'Organisation des Nations unies fut instituée pour la remplacer mais souffrit des mêmes maux et des mêmes faiblesses. En 2006, nous en sommes donc toujours au même point : réaliser ce que Kant avait pensé il y a deux siècles.

Chapitre 17

La génération romantique ou l'absolu à portée d'esprit

Dans ce chapitre :

- La modernité et la réaction tout en un
- Fichte, aussi nazi que les nazis l'ont dit ?
- Schelling, l'ancien ami et grand rival de Hegel

Le romantisme n'est pas un courant philosophique et il constitue une nébuleuse, une constellation plutôt qu'un système de pensée. Mais des thèmes philosophiques récurrents le traversent et finissent par lui conférer une certaine unité.

Contre Kant, tous !

Toute la génération romantique, Hegel compris, s'est déterminée par opposition à l'esprit des Lumières, et plus particulièrement par opposition à Kant. Kant avait fondé sa philosophie critique sur deux procédés : la détermination des limites et la détermination des dualités. Le romantisme voudra ignorer aussi bien les limites que les divisions.

Goethe se fait l'interprète de toute une génération lorsqu'il dit non sans humour : Kant s'enferme délibérément dans un cercle et de façon ironique il ne cesse de montrer l'espace qui s'étend au-delà.

Anti-Kant

Un certain Benedikt Stattler (pas d'inquiétude, je ne le connais pas plus que vous) a écrit en 1788 un *Anti-Kant* dans lequel il appelle le philosophe de Königsberg « celui qui concasse tout ». Contre Kant, donc, et sa pensée des limites, le romantisme voudra retrouver l'absolu ; contre Kant et sa pensée des dualités, le romantisme voudra retrouver l'unité.

L'opposition à la science analytique, à ce qu'Auguste Comte appellera l'esprit de détail, n'est pas moindre. Depuis la révolution galiléenne, au début du XVIIe siècle, la science divise pour régner. Le romantisme développe par réaction un nouveau sentiment du monde. Contre le mécanisme de Descartes et de Newton qui dissocie, dévitalise et déspiritualise la nature, la philosophie de la nature constitue une protestation poétique – le cri vers la mère universelle aussi, que les débuts de l'âge industriel sont alors en train d'éloigner et de faire mourir.

Schelling dit de la séparation entre l'idée et la nature qu'elle est une maladie de l'esprit. Le romantisme ne cesse d'associer l'esprit et la nature avec la force du désespoir.

Tout ce qui est isolé est mauvais.

– Goethe

La revanche du sentiment

L'entendement divise, isole, oppose, tel est le thème récurrent de cette période. À l'inverse, le sentiment, à commencer par le plus noble de tous, l'amour, unit, rapproche, conjoint. Lorsque les poètes et les musiciens romantiques chantent l'amour, ils font davantage que célébrer un affect entre un homme et une femme ; ils exaltent une force d'union dont la mort apparaît souvent comme la seule rivale.

Le sens de la totalité

Pour Schleiermacher, que l'on considère comme l'initiateur de l'herméneutique moderne, c'est-à-dire de l'art d'interpréter les textes, il n'y a pas de Dieu sans le sentiment de la totalité. Or, justement, ce n'est pas la pensée (l'entendement spéculatif, la raison) qui est capable d'embrasser cette totalité, mais le sentiment. Pas de religion sans sentiment religieux et pas d'universalité humaine sans religion. La tradition millénaire (d'origine grecque) qui rivait le sentiment, c'est-à-dire ce qui en tenait lieu (l'affect, l'impression, l'émotion, l'intuition), à la singularité du réel sensible et de la subjectivité est renversée, la raison qui unifiait le monde et réunissait les hommes les divise à présent, tandis que le sentiment qui morcelait le monde et isolait les hommes les relie à présent. Aux yeux de Schleiermacher, l'univers est un objet spontané d'intuition. On ne saurait être plus anti-kantien.

L'amour, toujours l'amour !

C'est parce que le romantisme désespérait finalement de voir le sujet identifié au tout par l'acte de la pensée qu'il fera de l'amour le facteur le plus pénétrant de totalité : le jeune Hegel fut un temps séduit par cette solution, dont l'origine remonte au *Banquet* de Platon. L'assimilation de la pensée au désir amoureux fit de l'amour beaucoup plus qu'une théorie analogique. Déjà Dante, à la fin de sa *Divine comédie*, avait écrit que c'est l'amour qui fait mouvoir les mondes : entre mouvoir un monde et émouvoir un cœur, la différence n'est-elle pas du tout à la partie ? En reprenant ce noble héritage, les romantiques donnent à l'amour en tant qu'expression de l'unité des opposés un sens et une extension proprement cosmiques. Novalis appelle couple total celui qui réunit l'art et la nature. Hölderlin écrit que le nom de ce qui constitue l'un et le tout est *beauté*. Le Platon du *Banquet* est retrouvé : l'amour et le désir d'être tout coïncident.

Avec un zeste de Witz !

Schiller appelait naïve la poésie des Anciens, celle qui vivait encore en familiarité avec la nature, et sentimentale la poésie des Modernes, qui vit dans la douleur de la séparation. La désignation est profonde car si le sentiment est une force d'union, il est d'abord le signe d'une séparation : on ne désire en effet que ce que l'on n'a pas, et bien des mythes jusqu'à la psychanalyse disent : que ce que l'on a perdu.

Le *Witz*, tel qu'il est cultivé par les écrivains romantiques en Allemagne, est l'expression de cette sentimentalité, au sens de Schiller. Le mot en allemand signifie « esprit » au sens de « trait d'esprit », la pointe. Le *Witz* est la flèche décochée par l'esprit en ce qu'il suggère l'irruption soudaine d'une subjectivité dans l'ordre des choses. Les romantiques allemands voient en lui un héroïsme de la pensée. De tonalité volontiers ironique, le *Witz* s'exprime par l'aphorisme, le bon mot, l'anecdote.

La nuit après les Lumières : le désir et l'amour de l'unité

Si la nuit est célébrée par tous les romantiques, de Novalis à Wagner, c'est parce qu'elle est le temps de l'indifférenciation. C'est le jour qui sépare les êtres et les choses les uns des autres et en fait des individualités isolées dans leurs formes. La nuit est le fond, l'abîme d'où tout peut encore surgir parce que tout se fond dans le tout.

Le retour du serpent : un et tout

On a déjà fait état de la querelle du panthéisme qui avait éclaté à la fin du XVIIIe siècle en Allemagne à propos de l'interprétation de Spinoza. L'histoire avait ainsi commencé : en 1781, un an avant la mort de Lessing, Jacobi vint chercher auprès de lui un appui en faveur du sentiment religieux intime. Contrairement à son attente, Lessing avoua professer le spinozisme : *hen kaï pan* (un et tout, en grec), je ne sais rien d'autre, dit-il, il n'y a pas d'autre philosophie que la philosophie de Spinoza.

Hen kaï pan, la génération romantique (Hölderlin, Schelling, Hegel, Schleiermacher) communie dans cette formule qui trouve son origine dans les fragments d'Héraclite et qui avait servi, au Moyen Âge, de devise aux alchimistes. On la représentait sous la forme d'un serpent qui avale sa queue dans sa gueule – symbole de la circulation des éléments les uns dans les autres.

Schelling et les romantiques louent en Spinoza l'anti-Kant, celui qui avait vécu en pleine conscience l'unité de l'esprit et de la matière, du savoir et de l'action, du réel et de l'idéal, et ils attribueront à Spinoza la pensée de l'identité du sujet et de l'objet – la meilleure définition, selon eux, de l'absolu. Ce Spinoza plus rêvé que lu, plus imaginé que compris, devenait ainsi un enthousiaste qui avait introduit le mysticisme dans la raison aussi bien que dans la nature…

Refaire ce que Kant a défait et retrouver la nature !

Kant avait laissé le champ philosophique dans un état de division apparemment insurmontable : scission entre le sujet et l'objet, dont l'accord est désormais regardé comme le problème central de la réflexion philosophique ; scission, au sein du sujet, entre l'individu empirique et le sujet transcendantal seul capable de construire la science ; scission, au sein de l'objet, entre le phénomène et la chose en soi inaccessible ; scission, du point de vue de l'action, entre le monde de la nécessité et celui de la liberté ; scission du point de vue de l'éthique, entre le principe du devoir et celui du bonheur. Chez Kant, le droit et le fait, l'idéal et le réel ne sont pas seulement contraires : ils n'appartiennent pas au même monde. Les romantiques, qui n'ont lu Kant que partiellement, en ont conclu au désespoir d'une perte de l'absolu.

Retour de l'âme du monde

C'est pour refonder l'unité de toutes choses au sein de la nature une que Novalis et Baader reprennent l'idée antique d'âme du monde qui avait disparu depuis la Renaissance sous l'impact de la science moderne. La réunion de la nature et de l'esprit est celle du physique et du métaphysique. La matière est de l'esprit en sommeil écrit Schelling en une formule qui aurait pu être signée Leibniz. Pour Schelling, la nature est l'esprit visible, l'esprit, la nature invisible ; la nature est l'esprit dévoilé, l'esprit est la nature voilée.

La mesure de la nature

L'expérience romantique de la nature s'inscrit entre les deux pôles extrêmes de la mort et du voyage, entre la concentration de l'âme et la dispersion de l'existence. Le suicide d'Empédocle, tel que Hölderlin le met en scène dans son poème dramatique, est à la fois un échec et un accomplissement : rejeté par la communauté des hommes qui ne veut pas reconnaître en lui la présence du divin sur terre, le philosophe poète s'engloutit dans la gueule ouverte du volcan. Empédocle souffrait de n'être pas un dieu.

Le sentiment du tout a son expression philosophique chez Schelling, poétique chez Hölderlin et poético-philosophique chez Novalis. L'encyclopédie dont rêve Novalis et qui, comme le *Livre* de Mallarmé, est resté à l'état de chantier, est le témoignage de cette profonde unité de tous les éléments qui valent comme autant de signes les uns pour les autres, qui se font signe les uns les autres.

L'organisme de la nature

Fichte fait du monde, du non-moi comme il dit, le reflet du moi ; semblablement, chez Novalis, le macrocosme est l'icône et le symbole du microcosme. L'idée du microcosme est la plus haute pour l'homme, écrit Novalis, qui ne partageait pas la conception développée par Schlegel du fragment comme petite totalité et restait fidèle au projet d'une encyclopédie dont la correspondance constituait la structure. Cette analogie entre le macrocosme et le microcosme, qui fait du monde un corps colossal et du corps un monde en miniature, a trouvé en Novalis une expression accomplie lorsque celui-ci écrit qu'il n'y a pas lieu de distinguer le monde dont on rêve et le monde dans lequel on rêve – aboutissement absolu de l'idéalisme philosophique.

Le romantisme est panvitaliste : dans le tout, il n'y a pas de mort, écrit Schelling, l'individu est de la vie universelle capturée à la naissance et libérée au moment du trépas. Il n'y a pas de mort, car mourir c'est passer à une autre vie.

La métamorphose : tout est chenille et tout est papillon

À cette époque, l'idée de métamorphose quitte le domaine de la mythologie pour entrer dans celui de l'histoire naturelle. Puisque la nature est un organisme, et non une machine, elle est le théâtre d'un développement et d'une transformation continus. La métamorphose et l'évolution sont au niveau diachronique ce que les correspondances sont au niveau synchronique. Elles ont pour fonction commune de traduire la puissante unité qui lie entre eux tous les êtres et éléments de la nature. Goethe suivait les transformations de la feuille dans chacun des organes de la plante ; Schelling et les romantiques traquent la continuité de la forme à travers la multiplicité des phénomènes. L'évolution est conçue comme récapitulative et non comme éliminative : l'homme est la fine pointe et la couronne de l'histoire naturelle ; il doit comprendre en lui tout ce qui l'a précédé, comme le fruit comprend toutes les parties antérieures de la plante.

La spiritualisation de la matière

Comme l'esprit s'incarne, la matière se spiritualise. D'un même mouvement, la nature est divinité et Dieu se fait nature ; du coup, la science acquiert une signification religieuse. L'interprétation que le romantisme donnera des découvertes sur l'électricité, le magnétisme et les affinités chimiques sera spiritualiste. La vogue étonnante du magnétisme animal, l'intérêt pour la télépathie et le spiritisme témoignent du désir qu'ont eu les hommes de cette génération de voir la matière finie vaincue par l'esprit infini. Leur philosophie de la nature est en fait une philosophie de l'esprit.

L'idée de force cosmique – dont le magnétisme et l'électricité seront les phénomènes – tend à remplacer celle d'organisme : chez les philosophes de la nature, le tout est plutôt énergie que substance. Leibniz, ici, se substitue à Spinoza. Si, en effet, depuis Mesmer, le romantisme est fasciné par le magnétisme et l'électricité, c'est parce que ces phénomènes physiques représentent des forces d'unification invisibles. La théorie galvaniste considère la vie comme une sorte de circuit cosmique où les organismes individuels ne sont que des points d'arrêt qui interrompent le courant pour l'intensifier. La physique des romantiques est déjà une métaphysique – l'électricité arrache le *courant* au fleuve pour le donner au feu.

L'homme total à la mesure de la nature

La pensée de l'unité appliquée à l'être humain balance entre une vision de l'homme total (le génie, l'esprit universel) et une recherche de la fusion avec le tout. Toute l'*Encyclopédie* de Novalis, cet étonnant tas de pierres en attente de cathédrale, vise la « sophie », cette sagesse intégrale pour laquelle l'auteur invente une série de néologismes : « sympoésie », « pantomathie », « symphilosophie ». Schiller opposait à l'homme un et total des premières républiques l'homme moderne déchiré et dispersé par la division du travail. Jusqu'à Marx et à Wagner, la génération romantique dénonce cette division comme une fatalité moderne.

Le rêve de la communauté humaine

Le romantisme associe la sympathie (d'origine stoïcienne) et la communauté (dont la chrétienne communion des saints représente le modèle), la totalité naturelle et la totalité humaine. L'union affective et la communauté politique – on le voit avec Fourier — sont confondues. On ne peut, écrit Baader, jamais isoler une conscience individuelle, un savoir individuel de la masse diffuse d'un savoir collectif. D'où la définition de la conscience : avoir conscience, c'est savoir avec autrui. L'*Hymne à la Joie* de Schiller mis en musique par Beethoven (et devenu depuis l'hymne européen) le chante de manière grandiose. Peut-être, disait Novalis, la communauté constitue-t-elle notre être le plus intime ; peut-être chaque homme participe-t-il à sa manière à mes pensées et à mes actions, et moi-même j'ai peut-être ma part des pensées des autres hommes.

Cela dit, sur la question des relations entre le moi et le nous, les différences nationales sont assez nettement perceptibles : tandis que le romantisme français a tendance à dresser l'individu contre la société, le romantisme allemand intègre l'individu dans un ensemble qui le dépasse, il le fond dans la communauté nationale.

Un ciel d'idées non sans nuages

Ce sens développé de la communauté est lourd d'équivoques. En tournant le dos à l'universalisme des Lumières, le communautarisme (on le voit à partir de Herder) récuse en fait la totalité humaine : un tout (le peuple, la nation, l'État) joue par conséquent contre le tout (le genre humain, la société des nations, les États unis du monde). Si chaque langue est une visée particulière du monde (l'expression est de Guillaume de Humboldt), elle devient largement incommunicable aux autres. Tous les penseurs et idéologues, dans les deux siècles à venir, n'auront pas la prudence de Herder, lequel croyait simplement que chaque peuple ne dispose que d'une vérité partielle et que le plan providentiel n'est jamais donné en totalité.

L'art en guise de religion

Novalis rêve à une poésie universelle qui soit l'origine (l'expression) et la fin (la manifestation) de tout : le vrai poète, dit-il, est omniscient. La poésie est la fleur de l'histoire, le pendant pour le présent de ce vaste répertoire d'images et d'idées que représentait aux yeux des romantiques la mythologie à l'origine. La poésie est la mythologie des temps nouveaux ; elle est bien davantage que le poème, qui n'en est que l'écriture momentanée. Elle joue, chez les romantiques, le rôle que jouait la notion d'harmonie chez les Grecs. Elle est partout dans la vie comme dans la nature, allégorie du monde puisque chaque chose, chaque être fait signe.

Alors que l'esthétique classique, qui jette avec Lessing ses derniers feux, sépare les arts et les genres à la manière d'Aristote (dont elle découle), la sensibilité romantique cultive le mélange non seulement entre les styles au sein d'une même œuvre (par opposition à la tragédie classique, le drame romantique se définit comme mélange de comique et de tragique, de sublime et de grotesque), mais aussi entre les différents langages artistiques (enfin la poésie, la peinture et la musique peuvent aller de concert).

L'oeuvre d'art totale pour l'homme total

L'esthétique de l'union des arts, qu'on appellera plus tard œuvre d'art totale à partir des drames lyriques de Wagner, prend appui sur une anthropologie particulière. La conception de l'être humain à l'âge classique tendait à séparer non seulement l'esprit et le corps, l'intelligence et la force, mais également les différents sens et les différentes facultés : l'œil ici, l'oreille là, l'imagination de ce côté-ci, la conception de celui-là. Le romantisme, à rebours, prend l'être humain comme un foyer unifié de sensations et de représentations, que le prisme de l'intelligence analytique ne disperse pas encore.

Fichte recolle les morceaux du vase brisé par Kant

Le romantisme s'est réclamé de Fichte, croyant trouver dans la *Doctrine de la science* la théorie d'un moi qui, par son infinie liberté, s'élève jusqu'à l'absolu. Fichte eut pour projet de redonner à la philosophie l'unité spéculative que Kant lui avait fait perdre : la *Doctrine de la science* traite dans le cadre d'un seul ouvrage (même s'il subit plusieurs remaniements) la philosophie théorique et la philosophie pratique que Kant avait séparées en deux *Critiques*.

Reconstituer la savoir absolu

Fichte constate que si le criticisme de Kant sauve la liberté, c'est au prix du savoir absolu. Le seul moyen de maintenir la double exigence, pratique, de liberté et, théorique, du savoir absolu est de constituer le monde comme une production de l'esprit, de construire un idéalisme subjectif absolu. Si le criticisme échoue, selon Fichte, à constituer le savoir absolu, c'est qu'il cherche le fondement de la représentation du côté de l'objet et qu'il rencontre ainsi l'obstacle de la chose en soi.

En somme, Fichte reproche à Kant de n'avoir pas accompli cette révolution copernicienne que le philosophe de Königsberg se targuait d'avoir introduite. L'essentiel, aux yeux de Fichte, est de faire sauter le lien que Kant instituait entre l'absolu et la chose en soi : l'absolu ne doit pas être posé comme une substance, une réalité hors de la pensée, mais doit être cherché dans l'activité radicale de l'esprit. La conformité de la pensée et de l'être au sein d'une totalité reconquise sera garantie par l'exclusion de toute réalité étrangère à l'esprit. L'esprit est chez soi mais il reste seul.

Au commencement était l'action

C'est par l'action que nous savons que le monde existe, déclare Fichte. Sous-entendu : pas par la pensée. « Au commencement était l'action » est le remplacement hérétique que le *Faust* de Goethe propose pour le premier verset de l'évangile de saint Jean (« Au commencement était le Verbe »). La liberté n'a pas besoin d'autre chose que d'elle-même pour se déclarer et même si dans la liste des droits elle apparaît comme un élément parmi d'autres, fût-il le premier, elle n'en représente pas moins, comme pouvoir autoconstituant, le fondement métaphysique des droits de l'homme. C'est cela qui avait tellement impressionné Fichte (mais également Kant et Hegel) dans la Révolution française : l'homme est libre en se disant libre car en se disant libre, il se fait libre.

La souveraineté inconditionnée du moi constitue le fondement commun de la théorie de la connaissance et de la philosophie pratique (morale, juridique, politique) de Fichte, qu'il fut par ailleurs le premier à définir l'action de savoir comme une véritable pratique. Avec Fichte, la volonté reprend sur l'entendement un avantage et un pouvoir que la philosophie classique lui avait fait perdre.

C'est le volontarisme qui fait également le lien entre les réflexions sur la Révolution française et les *Discours à la nation allemande*, par-delà le passage de l'universalisme révolutionnaire au particularisme nationaliste, où nombre de spécialistes ont décelé un reniement. C'est parce que l'être humain fait partie d'une communauté que Fichte accorde au droit une place que lui avait refusée Kant.

Pas d'existence hors de l'État !

Entre l'homme isolé et le citoyen, pense Fichte, il y a le même rapport qu'entre la matière brute et la matière organisée. Dans un organisme, chaque partie entretient le tout et, en le conservant, elle se conserve elle-même. Ainsi fait le citoyen dans l'État. L'État réunit les hommes en un tout. Seulement, ce tout est limité puisqu'il n'englobe pas l'humanité entière. De là le dépassement de l'État (et du droit) par la moralité ; de là, l'achèvement de la doctrine du droit par le droit international.

Jusqu'à sa conversion nationaliste consécutive à l'invasion napoléonienne, Fichte a été favorable à une fédération mondiale des États qui préserverait la souveraineté de chacun d'eux mais aurait néanmoins à son service une armée et un tribunal. En fait, Fichte ne conçoit pas le patriotisme et le cosmopolitisme comme antinomiques. Il rencontre sur ce point les républicains français : le patriotisme réside dans le fait de vouloir que les fins de l'humanité soient réalisées dans l'État national dont on est membre. Seulement, le tournant nationaliste de l'auteur des *Discours à la nation allemande* bouleverse l'économie de cette politique avec une idée d'un exclusivisme national : seul l'Allemand, proclame alors un Fichte entraîné dans son action de résistance, peut, à travers les fins de sa nation particulière, atteindre l'humanité en sa totalité.

Fichte dans les griffes nazies

Alors que Hegel a été, sauf exception, honni et rejeté par les nazis (le juriste Carl Schmitt s'écrie avec enthousiasme le 30 janvier 1933, le jour de l'accession de Hitler au pouvoir : « Aujourd'hui, on peut dire que Hegel est mort »), Fichte a été largement instrumentalisé par le nouveau pouvoir totalitaire. Plusieurs traits de sa pensée politique, juridique et économique, sont ceux-là mêmes du régime nazi.

D'abord la conception organique de l'État. Fichte avait pointé le fait que, jusque-là, la réflexion moderne sur le droit politique avait essayé de construire le concept de la totalité politique par le rassemblement idéal des individus, autrement dit selon le modèle de l'agrégat qui conduit à laisser échapper l'essence de la communauté comme totalité. Il pensait, on l'a vu, qu'entre l'homme isolé et le citoyen, il y a le même rapport qu'entre la matière brute et la matière organisée. La haine du totalitarisme nazi à l'encontre de l'individualisme bourgeois pouvait reconnaître en Fichte l'un de ses chantres.

Deuxième rencontre possible : le messianisme nationaliste. Ce n'est pas le peuple juif (par la religion) ni le peuple français (par la révolution) qui est le peuple élu, à vocation universelle, mais le peuple allemand, par le seul fait de sa nature, annonce Fichte. Comme Kant, et à l'opposé de Herder, Fichte est universaliste, mais il estime que l'universalisme singularise l'esprit allemand. Ainsi avec lui le pangermanisme et l'universalisme opèrent-ils leur jonction pour un pire à venir. Dans le deuxième *Discours à la nation allemande*, Fichte va jusqu'à prétendre que seul l'Allemand peut à travers les fins de sa nation embrasser l'humanité entière… Un peu plus tard, le philosophe associera nationalisme et messianisme en un sens nettement impérial : la race germanique a été désignée par la Providence pour diriger le monde.

Troisième lieu de rendez-vous : sur le plan économique, Fichte a été le théoricien de la plus complète autarcie. *L'État commercial fermé* aura d'ailleurs sur le totalitarisme, via l'économiste List, plus d'impact encore que le nationalisme de ses *Discours à la nation allemande*. Fichte était logiquement aussi un ardent partisan de la planification totale, qui ne laisserait aucun espace de jeu au marché.

Mais nul n'est contraint de penser que les nazis ont compris Fichte. Tous les traits qui viennent d'être mentionnés sont évidemment prétotalitaires, mais il y a aussi de solides contrepoids. Certes, dans un ouvrage intitulé *Le Caractère de l'époque actuelle*, Fichte définit l'essence de l'État absolu comme la forme de pouvoir que mettent au service de l'espèce toutes les forces individuelles. Mais qu'est-ce que l'espèce selon l'État, interroge Fichte. Réponse : *tous* ses citoyens, sans la moindre exception.

Autre objection à ceux qui ont préféré l'interprétation nazie à la lecture du philosophe : Fichte a défendu l'idée d'un transfert des pouvoirs exécutif et législatif ainsi que judiciaire à des fonctionnaires contrôlés par les citoyens. Ainsi était posé le thème d'une articulation institutionnelle du pouvoir, qui exorcisait dans une importante mesure le danger de totalitarisme présent dans l'idée de volonté générale. Rappelons enfin que dans son treizième *Discours à la nation allemande*, Fichte condamne expressément toute politique annexionniste ou coloniale.

Schelling : la nuit où toutes les vaches sont noires

La philosophie de la nature exposée par Schelling est une réaction contre la science newtonienne : les phénomènes de la nature ne sont pas des objets mathématiques mais des forces, des puissances reliées entre elles et dont l'ensemble organique est comme l'esprit manifesté.

Dans sa *Phénoménologie de l'Esprit*, Hegel exécute son ancien ami avec quelques métaphores assassines : la philosophie de l'identité est la nuit où toutes les vaches sont noires (équivalent allemand des chats gris dans la nuit française), on dirait un squelette de muséum sur les os desquels sont collés des petits bouts de papier avec des mots écrits dessus…

Polarité et compensation

Schelling considérait la nature sous les idées de polarité et de compensation. Il établissait une analogie entre l'alternance de l'expansion et de l'attraction qui, selon lui, avait formé le système planétaire, et la respiration d'un être vivant. Dans *L'Âme du monde*, qui expose l'idée d'un principe organisateur de tous les phénomènes de la nature, Schelling fait de la vie le produit de l'union de la pesanteur, l'un répandu dans le tout, et de la lumière, la substance qui représente la totalité dans le particulier.

Le *Système de l'idéalisme transcendantal* établit une correspondance entre la série des facultés représentatives, sensation, intuition productive, réflexion, jugement, et celle des forces constitutives de la matière, magnétisme, électricité, chimisme, organisme ; aux actes de l'intelligence répondent les moments de la construction de la matière, les forces qui sommeillent en elle sont de même nature que les forces représentatives. Aussi ce naturalisme s'ouvre-t-il au surnaturalisme sans qu'aucune contradiction soit repérable.

Peut-on être philosophe et croire aux revenants ?

Si Schelling admet toutes les croyances irrationnelles, de la baguette divinatoire à la prémonition en passant par la clairvoyance et l'influence des astres, c'est parce que, comme chez les néoplatoniciens (également accueillants à la rêverie), sa pensée était soumise à la loi de l'un. Le titre complet de *Clara*, l'ouvrage le plus étrange mais aussi le plus poétique de Schelling, est *Clara ou Du lien de la nature au monde des esprits* : Schelling s'y pose la question de savoir s'il existe *deux* mondes dont l'autre serait celui des esprits et il répond par la conception du lien comme passage.

L'art et la religion

Alors que pour Hegel l'art et la religion ne sont que des moments préparatoires au véritable accomplissement de l'absolu réalisé par la philosophie, pour Schelling ils en sont des signes pléniers.

Schelling fut le premier philosophe, après Vico, à considérer la mythologie avec tout le sérieux philosophique qu'elle mérite, c'est-à-dire ni comme un ensemble de légendes pour enfants et demeurés, ni comme un écran symbolique de la réalité. À toute une tradition allégorique remontant à l'Antiquité, qui ne veut voir dans les mythes qu'un langage chiffré, Schelling oppose une conception qu'il appelle « tautégorique » : la signification de la mythologie ne peut être, selon lui, que celle du processus à la suite duquel elle naît. Lorsque l'anthropologue Lévi-Strauss affirmera que les mythes se pensent entre eux, il s'inscrira dans le droit fil de cette méthode de Schelling.

La philosophie comme la mer, toujours recommencée

Aux yeux de Hegel, Schelling est tombé dans le mauvais infini de celui qui, à chaque étape de son travail, reprend tout depuis le début. Au reste, Schelling a toujours revendiqué cet inachèvement qu'il associait, comme Kant, au sublime. À la différence de Hegel, le philosophe de l'âme du monde, de la révélation et de la mythologie n'a pas arrêté le scepticisme à un moment dépassé de la pensée : la dignité du scepticisme est de rappeler que c'est par leur inachèvement même que le savoir et l'action rendent hommage à l'absolu, le premier parce qu'il refuse de s'objectiver dans un système, la seconde parce qu'elle refuse de se cristalliser dans un résultat.

Quatrième partie

La philosophie moderne (XIXe siècle)

Dans cette partie…

Vous allez faire la découverte de six philosophes qui ont occupé le devant de la scène de la pensée, au XIXe siècle. Hegel, le premier dont nous parlerons, peut être considéré comme le dernier ami du tout. Auguste Comte, lui, a voulu rien de moins que fonder une nouvelle religion à partir de la science ! Kierkegaard, un Danois très tourmenté, inventa tout simplement le sens moderne de l'existence. Vous vous apercevrez que Marx, qu'on ne présente plus, était conscient de laisser après lui une bombe à retardement. Schopenhauer, quant à lui, fut le plus radical des pessimistes. Et nous finirons par Nietzsche, le prophète du surhomme, qui a annoncé de la mort de Dieu.

Chapitre 18

Hegel : la totalité en système

Dans ce chapitre :

- Des cordes pour capturer un monstre philosophique
- Un homme qui a tout pensé à défaut d'avoir pensé à tout
- Un romantique très antiromantique
- Un philosophe passionné par la réalité sous toutes ses formes
- Un auteur pas toujours aussi difficile qu'on l'a dit

L'empereur de la philosophie moderne

Si Descartes ou Kant sont les pères de la philosophie moderne, Hegel en est l'empereur. Toutes les philosophies postérieures à lui, jusqu'à la philosophie analytique comprise, se définissent en grande partie par rapport à lui et la plupart du temps contre lui. Certains, comme Kierkegaard et Max Stirner, dresseront contre le système froid et écrasant le caractère irréductible de la subjectivité du moi. D'autres, comme Marx, lui objecteront son caractère idéaliste. D'autres, comme Schopenhauer et Nietzsche, feront droit à la foncière irrationalité du réel. D'autres enfin, comme Bertrand Russell, y dénonceront une métaphysique dépourvue de sens.

C'est aussi à cela que l'on reconnaît un très grand philosophe : pas seulement par le nombre des disciples, mais aussi et surtout par le nombre de ceux qui ont pensé à partir de lui et contre lui. Or, dans les temps modernes, il n'y a pas de philosophe à partir duquel et contre lequel on ait autant pensé que Hegel.

Un cercle de cercles

Kant jugeait la totalité impossible ; Hegel la pense comme seule réelle. Pour Hegel, la philosophie est la réalité elle-même dans son ensemble et devenue consciente d'elle-même. Parménide, le vieux présocratique, disait que c'est la même chose qu'être et que penser : l'être pensé, dit Hegel, est la réalité effective. La philosophie est le système complet du réel. Chacune de ses parties est un cercle dans lequel l'idée est dans un élément particulier (par exemple la logique ou la morale). Mais chaque cercle est englobé dans un cercle plus vaste, qui représente le système tout entier. D'où l'image de cercle de cercles utilisée par Hegel pour figurer la philosophie comme système total de la réalité.

La philosophie est un cercle parce que, comme le cercle, elle a son commencement partout et que tout commencement est aussi et d'abord un résultat. Hegel ne croit pas au commencement absolu parce que pour lui l'absolu est à la fin et pas au commencement. Le philosophe ne peut pas faire comme s'il créait lui-même sa matière à penser. Il n'y a pas de table rase. De plus, le cercle enserre l'infini dans le fini : sur la circonférence, en effet, le parcours peut très bien ne jamais s'arrêter. Il n'en reste pas moins que l'aire délimitée par elle est limitée.

Il y a deux infinis

Hegel oppose deux infinis : le mauvais infini est celui, numérique, des mathématiques. On ajoute une unité à un nombre puis une autre, puis encore une autre, sans fin. Cela amuse les enfants lorsqu'ils découvrent cela. Mais cela n'amuse pas Hegel. Et puis, il y a le véritable infini, qui est celui, qualitatif, du travail de l'esprit. C'est celui que nous pouvons voir réalisé dans une œuvre d'art, une représentation religieuse ou une pensée philosophique.

La raison reprend l'avantage sur l'entendement

Kant, on s'en souvient, avait opposé l'entendement (*Verstand* en allemand) qui, grâce aux catégories, est la faculté de la connaissance à la raison (*Vernunft*) qui, avide d'unité absolue, s'empare comme une flibustière des outils de l'entendement pour monter à l'assaut de vaisseaux fantômes qui ont pour noms Dieu, le monde, l'âme. Pour Kant, la seule fonction positive réelle de la raison est morale ; lorsqu'elle s'occupe de connaissance, la raison tombe dans l'illusion.

Aux yeux de Hegel, il ne saurait y avoir de monde inconnaissable en soi. D'ailleurs, dès que nous disons d'une chose qu'elle est inconnaissable, ne prétendons-nous pas savoir quelque chose d'elle ? Il faut en effet déjà avoir l'idée d'une chose, donc la connaître en quelque manière pour prétendre qu'elle est inconnaissable. Et puis, délimiter à l'avance la sphère de l'inconnaissable, c'est par le fait même délimiter à l'avance celle du connaissable. Or, celui-ci est de l'ordre du résultat et non de la condition préalable.

Hegel conserve l'opposition entre raison et entendement mais il en inverse le sens. Chez lui, l'entendement signifie la pensée particulière, isolée, abstraite, unilatérale. Inversement, la raison connote la pensée totale, unifiée, concrète, effective. Par exemple, c'est une pensée de l'entendement que de juger un individu sur sa bonne mine. Il y a des jeunes des banlieues qui ont adopté comme signe de reconnaissance la façon de mettre leur casquette de travers. Hegel dirait d'eux qu'ils ont une pensée d'entendement. La raison est la faculté qui saisit le tout ; aussi est-elle dans le vrai car le vrai, dit Hegel, c'est le tout.

Une lettre seulement sépare la vérité de la mort

Une légende juive qui remonte au XVIe siècle pourrait servir d'illustration à la thèse hégélienne que le vrai est le tout. Sur le front du Golem, les trois lettres hébraïques EMeT (« vérité ») condensent la force qui fait de cet automate vivant créé par le rabbi Loeb, le Maharal de Prague, un être aux réactions humaines. Il suffit au maître d'arracher la première lettre pour réduire son serviteur en poussière. En effet, les deux lettres restantes, MeT, signifient en hébreu « la mort ». Cette légende juive nous donne à comprendre la mort comme vérité tronquée ou bien, à l'inverse, la vérité mutilée comme proprement non viable !

Planisphère du système hégélien

En 1817, Hegel publie *L'Encyclopédie des sciences philosophiques* dans laquelle la totalité de son système est condensée. Le texte est divisé en paragraphes parfois composés de deux parties différentes. Les lignes introductives, denses, difficiles, exposent la thèse. Elles sont suivies parfois de remarques qui en développent le sens de manière très claire.

L'*Encyclopédie*, donc le système, est divisée en trois grandes parties : « La Science de la Logique », « La Philosophie de la Nature » et « La Philosophie de l'Esprit », correspondant à la triade Idée/Nature/Esprit qui gouverne l'ensemble de la philosophie hégélienne. Chacun des éléments de cette triade dialectique est lui-même divisé en triade de triades, elle-même organisée dialectiquement, si bien que le système hégélien n'est pas sans faire songer aux figures fractales, comme la célèbre courbe de Von Koch dite en flocon de neige, qui ont la propriété remarquable d'avoir des structures locales qui répètent à leur petite échelle la structure globale de l'ensemble.

Ce que Hegel appelle l'Idée est la réalité même, tantôt considérée du point de vue de ses déterminations abstraites (elle est alors l'objet de la Science de la Logique), tantôt considérée comme la totalité : en ce second sens, l'Idée est comme le Dieu ou la Nature de Spinoza, la substance unique. L'ensemble du système (lequel est, rappelons-le, l'expression de la totalité du réel, ou mieux – car « expression » suppose un écart, une distance – la totalité du réel lui-même) est conçu comme le déploiement de l'Idée d'abord en tant qu'Idée, objet de la Science de la Logique, puis en tant que Nature, objet de la Philosophie de la Nature, et enfin en tant qu'Esprit, objet de la Philosophie de l'Esprit. La Nature est conçue par Hegel comme l'extériorisation, l'aliénation, l'expression manifeste de l'Idée.

Ainsi les trois moments abstraits de la Science de la Logique, être/essence/concept, reçoivent-ils un contenu sensible avec la mécanique, la physique et la physique organique (on dirait aujourd'hui la biologie) qui sont les trois moments de la Philosophie de la Nature. L'Esprit est pensé par Hegel comme l'Idée devenue consciente de soi, l'Idée rentrée en soi après son déploiement dans la Nature. En fait, l'Esprit constitue l'achèvement du système, tout ce qui précède y aboutit, y reçoit son véritable contenu. La Philosophie de l'Esprit, de fait, représente le couronnement du système hégélien. Elle comprend elle-même trois moments appelés esprit subjectif (l'Esprit tel qu'il se particularise dans la conscience humaine), esprit objectif (le droit, l'histoire, qui sont conçus comme des réalisations) et enfin esprit absolu, avec ses trois moments, l'art, la religion, la philosophie.

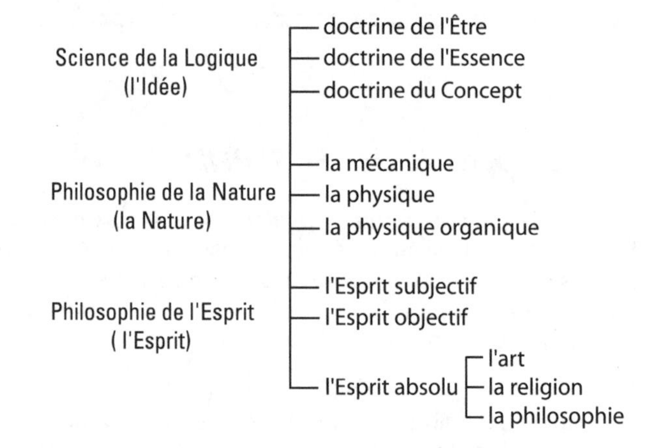

Figure 18-1 : Le plan du système hégélien.

La patience du négatif

Kant croyait que l'antithèse rend le système impossible. L'antinomie de la raison pure qui voit s'opposer les arguments en faveur du caractère fini du monde aux arguments en faveur de son caractère infini ne forme pas système aux yeux de Kant ; pour lui, seule la thèse entre dans le système.

Tout autre est le point de vue de Hegel, selon qui c'est la négation qui constitue à la fois la pensée et le réel. Il convient tout d'abord de noter que Hegel donne à la négation un sens très élargi et inédit. Sous ce terme, en effet, il n'englobe pas seulement l'acte de contredire une affirmation (la négation de l'existence des chambres à gaz par ceux que l'on appelle justement négationnistes) mais aussi la contrariété objective (l'injustice est la négation de la justice), le contraste (la nuit est la négation du jour), l'altérité (la femme est la négation de l'homme) et la différence (la tumescence du pénis érigé est la négation du pénis flaccide). Bref, il y a négation toutes les fois que la simple identité est écartée ou dépassée. Une chose, quelle qu'elle soit, réelle ou idéelle, empirique ou abstraite, est aussi ce qu'elle n'est pas et n'est pas ce qu'elle est.

Une analogie comique

Dans un film intitulé *C'est donc ton frère*, Stan Laurel retrouve son frère jumeau après de nombreuses années de séparation. Il lui dit : « Tu as énormément changé mais tu resteras toujours le même ! » Cette phrase est, si l'on ose dire, tout à fait hégélienne : qu'est-ce en effet qu'être soi, sinon être ce que l'on n'est plus, ou pas ?

Une identité se construit et se saisit à travers ses différences multiples, qui sont autant de négations. Si une chose restait éternellement identique à elle-même, comme dans le fameux principe d'identité A = A, si une chose ne sortait pas d'elle-même pour devenir autre qu'elle-même, le contraire d'elle-même, alors, dit Hegel, rien n'adviendrait. On peut donner à l'appui de cette thèse un exemple physique.

Selon le modèle standard actuellement en vigueur en cosmologie, notre univers serait né d'une brisure de symétrie qui, aussitôt après le big-bang, a séparé la matière de l'antimatière. De même, au sein de la « soupe primitive » dans laquelle dans un milieu physique ultrachaud et ultradense les atomes n'existent pas encore, il a bien fallu des forces de séparation, de négation au sens hégélien, pour que les premiers matériaux différenciés puissent surgir. Exister, c'est sortir de l'identité.

Les exemples du germe et du gland

La réalité, pour Hegel, n'est pas un tableau qu'un artiste divin aurait peint une fois pour toutes dans un grand moment d'inspiration. C'est une composition musicale dont il faut entendre la dernière note pour savoir au juste en quoi elle consiste.

Parmi les (rares, trop rares, hélas !) métaphores qu'il utilise pour rendre plus accessible sa pensée, Hegel a souvent pris celles du germe et du gland. Une graine, lorsqu'elle germe, meurt en tant que graine pour donner naissance à la future plante. La vie de la plante est la mort de la graine, mais aussi sa survie car il faut bien que la graine contienne d'une certaine manière, à titre virtuel, la plante pour que le germe issu d'elle donne naissance à la plante (la science contemporaine donnera un nom précis à cette virtualité : c'est le génome de l'organisme, l'ensemble de ses gènes).

À travers cet exemple, nous voyons comment, d'une certaine manière, la vie et la mort sont réversibles (de fait, vivre, c'est mourir un peu à chaque instant). La fleur sera l'épanouissement de la plante mais aussi sa *fin*, dans les deux sens du mot. Déjà, chez Aristote, le terme « fin » (*télos* en grec) était utilisé conjointement en ces deux sens, de terme et de but. Dire que la fleur est la fin de la plante, c'est dire d'une part qu'elle est ce à quoi elle aboutit, c'est dire aussi qu'elle est la mort de la plante.

Mais ce n'est pas tout, car si la fleur est la négation de la plante, le fruit sera la négation de la fleur, donc la négation de la négation. Comment cela ? C'est que le fruit ne se forme que si la fleur est détruite : les pétales tombent, le pistil fécondé prend la place de la fleur disparue, laquelle survit dans sa mort. Or, ce fruit représente pour la plante la promesse de sa survie, laquelle coïncidera d'ailleurs avec sa propre mort. C'est en effet parce que les plantes ne sont pas immortelles qu'elles fleurissent et se reproduisent par leur fruit, la sexualité est la ruse que la nature a imaginée pour déjouer la mort de l'individu. Bien des plantes meurent aussitôt après leur floraison.

La mort de Dieu, autre exemple de dialectique

Hegel n'utilise pas souvent le terme de dialectique. En revanche, à partir de Marx, la plupart des lecteurs et commentateurs de son œuvre appellent dialectique le processus par négation et dépassement grâce auquel la réalité dans son ensemble et dans chacune de ses parties se constitue. Qu'est-ce qu'un fruit par rapport à une fleur et une fleur par rapport à un germe ? Nous l'avons vu : à la fois une négation (la fleur supprime le germe, le fruit supprime la fleur), une conservation (le germe continue dans la plante, la fleur continue dans le fruit) et un dépassement (la fleur est un germe dépassé, le fruit une fleur dépassée). La triade négation/conservation/dépassement et qu'exprime assez bien le terme allemand d'*Aufhebung* souvent employé par Hegel est la signature propre de sa dialectique.

Hegel a été frappé par le mystère chrétien de l'Incarnation et il en a tiré les implications philosophiques. Jésus est Dieu fait homme ; il en est, en quelque sorte, la négation, bien qu'il en soit d'abord l'expression (d'après le dogme de la Trinité, il y a identité entre le Père et le Fils). Mais l'homme Jésus est mort sur la croix : c'est à ce prix qu'il devient le Christ. La Résurrection, c'est-à-dire la victoire sur la mort, n'aurait évidemment jamais existé s'il n'y avait pas eu de mort préalable.

Dans un passage assez ébouriffant de la *Somme théologique*, Thomas d'Aquin explique pourquoi une mort aussi ignominieuse que la crucifixion (une torture que les Romains appliquaient aux esclaves et aux brigands) était nécessaire : si Jésus était mort de maladie, bêtement dans son lit ou d'accident, écrasé par une caravane, on n'aurait jamais cru à sa résurrection car, comme pour ces malheureux enterrés avant terme, on se serait demandé s'il était réellement mort. Tandis que la mort sur la croix est la plus manifeste de toutes. La Résurrection n'aurait donc pas existé sans la mort. Or pour que la mort soit absolue, il n'y a qu'un dieu qui puisse la vivre.

Comment, à la fin de la Philosophie de la Nature, dont le dernier moment est la physique organique, c'est-à-dire la biologie, passe-t-on à la Philosophie de l'Esprit ? Par la mort ! C'est la mort de la Nature qui fait la vie de l'Esprit.

Encore plus fort : l'être identique au néant !

La dialectique, avec Hegel, perd le sens qu'elle avait depuis Aristote et qui avait été repris par Kant d'être une logique de la vraisemblance, voire de l'illusion, par opposition à la véritable logique (dont la vérité est l'affaire propre), pour devenir une logique de la contradiction positive.

Selon la logique classique, sur ce point tout à fait en phase avec le sens commun, le principe d'identité (A égale A) et le principe de non-contradiction (A différent de non-A) sont les deux principes fondamentaux de la pensée. Impossible de dire quoi que ce soit de cohérent sans le respect de ces principes. Imaginons un monde dans lequel le bien est le mal, la paix est la guerre, la jouissance est la frigidité : nous aurions à juste titre l'impression d'être dans un monde de fous.

Or, pour Hegel, une chose n'est identique à elle-même que selon la logique unilatérale, partielle, de l'entendement (souvenez-vous : c'est la casquette de travers). D'après la raison spéculative, dialectique, qui saisit ensemble les déterminations opposées, une chose est aussi ce qu'elle n'est pas et elle n'est pas aussi ce qu'elle est. Si, en effet, une chose était identique à elle-même, elle resterait à jamais ce qu'elle est, isolée du reste comme une tache. L'univers physique dans son ensemble, nous l'avons vu, doit son existence au fait que, à l'origine, il était déchiré par la différence.

L'histoire est dialectique

Lorsque les Romains disaient : « Si tu veux la paix, prépare la guerre », ils étaient, sans le savoir, dans une logique dialectique. L'époque contemporaine a illustré cet adage de manière plus profonde encore lorsque pendant quarante ans les deux superpuissances, américaine et soviétique, se faisaient face et s'affrontaient en une guerre qui n'en était pas une (c'est ce que l'on appelle la guerre froide) dans un état de paix qui n'en était pas seulement un (c'est ce que l'on appelle politique de dissuasion).

La vérité passe par la case « erreur »

Prenons l'exemple de l'histoire des idées scientifiques. La vérité n'est pas une oasis que les voyageurs assoiffés que nous sommes trouveraient enfin après une interminable marche dans le désert. Car c'est dans la marche elle-même que la vérité se constitue. De fait, l'histoire des sciences nous donne de nombreux cas où des vérités prises comme des dogmes définitifs ont arrêté le mouvement de la pensée alors qu'inversement des erreurs se sont révélées être d'une fécondité sans pareille.

La théorie de la relativité est en partie issue d'une expérience qui a échoué (celle de Michelson-Morlay). La plus importante découverte du XXe siècle en matière pharmaceutique (les antibiotiques) est issue d'une erreur de manipulation de la part d'un laborantin. Les Grandes Découvertes des XVe et XVIe siècles ont commencé avec une méprise : Christophe Colomb croyait avoir abordé aux rivages du Cipangu (le Japon) alors qu'il avait accosté aux Bermudes (vous parlez d'une petite erreur !). Deux autres voyages n'ont même pas suffi à le détromper. Il est mort avec son illusion (il en a d'ailleurs été puni puisque l'Amérique ne s'appelle pas Colombie) mais cela n'empêche pas qu'il reste l'un des plus grands découvreurs de l'Histoire.

L'être est le néant : il ne le hait point

L'être est identique au néant : voilà, semble-t-il, une proposition absurde. C'est l'une de celles qui ont fait passer le pauvre Hegel pour complètement fou aux yeux de ces intraitables logiciens pragmatiques que sont les Anglais. En fait, ce que disait Hegel, c'était que de l'être, la plus générale, la plus abstraite, la plus pauvre des notions, on ne peut rien dire, sinon qu'il *est*. L'être n'est pas une pierre, ni une lune (même vieille) ni un raton laveur. Il n'*est* rien de tout cela, il n'est à proprement parler (car lorsqu'une pensée se lave avec le savon des mots, elle devient propre) *rien du tout*. Mais, s'il n'est *rien du tout*, il équivaut au *néant*.

L'anchois et le pourceau

Telle est la version lamentable que nous donnerait celui qui nous parlerait de l'en-soi et du pour-soi la bouche pleine. Citons-la pour mémoire et n'en parlons plus : Hegel appelle *en-soi* le moment premier, immédiat – qui n'a pas encore connu la différence, la négation – un grain de sable, le germe avant de s'ouvrir, l'idée abstraite. Par exemple, dans le système de l'encyclopédie dont le plan figure quelques pages plus haut, l'Idée, qui est l'objet de la Science de la Logique, constitue l'en-soi. Quand on dit « en soi » dans la langue courante, cela signifie : pas pour nous, indépendamment de nous, objectivement.

Le *pour-soi* représente l'étape de la sortie hors de soi de l'en-soi : on dira, pour les philosophes en herbe, que le germe qui ouvre le gland représente le passage de l'en-soi au pour-soi, parce qu'il y a extériorisation, mais aussi négation. Ainsi, dans le système de l'*Encyclopédie* de Hegel, la Nature est le moment du pour-soi de l'Idée : une montagne, un arbre, un animal sont le pour-soi de l'être, de l'Idée.

Maintenant, il y a plus, et pire (pas de pensée sans un brin de sadisme). J'enlève l'échelle, tâchez de prendre votre pinceau pour point d'appui. Au moment du pour-soi succède celui de *l'en-soi-et-pour-soi*, c'est-à-dire le moment de retour sur soi de l'en-soi aliéné mais développé, extériorisé mais enrichi après sa phase de pour-soi. Sans ce moment de retour sur soi, qui est celui de la conscience, il n'y aurait en fait ni sens ni vérité. Dans l'*Encyclopédie*, Hegel l'appelle l'Esprit — c'est lui qui couronne le tout.

Voici l'exemple de la lecture. Lorsque vous n'aviez pas encore acheté ni *a fortiori* lu cette *Philosophie pour les Nuls*, vous étiez dans la période de l'en-soi, recroquevillés sur vous-mêmes avec vos petits soucis et vos minuscules projets. Certes, formant un tout comme un hérisson, mais dans une solitude pauvre, abstraite, sans piquant. Deuxième étape : vous achetez et vous lisez ce livre. Vous vous déprenez de vous-mêmes, au point d'oublier qui vous êtes. Vous ne pensez plus à ce que vous avez mangé la veille ni à ce que vous allez manger ce soir. Vous êtes littéralement hors de vous et pas seulement lorsque le passage sur le transcendantal vous plonge dans une irrémédiable consternation. Vous êtes pris par les idées, de tous côtés.

Si vous restiez dans cet état éternellement de pour-soi enrichissant mais aliénant, vous deviendriez comme fou, vous ne penseriez plus à rien d'autre. Seulement, vous allez vous arracher à cet état d'hypnose, lequel représentait déjà un état d'arrachement par rapport à l'en-soi englué de départ. Vous allez ne plus penser à ce que vous avez lu et c'est justement comme cela que vous allez y penser le plus et le mieux ! Car les idées et les informations suivent un cheminement souterrain qu'il est le leur beaucoup plus que le nôtre. Désormais, vous allez reprendre ce qui vous avait pris, faisant de cette manière vôtre ce qui était jusqu'à présent perçu comme quelque chose d'extérieur. Ce travail d'assimilation est celui-là même de la conscience dans sa fonction la plus haute, qui est la *conscience de soi*. C'est ce moment ultime que Hegel appelle en-soi-et-pour-soi. Dans son *Encyclopédie*, il s'appelle Esprit. Avec l'Esprit, c'est la totalité du réel (de l'Idée) qui est devenue consciente.

Le concret devient abstrait et l'abstrait, concret !

D'après la façon courante de penser, le concret est ce que l'on voit, touche, mange, achète ; l'abstrait, ce que l'on pense. Ainsi le jambon beurre est concret tandis que l'idéal du Bien est abstrait. Hegel inverse le sens de ces termes mais, ce faisant, les prend au mot de leur étymologie latine : l'abstrait est ce qui a été *arraché* à son contexte (l'abstrait est *extrait*) tandis que le concret est le développé (une concrétion est un agglomérat).

Or, que fait la sensibilité ? Elle ne considère qu'un seul côté des choses, une forme (le galbe d'une poitrine de femme), une couleur (la couleur jaune d'une voiture de parvenu), une impression (l'air fourbe de l'agent immobilier). Que fait, à l'inverse, l'esprit ? Grâce au concept, il peut penser la chose en sa totalité (la tête de cette femme est moins remplie que son soutien-gorge, ce parvenu a emprunté pour la journée cette voiture à une agence de location, cet agent immobilier a reçu la veille une plume dans l'œil). Le vrai est le tout, dit Hegel, or, la sensibilité ne peut jamais nous donner le tout. L'esprit, en revanche, le peut. Le concret n'est pas immédiat, originaire. Il ne peut exister qu'à la fin, seulement comme résultat.

Dans un texte amusant et peu connu de Hegel, il nous est relaté la dispute entre une cliente et une marchande à propos d'œufs pas frais. À partir d'un simple doute sur la fraîcheur des œufs, la cliente énervée passe au soupçon sur la façon de s'habiller et de parler de la fermière puis sur sa moralité matrimoniale. On ne peut imaginer à quel point le gros bon sens concret peut tirer des plans sur la comète !

Hegel était-il un romantique ?

Hegel est né la même année que Beethoven et que Hölderlin : 1770. Il fait partie de la génération romantique et à bien des égards il participe de la sensibilité et de l'esprit romantiques. D'ailleurs, ne qualifie-t-il pas lui-même de romantique l'ultime période de l'art, celle qui, au-delà de ce que ce terme désigne historiquement, renvoie l'art à l'infini comme à son domaine propre ?

Pourtant Hegel s'éloigne du romantisme sur deux points importants : d'une part, il désapprouve obstinément ses présupposés irrationalistes, d'autre part, il considère la nature non comme l'expression de l'esprit mais comme son aliénation.

La bêtise du paradis

L'infinie supériorité de l'homme sur l'animal est un thème récurrent chez Hegel. Le paradis terrestre lui paraît un lieu et un temps de grande bêtise dont heureusement Adam et Ève sont sortis par la grâce de leur péché : ils ont, en désobéissant à leur Créateur, montré qu'ils pouvaient affirmer leur volonté, donc leur liberté (dans cette histoire, c'est la femme qui eut le beau rôle : de fait les allégories de la liberté ont toujours été féminines).

Pas la nature mais la culture !

À la différence de la plupart de ses prédécesseurs, Hegel ne croit pas à l'existence d'un droit naturel : le droit est selon lui l'expression d'une liberté qui s'affirme *contre* et non dans la nature. La grandeur de l'Esprit réside dans son caractère antinaturel. Si la société et l'État sont des principes supérieurs à la famille, c'est que celle-ci, malgré son caractère de contrat, garde une attache naturaliste.

En esthétique, Hegel s'oppose à toute théorie mimétique : la fonction de l'art n'est pas d'imiter la nature mais de créer son propre monde (Oscar Wilde ira plus loin encore en disant de manière paradoxale mais compréhensible que la nature imite l'art). Pris dans son enthousiasme pour la culture, Hegel ira jusqu'à écrire qu'un crime vaut mieux que le spectacle des hautes montagnes car ce qui erre ainsi, c'est encore l'esprit…

L'absolu, en fin de compte

On a utilisé (Hegel le premier) l'expression d'idéalisme subjectif pour désigner la philosophie de Fichte, celle d'idéalisme objectif pour désigner la philosophie de Schelling et celle d'idéalisme absolu pour désigner la philosophie de Hegel. Pour la tradition reprise par Kant et par Schelling, l'absolu est l'absence de relation. Pour Hegel, à l'inverse, il est l'ensemble des relations possibles. Autrement dit, l'absolu hégélien est à la fin, comme résultat, et jamais à l'origine, comme condition. Il est la synthèse des termes opposés. Ainsi l'Idée absolue couronne-t-elle la Science de la Logique, le savoir absolu marque l'étape terminale de la *Phénoménologie de l'Esprit*, tandis que l'esprit absolu, réalisé par la philosophie, fait la synthèse de l'esprit subjectif et de l'esprit objectif en même temps qu'il marque l'achèvement du système tout entier.

La philosophie de Hegel n'est d'ailleurs pas seulement un idéalisme absolu. Elle est un réalisme absolu. Tout le réel, et rien que le réel : voilà le contenu du système, voilà le système même. Hegel ne croit pas aux vérités cachées ni aux mystères éternels. Tout ce qui existe finit par être exprimé, c'est-à-dire extériorisé. L'être humain, par exemple, peut bien cacher telle ou telle pensée, tel ou tel désir, mais ce qu'il a en lui finira bien par exister hors de lui sous forme de signe. L'homme n'est rien d'autre que la série de ses actes.

C'est pourquoi Hegel critique avec sévérité le caractère abstrait, formel, de la philosophie morale de Kant : la véritable morale n'est pas celle qui reste liée à l'intériorité de la loi, mais celle qui s'exprime dans l'activité sociale et politique. Alors que chez Kant la morale a une prééminence sur le droit parce qu'elle reste autonome, chez Hegel (qui sur ce point retrouve Fichte), le droit est la véritable effectuation de la morale – une morale concrète en quelque sorte.

L'odyssée de la conscience, sirènes et cyclopes compris

Lorsqu'il écrit *La Phénoménologie de l'Esprit*, Hegel n'est pas encore en possession de son système achevé, mais cet ouvrage peut être lu comme l'état du système en 1807. C'est en effet la totalité du réel que *La Phénoménologie de l'Esprit* retrace à travers le prisme d'une conscience qui peut être interprétée aussi bien du point de vue singulier comme la pensée d'un individu que du point de vue collectif comme la pensée de l'humanité dans l'ensemble de son histoire.

« La Phénoménologie de l'Esprit »

Cette encyclopédie spéculative dresse le tableau du chemin parcouru par la conscience lorsqu'elle s'élève de la certitude sensible, qui est son premier contact avec l'objet, jusqu'à ce que Hegel appelle le savoir absolu, où plus aucune opposition ne subsiste. Les différentes étapes de cette odyssée sont la conscience (elle-même comprenant la certitude sensible, la perception et l'entendement), la conscience de soi, la raison, l'esprit (subdivisé en ordre éthique, culture, moralité), la religion et le savoir absolu.

« Phénoménologie » signifie littéralement : la science de ce qui apparaît. La conscience apparaît dans des moments et figures divers, à travers une progression qui peut être lue ou bien au niveau individuel comme celle d'une quête philosophique de l'absolu, ou bien au niveau collectif comme celle d'une histoire universelle qui réalise l'absolu. Écrite dans une langue abstraite et souvent opaque, *La Phénoménologie de l'Esprit* renvoie pourtant à des figures concrètes, psychologiquement et historiquement déterminées. Avec Hegel, la philosophie comme expression de la vérité et l'histoire universelle comme manifestation de la réalité coïncident. Le vrai, c'est le tout.

La conscience malheureuse

L'un des moments de la conscience dans cette odyssée qui doit la mener vers le savoir absolu s'appelle la conscience malheureuse. Le malheur de cette conscience va bien au-delà du malaise de ce que l'on appelle mauvaise conscience. Il provient de ce que le sujet s'éprouve comme vide en face du Dieu transcendant, tout en étant incapable de se fondre en lui. La conscience malheureuse caractérise la conscience du croyant qui se sent séparé de Dieu et échoue dans toutes ses tentatives pour échapper à cette contradiction (la dévotion sentimentale, l'action mondaine conçues comme devoirs envers Dieu, la mortification de soi dans l'ascétisme). Cette figure de la conscience malheureuse sera surmontée lorsque la conscience reconnaîtra l'absolu dans le monde et en elle-même, c'est-à-dire comme Raison.

La belle âme

Jusqu'à Hegel, l'expression de belle âme, d'origine piétiste (le courant protestant appelé piétisme désignait ainsi la pureté intérieure du moi par opposition à la méchanceté du monde) et reprise par Goethe, avait un sens éminemment positif. Hegel lui donne un sens négatif, par inversion ironique : la belle âme est l'expression d'une conscience qui se sent trop bonne par rapport au monde extérieur et se contente de jouir de sa propre bonté. Ce faisant, elle se voue à l'impuissance, car son idéal abstrait est vide. La morale de Kant, qui ne se soucie guère de ses conditions concrètes de réalisation, qui y voit même une menace de souillure, est bien sûr une philosophie tout indiquée pour la belle âme.

La dialectique du maître et de l'esclave

La conscience dans son cheminement ne reste évidemment pas seule. Elle rencontre l'autre conscience, avec qui elle s'affronte et qui dans la tragédie de cet affrontement va lui permettre de prendre conscience d'elle-même.

On a traduit par l'expression de dialectique du maître et de l'esclave l'un des épisodes centraux de la *Phénoménologie de l'Esprit*. Ici encore, le chapitre peut être rapporté à des faits sociaux et historiques déterminés ou bien être considéré comme l'exposition d'un modèle transhistorique. Car, sans être soi-même ni maître ni esclave, chacun a dans son existence à subir le feu de cette dialectique.

On ne se pose qu'en s'opposant, dit Hegel. Une chose se détermine par négation, la conscience ne fait pas exception. La coexistence des consciences s'opère d'abord sur le modèle d'un affrontement radical qui est une lutte à mort, chacune voulant la mort de l'autre. Mais, chaque conscience veut aussi contradictoirement être reconnue par l'autre conscience, elle a besoin d'elle pour être ce qu'elle est. Ce conflit qui la déchire la constitue aussi.

Pourquoi la révolution est inévitable

L'esclave est une chose sous le regard du maître mais il satisfait les besoins de celui-ci. Aussi le maître dépend-il de l'esclave dans cette mesure. Lorsque l'esclave prend conscience de cette dépendance – par le biais du travail qui le met en contact avec le monde des choses – alors il peut s'engager dans la voie de sa libération qui fera de lui le maître du maître, le maître devenant ainsi l'esclave de son esclave. Cette inversion dialectique appliquée au domaine historique s'appelle une révolution. La dialectique du maître et de l'esclave, bien que de nature purement spéculative (même si Hegel, comme toujours, pense à des situations historiques objectives) a été pour Marx et ses successeurs une source forte d'inspiration.

La philosophie, nous avertit Hegel, ne nous dit rien sur la façon dont le monde doit être conduit. La philosophie vient toujours trop tard. En tant que pensée du monde, elle apparaît seulement lorsque la réalité a accompli son processus de formation. Ainsi les grands systèmes de Platon et d'Aristote sont-ils apparus lorsque la cité grecque était sur le point de disparaître et Hegel lui-même place sa philosophie comme la réflexion d'un moment historique (la Révolution française, l'État napoléonien) achevé. La chouette de Minerve, écrit-il, ne prend son vol qu'à la tombée de la nuit. Minerve est le nom latin d'Athéna, la déesse de la sagesse. Peut-être à cause de ses deux yeux qui regardent de face et de ses habitudes nocturnes, cet oiseau était depuis les Grecs le symbole de la philosophie.

La raison est une taupe

Ce qui est rationnel est réel et ce qui est réel est rationnel

Lorsque Hegel dit que ce qui est rationnel est réel et que ce qui est réel est rationnel, il ne veut pas dire que n'importe quel acte, n'importe quel événement est rationnel. Comment le croirait-il, lui qui sait à quel point l'Histoire est faite de la folie des hommes ? Il sait qu'une bonne partie de la philosophie de l'histoire est faite du jeu des passions humaines. Il sait que le réel échappe à la raison. Mais, qu'est-ce qui est réel dans la conquête d'Alexandre ? L'ambition personnelle du fils du roi de Macédoine ou la fondation des villes ? Sa colère qui, un jour d'ivresse, le conduit à tuer de ses mains son meilleur ami, ou bien l'apport de la culture grecque en Orient ?

Le réel dont Hegel parle dans sa formule n'est pas la réalité empirique, anecdotique, des événements du jour difficilement repérables, mais la réalité effective qui fait sens dans et pour l'Histoire.

La ruse de la Raison

On connaît le mot du Jésus sur la croix à propos de ses bourreaux : « Mon Dieu, pardonnez-leur, car ils ne savent ce qu'ils font ! » Si l'on conçoit que Jésus comme Dieu incarné savait ce qui allait survenir, alors il savait qu'en le crucifiant ses bourreaux jetaient les bases de la religion nouvelle.

Les grands empires de l'Histoire ont été incarnés par les grands hommes. Ceux-ci, comme tous les hommes, étaient mus par des passions et comme ils étaient des grands hommes, ils étaient animés par de grandes passions.

Seulement, le sens de leur action outrepassait les mobiles et les motifs dont ils pouvaient avoir eux-mêmes conscience. Hegel appelle ruse de la Raison cette action indirecte de la Raison qui mène le monde par des voies détournées.

Horace Walpole, l'écrivain anglais, avait soutenu que le monde est une comédie pour celui qui pense et une tragédie pour celui qui sent. Aux yeux de Hegel, le monde est une tragédie aussi pour celui qui pense. Mais pour lui la tragédie de l'Histoire finit toujours par être résorbée dans un sens rationnel universel – une thèse qui, comme celle leibnizienne du meilleur des mondes, a été radicalement contestée au vu des inexpiables tragédies du XXe siècle. Lorsque Feuerbach dira que les temples érigés en l'honneur de la religion le sont en vérité en l'honneur de l'architecture, on peut y reconnaître l'écho de la ruse hégélienne de la Raison.

L'histoire n'est pas le lieu de la félicité. Les périodes de bonheur y sont ses pages blanches.

– Hegel

« Bien travaillé, vieille taupe ! »

Hegel cite ce passage dans lequel Hamlet, dans la pièce de Shakespeare, s'adresse à l'esprit de son père dont il ne peut oublier l'injonction de vengeance. Comme le fantôme de son père dans l'esprit de Hamlet, l'Esprit chemine souterrainement dans l'Histoire à la manière d'une taupe : on ne sait pas à l'avance où il surgira.

L'art et l'histoire

L'art ou l'Esprit absolu à la portée de nos sens

Alors que Kant ne traite de l'art qu'à travers le jugement de goût, donc par rapport au sujet qui apprécie, Hegel le considère comme la manifestation objective de l'Esprit absolu – sa toute première manifestation pour l'œil, l'oreille et l'esprit avant la religion et la philosophie.

La dialectique de l'art est exemplaire de la méthode hégélienne dans son ensemble et sans doute pour ceux qui voudraient faire connaissance de ce géant de la philosophie qu'est Hegel l'*Esthétique* représente-t-elle la porte d'entrée la plus facile d'accès à l'ensemble de son système.

Tout type d'art doit résoudre le problème de l'union de la forme et du contenu. Lorsqu'il y a une disparité très grande entre les deux parce que la forme est limitée par les données objectives de son matériau et que le contenu est l'infini inaccessible, il n'y a que des symboles qui puissent faire le lien. Cet art, qui est déchiré entre la forme finie et le contenu infini, Hegel l'appelle *symbolique*. L'architecture est le type de l'art symbolique.

Lorsque le contenu n'est plus la substance infinie abstraite (comme le brahman des Indiens ou le dieu Osiris des Égyptiens) mais la belle individualité, alors l'art connaît un moment d'exceptionnelle harmonie. Hegel l'appelle *classique* ; la sculpture en est le type.

Enfin, avec le christianisme, l'infini de nouveau déchire l'art, mais il le déchire de manière renouvelée : l'infini moderne est porté par une subjectivité (qu'incarne le Dieu chrétien) et non plus par une substance impersonnelle. Hegel nomme *romantique* ce dernier art – qui se réalise à travers la peinture, la musique et la poésie. Si la poésie est placée au sommet d'un processus qui est aussi une hiérarchie, c'est parce que, en son élément propre qui est le langage, la sensibilité fait littéralement signe vers l'esprit. Ainsi l'Esprit absolu peut-il passer à la représentation (la religion) puis au concept (la philosophie).

La mort de l'art

On a traduit en français brutalement par « mort de l'art » l'expression hégélienne qui contient plutôt l'idée de dissolution (*Auflösung*). Peu importe. Que veut dire le philosophe lorsqu'il annonce à la fin de son *Esthétique* la mort de l'art ? Non pas qu'il n'y aura plus personne pour dessiner ou composer, mais que l'art a fait son temps en ce sens qu'il n'est plus au centre de notre culture, que ce n'est plus lui qui fournit nos valeurs d'existence.

La prose du monde

Il n'est pas trop difficile de constater que le diagnostic de Hegel était un bon pronostic. Avec les droits d'auteur que lui ont rapportés *Les Contemplations*, un gros recueil de poésie, Victor Hugo a pu s'acheter une belle maison. Aujourd'hui, avec son recueil, un poète pourrait à peine se payer un demi. On rapporte que François Ier embrassa Léonard de Vinci sur son lit de mort. S'il arrivait que le président la République aujourd'hui embrassât un ami moribond, ce ne pourrait être qu'un homme politique comme lui ou un chef d'entreprise, mais certainement pas un peintre.

Avec la prose du monde – Hegel appelle ainsi ce que plus tard le sociologue Max Weber appellera le désenchantement du monde, le fait que notre monde n'est plus gouverné par des valeurs religieuses mais par des valeurs pratiques (l'économie, le travail, les loisirs) – l'art a perdu son support substantiel. Aussi se réfugie-t-il dans la voie du formalisme et du subjectivisme de plus en plus poussés. Là encore, nous pouvons constater, près de deux siècles plus tard, à quel point Hegel a été un bon diagnosticien.

Les quatre moments de l'Histoire universelle

Hegel voit dans l'Histoire universelle la manifestation de l'Esprit objectif. C'est pour moi une occupation très intéressante et très agréable de passer en revue les peuples de la Terre, écrit-il à l'un de ses correspondants. Le monde réel est comme il doit être, dit-il (sur ce point il rejoint Spinoza). L'histoire du monde est le jugement dernier du monde.

Hegel distingue quatre mondes successifs :

- le monde oriental ;
- le monde grec ;
- le monde romain ;
- le monde germanique.

Évidemment, on peut sourire (ou frissonner…) à la désignation de germanique donnée au monde moderne. Le terme d'occidental n'était pas encore utilisé en 1830.

Le sens global de cette Histoire, qui, rappelons-le, est proprement le champ de réalisation de la Raison, est la liberté universelle. Dans l'Antiquité orientale, dit Hegel, un seul était libre (l'empereur) ; en Grèce et à Rome, quelques-uns étaient libres (les citoyens) ; aujourd'hui, tous sont libres.

« Je vis l'empereur, cette âme du monde, traverser à cheval les rues de la ville »

Au lendemain de la bataille d'Iéna, Hegel, qui habitait alors cette ville, écrit dans une lettre qu'il a vu Napoléon : c'est un spectacle prodigieux, observe-t-il, que de voir ainsi le monde concentré sur un seul individu. Ce que Hegel admire en Napoléon, c'est le fondateur de l'État moderne. Or l'État pour Hegel est la raison effective, qui fait d'une masse indifférenciée d'hommes des citoyens libres. Politiquement, Hegel n'est ni républicain ni démocrate – ses préférences vont à la monarchie constitutionnelle. Mais ce qu'il admire dans l'État, où il reconnaît une fin indépassable d'organisation humaine, c'est qu'il puisse grâce à la classe des fonctionnaires, être l'expression et la satisfaction conscientes de l'intérêt général.

La fin de l'Histoire

On a beaucoup daubé sur l'idée hégélienne de fin de l'Histoire. Inconscience d'un philosophe qui désirerait que plus rien après lui n'advînt ? En fait, de même que la mort de l'art n'interdit pas la possibilité d'œuvres à venir, la fin de l'Histoire ne signifie pas que plus rien ne se passera, au sens empirique où il n'y aurait plus d'événements. Plus profondément, cela signifie qu'à partir du moment où le sens de l'Histoire a déjà été délivré (et Hegel dit simplement quel est ce sens : la liberté universelle), plus rien ne peut aller au-delà – car aucun principe en effet ne saurait dépasser la liberté, qui n'est autre que la vie de l'Esprit.

Hegel totalitaire ?

Dans *La Trahison des clercs*, un remarquable essai des années 1930 dans lequel Julien Benda dénonce la collusion des intellectuels avec les despotismes fascistes et communistes, Hegel est présenté comme l'apôtre type de l'État totalitaire. Hegel, en effet, pense l'État avec une telle force que rétrospectivement il a pu apparaître comme l'un des inspirateurs du totalitarisme.

Rien n'est plus faux. D'abord Hegel n'entend pas que l'État contrôle la totalité de l'existence humaine. L'État ne doit pas par exemple (ce point est capital, comme on l'a déjà vu avec Hobbes) se mêler des opinions et croyances personnelles. Ensuite, et l'argument est sur le plan philosophique plus décisif encore, l'État ne constitue dans l'économie d'ensemble du système hégélien que la réalisation de l'Esprit objectif. Ce n'est pas lui mais la philosophie qui incarne l'Esprit absolu dans son achèvement.

Chapitre 19

Auguste Comte : de la rigueur scientifique à la rêverie religieuse

Dans ce chapitre :

- Le fondateur du positivisme
- Une des philosophies les plus influentes de notre modernité
- Une très grande culture et très grande intelligence sans la sûreté du jugement

L'inventeur du positivisme

L'origine du positivisme

Dans sa jeunesse, Auguste Comte a été le secrétaire du comte Claude-Henri de Saint-Simon, fondateur d'un important courant de pensée, le saint-simonisme, qui a fait sentir son influence sur tout le XIXe siècle et au-delà. Le saint-simonisme prône le pouvoir scientifique (les savants doivent remplacer la noblesse d'État), le développement technique et la réforme sociale (le saint-simonisme est une forme de socialisme modéré). C'est le saint-simonisme qui a forgé le terme de positivisme qu'Auguste Comte reprend à son auguste compte.

« Positif » signifie « réel » par opposition à « imaginaire », et « utile » par opposition à « oiseux ». Le positivisme rejette les prétentions de la métaphysique et de la religion à dire la vérité des choses : c'est un point commun fort qu'il a avec le criticisme kantien. Le positivisme assigne à la philosophie une tâche nouvelle : celle d'établir le système du savoir et de faire triompher l'esprit d'ensemble sur l'esprit de détail. Auguste Comte pense que la science se perd dans la spécialité extrême (que ne dirait-il pas s'il revenait parmi nous !).

Plus de pourquoi ! Que du comment !

La recherche des causes est, pour Auguste Comte, vouée à l'échec. Avec elle on n'en a jamais fini (puisqu'il y a toujours une cause de la cause, puis une cause de la cause de la cause, etc.) et avec elle l'esprit tombe dans les fictions religieuses. Mieux vaut par conséquent s'en tenir à l'établissement des lois qui traduisent les relations constantes entre les phénomènes. La démarche de Newton qui a établi sa loi de la gravitation tout en s'interdisant de se prononcer sur la nature de ce phénomène ou sur son origine (« je ne forge pas d'hypothèses ») est présentée comme exemplaire par Auguste Comte.

L'infini et l'universel sont, aux yeux du fondateur du positivisme, des notions dont l'esprit positif doit se débarrasser. Aucune loi n'est universelle : celle de Newton ne concerne que le système solaire, et rien ne dit qu'elle est valide au-delà.

Les classifications du positivisme

La loi des trois états

L'intelligence humaine, dit Auguste Comte, passe successivement par trois états :

- l'état théologique ou fictif ;
- l'état métaphysique ou abstrait ;
- l'état scientifique ou positif.

Dans l'état théologique, l'esprit explique les phénomènes par le pouvoir d'êtres divins : ainsi les Chinois pensaient-ils qu'en avalant le Soleil le dragon céleste provoquait une éclipse ; pour les Grecs, c'est Zeus qui fait rouler le tonnerre ; chez les juifs, Yahvé a d'abord été un dieu de l'orage, etc.

Dans l'état métaphysique, l'esprit remplace les êtres surnaturels par des entités abstraites comme l'Être, la Nature. Ces idées ne fournissent aucune connaissance, elles ne font pas progresser le savoir, elles ont malgré tout, aux yeux d'Auguste Comte, une utilité dans la mesure où elles préparent l'esprit à l'accès à l'âge positif, en le débarrassant des croyances religieuses.

Dans l'état positif, enfin, les phénomènes sont dûment observés et décrits. La loi d'abord hypothétique puis vérifiée par l'observation et l'expérience remplace l'illusoire recherche des causes.

Cette succession des trois états concerne aussi bien l'intelligence individuelle que l'intelligence collective. L'imaginaire de l'enfant comme celui des peuples anciens ou restés sauvages assigne par exemple des causes magiques, surnaturelles aux phénomènes de la nature. Auguste Comte a été pour beaucoup dans cette analogie – qui a fini par révéler sa nature de préjugé européocentrique – entre l'esprit de l'enfant et celui du primitif.

Si les trois états se suivent dans un ordre chronologique, ils peuvent aussi coexister, aussi bien chez l'individu que dans l'Histoire.

Les trois états de la religion

Dans son *Discours sur l'esprit positif*, Auguste Comte distingue trois moments dans l'état théologique, correspondant successivement à trois types de religion :

- le fétichisme, qui attribue aux objets un pouvoir supérieur ;
- le polythéisme, qui peuple la nature d'une pluralité de dieux ;
- le monothéisme, qui fusionne les dieux en un seul Être suprême.

Cette tripartition est considérée aussi comme un ordre progressif, le fétichisme apparaissant comme la forme la plus primitive de la religion et le monothéisme comme sa forme la plus élaborée. Ce schéma aura une influence très importante non seulement sur la philosophie du XIXe siècle mais également sur la nouvelle science qui, à partir des années 1870, s'occupera des sociétés primitives : l'ethnologie.

L'ordre des sciences

Le *Cours de philosophie positive*, qui est le grand œuvre d'Auguste Comte et où est exposée la loi des trois états, établit une classification des sciences qui est restée, jusqu'à nos jours, la plus solide de toutes. À l'époque classique, la classification des sciences repose presque toujours sur une psychologie des facultés : ainsi Francis Bacon, suivi plus tard par Diderot pour son *Dictionnaire*, distingue-t-il les sciences de la raison, les sciences de la mémoire et les sciences de l'imagination. Auguste Comte, lui, classe les sciences d'après leurs objets – et c'est bien ainsi qu'aujourd'hui nous continuons de faire (voir par exemple les noms des différents centres de recherche ou les intitulés des prix Nobel).

La force de la hiérarchie d'Auguste Comte vient de sa simplicité (six sciences fondamentales sont retenues) et de la solidité des principes qu'elle met en œuvre. L'ordre de succession est pensé comme inséparablement chronologique et logique. Les six sciences de la classification d'Auguste Comte sont :

- les mathématiques ;
- l'astronomie ;
- la physique ;
- la chimie ;
- la biologie (dite aussi physiologie) ;
- la sociologie (dite aussi physique sociale).

Cet ordre historique va du plus simple au plus complexe : les mathématiques étudient la quantité, la réalité la plus simple et la plus indéterminée ; l'astronomie ajoute la force à la quantité ; la physique apporte la qualité à la force (la chaleur, la lumière sont des forces qualitativement distinctes) ; la chimie porte sur des matières qualitativement distinctes (les éléments) ; la biologie concerne la vie qui ajoute l'organisation à la matière brute ; enfin, la sociologie étudie la société qui relie ensemble des êtres vivants par un lien indépendant de leur organisme.

Comment user de la science

Contre la réduction et contre le mélange

Auguste Comte est absolument opposé au réductionnisme : on n'explique pas, dit-il, le supérieur par l'inférieur. En d'autres termes, chaque science ajoute aux précédentes un plan de complexité qui lui appartient en propre. Pour donner des exemples actuels, Auguste Comte serait hostile à la réduction physico-chimique des phénomènes biologique (ce qu'effectue la biochimie) et à la réduction biologique des phénomènes sociaux (ce qu'effectue la sociobiologie).

Conséquence logique de ce refus : l'interdit jeté sur tous les mariages entre disciplines différentes. De même que l'esthétique classique refusait le mélange des arts, la théorie comtienne de la connaissance refuse le mélange des sciences. En sciences naturelles, les hybrides s'appellent des monstres. Mais de l'astrophysique à la psychologie sociale en passant par la biochimie déjà évoquée, on notera tout de même que ces unions transdisciplinaires ont proliféré dans les temps modernes, pour le plus grand bien de la connaissance d'ailleurs.

On remarquera enfin que dans la classification, aucune place n'est prévue pour la psychologie. Auguste Comte pense que la vie intérieure est l'affaire du vécu et de la littérature, mais qu'elle ne pourra jamais devenir l'objet d'une science positive. Cet interdit pèsera d'un poids assez lourd par la suite.

La science de la société

La sociologie, qu'Auguste Comte appelle aussi physique sociale, est la plus complexe de toutes les disciplines scientifiques. Il n'y a pas d'objet plus complexe dans la nature que la population et l'histoire humaines.

C'est Auguste Comte qui a inventé le terme de sociologie, mais il lui donne un sens plus large que celui qui lui est resté : chez lui, la sociologie est la philosophie d'ensemble du système positiviste (la loi des trois états et la classification des sciences sont des résultats de la sociologie). Il la divise en deux points de vue : la statique sociale, qui a pour objet l'ordre, et la dynamique sociale, qui a pour objet le progrès. Cette dualité correspond à celle que Ferdinand de Saussure en linguistique appellera point de vue synchronique et point de vue diachronique.

Science, d'où prévoyance ; prévoyance, d'où action

Cet adage d'Auguste Comte (on dirait aujourd'hui prévision à la place de prévoyance) reprend le sens de celui de Francis Bacon : on ne commande à la nature qu'en lui obéissant. Auguste Comte est hostile à toute recherche gratuite et désintéressée (pour user des mots actuels). Il pense que la connaissance scientifique doit être au service de la société et que les recherches qui n'ont d'autre motivation et objectif qu'elles-mêmes doivent être bannies comme un luxe inutile. Le positivisme développe une conception pratique et même pragmatique, avant la lettre, de la connaissance scientifique.

Au-delà de cette limite, le ticket n'est plus valable

Comme Kant, Auguste Comte dans son *Cours de philosophie positive* fixe des limites à la connaissance et il avait cru se donner toutes les précautions en donnant comme exemple de connaissance à jamais inaccessible la composition chimique des étoiles. Le raisonnement du fondateur du positivisme était simple : on n'arrivera jamais à faire des prélèvements dans ces astres éloignés car jamais on n'y abordera ; ils échappent donc à notre expérience, donc leur composition chimique nous sera à jamais inconnue.

Quelques années plus tard, un physicien anglais invente une nouvelle branche de la physique – la spectrographie de masse – qui permet de déduire la composition chimique d'un corps rayonnant à partir de son émission lumineuse. La lumière d'une étoile devenait ainsi un message ; il n'y avait plus qu'à le traduire. On n'a pas besoin d'aller sur les étoiles pour savoir de quoi elles sont faites puisque ce sont elles qui viennent jusqu'à nous. Mais cela, Auguste Comte ne l'avait pas envisagé.

Cet exemple montre à quel point il faut être prudent lorsque l'on aborde la question des limites de la connaissance. Qu'il y ait des limites de fait, c'est une évidence : il y a de l'inconnu déterminé par le champ de la connaissance même. Qu'il y ait des limites de droit, des limites assignables *a priori*, c'est possible, mais nul ne serait en état de dire lesquelles. Pour le savoir, il conviendrait en effet de concevoir l'état d'une connaissance totalement achevée : il suffirait alors de constater ce qui figure dans cet ensemble et ce qui en est exclu. Mais la connaissance totalement achevée est un état inconcevable.

Le positivisme est-il dépassé ?

On a pu dire que la science moderne est faite de tous les interdits posés par Auguste Comte dans son *Cours de philosophie positive* : hostilité au calcul des probabilités en mathématiques, hostilité à une astronomie qui irait au-delà du système solaire, hostilité à une biologie qui tomberait dans l'abîme du microscopique, hostilité à toute recherche sur l'origine historique des sociétés – car le hasard, l'espace de l'univers, l'origine échappent, selon Auguste Comte, à jamais à nos pouvoirs d'observation et de calcul, ou bien ne présentent aucune utilité pratique. Décidément, il y a des prudences de philosophe qui s'avèrent être de grandes imprudences.

Rives et dérives

Ordre et progrès

Très jeune, Auguste Comte a eu le sentiment de vivre dans les décombres. Il fait partie de cette génération qui a vécu le traumatisme révolutionnaire en imagination (il est né en 1798, quatre ans après Thermidor, qui a vu la chute de Robespierre). Or, nous le savons depuis Freud, les plus insistants des traumatismes ne sont pas toujours ceux qui sont vécus dans la réalité.

Comment un tel chaos a-t-il été possible ? Et comment en empêcher le retour ? Telles sont les questions qui ont animé la vie intellectuelle du philosophe et abouti à ses grandes idées. Toute sa philosophie, aussi bien dans sa théorie de la connaissance (*Cours de philosophie positive*) que dans sa pensée politique (*Système de politique positive*) et religieuse (*Catéchisme positiviste*), balance autour de ces deux pôles : pas d'ordre sans progrès, pas de progrès sans ordre.

L'amour pour principe, l'ordre pour base, et le progrès pour but ; tel est le caractère fondamental du régime définitif que le positivisme vient inaugurer.

– Auguste Comte

La religion de l'humanité

À la fin de sa vie, Auguste Comte se rendit coupable d'un grand détournement de religion ; il ne s'agissait pas moins que de « réincurver » sur l'humanité la croyance que l'homme dispersait (en pure perte) vers Dieu. Auguste Comte reprend l'idée de Pascal : toute la suite des hommes pendant le cours de tant de siècles doit être considérée comme un même homme qui subsiste toujours et qui apprend continuellement. Il condamne l'esprit individualiste dans la société comme il condamne l'esprit de détail dans la science : les deux tendances lui semblent aller dans le même sens, celui d'une désorganisation croissante.

Pour lui, l'humanité non seulement forme un ensemble organique (il l'appelle le Grand-Être), un être collectif dont les hommes seraient les cellules, mais elle déborde le moment présent, elle englobe l'ensemble immense des disparus : son passé et son futur constituent sa réalité même. Il se déclare lui-même Grand-Prêtre de la religion positiviste dont il prévoit avec une minutie passablement ridicule le culte et le rituel. Appeler l'humanité le Grand-Être, passe encore, mais que penser du Grand-Fétiche pour la Terre ?

L'inventeur de la charrue laboure invisible à côté du laboureur.

– Auguste Comte

Le style d'écriture d'Auguste Comte est lourd, sans aucune fantaisie. Le portrait photographique que l'on a du philosophe renforce cette impression de sévérité pesante. Pourtant, à l'âge de 46 ans (les philosophes sont tardifs en tout), le fondateur du positivisme rencontre une jeune femme fragile et malade, Clotilde de Vaux, dont il tombe passionnément amoureux, mais qui meurt deux ans plus tard. Il n'est pas excessif de dire que le philosophe lui a voué un véritable culte. L'inflexion de la pensée d'Auguste Comte vers la morale et l'affectivité à la fin de sa vie doit sa force essentielle à cette rencontre décisive. Clotilde de Vaux ne fut pas seulement la femme adorée d'un homme qui fut un philosophe, elle fut intronisée grande protectrice de la religion de l'humanité sous le nom de sainte Clotilde…

La religion de l'humanité sélective

Auguste Comte sape lui-même les bases de l'humanisme qu'aurait pu induire sa notion de Grand-Être. Dans le *Catéchisme positiviste*, il rejette résolument l'idée selon laquelle l'Humanité serait définie comme l'ensemble de tous les hommes. En fait, l'Humanité n'est composée que de ceux qui ont réellement mis quelque chose au pot commun : les génies, les savants, les artistes, les inventeurs, les autres n'étant que des parasites…

Ce n'est pas sans inquiétude que nous lisons par ailleurs qu'Auguste Comte, par juste compensation de l'exclusion hors du Grand-Être de la quasi-totalité de l'humanité réelle, prescrit de joindre au nouvel être suprême tous ses dignes auxiliaires animaux : il y a, en effet, aux dires du philosophe, des chevaux, des chiens et des bœufs plus estimables que certains hommes ! Des passages comme ceux-ci sont importants : ils nous prouvent que ni la très grande culture (même poussée jusqu'à l'érudition), ni la très grande intelligence (même poussée jusqu'au génie) ne saurait suffire à nous garantir la sûreté du jugement.

Le destin du positivisme

La philosophie d'Auguste Comte, malgré ses faiblesses et ses restrictions, a eu une postérité intellectuelle et politique considérable. La plupart du temps, on ne garda que la partie scientifique du programme, laissant de côté la religion de l'Humanité. Parfois, le positivisme s'est durci, au point de devenir une idéologie exclusivement centrée sur la science : tel est proprement le scientisme, qui fait de la science non seulement la seule source de vérité (ce qu'après tout on peut raisonnablement admettre) mais aussi la seule source de sens et de valeur (une conception inacceptable mais dont on voit bien qu'elle est l'une des lignes de force de notre modernité).

Mais si le scientisme est une idéologie plutôt qu'une philosophie, il en va tout autrement avec le positivisme logique auquel un chapitre est consacré plus loin et qui représente l'un des principaux courants de pensée de la philosophie du XXe siècle.

Chapitre 20

Kierkegaard, le maître des existentialistes

Dans ce chapitre :

- L'inventeur du sens moderne de l'existence
- Une des figures les plus pathétiques de l'histoire de la pensée
- Un écrivain dont le génie perce à travers les traductions

Le subjectif contre Hegel

Ce sont les existentialistes qui ont découvert en Kierkegaard un philosophe de toute première grandeur. L'*Histoire de la philosophie* en trois volumes d'Émile Bréhier, ouvrage remarquable par ailleurs, lui consacre à peine une page dans un chapitre intitulé « La philosophie religieuse après 1815 ».

Les miettes philosophiques contre le pain complet

Au gros pain hégélien, nourriture totale (une tradition fait dériver le mot « pain », *panis* en latin, de *pan*, « tout » en grec), Kierkegaard oppose ses « miettes philosophiques ». Lorsque le pain est déjà mangé, restent les miettes à picorer.

Kierkegaard aimait citer ce mot que Shakespeare fait dire à Hamlet, prince danois : « Il y a infiniment plus de choses dans le ciel et sur la terre que dans toute ta philosophie ! » D'un revers de plume, Kierkegaard, danois lui aussi, envoyait promener Hegel et son savoir absolu : « Le Herr Professor sait tout sur l'univers, mais il a simplement oublié qui il est ! »

Le philosophe construit un palais d'idées et il habite une chaumière.

L'existence est le récif sur lequel la pensée pure fait naufrage.

– Kierkegaard

Le choix de la petite partie contre le grand tout

Kierkegaard appelle paradoxe la vérité même qui ne peut que transcender la raison commune à cause de son lien avec l'existence singulière. La pensée de Kierkegaard se veut antiphilosophie, car la philosophie ne peut s'empêcher de se présenter comme système. Même le *cogito* de Descartes est oubli du *je* au profit du système de la pensée (d'ailleurs dans le verbe latin personnel *cogito*, le pronom personnel est absent). Je n'existe pas parce que je pense, je pense parce que j'existe. Le vrai est le tout, disait Hegel. La subjectivité est la vérité, lui répond Kierkegaard.

Kierkegaard revendique la position du penseur subjectif : la prétention de la philosophie à l'objectivité est une illusion puisqu'elle ne peut pas se situer à l'extérieur du monde et que le sujet qui la soutient ne peut se mettre à l'écart de lui-même. La pensée de l'existence ne se communique pas comme un savoir qui aurait un contenu invariant en passant d'un esprit à l'autre, mais comme un pouvoir qui modifie en un sens différent de celui qui le donne celui qui le reçoit.

Kierkegaard voit dans la reprise l'impossibilité de la répétition. Le Christ est mort une seule fois sur la croix et aucun épisode de la vie ne peut être réellement revécu. Le christianisme n'est pas une doctrine – ce qui serait le réduire au système – mais, dit Kierkegaard, le fait que Dieu a existé.

Un style nouveau en philosophie

Les œuvres de Kierkegaard ne sont pas des traités – même le *Traité du désespoir* n'est pas réellement un traité. Les descriptions, les anecdotes y prennent davantage de place que l'argumentation. Alors que Hegel fait disparaître l'existence singulière dans l'universel du concept, Kierkegaard fait apparaître le concept à travers l'existence singulière. La philosophie de Kierkegaard est une philosophie de l'incarnation – c'est le nœud le plus fort qui la relie évidemment au christianisme.

Kierkegaard, le pathétique

Pas chez lui dans ce monde

Montaigne disait que tout homme porte en lui l'ensemble de la condition humaine. Kierkegaard est aux antipodes de ce sentiment, car avant d'être une idée, l'idée que l'on a de soi est un sentiment. Le philosophe danois a le sentiment d'être une exception – non pas au sens où il serait au-dessus des autres par la pensée, mais au sens que pèse sur lui avec une acuité particulière la malédiction du malheur. Il disait que la meilleure preuve de la misère de la vie est celle que l'on tire du spectacle de sa magnificence. Mais la vie de Kierkegaard n'eut pas sa part de magnificence. Deux énigmes lui ont donné son caractère pathétique.

Quelle faute a donc bien pu commettre son père (un riche négociant) pour que Kierkegaard en ait toute sa vie porté le poids ? Un blasphème ? Un enfant naturel ? Les biographes ne le sauront probablement jamais. Les pères ont mangé les raisins verts et les dents des fils en ont été agacées, dit la Bible. L'autre épisode obscur est celui de la rupture des fiançailles. Très amoureux de Régine Olsen, Kierkegaard rompt avec elle deux mois après s'être fiancé. Crainte d'entraîner une jeune fille dans son propre malheur ? Arrachement héroïque à la tentation mondaine pour se consacrer à l'absolu religieux ? Impuissance sexuelle ? Tout est possible et les différentes hypothèses ne sont pas forcément contradictoires.

Certes la Scandinavie n'a pas donné au monde que des joyeux drilles. Le cinéma de Dreyer (danois comme Hamlet et Kierkegaard) et de Bergman, le théâtre d'Ibsen ne sont pas d'une folle drôlerie. Il n'en reste pas moins vrai que la vie de Kierkegaard a été marquée par un pathétique particulier. Très laid – un trait qu'il partageait avec Socrate, le seul philosophe qu'il mettait en balance avec le Christ –, malingre, bossu, Kierkegaard était la risée des garnements de Copenhague, qui lui lançaient des pierres en riant quand il passait dans les rues. Les journaux, qu'il attaquait avec une violence polémique, publiaient des caricatures de lui. Bref, Kierkegaard avait toutes les raisons subjectives de ne pas se sentir très bien chez lui dans ce monde.

Mon âme est la mer Morte qu'aucun oiseau ne peut survoler.

– Kierkegaard

Un visage et des masques ou bien plusieurs visages ?

À l'exception de ses textes d'exhortation morale et religieuse, qui sont de véritables prêches, Kierkegaard publie ses livres sous des pseudonymes drolatiques, Frater Taciturnus, Johannes Climacus, Victor Eremita, Johannes de Silentio, dont le sens est apparent. Cette multiplication des noms d'emprunt est unique en philosophie – et elle n'a eu en littérature qu'un seul autre exemple avec l'écrivain portugais Fernando Pessoa. C'est d'ailleurs à propos de Pessoa qu'on a pris soin de distinguer l'hétéronyme du pseudonyme. Un pseudonyme est un nom de substitution unique et définitif : François-Marie Arouet s'est appelé Voltaire et Voltaire est le nom par lequel il signe tous ses ouvrages, celui par lequel on le désigne en société. L'hétéronyme est davantage que cela : une autre identité partielle.

Tout se passe comme si Kierkegaard, le philosophe de la subjectivité, avait par cette pratique des noms multiples voulu déjouer la menace du système toujours possible – une stratégie qui n'est pas sans rappeler celle à laquelle s'adonnera Derrida lorsqu'il refusera de définir les termes employés, même les néologismes comme « différance » ou « déconstruction ».

Le pathétique de l'existence

Kierkegaard, comme Schopenhauer et Nietzsche après lui, n'est pas très éloigné des grandes idées de la psychanalyse, parce qu'il extrait le sens paradoxal des tréfonds de l'âme humaine. L'individu, disait-il, devient coupable dans son angoisse non pas d'être coupable mais de passer pour l'être : on peut être coupable par sentiment de culpabilité (au lieu que ce sentiment, dans la logique de la conscience commune, suive et non pas précède la culpabilité réelle).

L'instant est un atome d'éternité. Il est le temps pathétique par excellence, celui du péché. L'innocence d'Adam n'est pas cet état sans trouble que retenait la lecture traditionnelle de la Genèse. Kierkegaard montre que, avant même de commettre le péché, Adam au jardin d'Éden éprouvait l'angoisse de n'avoir rien contre quoi lutter, car tel est le sens de l'état d'innocence : n'avoir rien contre quoi lutter. Or positivement, l'angoisse est déjà le signe de la liberté réelle, car elle en marque la possibilité (un thème largement développé plus tard par Sartre). Il y a même de l'angoisse chez l'enfant, observe Kierkegaard, repérable à sa quête d'aventure, de monstrueux, de mystère.

L'angoisse est ce qui ouvre l'existence et la décale à jamais du caractère massif de l'être : il est certain que la montagne ne l'éprouve pas et il est douteux que l'animal la connaisse. Cette ouverture au possible que l'angoisse signifie sera chez Adam renforcée par l'interdiction divine : car comment Adam aurait-il pu comprendre le sens de l'interdit de manger du fruit de l'arbre de la connaissance du bien et du mal puisqu'il ne savait pas encore ce que pouvait être le bien et le mal ? Ce n'est qu'en mangeant le fruit qu'Adam pourra connaître le sens de l'interdit d'en manger.

L'angoisse est le vertige de la liberté.

– Kierkegaard

L'amour est comique

On trouve chez Kierkegaard de nombreuses phrases paradoxales comme celle-ci : « L'amour est comique. » On dit l'amour sérieux ou léger, grave ou pathétique, tragique, oui, mais comique ?

Kierkegaard n'est pas seulement un écrivain attaché, comme Proust, aux miettes de l'existence. Il est aussi un rigoureux constructeur de concepts. Le comique, dit-il, est toujours l'expression d'une contradiction. Or l'amour n'existerait pas sans contradiction – entre deux subjectivités, entre le désir du corps et l'aspiration de l'âme, etc. Voilà pourquoi l'amour peut être dit comique.

Le christianisme trahi

Kierkegaard est, avec Pascal (avec qui il partage tant de points communs), un philosophe chrétien : non pas un philosophe du christianisme, qui prendrait la religion chrétienne comme un objet de pensée spécifique, mais un philosophe qui pense en fonction des catégories fondamentales qui sont celles du christianisme : le péché, le désespoir, l'angoisse, le mal et l'innocence, la rédemption, le salut…

Mais c'est parce qu'il est un penseur religieux, et qui se prétend tel, que Kierkegaard est violemment anticlérical. La religion instituée des Églises luthériennes, si puissantes alors au Danemark, le scandalise : elle a passé avec le monde, la réalité du monde social, des compromis qui ont ruiné son âme. Elle contrôle les cœurs, en oubliant la croix. Elle a renoncé à son sens en échange du pouvoir.

Mais le christianisme a aussi été trahi lorsque ses prétendus défenseurs ont entrepris de le rendre présentable au monde. C'est ainsi que le caractère littéralement scandaleux de la religion chrétienne (un Dieu qui s'incarne et meurt sur la croix pour les pécheurs que sont les hommes) a été évacué au profit d'un moralisme tiède qui se satisfait de tous les accommodements avec l'incroyance.

Le christianisme n'est ni rationnel ni raisonnable, il est de l'ordre du paradoxe (l'existence historique du Dieu éternel) et du scandale (la mort historique de ce Dieu). La Réforme, en somme, aura été un coup pour rien. Les Églises luthériennes se sont tout autant détournées du scandale chrétien que l'avait fait l'Église catholique contre laquelle elles se sont insurgées.

L'absurde du christianisme, et qui aux yeux de Kierkegaard est la vérité profonde de cette religion, est l'insertion de l'éternité dans le temps que manifeste l'Incarnation. Certes, l'instant a ce caractère de lier ensemble ce qui normalement devrait rester séparé (l'instant est ce qui, dans le temps, peut nous donner l'image de l'éternité, à cause de sa perfection, de son immobilité, à cause même de sa brièveté extrême qui justement empêche le temps de couler) mais l'Incarnation est beaucoup plus qu'une image.

Les trois stades de l'existence et leurs couloirs

Si le monde de la logique est dominé par la catégorie de nécessité, celui de l'existence l'est par celle de possibilité. Contrairement à Hegel, qui en faisait un processus rationnel et continu dans lequel même les opposés peuvent se concilier (« et… et »), Kierkegaard voit la réalité comme un complexe de possibilités qui, inconciliables (« ou bien… ou bien »), impliquent hésitation, négation, destruction, dans la mesure où les choix de l'homme sont toujours le résultat de drames et de déchirures, de « sauts » qualitatifs et non de calcul rationnel. Il existe une tragédie du choix qui ne peut s'effectuer que dans l'angoisse. Comme pur sentiment du possible, l'angoisse est le rapport même de l'homme au monde, comme le désespoir est le rapport de l'homme à lui-même.

Kierkegaard distingue trois stades de l'existence :

- le stade esthétique ;
- le stade éthique ;
- le stade religieux.

Kierkegaard pensait être lui-même dans sa vie passé par chacun de ces stades (le jeune dandy insouciant qui dissipe la fortune paternelle, le fiancé engagé dans une promesse de vie installée, le penseur religieux qui a découvert son véritable interlocuteur).

Chacun des trois stades de l'existence est caractérisé par une dimension prévalente du temps :

- l'instant pour le stade esthétique ;
- la durée pour le stade éthique ;
- l'éternité pour le stade religieux.

Le stade esthétique

Le terme d'esthétique doit être pris en son sens général de : ce qui a rapport à la sensibilité. L'homme du stade esthétique vit dans l'instant. Il ne s'arrête en aucun plaisir durable, à aucune promesse, à aucun engagement. Trois figures incarnent ce stade : Don Juan, qui virevolte de femme en femme, le Juif errant qui va de pays en pays et Faust qui passe de savoir en savoir. Aucun des trois ne sait s'arrêter à un terme ultime qui lui donnerait la satisfaction du repos. Certes, une malédiction pèse sur le Juif errant (selon la légende médiévale, il aurait été condamné à errer éternellement par Jésus car il aurait ri de lui lors de la montée au Calvaire). Mais qui dit qu'aucune malédiction ne pèse aussi sur Don Juan ou sur Faust ?

L'esthétique est la tonalité d'existence de l'homme moderne, homme sans engagement ni foi, être des surfaces, de l'incessante métamorphose. Le désespoir est le mode d'être (Heidegger dirait : l'existential) de l'homme esthétique lorsqu'il s'aperçoit qu'il n'a pas de moi.

Le sens sérieux de l'ironie

L'ironie est le mode d'être qui fait signe vers le stade suivant, le stade éthique. Chez Socrate, l'ironie était beaucoup plus qu'un style de discours, elle représentait sa méthode d'interrogation (tel est le sens de l'étymologie grecque). Chez les romantiques allemands, qui forment la génération immédiatement antérieure à celle de Kierkegaard, l'ironie est l'expression de la libre subjectivité face aux contraintes du réel et de la société.

Kierkegaard voit dans l'ironie une sorte de désespoir intellectuel caractéristique de l'homme de la sphère esthétique qui compense ainsi l'inanité de son moi en dissolvant le monde. Mais s'il découvre les failles du moi esthétique éparpillé dans la sensualité, l'ironiste n'a pas le courage de changer de vie. Il se réfugie alors dans la plaisanterie qui naît de la contradiction entre sa prise de conscience intellectuelle et son attitude existentielle. La dérision, qui est l'attitude dominante de l'homme actuel et qui est constamment donnée à voir et à entendre dans les médias, est tout à fait symptomatique de cette impuissance : on glousse et on ricane quand on ne sait rien et qu'on n'en peut guère plus.

C'est l'exclusion de l'esprit qui explique qu'il y ait une insouciance dans la Beauté grecque mais aussi en elle un profond deuil inexpliqué.

– Kierkegaard

Le stade éthique

Le stade éthique, qui vient après le stade esthétique et avant le stade religieux, se caractérise par le sérieux de la vie organisée selon le temps de la loi et du devoir. Le métier et le mariage signalent la vie éthique (Don Juan se marie par ruse, brièvement, pour achever de séduire une récalcitrante et on ne l'imagine pas exerçant une profession). Alors que l'homme esthétique disperse sa vie dans la multitude des instants de plaisir, l'homme éthique donne à sa vie un centre.

Le sens sérieux de l'humour

L'humour marque le passage de l'éthique au religieux. Kierkegaard considère qu'il est essentiellement chrétien et il lui oppose justement l'ironie socratique. Ce faisant, il donne à ces deux catégories un sens plus profond que celui qui leur est communément attribué (l'ironie, dit-on, consiste à parler légèrement de choses graves, l'humour à parler gravement de choses légères). L'humour apparaît dès que l'individu comprend que quelque chose existe au-delà de son existence. Il est le mode d'être de l'homme conscient de la distance qui le sépare de l'infini mais reste tout de même attaché à l'immanence du jeu. À l'opposé de l'ironie qui est orgueilleuse (l'ironiste fait toujours le malin, que l'on pense à Socrate ou à Voltaire), l'humour est humble.

Le stade religieux

Aux yeux de Kierkegaard, ce n'est pas la vertu qui est le contraire du péché mais la foi. La foi, disait-il, est la plus haute passion de tout homme. Il y a peut-être beaucoup d'hommes de chaque génération qui n'arrivent pas jusqu'à elle, mais aucun ne va au-delà d'elle.

Transcendant le stade éthique précédent, le stade religieux s'inscrit dans l'éternité d'une foi vécue non sur le mode de la réconciliation (ce à quoi tendent toutes les Églises modernes) mais à l'inverse sur celui de l'angoisse et du désespoir.

Abraham est l'incarnation du stade religieux, comme Don Juan était celui du stade esthétique. Abraham n'est pas un héros tragique, il n'est d'ailleurs pas du tout un héros, son geste n'a rien d'héroïque. Le héros tragique, tel que le conçoit Kierkegaard, est celui qui vit à l'intérieur de lui-même le conflit entre l'individu et la collectivité. En tant que tel, il appartient à la sphère éthique.

Agamemnon qui sacrifice sa fille pour le succès de son expédition, Jephté qui tue la sienne pour honorer une promesse en cas de victoire, Brutus qui assassine son père adoptif César pour la sauvegarde de la république sont des héros tragiques : leur action, aussi douloureuse soit-elle sur le plan sentimental, possède une rationalité politique. Le geste que Yahvé demande à Abraham – lui sacrifier son fils unique si longtemps désiré et attendu, est absurde ; il est profondément immoral et n'a aucune utilité politique. Par ce commandement injustifiable, Abraham est exclu de la communauté des hommes. Le geste d'Abraham est une affaire qui ne concerne que lui dans son rapport absolu à Dieu.

Une autre interprétation

Martin Buber, philosophe juif allemand contemporain, a intelligemment contesté la lecture de Kierkegaard. Pour lui, le sens du sacrifice d'Abraham est précisément qu'il n'a pas eu lieu. Pour Kierkegaard, l'épisode du sacrifice d'Isaac montre la transcendance du religieux par rapport à l'éthique, tandis que pour Buber il montre à l'inverse qu'en aucun cas le religieux ne saurait prévaloir contre l'éthique.

Chapitre 21

Marx, un moment capital

Dans ce chapitre :

- Une pensée qui a eu sur le XXᵉ siècle la plus grande des influences
- Le matérialisme dialectique
- La lutte des classes
- Le communisme

Retrouver la réalité

Un philosophe, entre autres

Voltaire se voulait rageusement philosophe et il l'était à peine. Marx ne se le voulait pas, et il l'était, pleinement. Un philosophe est un homme qui produit des pensées qui ne sont ni scientifiques ni religieuses. Tel est le cas de Marx, même si Émile Bréhier ne lui consacre même pas un chapitre dans son *Histoire de la philosophie* (Kierkegaard, finalement, est gâté avec sa petite page). Mais Marx n'était pas seulement philosophe. *Le Capital*, son grand œuvre, est un livre d'économie politique que l'on peut mettre sur le même plan que les textes fondateurs de cette discipline, ceux d'Adam Smith, de Ricardo et de Jean-Baptiste Say.

Marx était aussi un homme d'action, un homme politique, un révolutionnaire. Les philosophes, dit-il dans l'une de ses formules les plus célèbres, n'ont fait qu'interpréter diversement le monde, il s'agit maintenant de le transformer. Le *Manifeste du Parti communiste* écrit avec son compagnon Friedrich Engels, l'année même où éclate la révolution de 1848, est un acte politique plutôt que philosophique. Marx a consacré beaucoup d'énergie à l'action politique. Il a fondé la Première Internationale. C'est lui qui a fait sortir le communisme de son domaine d'utopie pour en faire une force alternative.

À cause de l'établissement à partir de 1917 d'un certain nombre de régimes dits communistes, Marx fut sans conteste le philosophe qui eut sa figure reproduite le plus souvent dans l'espace public (des centaines de millions d'exemplaires, depuis les effigies géantes promenées lors des grandes parades officielles jusqu'aux vignettes ornant les manuels de classe pour écoliers). Destin inouï pour un philosophe, quand on y songe. On n'imagine pas le portrait de Spinoza porté par des foules enthousiastes à Broadway ou place de la Concorde. Le portrait de Marx est une icône qui va très au-delà du domaine propre de la philosophie.

L'engagement révolutionnaire de Marx lui valut de son vivant exil et misère. Ne gagnant pratiquement pas d'argent, il ne dut sa survie pratique que grâce aux articles qu'il écrivait pour les journaux et à l'aide d'Engels, fidèle compagnon avec lequel il écrivit plusieurs ouvrages et qui était fils d'un industriel.

L'idéalisme, voilà l'ennemi !

Lorsqu'il était étudiant, Marx rédigea une thèse de philosophie sur les systèmes de Démocrite et d'Épicure. Son matérialisme est donc de toujours. Très marqué par la lecture de Hegel, comme tous les jeunes intellectuels de sa génération, Marx s'en détache rapidement : ce n'est pas l'Idée qui mène le monde mais l'intérêt, le besoin, le travail, la technique, bref la matière. Marx exprimera son refus de l'idéalisme en disant que la dialectique de Hegel marchait sur la tête et qu'il l'a remise sur ses pieds.

Mais en fait, derrière ce terme d'idéalisme, c'est l'ensemble de la philosophie (si l'on fait exception de l'exception matérialiste) qui est dénoncé pour le jeu d'ombres auquel elle se prend elle-même. La philosophie, en effet, tend à croire que les abstractions dont elle se sert sont la réalité même : la nature, l'Homme, Dieu, etc. Elle oublie que les mots ou bien ne recouvrent que des fictions (comme le dahu à la chasse duquel on conviait jadis les jobards) ou bien ne sont que des moyens commodes pour désigner ce que peuvent avoir de commun un certain nombre de réalités. Sur ce plan précis, Marx s'inscrit dans l'héritage et le sillage du nominalisme philosophique.

Les abstractions auxquelles on croit finissent par constituer un écran entre la pensée et la réalité ; elles prennent la place de la réalité au lieu d'en paraître des expressions. Aux yeux de Marx, la pensée toute seule s'enivre elle-même. C'est la pratique, c'est-à-dire l'action, le travail, qui constitue le critère de la vérité, et non le jeu d'une logique enroulée sur elle-même. Marx nomme *praxis* la pratique historique collective visant à transformer l'ordre social. Sa philosophie est une philosophie pour la *praxis*.

La philosophie est à l'étude du monde réel ce que l'onanisme est à l'amour sexuel.

– Marx

Les beaux rêves de la chambre obscure de l'idéologie

L'idéologie est un ensemble de discours de justification et d'oubli complices de l'inhumanité de ce monde. En expliquant la réalité par des entités abstraites (ce que fait la philosophie) ou par des lois prétendument naturelles (ce que fait l'économie politique), l'idéologie renforce l'existence du monde comme il va, c'est-à-dire comme il ne va pas.

Mais l'idéologie peut également mentir et dissimuler. Elle peut inverser la réalité au lieu de la légitimer directement. Marx compare cette fonction d'inversion au mécanisme de la *camera obscura* (le dispositif de la chambre obscure qui fut le lointain ancêtre des appareils photographiques et à l'intérieur duquel l'image de la scène appliquée par le rayon lumineux traversant un orifice apparaît à l'envers).

L'idéologie a donc trois manières d'agir :

- en légitimant la réalité : il y aura toujours des riches et des pauvres ;
- en inversant la réalité : la véritable richesse est intérieure ;
- en faisant oublier la réalité au profit d'un monde imaginaire : heureux les misérables car ils seront récompensés dans le royaume des cieux.

Sur un terrain plat, de simples buttes font l'effet de collines ; aussi peut-on mesurer l'aplatissement de la bourgeoisie contemporaine d'après le calibre de ses esprits forts.

– Marx

L'opium du peuple

D'Holbach avait dit que les hommes tiennent à leur religion comme les sauvages à l'eau-de-vie. Marx dit que la religion est l'opium du peuple. Au milieu du XIXe siècle, l'opium était utilisé comme sédatif et antalgique (la morphine, qui en est dérivée, fut inventée plus tard). Lorsque Marx dit de la religion qu'elle est l'opium du peuple, il ne veut pas dire qu'elle plonge les croyants dans un monde d'hallucinations mais qu'elle les soulage de leurs souffrances.

Ce qui désole Marx, ce n'est pas évidemment que l'homme soit soulagé de ses souffrances, c'est qu'il le soit de manière à la fois éphémère et artificielle, donc illusoire. Or l'illusion ne peut que prolonger la souffrance réelle, puisqu'elle ne fait rien pour s'attaquer à ses causes.

Marx intègre une bonne partie de la critique de la religion qu'avait effectuée le philosophe Ludwig Feuerbach dans son livre *L'Essence du christianisme*. L'homme pauvre invente un dieu riche, diagnostique Feuerbach. Il est faible, il imagine un dieu tout-puissant. Il sait peu de choses, il forge un dieu omniscient, etc. Bref, l'être humain se dépouille de ses qualités génériques pour les attribuer à un dieu imaginaire, mais ce faisant il se rend encore plus misérable – un peu comme si un fidèle pétri de dévotion mettait sur la figure sculptée de son dieu la seule guenille qu'il a pour se couvrir.

La religion est le soupir de la créature accablée par le malheur, elle est le cœur d'un monde sans cœur, comme elle est l'esprit d'une époque sans esprit; elle est l'opium du peuple.

– Marx

Un matérialisme social

Rapports sociaux et matérialisme

Contre l'idéalisme, Marx affirme que ce n'est pas la conscience des hommes qui détermine leur existence, mais que c'est leur existence sociale qui détermine leur conscience. Les rapports sociaux sont intimement liés aux forces productives. En acquérant de nouvelles forces productives, les hommes changent de mode de production et en changeant la manière de gagner leur vie, ils changent tous leurs rapports sociaux. Le moulin à bras donnera la société avec le suzerain; le moulin à vapeur, la société avec le capitalisme industriel.

Le matérialisme historique de Marx tient dans cet énoncé : les forces productives (état des techniques à un moment donné de l'histoire) sont liées aux forces de production (les différentes classes sociales, définies par leur place respective dans le procès de production) qu'elles déterminent aussi. Si ces forces productives changent (invention de la machine à vapeur, de l'ordinateur), les rapports de production changent en conséquence. On peut donner autant d'exemples qu'on voudra de cette détermination de la société (donc de l'histoire) par la technique. Déjà, Aristote avait écrit que si les navettes à tisser pouvaient marcher toutes seules, il n'y aurait plus besoin d'esclaves. Aristote ne croyait pas du tout la chose possible (il disait cela au contraire pour justifier l'esclavage comme phénomène nécessaire), l'histoire s'est chargée de lui donner finalement raison, car si l'esclavage a été aboli, ce n'est peut-être pas d'abord grâce aux protestations morales de quelques (trop rares) écrivains mais grâce au fait que l'industrialisation l'a rendu économiquement inutile.

Les idées dominantes d'une époque n'ont jamais été que les idées de la classe dominante.

– Marx

Matérialisme, oui, mais dialectique !

L'expression de matérialisme dialectique n'est pas de Marx lui-même mais elle a été popularisée par Engels et servit ensuite à désigner, dans le marxisme, la philosophie de Marx. L'adjectif « dialectique » renvoie à Hegel : la réalité n'est pas une donnée éternelle fermée, elle est un processus, une constitution progressive par jeu d'oppositions surmontées. Par exemple, lorsque deux États se font la guerre, la paix qui met un terme au conflit ne peut pas être un simple retour au point de départ : les deux forces en présence ont été nécessairement modifiées. Elles se sont opposées l'une à l'autre et, par ce moyen, déterminées l'une contre l'autre.

Le matérialisme de Marx ne va pas jusqu'à la négation de la pensée et de son pouvoir. La différence qui existe entre l'architecte le plus maladroit et l'abeille la plus habile, écrit Marx lui-même, c'est que l'architecte porte d'abord sa maison dans sa tête.

À l'opposé du matérialisme dit mécanique, qui ne considère la relation de causalité que de manière unilatérale (tel facteur produit tel effet, et c'est terminé), le matérialisme dialectique laisse ouverte la possibilité d'une action en retour de l'effet sur sa cause. Soit le schéma global d'explication exposé plus haut : l'infrastructure (forces productives et rapports de production) détermine la superstructure (le niveau des idées dont la science, le droit, la philosophie, l'art, etc., bref la culture, font partie). Telle est l'explication matérialiste. C'est la technique, l'économie, les rapports sociaux qui entraînent le mouvement global de l'Histoire, dont les idées sont l'expression.

Mais si les idées expriment des forces matérielles, elles peuvent aussi agir rétroactivement sur elles. Et c'est bien ainsi que les choses se passent avec la technique. En tant qu'outil, machine, usine, etc. la technique est matérielle mais elle repose en grande partie sur des idées (la plupart des inventions techniques ont été précédées par des découvertes scientifiques) si bien qu'on peut dire que l'infrastructure détermine la structure qui la détermine.

La naissance du capitalisme ne fut pas une mince affaire

Engels appelait matérialisme historique l'application du matérialisme dialectique à l'histoire. Un exemple particulièrement éclairant d'explication matérialiste est la façon dont Marx rend compte de l'apparition du capitalisme.

Ce nouveau système, qui se substitue peu à peu au féodalisme à partir de la fin du Moyen Âge, repose sur ce que Marx appelle l'accumulation primitive du capital et la constitution d'une nouvelle classe sociale, celle des ouvriers.

Au XVe siècle, la bourgeoisie italienne enrichie a des besoins croissants de tissus, qu'elle commande chez les drapiers des Flandres. Ceux-ci fabriquent leurs marchandises avec la laine des moutons anglais. En Angleterre, pour répondre à cette demande croissante de matière première, les propriétaires terriens expulsent un grand nombre de paysans afin de libérer les terres pour la pâture des troupeaux, désormais plus rentable. Ainsi, à l'enrichissement des classes supérieures (bourgeoisie italienne et flamande, aristocratie anglaise) s'ajoute la formation d'une classe de paysans expulsés qui vont rejoindre les villes pour trouver du travail et constituer ainsi la main-d'œuvre des manufactures, ancêtres des usines modernes.

On voit que dans ce schéma seuls les facteurs matériels jouent (besoin, intérêt, travail, force physique) mais qu'au sein d'une complexe réaction en chaîne la conscience des hommes n'est évidemment pas absente (ne serait-ce que sous forme de projet, d'intention).

Plus tard, Max Weber donnera de la naissance du capitalisme une interprétation frontalement antimarxiste et mettra au tout premier plan le facteur idéologique (la Réforme protestante et sa nouvelle conception du travail et de l'argent qui brise les tabous de l'Église catholique).

L'essence du capitalisme, les sens du capitalisme

Marx ne croit pas à l'éternité dans l'histoire. Il n'y a pas de capitalisme éternel, le chasseur de bisons de la préhistoire n'était pas un capitaliste du seul fait qu'il gardait ses outils. Le capitalisme, aux yeux de Marx, est une formation *historique* qui a eu une naissance et qui aura une fin. Comme son nom l'indique, il est le système du capital. Or, si le capital est une richesse, toute richesse n'est pas un capital. Des bijoux ou des terres, par exemple, ne sont pas nécessairement un capital. Le capital, tel que le définit Marx, est l'élément central du système qui fait de la production et de l'échange des marchandises non plus seulement des moyens mais des fins en soi.

Marx a été frappé par ce passage des *Politiques* où Aristote oppose l'économie à ce qu'il appelle la chrématistique. Avec l'économie, l'argent est un moyen d'échange. Avec la chrématistique, il est devenu une fin en soi. Aux yeux de Marx, le capitalisme est un système chrématistique : au lieu que l'argent soit le médiateur entre deux marchandises (on vend une marchandise pour en acheter une autre qui sera consommée), c'est la marchandise qui est la médiatrice du circuit monétaire ; en termes économiques, la valeur d'échange a pris le pas sur la valeur d'usage. La spéculation est le moteur même du système qui tend à tout transformer en capital (condition de la production des marchandises et source de profits) et en marchandises.

Mais le capitalisme est également une structure sociale et pas seulement économique – car il n'y a de capital que *social*, quand bien même il serait la propriété personnelle d'un petit nombre d'individus (et tel est le cas). Le capitalisme repose sur l'appropriation privée des moyens de production (matières premières, ressources naturelles) et de la force de travail de tous ceux qui justement ne détiennent pas de capitaux.

Un fétichisme bien actuel

La force du capitalisme est telle qu'elle semble devoir être entièrement détachée de ses conditions d'existence. Ainsi la machine s'impose de plus en plus comme une puissance séparée qui ne doit plus rien à ses propriétaires et utilisateurs. Charlie Chaplin a illustré cela de façon définitive dans son film *Les Temps modernes*. En fait, et paradoxalement si l'on songe à la lourdeur matérielle qui est en jeu, le capitalisme développe une puissance d'illusion idéaliste tout à fait particulière. Marx l'a analysée sous le nom de fétichisme de la marchandise. Dans certaines sociétés, le fétiche est un objet dont on suppose qu'il concentre en lui toutes les puissances du sacré : l'adorateur ne sait pas qu'en réalité la force qu'on lui attribue vient de lui. Pareillement, en système capitaliste, la marchandise prend une individualité si convaincante qu'elle nous fait oublier qu'elle est le produit d'un système social déterminé. Ainsi le langage publicitaire moderne nous montre-t-il des objets littéralement tombés du ciel, complètement déconnectés de leurs conditions de production (qui verrait le petit enfant des Philippines réduit en esclavage derrière le jean sur les fesses du mannequin ?).

Le capital est semblable au vampire, il ne s'anime qu'en suçant le travail vivant et sa vie est d'autant plus allègre qu'il en pompe davantage.

– Marx

Le premier philosophe de la mondialisation

Marx est le premier à avoir vu que, pour exister, les hommes sont désormais contraints de s'approprier la totalité des forces productives et d'universaliser leurs rapports sociaux à une époque où la production et la technique prennent une dimension mondiale. La mission historique du capitalisme (dont Marx a toujours pensé qu'il était supérieur à tous les systèmes antérieurs) est d'unifier le monde et l'humanité. Par rapport au présent capitaliste, toute l'humanité antérieure apparaît comme radicalement bornée. Marx, au-delà des dangers, voit dans la mondialisation (certes, le terme n'existe pas encore à son époque mais l'idée est présente) un facteur de liberté : à la dépendance universelle succède la maîtrise universelle ; sur ce plan, comme sur d'autres (la socialisation de la production), le capitalisme actuel prépare le terrain du communisme futur.

Des idées fondatrices

Un philosophe de la liberté

S'il fut l'inspirateur de régimes qui, résolument, ont anéanti toute liberté, Marx fut un grand philosophe de la liberté. Tragique destin d'une pensée. On songe à ce mot que fait dire Dostoïevski à l'un de ses nihilistes révolutionnaires : parti de la liberté illimitée, je suis parvenu au despotisme illimité ! L'idéal révolutionnaire de Marx est un idéal de liberté totale pour tous les hommes sans exclusive. Cette exaltation d'une liberté totale, concrète, passe par la critique des conceptions partielles de la liberté.

Une pensée de la liberté concrète

La philosophie a défini la liberté de manière si abstraite qu'elle n'a plus aucun contenu. Proche en cela de Spinoza, Marx identifie liberté et puissance : être libre ne signifie pas faire ce que l'on veut mais ce que l'on peut lorsque ce que l'on peut n'est pas la simple possibilité logique mais le moyen effectif de l'action. Ainsi ne dit-on pas d'un analphabète qu'il a la liberté de lire sous le prétexte qu'il ne subit pas de censure, ni d'un chômeur sans domicile fixe qu'il a la liberté de passer ses vacances où il veut sous le prétexte que l'État ne l'empêche pas d'avoir un passeport. Pour lire, il faut savoir lire, pour voyager, il faut avoir les moyens matériels de le faire. La liberté qui n'est pas appuyée sur des moyens intellectuels et matériels effectifs n'est qu'un mot vide de sens, un slogan, un mensonge. La liberté sans condition effective n'est que formelle.

La liberté peut être aussi l'alibi de l'injustice. Le renard libre dans le poulailler libre, s'exclamera ironiquement Jean Jaurès au sujet du capitalisme. Il n'y a pas de liberté pour celui qui n'a que la possibilité d'être écrasé par le fort. Entre le fort et le faible, c'est la liberté qui opprime et la loi qui affranchit, disait Lamennais (qui n'était pas socialiste, seulement républicain).

L'homme ne fut pas émancipé de la religion ; il reçut la liberté religieuse. Il ne fut pas émancipé de la propriété, il reçut la liberté de la propriété. Il ne fut pas émancipé de l'égoïsme de l'industrie, il reçut la liberté de l'industrie.

– Marx

L'homme total : rien n'est trop grand pour lui

Dans l'usine, dit Marx, il n'y a plus d'hommes entiers mais des têtes, des bras, des jambes qui semblent détachés du reste du corps. La division du travail qui est constitutive du capitalisme et qui a des dimensions inséparablement sociales et techniques est aussi une division de l'homme lui-même. L'aliénation est le fait de ne plus s'appartenir à soi-même, de n'être plus avec ni pour soi-même. On dit justement d'un fou qu'il est *aliéné*, parce qu'il est littéralement hors de lui-même comme si une force étrangère avait pris possession de son esprit (on disait jadis des fous qu'ils étaient *possédés*).

L'ouvrier est ainsi triplement aliéné :

- par rapport à lui-même (il a vendu sa force de travail au capitaliste) ;
- par rapport à la marchandise (le produit de son travail appartient à un autre, le capitaliste) ;
- par rapport au capitaliste lui-même (le salariat est une forme substitutive de l'esclavage dans laquelle les individus ne sont pas juridiquement la propriété des maîtres).

Marx disait : dans la société communiste, il n'y aura plus ni Raphaël ni Mozart mais des gens qui, entre autres choses, feront de la peinture ou de la musique. Manière de dire que, par opposition à un système qui mutile l'être humain, il faut continuer à penser à une société qui puisse être constituée d'hommes complets et non pas seulement de membres ou d'organes.

La lutte des classes

Toute l'histoire jusqu'à nos jours, dit le *Manifeste du Parti communiste*, est l'histoire de la lutte des classes. Lorsque la propriété privée des moyens de production apparaît, mettant fin à la période du communisme primitif, la société des hommes n'est plus unie mais conflictuelle, puisque aux détenteurs des moyens de production font face ceux qui n'ont que leur force de travail pour vivre et survivre. Ainsi dans l'Antiquité y eut-il la division entre maîtres et esclaves et au Moyen Âge la division entre seigneurs et serfs, divisions auxquelles succède à l'époque moderne la division entre capitalistes et prolétaires. La division de la société en classes (les rapports de production) est donc l'expression d'un état déterminé des forces productives (la révolution industrielle, avec la machine à vapeur, a balayé la féodalité et signé le triomphe du capitalisme).

À la différence des castes, rangs et ordres des sociétés traditionnelles et d'ancien régime, les classes se définissent par leur fonction dans l'appareil productif. Avec le capitalisme, le pouvoir symbolique et la puissance matérielle ne font plus qu'un (le brahmane, membre de la caste supérieure en Inde, peut être moins riche qu'un commerçant, membre d'une caste inférieure ; on ne verra jamais en Europe un patron avec moins d'argent que son ouvrier).

Lorsque les rapports de production (la structure sociale) entrent en contradiction avec les forces productives (la structure économique), il y a une révolution dont le résultat est généralement de mettre les deux niveaux en phase. Ainsi au XVIIIe siècle l'aristocratie française gardait-elle les privilèges qui étaient les siens lorsque la richesse principale était la propriété des terres. Avec la révolution industrielle, les nobles ont petit à petit perdu leur puissance matérielle face à la bourgeoisie montante, laquelle se trouvait toujours dépossédée du pouvoir politique. La Révolution française fut la secousse historique qui permit à la bourgeoisie d'acquérir les droits et les pouvoirs qui étaient conformes à sa nouvelle puissance économique.

Pareillement, Marx perçoit le capitalisme comme sourdement travaillé par la contradiction entre une structure de plus en plus inégalitaire des rapports de production (une poignée de capitalistes face à l'armée des prolétaires) et des forces productives de plus en plus unifiées.

Les forces qui travaillent la société font comme la taupe qui creuse ses galeries sans qu'on la voie. Marx reprend à Hegel, lequel l'avait prise à Shakespeare, l'image de la taupe. Hamlet dit de l'esprit de son père, qui cherche vengeance pour son assassinat : « Bien travaillé, vieille taupe ! » Chez Hegel, l'esprit du père est devenu celui du monde qui mène l'Histoire. Chez Marx, la taupe revient sur terre (et même dessous) et symbolise les forces révolutionnaires.

L'internationalisme prolétarien contre l'universalisme bourgeois

Le *Manifeste du Parti communiste* que Marx écrit avec Engels fait connaître le slogan « Prolétaires de tous les pays, unissez-vous ! » La bourgeoisie est une classe mondiale parce que le capitalisme est un système mondial. Les ouvriers n'ont pas de patrie. Aussi doivent-il prendre conscience d'une solidarité internationale. Marx a des mots durs contre l'universalisme « bourgeois » des droits de l'homme et le cosmopolitisme abstrait. Il n'y voit qu'une ruse et une hypocrisie destinées à masquer des intérêts très particuliers.

En 1864, il crée l'Association internationale des travailleurs connue sous le nom de Première Internationale lorsqu'il y aura une Deuxième puis une Troisième Internationale. L'ironie de l'histoire aura voulu que si l'universalisme n'était que le masque du particularisme, l'internationalisme, après 1917, ne sera que le paravent du nationalisme russe. Non seulement, à l'exception d'une maigre élite communiste, les ouvriers ne se seront jamais sentis plus internationalistes que nationalistes (il n'est que de voir leur réaction en

1914 de part et d'autre du Rhin), mais la solidarité internationale n'a jamais réellement joué entre les États ou les forces pourtant communistes (il n'est que de voir la méfiance que les soviétique ont tout de suite conçue à l'endroit de leurs « camarades » chinois). L'internationalisme prolétarien fait à présent partie de l'histoire des mythes révolus.

Qu'est-ce que le communisme ?

Le *Manifeste du Parti communiste* s'ouvre par une phrase fameuse : un spectre hante l'Europe, le spectre de communisme. Le terme est récent alors. Il a fini par s'imposer au XXe siècle au point de faire de Marx le père du communisme.

Pourtant, parmi les milliers et milliers de pages noircies par cet infatigable travailleur, on serait bien en peine, en réunissant toutes les mentions et allusions, d'en réunir plus d'une dizaine qui traitent du communisme. Il y a à cela une raison de fond – que les disciples zélés se sont empressés d'oublier : Marx a toujours manifesté une hostilité particulière à l'endroit de l'utopie. Il se veut un réaliste. *Le Capital* est l'analyse structurale et historique du capitalisme, il n'est pas un programme politique.

Des quelques rares indications laissées çà et là par Marx, il apparaît que le communisme est le nom donné au régime social et économique de la fin de l'Histoire lorsque la propriété privée des moyens de production et donc la lutte des classes qui en est la résultante auront disparu. Selon Marx (le marxisme d'ailleurs plus que Marx), l'histoire se découperait en cinq périodes :

- le communisme primitif (la propriété privée n'existe pas encore) ;
- l'esclavagisme ;
- le féodalisme ;
- le capitalisme ;
- le communisme (la propriété privée des moyens de production n'existe plus).

Vous avez dit dictature ?

Le passage du capitalisme au communisme se fait par une révolution : comme le prolétariat constitue l'immense majorité de la population, il ne devrait guère rencontrer de difficultés pour renverser la bourgeoisie, mais comme celle-ci détient tous les pouvoirs (financier, militaire, etc.), il devra établir, pour supprimer les structures de l'État bourgeois, une dictature durant une courte période de transition : c'est la fameuse dictature du prolétariat.

Pour Marx, l'État n'est pas l'expression de l'intérêt général, comme le croyait Hegel, il est un moyen par lequel une classe établit sa domination sur une autre. C'est pourquoi, lorsque la révolution prolétarienne aura définitivement triomphé, l'État disparaîtra pour laisser place à une libre association des travailleurs. Au sens très rigoureux du mot, on peut donc dire que Marx était anarchiste : pour lui, l'État ne peut être que de nature despotique, il doit donc être détruit.

On sait ce que l'histoire a fait de ce schéma. Les prétendues dictatures « du prolétariat » et qui n'étaient en fait que celles d'un parti ont duré jusqu'à l'écroulement des régimes communistes et l'État qui devait disparaître s'est gonflé jusqu'à la monstruosité totalitaire.

Sur le plan social, le communisme se définit comme un socialisme radical. Alors que la devise du socialisme est « À chacun selon son travail » (formule reprise de celle de Saint-Simon « À chacun selon ses capacités, à chaque capacité selon ses œuvres »), celle du communisme sera « De chacun selon ses capacités à chacun selon ses besoins », le dernier membre de phrase étant repris de Fourier.

La postérité de Marx

De Marx au marxisme

C'est Engels, qui a survécu douze ans à son ami, qui peut être considéré comme le véritable fondateur du marxisme, pour le meilleur et pour le pire. C'est Engels qui a érigé les grandes idées de Marx en dogmes et dit du matérialisme historique qu'il est la science de toutes les sciences. Il est arrivé à Marx ce qui est arrivé à Jésus : une formidable force d'impulsion a presque aussitôt pris la forme fossile d'une institution, avec ses rigidités et ses tyrannies.

La pensée de Marx n'est pas inachevée par accident ; elle l'est par nature – ce que le marxisme, précisément, n'a pas su ou voulu voir. Ce que Marx reproche à Hegel, c'est de s'être substitué à l'histoire, d'avoir remplacé comme un escamoteur l'histoire réelle par un système d'idées.

Marx est-il responsable du goulag ?

Du vivant de Marx, et dès l'apparition de cette nouvelle doctrine, bien avant donc les révolutions et les États qui se rangeront sous sa bannière, le communisme avait été dénoncé pour son despotisme. Ainsi Auguste Comte, pourtant hostile à l'individualisme, fustige-t-il l'ignorance des lois réelles de la société qui se manifeste dans la dangereuse tendance du communisme à comprimer toute individualité – ce sont ses propres termes. Dans une lettre qu'il lui écrivit en 1846, Proudhon, théoricien d'un socialisme autogestionnaire, avait prévenu Marx de cette manière : ne taillons pas au genre humain une nouvelle besogne par de nouveaux gâchis ; ne nous posons pas en apôtres d'une nouvelle religion. C'est également sur la question précise de la liberté que Bakounine, le théoricien de l'anarchisme, s'opposa, plus violemment encore, à Marx.

Marxisme et totalitarisme

La question du lien entre la pensée de Marx et le régime totalitaire est d'autant plus impossible à écarter que l'auteur du *Capital* fut le seul philosophe dont un totalitarisme (le communiste) se réclama expressément. Karl Jaspers, philosophe existentialiste libéral, dit de Marx qu'il pensait en dictateur. Parce qu'il prétendait détenir une connaissance totale du processus historique, il put tenir pour une chose sensée la planification totale.

À l'origine du despotisme totalitaire, on trouve l'idée propre aux révolutionnaires de toute obédience que l'oppression ne peut être que totale et qu'à l'oppression totale doit répondre pour la détruire un pouvoir total. Les prolétaires, disait Marx, n'ont que leurs chaînes à perdre et ils ont tout un monde à gagner. L'histoire du XXe siècle a montré, jusqu'à l'écœurement, que l'on pouvait perdre beaucoup plus que ses chaînes : sa vie même.

À cela s'ajoute le fait aggravant que Marx avait une conception unitaire de l'État et de la société : à ses yeux, les propriétaires des moyens de production, les détenteurs de la violence étatique légale et les idéologues forment une seule et même classe – l'exploitation, l'oppression et la mystification sont donc les expressions économiques, politiques, et idéologiques d'une même aliénation globale. À cela s'ajoute le mépris de la liberté personnelle ou bourgeoise. La dénonciation puis la suppression des libertés dites formelles par les régimes communistes ont incontestablement trouvé une source de légitimité chez Marx.

Autre argument accablant : la justification de la violence révolutionnaire. À partir du moment où le verrou du « Tu ne tueras point » saute, le pire est possible. On peut également noter que l'abandon de l'universalisme (dénoncé lui aussi comme bourgeois) au profit de l'internationalisme (prolétarien) fut lourd de conséquences. Lorsque la Ligue des justes fut remplacée par la Ligue des communistes en 1847, la nouvelle devise « Prolétaires de tous les pays unissez-vous » remplaça l'ancienne « Tous les hommes sont frères ».

Nous ne sommes pas responsables des imbéciles qui nous admirent

Marx a toujours été hostile à la censure et à la peine de mort. Une politique antireligieuse, pour ne prendre que cet exemple, lui semblait aberrante car on n'interdit pas aux hommes de croire, on organise bien plutôt les choses de telle manière qu'ils n'en éprouvent plus le besoin (du point de vue matérialiste, il s'agit là de quelque chose de réellement élémentaire). Rappelons que Marx n'a jamais fait la théorie de la dictature du prolétariat, qu'il se contente d'évoquer en quelques mots dans sa *Critique du programme de Gotha*. On songe aux deux ou trois petites phrases de Jésus (« Force-les à entrer », « Si ton œil est occasion de péché, arrache-le ») qui ont eu dans la suite des siècles un impact colossal et terrible en servant de justification aux Inquisiteurs.

Malgré ses emportements, Marx reste un homme des Lumières. Symptomatiques à cet égard sont les statuts de l'Association internationale des travailleurs (1864), la Première Internationale : toutes les sociétés et individus y adhérant, est-il précisé en toutes lettres, reconnaîtront comme base de leur conduite envers tous les hommes sans distinction de couleur, de croyance et de nationalité la Vérité, la Justice et la Morale. Pas de devoirs sans droits, pas de droits sans devoirs. Difficile d'y reconnaître la marque du langage totalitaire !

Marx est-il mort ?

Dans les années 1970, le marxisme détenait dans certains pays occidentaux, dont la France, des positions de pouvoir importantes dans les domaines de l'éducation et de la culture. Une bonne partie du monde se disait communiste et après la catastrophique guerre américaine au Vietnam, la dynamique de l'histoire semblait jouer en faveur de cet idéal.

Aujourd'hui, la situation est tout autre. L'URSS s'est effondrée. En Chine, le communisme n'est plus qu'une étiquette pour une camarilla de dirigeants dont le premier objectif est de se maintenir au pouvoir. Et Marx a disparu dans la tourmente. Personne ne parle plus de socialisation des moyens de production, les mots mêmes de bourgeois et de prolétaire ont disparu. Et pourtant, dans ce monde de la mondialisation qui est le nôtre, nous ne disposons toujours pas d'une théorie de la justice qui soit réellement universelle, ni d'une théorie de l'égalité, sans parler d'une théorie de l'exploitation. Bref, Marx manque au monde et sans doute est-ce l'une des raisons qui font qu'il ne va pas si bien, le monde.

Chapitre 22

Schopenhauer : la réalité est toujours pire qu'on ne pense

Dans ce chapitre :

- Le plus radical des pessimismes
- Un des grands inspirateurs de la pensée contemporaine.

Un pessimisme radical

Un maître de l'absurde

Schopenhauer n'est pas seulement le penseur du pessimisme. Il est d'abord un philosophe existentialiste avant la lettre, qui refuse une quelconque *raison* à l'existence – le terme étant à prendre en ses deux sens de rationalité et de cause. L'existence est, comme la pire des accusations, dénuée de tout fondement. Les choses existent, c'est tout. L'être humain existe, c'est tout. Il n'y a à cela ni cause ni but et lorsque la raison en trouve, elle ne fait que tomber sur ce qu'elle a inventé elle-même.

La vérité, disait Schopenhauer, n'est pas une fille qui saute au cou de celui qui ne la désire pas, c'est plutôt une fière beauté à qui l'on peut tout sacrifier sans être assuré pour cela de la moindre faveur.

Si Schopenhauer a été très tôt, avant l'âge de 30 ans, en possession de l'intuition fondamentale de son système de pensée, il est resté à peu près inconnu jusqu'à la fin de sa vie. Son existence fut celle d'un célibataire grincheux. Comme il avait la hantise de perdre ses écrits dans un incendie, il habitait au rez-de-chaussée de manière à pouvoir les emporter facilement en cas de catastrophe. Son cabinet de travail était orné d'illustrations alternées de chiens et de philosophes : pour celui qui voit dans la pensée un facteur d'illusion, il n'y a plus de raison majeure, en effet, à placer les hommes bien au-dessus des animaux…

« Le Monde comme Volonté et comme représentation »

Le Monde comme Volonté et comme représentation : c'est le titre du seul grand livre de Schopenhauer. Toute sa philosophie est, en effet, contenue dans ce gros ouvrage en quatre parties, écrit très jeune et régulièrement grossi de suppléments.

La philosophie de Schopenhauer part de la distinction faite par Kant entre le phénomène et la chose en soi. La chose en soi, réalité fondamentale, absolument indépendante de nous, prend chez lui le nom de volonté. La représentation, qui n'en est que l'image illusoire, prend la place du phénomène. La volonté n'est pas cette faculté intérieure de décision que ce terme désigne habituellement. Elle est une force naturelle, objective, qui se manifeste partout depuis la pomme qui tombe de l'arbre jusqu'au déplacement des planètes en passant par ce que nous appelons, chez l'être humain, volonté. C'est pourquoi on écrit volontiers avec majuscule cette Volonté dont la volonté psychologique n'est qu'une manifestation superficielle.

La Volonté ne veut rien. Ou plutôt, elle ne veut rien d'autre que sa propre perpétuation, cela se manifeste sous l'aspect d'inertie dans la matière non vivante et comme sexualité dans les organismes. Il n'y a dans la nature, ni plan ni but. Tout est soumis au cycle perpétuel du retour : succession des saisons et des générations. Quant à la représentation, elle est l'image que l'être humain se fait à travers le prisme de sa pensée. À la différence du phénomène chez Kant, la représentation n'a aucune valeur de vérité.

Le monde est une vallée de larmes et pourtant Schopenhauer condamne le suicide dans lequel il dénonce (avec beaucoup de perspicacité) une affirmation inconsciente du vouloir-vivre.

Il existe deux moyens de s'arracher à l'absurdité des choses : la morale qui nous fait reconnaître la foncière identité de tous les êtres (Schopenhauer met la pitié au tout premier plan de son éthique) et l'art qui nous permet une évasion bienfaisante.

Le pire des mondes possibles

La vie oscille, dit Schopenhauer, comme un pendule de la douleur à l'ennui. Le raisonnement de Leibniz est inversé : un monde pire que le monde réel eût été impossible car il n'aurait pas tenu.

Écoutons Schopenhauer: «Voilà les hommes: des horloges; une fois monté, cela marche sans savoir pourquoi; à chaque engendrement, à chaque naissance, c'est l'horloge de la vie humaine qui se remonte – pour reprendre sa petite ritournelle, déjà répétée une infinité de fois, phrase par phrase, mesure par mesure, avec des variations insignifiantes.»

Entre le malheur et le bonheur, pas de symétrie possible. Le bonheur est inconscient: on ne s'en rend compte qu'après, lorsqu'il a disparu. Le malheur, quant à lui, fait aussitôt sentir sa main de fer. Il en va de même avec la douleur et le plaisir, lequel engendre bien vite l'ennui, sitôt qu'il s'avise de durer.

Un faible salut moral et esthétique

La voix de l'Inde

Schopenhauer fut le premier philosophe occidental à reconnaître dans certains textes de l'Inde des points de rencontre avec sa propre doctrine. Il utilise souvent le terme sanskrit de *maya* pour désigner le caractère illusoire du monde de la représentation et son pessimisme n'est pas sans évoquer celui du bouddhisme.

Le philosophe a été frappé par la formule des Upanishad: *tat tvam asi* (toi aussi tu es cela), qui exprime le dépassement du principe d'individuation (le moi se croyant isolé) dans la reconnaissance d'une identité foncière de tous les êtres. Si la pitié représente chez Schopenhauer le cœur de la pensée morale, c'est parce qu'elle est le signe d'une reconnaissance au sein d'une communauté de souffrances – dont les animaux, bien entendu, ne sauraient être exclus.

Moi et autrui: ni trop près ni trop loin

Par une froide journée d'hiver, une troupe de porcs-épics s'était rassemblée pour se garantir mutuellement contre la gelée grâce à leur propre chaleur. Mais ils ressentirent aussitôt l'atteinte de leurs piquants, ce qui les fit s'éloigner les uns des autres. Lorsque le besoin de se réchauffer les eut rapprochés de nouveau, le même inconvénient apparut, de sorte que les malheureuses bêtes ne cessèrent d'être ballottées entre deux douleurs, jusqu'à ce qu'elles eurent fini par trouver la distance convenable.

Par cette fable, Schopenhauer explique que le besoin de société pousse les hommes les uns vers les autres mais que leur caractère repoussant et leurs insupportables défauts les dispersent de nouveau, jusqu'à ce qu'ils trouvent enfin la bonne distance moyenne.

Le baume de l'art

L'esthétique ne représente pas dans le système de Schopenhauer une simple partie. Elle en constitue à bien des égards le couronnement. Par l'art, l'homme se libère du vouloir-vivre qui l'attache au monde comme à un banc de galérien. L'art a cette merveilleuse capacité de métamorphoser la douleur en idéal.

La grande originalité de la pensée esthétique de Schopenhauer tient à la place qu'il assigne à la musique considérée comme le plus grand des arts. Kant et Hegel avaient reconnu à la poésie le privilège d'être l'art par excellence, parce que son élément est le langage. Pour Schopenhauer, à l'inverse, si la musique transcende la poésie, c'est justement parce qu'elle n'a pas besoin de mots pour s'exprimer. La musique est l'art suprême car elle ne s'inscrit plus dans la logique de la représentation, qui reste celle des arts plastiques. La musique est une présence directement manifestée, et c'est pourquoi elle ne traduit plus (comme le font encore la peinture et la poésie) la Volonté, elle se substitue, littéralement, à elle. D'où son pouvoir unique de libération.

La fortune de Schopenhauer

C'est du côté des écrivains et des artistes que l'influence du philosophe se fera tout d'abord sentir avec le plus de force. Richard Wagner a cru trouver dans ses écrits l'expression de ses propres intuitions et son drame lyrique *Tristan et Isolde* en porte la trace certaine. C'est d'ailleurs Schopenhauer, mort depuis quelques années seulement, qui fut l'occasion de la rencontre de Wagner et de Nietzsche. Schopenhauer fut la grande impulsion de la pensée de Nietzsche – dont le concept de volonté de puissance doit évidemment beaucoup à celui de Volonté.

Nombre d'écrivains, de Maupassant à Proust, furent durablement marqués par cette pensée du désabusement. Le fait que Schopenhauer, chose assez rare chez les philosophes allemands, fut aussi un écrivain remarquable (dont le style lumineux traverse même les traductions) y aida certainement.

Un précurseur de la psychanalyse

De tous les impacts que le philosophe de la Volonté put avoir, surtout sur la génération de 1880-1910, le plus important fut sans doute celui qu'il exerça sur Freud et la psychanalyse. Freud, qui a toujours eu des grosses préventions à l'encontre de la philosophie, a plus d'une fois reconnu sa dette envers l'auteur du *Monde comme Volonté et comme représentation*. Il a même avoué s'être intentionnellement abstenu de pousser sa lecture trop loin de crainte d'être influencé de manière excessive, à l'époque où lui-même était en train de constituer la psychanalyse. Les pages que Schopenhauer consacre à la sexualité comme force aveugle, qui ne cherche que la perpétuation de soi travers l'individu et l'espèce et qui se manifeste à travers les représentations les plus éthérées de l'amour, sont d'une lucidité de précurseur où l'on peut reconnaître plus d'un trait de la théorie de l'inconscient, du refoulement et de la sublimation.

Chapitre 23

Nietzsche, notre premier contemporain

Dans ce chapitre :

- L'extraordinaire lucidité d'un philosophe mort fou
- Une mise au point sur certains préjugés
- Une compréhension de notre monde

Ainsi parlait Nietzsche

Grandes moustaches et petites oreilles

La photographie la plus connue de Nietzsche le montre le regard fixe et surtout le visage presque entièrement mangé par une extravagante moustache. Le fait qu'on ait argotiquement appelé bacchantes les moustaches dans les années 1870 à cause du caractère échevelé des prêtresses de Dionysos (dont Nietzsche s'est considéré comme un disciple) a pu jouer (il faudrait vérifier si l'analogie a joué en Allemagne, encore que Nietzsche connaissait très bien le français…).

L'existence de Nietzsche fut l'une des plus pathétiques de toute l'histoire de la philosophie. Quelques années de vie sociale marquées par la fréquentation et l'amitié exaltées de Wagner puis, très tôt, la démission du poste de professeur à l'université de Bâle, suivies d'une douzaine d'années d'une prodigieuse fécondité intellectuelle mais aussi caractérisées par une solitude atroce et des maux physiques continuels.

Au début de 1889, dans une rue de Turin, Nietzsche s'effondre en pleurant au cou d'un cheval que son cocher venait de battre. Désormais, il n'écrira plus une ligne et passera les dix dernières année de sa courte vie (il avait alors 45 ans) à faire des improvisations au piano et à chanter.

Il faut quitter la vie comme Ulysse quitte Nausicaa : avec reconnaissance mais non amoureux d'elle.

– Nietzsche

Pourquoi l'aphorisme ?

Nietzsche est le premier philosophe de l'histoire à avoir exposé sa pensée sous la forme de textes brefs ou poétiques. Il n'a écrit, à la différence des philosophes classiques, aucun traité. Même ses ouvrages les plus construits (*La Naissance de la tragédie*, *Ainsi parlait Zarathoustra*, *La Généalogie de la morale*) sont divisés en chapitres et paragraphes assez courts.

Certes, l'écriture fragmentaire n'est pas une absolue nouveauté en philosophie. Il y a l'exemple immémorial des présocratiques et, plus près de nous, les *Pensées* de Pascal. Mais le caractère éclaté de ces textes est davantage dû à des circonstances extérieures qu'à un projet intentionnellement conduit : les fragments des présocratiques sont des restes sauvés d'un naufrage, tandis que les *Pensées* de Pascal doivent leur dispersion à la mort précoce de leur auteur. Rien de tel avec Nietzsche qui a lui-même regroupé la plupart de ses aphorismes en recueils publiés.

Certains spécialistes ont évoqué des causes physiques à ce mode d'écriture et, après tout, cette hypothèse correspond bien à l'une des idées centrales émises par Nietzsche lui-même – que la pensée est l'expression du corps. Or le corps disloqué de Nietzsche fut celui d'un véritable martyr : migraines, nausées, vomissements l'accompagnent jour après jour. Chaque heure libre de souffrance paraît gagnée sur le destin. Ce contexte physiologique n'aurait pas favorisé un travail continu. Nietzsche écrivait beaucoup sur des carnets, en marchant.

Mais même si ce facteur a dû jouer un certain rôle (et, de fait, il n'y a pas de raison de refuser d'appliquer à Nietzsche une explication de type nietzschéen), quelque chose de plus fondamental doit ici être pris en compte : comme Kierkegaard, Nietzsche est un philosophe qui pense contre le système. Si bien que, même si l'écriture éclatée a un fondement physiologique, elle correspond particulièrement bien à cette conception éclatée du réel que Nietzsche a introduite et promue en philosophie.

Je me suis demandé assez souvent si, tout compte fait, la philosophie jusqu'alors n'aurait pas absolument consisté en une exégèse du corps et un malentendu du corps.

– Nietzsche

Apollon et Dionysos, frères ennemis de l'art

Le premier grand texte publié par Nietzsche (il n'a alors que 28 ans), *La Naissance de la tragédie*, est né au confluent de la connaissance admirative des Grecs, de la lecture de Schopenhauer et de la fréquentation de Wagner. La dualité schopenhauérienne de la Volonté et de la représentation y est transposée sous les figures mythologiques de Dionysos et d'Apollon. Dionysos est le dieu du vin et de l'ivresse, Apollon celui de la beauté et de l'équilibre. La musique est dionysiaque, l'image apollinienne. La tragédie grecque – dont le drame lyrique de Wagner serait la renaissance – représente l'association de ces deux forces et aide le spectateur à supporter héroïquement la douleur de l'existence. Léonard de Vinci disait que l'art console de la vie. Nietzsche va plus loin encore en affirmant que nous avons l'art pour ne pas périr de la vérité.

Bientôt Nietzsche récusera le pessimisme de Schopenhauer et sa morale de la pitié, et rompra avec un Wagner compromis par la réussite même de Bayreuth, mais il conservera Dionysos jusqu'à la fin de ses jours de lucidité. L'un des tout derniers mots écrits de sa main est adressé à Cosima, la femme de Wagner : « Ariane, je t'aime, signé Dionysos » (Ariane était le surnom que ses amis donnaient à Cosima).

Dionysos contre le Christ

Comme Kierkegaard, Nietzsche est un philosophe qui pense par figures plutôt que par concepts. Dionysos est la figure de l'anti-Christ : le dieu grec est joué contre le Dieu judéo-chrétien. Il symbolise la force vitale, parfois douloureuse, mais toujours joyeuse, suprêmement innocente car entièrement étrangère au sentiment de péché et à la mauvaise conscience. C'est que Nietzsche n'a pas seulement pour projet de comprendre le monde : il mène une guerre contre deux mille ans d'histoire.

La démolition des temples de la culture

« Philosopher à coups de marteau » : voilà une expression qui nous met aux antipodes de la finesse et de la scrupuleuse analyse. Nietzsche la fait sienne. Il s'est toujours moqué des chers professeurs spécialistes et érudits qui prennent les asticots qui leur chatouillent l'esprit pour des idées géniales. Nietzsche fait une critique radicale des valeurs et des idées qui ont constitué le socle de la culture occidentale depuis vingt siècles : la croyance en un idéal séparé du monde, l'idée de salut de l'âme, le bien et le mal… L'un de ses tout derniers livres s'intitule *Le Crépuscule des idoles* – le titre renvoie ironiquement au *Crépuscule des dieux* de son ancien ami Wagner. Les idoles, ce sont des noms mais aussi des idéaux, des valeurs, des mots encore jamais interrogés et dont Nietzsche prévoit la fin.

C'est à propos de Nietzsche, de Marx et de Freud que Paul Ricœur a lancé l'expression qui est restée : les maîtres du soupçon. Le soupçon en un sens va plus loin que la critique : il sape les bases mêmes sur lesquelles l'existence des hommes repose.

Dieu est mort

Tel est le diagnostic que fait Zarathoustra, le prophète du surhomme, le porte-parole de Nietzsche. Ceux qui vont au temple et à l'église et font des prières ne savent pas que Dieu est mort. C'est la *bonne nouvelle* qu'il convient d'annoncer et qui est destinée à faire pièce à l'autre (« évangile » vient du grec et signifie « bonne nouvelle »).

Pourquoi Zarathoustra ?

Pour son poème philosophique *Ainsi parlait Zarathoustra*, Nietzsche prend pour porte-parole le prophète de la religion mazdéenne qui a vécu en Perse au VIIe siècle av. J.-C. à l'époque des premiers présocratiques. Nietzsche, qui aime les inversions, a opéré ici un choix ironique : Zarathoustra (connu aussi sous le nom de Zoroastre) est celui qui, le premier dans l'histoire des idées, a dramatisé la confrontation du Bien et du Mal, incarnée et personnifiée par les deux principaux dieux de la religion mazdéenne. Il convenait que le prophète de la dualité du Bien et du Mal annonçât lui-même la venue d'une pensée et d'une existence qui iraient *par-delà le bien et le mal* (titre d'un recueil d'aphorismes publié par Nietzsche, quelque temps après *Zarathoustra*).

« Dieu est mort » ne signifie pas que personne ne croit plus en Dieu. Cela ne signifie même pas qu'il n'y a plus (ou qu'il n'y aura plus) de religion. Cela signifie : les valeurs sur lesquelles désormais repose notre culture ne sont plus des valeurs religieuses. Qui, aujourd'hui, par exemple, parle encore de péché ou de rédemption ou de salut de l'âme ? Même les prétendus « croyants » n'y croient plus. Si Nietzsche n'a pas été le premier à diagnostiquer ce que Max Weber appellera bientôt le « désenchantement du monde », il a été le premier à en tirer toutes les radicales conséquences.

L'athéisme n'est pas forcément bon signe

Si Dieu n'existait pas, il faudrait l'inventer, avait dit Voltaire. Même si Dieu existe, il faut le supprimer, répliquait Bakounine. Spinoza, lui, avait écrit, peut-être imprudemment, que personne ne peut avoir Dieu en haine. En fait, il y eut, à partir du XVIIIe siècle, des ennemis déclarés de Dieu : Sade, qui n'a eu que foutre en tête, en fut l'un des plus résolus. Si Dieu est mort, il n'est pas mort dans son lit de nuages ni même sur la croix : il a été bel et bien assassiné. Tel est le constat de Nietzsche : l'homme n'a plus supporté ce gênant témoin de sa propre médiocrité.

Nietzsche reste circonspect sur la question de l'incroyance. Lui qui signe Dionysos et fait de Jésus un ennemi personnel dit aussi par ailleurs que le sang de Pascal (le plus chrétien des philosophes) coule dans ses veines. Certes, l'homme ne peut se surmonter lui-même s'il continue à croire aux dérisoires fables de l'arrière-monde. Mais l'incroyance peut aussi n'être pas un si bon signe : on peut ne pas croire parce qu'on n'a même plus la force de croire, tel est le cas du nihilisme diagnostiqué et pronostiqué par Nietzsche.

Le diagnostic et le pronostic du nihilisme

Nietzsche prend à la Russie ce terme nouveau de nihilisme et lui donne un autre contenu de pensée. En Russie, les nihilistes étaient les anarchistes qui organisaient des attentats sanglants contre le tsar (Albert Camus les a mis en scène dans sa pièce *Les Justes* et Dostoïevski leur a consacré son roman *Les Possédés*, que Nietzsche avait lu avec fascination). En fait, contrairement à ce que leur nom suggère (*nihil* en latin signifie « rien »), les nihilistes croyaient bien en quelque chose : leur violence, aussi absurde fût-elle, était tout de même fondée sur un idéal de liberté et de justice.

Nietzsche appelle nihilisme l'état de la civilisation dans lequel la vitalité est tombée à un niveau si bas que les hommes n'ont même plus la force de forger des valeurs nouvelles d'existence à la place délaissée des valeurs anciennes. Le nihilisme est un symptôme (d'où le diagnostic établi par Nietzsche) et une menace (d'où le pronostic) : il désigne l'état actuel ou possible d'une humanité qui n'aurait plus la force de croire en quelque chose, à l'exception de son propre bonheur (car c'est, aux yeux de Nietzsche, être dans un état d'absolue impuissance que de faire du bonheur le seul ressort de sa vie).

Comment voulez-vous ?

La volonté de puissance est partout

Le point commun le plus fort entre la Volonté schopenhauérienne et la volonté de puissance nietzschéenne tient à leur caractère d'universalité qui outrepasse largement la seule sphère humaine. La volonté de puissance est, aux yeux de Nietzsche, la nature même des choses depuis la plus misérable forme de vie jusqu'à la plus haute. À cet égard, la volonté de puissance humaine n'est qu'un cas particulier dans ce qui constitue une véritable loi cosmique. Mais surtout la volonté de puissance est là où on l'attend le moins, dans les idéaux les plus purs, les croyances les plus éthérées. Nietzsche, qui a beaucoup lu et apprécié les moralistes français comme La Rochefoucauld, sait que le désir de n'être pas loué équivaut à celui d'être loué deux fois et qu'une action désintéressée trouve son intérêt le plus puissant dans le fait même de se nier comme intéressée.

La science et la philosophie n'échappent évidemment pas à ce soupçon fatal. La raison aime le pouvoir, aussi se cache-t-elle volontiers derrière la bannière de la vérité. Dans les discussions, le raisonnement est un moyen d'écraser l'autre, de le réduire au silence et Nietzsche y voit un masque de la volonté de puissance, masque idéal puisque personne ne soupçonne qu'il puisse y avoir un visage derrière.

Le christianisme a fait de l'immense désir de suicide qui régnait au temps de sa naissance le levier même de sa puissance : tandis qu'il interdisait de façon terrible toutes les autres formes de suicide, il n'en laissa subsister que deux qu'il revêtit de la suprême dignité et qu'il enveloppa de suprêmes espoirs : le martyre et la lente mise à mort par soi-même de l'ascète.

– Nietzsche

La volonté de puissance n'est pas une armée en marche

Le nazisme, qui a pu voir en Nietzsche l'un de ses prophètes (voir la suite de ce chapitre), a jeté rétroactivement sur le maître du soupçon le plus grave des soupçons, si bien que, derrière la volonté de puissance, nombre de braves citoyens non prévenus ne sont pas loin d'entendre le roulement terrible des chenilles des chars de la Wehrmacht. La volonté de puissance débouche-t-elle sur les Panzer ?

Spinoza avait défini le désir (où il voyait l'essence de l'homme) comme l'effort par lequel l'homme tend à persévérer dans son être. S'il existe une parenté évidente entre les deux philosophes (Deleuze, par exemple, qui a écrit sur l'un et sur l'autre nietzschéise Spinoza et spinozise Nietzsche), on constate aussi sur ce point précis une différence décisive : pour Nietzsche, la volonté de puissance est la tendance à *augmenter* indéfiniment la puissance et non à la conserver.

Les physiologistes devraient réfléchir avant de poser « l'instinct » de conservation comme l'instinct cardinal de tout être organique. Le vivant veut avant tout dépenser sa force ; la conservation n'en est qu'une conséquence, entre autres.

– Nietzsche

Il y a puissance et puissance

Qu'est-ce que la puissance ? Le terme évoque le pouvoir, la force physique, voire la violence. Il est vrai que Nietzsche, dans ses moments d'ivresse intellectuelle, a eu, à plus d'une reprise, des formulations imprudentes ou provocantes – à l'époque moderne, la solitude d'un penseur le pousse à crier de plus en plus fort pour être simplement entendu dans le désert. Il est vrai que Nietzsche a parlé avec admiration (après Machiavel, il faut dire) de l'inquiétant César Borgia, l'un des grands fauves de la Renaissance italienne, assassin et incestueux. Mais la volonté de puissance pour lui n'est pas d'abord la force du grand homme, car ce qu'il appelle grand conquérant ne se mesure ni en termes de richesse ni en termes de territoires. Car même si Nietzsche ne se contente pas de la vague et molle « force d'âme » des idéalistes de tout poil, la puissance, ressort et objet de la volonté, est tout de même d'abord celle de l'esprit.

Les deux volontés de puissance

Si la volonté de puissance est partout, elle ne provient pas de la même origine et ne vise pas toujours le même objectif. Outre le caractère, intrinsèque, du surcroît de puissance, il y a d'un côté la volonté de puissance affirmative, qui est libre et joyeuse, confiante et créatrice, et dont l'art représente les meilleures réalisations. En face d'elle et contre elle, il y a la volonté de puissance négative, triste, renfrognée et destructrice, qui n'aime rien tant que sa haine propre. Les deux sont aussi contraires que peuvent l'être la force et la violence : ne faut-il pas, en effet, être bien faible pour exercer la violence, pour être seulement tenté par la violence ? L'homme qui bat sa femme ou son enfant est violent. Il est faible, car il n'a pu ni parler ni penser et a utilisé son bras comme une arme. Nietzsche appelle *ressentiment* l'expression de cette volonté de puissance négative qui ne peut exister que contre ce qui la dépasse.

Le surhomme n'est pas Superman

Nietzsche appelle surhomme celui dont la volonté de puissance souverainement affirmative lui permettra, à partir des décombres du nihilisme, d'exister sans aucune charge, dans la libre affirmation de soi. L'homme, diagnostique Nietzsche, est un être qui est parvenu à un état d'épuisement total. L'idéal démocratique, point d'achèvement de la morale chrétienne, n'aboutit qu'à la constitution d'un immense troupeau sans berger. L'homme démocratique est à un point d'avachissement extrême : il ne veut plus qu'une seule chose qu'il appelle le bonheur et qui en réalité est une espèce de paix, donc de mort. Nietzsche l'appelle dans son *Zarathoustra* le dernier des hommes. Il représente l'exact opposé du surhomme. Le dernier des hommes n'aime pas la guerre, parce qu'il n'aime pas ce qui vient troubler son existence pas même animale, végétative.

Mais, de même que la volonté de puissance n'est pas la violence de la brute, le surhomme n'est pas le Superman des bandes dessinées qui pulvériserait le record du monde du lancer du poids. Il n'est pas non plus le posthumain que sont en train de concocter dans leurs laboratoires les docteurs Folamour de la biotechnologie. Le surhomme est un homme qui dans ses pensées et son comportement a su éradiquer les mesquineries où sont tombés les représentants de l'humanité commune, une manière de saint, de héros et de génie conjugués, mais un saint laïque, un héros solitaire et un génie de l'existence.

Le secret pour récolter la plus grande fécondité, la plus grande jouissance de l'existence consiste à vivre dangereusement.

– Nietzsche

L'éternel retour n'est pas le mouvement perpétuel

Zarathoustra est l'annonciateur du surhomme et de l'éternel retour. L'un ne va pas sans l'autre : le temps du surhomme est l'éternel retour et le surhomme est l'homme de ce temps qui dépasse le temps en s'inventant une éternité qui ne doit plus rien à sa dimension religieuse.

Les commentateurs ont été bien embarrassés avec cette idée d'éternel retour. Héraclite, les stoïciens, passe encore, c'est ancien, on est dans le mythe, mais Nietzsche ? Comment un philosophe de 1880 peut-il encore croire à cette légende, alors qu'à la même époque la science physique démontre l'impossibilité du mouvement perpétuel, dont l'éternel retour serait l'application cosmique ? Le progrès ? Peut-être. La décadence (l'entropie en physique) ? Très certainement. Mais le retour de toutes choses ?

Donc, puisqu'il n'était plus raisonnable de croire à cette fiction en 1880, les commentateurs de Nietzsche se sont ingéniés à montrer qu'en réalité Nietzsche n'y a jamais cru autrement qu'à une sorte de fiction de l'esprit, une expérience de la pensée. Même si effectivement c'est bien ainsi que l'on doit comprendre l'éternel retour chez Nietzsche, ne serait-ce que pour le sauver, il n'en reste pas moins vrai que pendant des années le philosophe a lu de nombreux ouvrages de physique pour donner un poids scientifique à son idée.

Pris au pied de la lettre, l'éternel retour apparaît en effet particulièrement dur à digérer. Vous m'imaginez écrire une infinité de fois dans l'avenir cette *Philosophie pour les Nuls* et vous, l'ingurgiter une infinité de fois ? Vous vous représentez ce que peut être la répétition infinie de vos échecs, de vos erreurs, de vos déceptions, de vos souffrances, de vos maladies, dans une infinité d'existences futures, toutes identiques ? Ce serait un insupportable cauchemar. Il y a déjà, au cœur de cette vie unique qui est la nôtre, tellement de répétitions rébarbatives ou éprouvantes ! Les Grecs anciens ont été bien inspirés lorsqu'ils ont fait de leur enfer un lieu de répétition absurde à l'infini.

C'est à ce niveau qu'il convient de repérer le sens de la fiction nietzschéenne (prenons-la comme une fiction puisque nous savons que jamais l'univers ne reviendra à son point de départ) : qu'est-ce qu'une volonté de puissance sans négativité (donc celle du surhomme) doit se représenter sur la vie ? Qu'elle constitue une bénédiction – même dans ses moments les plus douloureux ou les plus problématiques. « Chienne de vie ! », se lamentent ceux qui profitent de leur propre faiblesse pour en vouloir à la vie en général. L'éternel retour est un test, une épreuve : il est ce que doit vouloir le surhomme, de la même façon, peut-on dire, que l'éternité était ce que devait vouloir le croyant au Moyen Âge.

Ainsi parlait Zarathoustra n'est pas seulement un long poème philosophique dont Richard Strauss fera un poème symphonique (ses premières mesures frappent les oreilles des spectateurs de *2001 l'Odyssée de l'espace* – quel voyage pour le mage perse !). L'œuvre est également une ménagerie assez fournie. On y rencontre d'abord le chameau et le lion, les deux premières des trois « métamorphoses de l'esprit ». Le chameau porte les charges les plus lourdes en plein désert : il symbolise ceux qui sont embarrassés par les anciennes valeurs (ce sont les croyants). Le lion renvoie à la révolte violente de ceux qui, comme les adolescents ou les révolutionnaires, disent non.

Il y a ensuite les deux animaux familiers de Zarathoustra, l'aigle et le serpent, qui jouent respectivement contre les deux animaux emblématiques du christianisme, la colombe et l'agneau. L'aigle est fier, le serpent rusé : il sont aux antipodes des vertus de pureté et d'innocence vantées par la morale chrétienne. Enroulé comme un collier vivant autour du cou de l'aigle, le serpent figure le cercle de l'existence individuelle, le vol circulaire de l'aigle renvoie à la grande année cosmique.

On croise également l'âne : parce qu'il est l'animal des humbles et qu'il a la réputation du crétinisme, il est l'animal chrétien par excellence. Son hi-han (*hi-ha* en allemand) est un faux oui (*ja* en allemand). Quant à la tarentule, elle symbolise le ressentiment, l'instinct de vengeance des prêcheurs d'égalité.

« La Généalogie de la morale »

La Généalogie de la morale fait exception dans l'œuvre de Nietzsche : il est le seul ouvrage dont la structure en trois parties logiquement articulées fait penser aux traités des philosophes classiques.

Nietzsche dénonce ce que le philosophe anglais Moore appellera le sophisme naturaliste : il n'y a pas, dit-il, de phénomène moral, mais seulement une interprétation morale de certains phénomènes. Un jugement de valeur (comme « cette action est bonne parce qu'elle est inspirée par la pitié ») n'est pas à mettre sur le même plan qu'un jugement de fait (comme « tes pieds sentent mauvais, il y a trop longtemps que tu ne les as pas lavés »). Une évaluation est, aux yeux de Nietzsche, l'expression d'une certaine force qui varie selon son origine, sa destination et son intensité. *La Généalogie de la morale* est la détermination de l'origine des forces qui sont à l'œuvre dans les jugements moraux. Il s'agit donc de définir la valeur de la valeur, la valeur des jugements de valeur du bien et du mal.

La première dissertation fait l'analyse historique et critique du renversement subi par les valeurs aristocratiques (celles de l'antiquité gréco-romaine) sous l'impact du christianisme : avec celui-ci, le faible qui était mauvais est devenu bon tandis que le fort qui était bon est devenu mauvais. Ce qui est désigné sous le nom de morale résulte de cette inversion de valeurs.

La seconde dissertation décrit l'intériorisation de la faute : ainsi naît la mauvaise conscience. Chez les Grecs, le malheur était rapporté à un facteur extérieur (le Destin, les dieux). Avec le christianisme, il est introduit en l'âme même de l'homme qui s'en trouve ainsi littéralement empoisonné.

La troisième dissertation analyse les effets de la mauvaise conscience. Je souffre, donc je suis puni, donc je suis coupable, donc je dois payer. Telle est l'horrible chaîne invisible dont la morale s'est servie pour tenir les hommes captifs. L'ascétisme est l'expression de la mauvaise conscience dirigée contre soi-même : avec lui, la douleur de l'existence est exacerbée (je me fais souffrir pour expier la faute qui a déterminé ma souffrance). Mais l'accusation (car s'il y a douleur, il faut bien qu'il ait un coupable – ainsi raisonne la morale) peut aussi se diriger vers l'extérieur, contre l'autre : et tel est le ressentiment (c'est ta faute si je suis laid, triste, mesquin, inutile, malheureux). Le ressentiment est la force du faible ; il est la seule force dont le faible soit capable. Car le faible ne supporte ni sa propre faiblesse ni la force de celui qui par, sa seule existence, la dénonce.

Nietzsche était-il nazi ?

Nietzsche disait que sa pensée était de la dynamite. Il ne vécut pas assez longtemps lucide pour se rendre compte à quel point ses bravades de philosophe solitaire et méconnu allaient s'avérer vraies.

Les années 1880-1900 en Allemagne sont celles où se développèrent à la suite de la formation du second empire allemand (1871) à la fois l'idéologie pangermanique et le racisme antisémite. La sœur de Nietzsche, Élisabeth, épousa un agitateur antisémite qui fonda au Paraguay une espèce de colonie utopique dont les principes raciaux constituaient le programme. Élisabeth vécut assez longtemps pour connaître dans les années 1920 la montée du nazisme puis, dans les années 1930, son arrivée au pouvoir. Hitler, qui voyait en Nietzsche l'un de ses précurseurs, vint lui rendre personnellement visite et il reçut en cadeau la canne du philosophe. Colossal contresens : l'homme du ressentiment (Hitler) confondu avec le surhomme !

Durant les années où les nazis eurent le pouvoir en Allemagne, les œuvres de Nietzsche ont été largement diffusées. Certes, l'auteur du *Zarathoustra* n'a jamais été une référence idéologique officielle comme Marx en Union soviétique mais il était une autorité dans laquelle les brutes qui avaient pris le pouvoir trouvaient une certaine référence intellectuelle.

Les nazis étaient-il stupides au point de ne rien comprendre à Nietzsche ? C'est ce que laissent entendre nombre de spécialistes et commentateurs passionnément attachés à lui et qui ne peuvent supporter la plus petite ombre sur la statue de leur idole (en quoi d'ailleurs ils se montrent eux-mêmes peu nietzschéens). Il est évident que si Nietzsche était apprécié par Hitler, ce n'était pas une simple coïncidence.

Il y a dans son œuvre des pages assez ignobles contre la démocratie, contre l'humanisme chrétien, contre l'idéal d'égalité dont les nazis ont fait leurs choux gras. Mais il y a pire aussi : Nietzsche a plaidé en faveur de l'extermination des malades mentaux. Les nietzschéens ont invoqué les censures et les déformations que les autorités ont fait subir aux textes du philosophe. N'allons pas croire néanmoins qu'on faisait dire à ces textes ce qu'ils n'avaient jamais contenu. Les nazis n'ont pas eu besoin d'inventer des thèses apocryphes ; ils se contentaient de ne pas tout publier.

Mais si Nietzsche a été instrumentalisé par les nazis, s'il y a des idées littéralement prénazies chez lui, cela ne suffit évidemment pas à en faire un penseur nazi. Il n'est d'ailleurs pas trop difficile d'imaginer ce qu'eût été la réaction du philosophe face à ses prétendus admirateurs, s'il avait eu l'heur de vivre autant que sa sœur : comment imaginer une seconde que celui qui se moquait à ce point de Bismarck (un homme d'État pourvu d'une réelle grandeur, à la différence de Hitler) eût regardé d'un œil favorable cette bande d'abrutis dont le principal ressort, et peut-être même le seul, était la haine fantasmatique qu'ils vouaient aux juifs ? Comment croire qu'il n'aurait pas diagnostiqué dans le nazisme le triomphe du nihilisme, dans toutes les dimensions de sens que ce terme peut avoir ?

Décidément, non seulement Nietzsche n'est pas nazi mais il est l'un des rares philosophes modernes qui nous convainc de l'impossibilité à l'être sur un mode qui serait philosophique.

Cinquième partie

La philosophie contemporaine (XXe-XXIe siècles)

Dans cette partie...

Vous allez faire connaissance avec des contemporains, que vous avez peut-être croisés dans la rue, ou dont vous avez entendu parler dans les journaux. Vous verrez comment la philosophie a pu continuer de penser et de se renouveler en ces temps historiques passablement chaotiques. Et puisque tant qu'il y aura des hommes, il y aura des philosophes, l'histoire de la philosophie est loin d'être terminée.

Chapitre 24

Les aventures de la vérité

Dans ce chapitre :

- La belle jeune femme nue qui symbolisait la vérité n'était qu'un rêve ?
- N'est-elle qu'une horrible petite vieille ?
- Seulement pas si belle que ça ?
- Ça dépend des jours ?
- Existe-t-elle tout bonnement ?

Le doute sur l'absolu de la vérité

La fin du XIXe siècle et le tout début du XXe fut l'âge d'or de la croyance en un progrès inéluctable et suprêmement bon des connaissances. Il y eut alors une génération insouciante de savants intimement convaincus que la vérité était l'estampille définitive des théories démontrées et prouvées. Majoritairement matérialistes ou positivistes (parfois les deux), certains de ces savants devenus ivres allèrent même jusqu'à prétendre que la science était en voie d'achèvement : juste deux ou trois petits points à régler et tout serait terminé, les physiciens n'auraient qu'à profiter de leurs rentes. Quelques années après ce bel espoir, tout allait s'effondrer.

Les difficultés de la conception classique de la vérité

C'est dans le *Livre des définitions* d'un philosophe juif d'Égypte (IXe-Xe siècles), Isaac Israeli, que l'on trouve la célèbre formulation qu'ont répercutée, des siècles durant, nombre de philosophes : la vérité est l'adéquation de la chose et de l'esprit. À l'aube de l'âge classique, Hobbes est l'un des premiers à détacher la vérité de l'ontologie, de la théorie de l'être, pour l'englober dans une théorie de la connaissance. Vrai et faux, écrit Hobbes, sont des attributs de la parole et non des choses. Là où il n'y a pas de parole, il n'y a ni vérité ni fausseté. La vérité, donc, n'est pas de Dieu mais de l'homme : elle n'appartient pas à l'esprit des choses mais aux choses de l'esprit.

Mais à partir de ce même présupposé, les philosophes divergent sur la question de savoir quel critère il convient de retenir pour reconnaître la vérité. Certains, comme Descartes, accordent la première place à l'évidence rationnelle, telle qu'elle se manifeste dans le domaine mathématique : il est des idées si claires (en elles-mêmes) et si distinctes (des autres) que l'esprit ne peut faire autre chose que de les considérer comme vraies. À cette thèse, Leibniz réplique ironiquement que si Descartes a logé la vérité à l'hôtellerie de l'évidence, il a négligé de nous en donner l'adresse. Si l'évidence est critère de vérité, à quoi reconnaît-t-on une évidence vraie ? Car il est entendu que nombreuses sont les évidences, même rationnelles, qui nous trompent.

Le concept d'adéquation ne pose pas moins de problème. Car, que voulons-nous dire lorsque nous disons que le jugement vrai est « adéquat » à la réalité ? Il ne peut s'agir d'une égalité mathématique ou d'une congruence géométrique : on ne superpose pas un énoncé fait de mots à une réalité faite de choses. La thèse qui veut que le langage soit le reflet de la réalité est évidemment la plus commode pour rendre compte d'une conception de la vérité comme traduction de l'être. Mais il est impossible, dès lors, de faire l'économie d'une réflexion sur les rapports que le langage même peut entretenir avec la réalité. Aussi, plutôt que de faire du langage une espèce de copie symbolique du monde, certains philosophes préfèrent-ils y voir un moyen conventionnel, commode, pour attraper la réalité.

Une philosophie typiquement américaine : le pragmatisme

Le pragmatisme est la philosophie qui voit non dans la cohérence logique mais dans l'efficacité pratique le critère de la vérité. La preuve que la physique traduit correctement les phénomènes qu'elle étudie, c'est que, grâce à ses lois, on a pu construire des appareils de mesure et d'observation qui marchent – ainsi raisonne un pragmatique. Nul besoin d'une métaphysique de la vérité et du langage, la fécondité d'une théorie et son applicabilité sont les critères de sa validité. Le pragmatisme est dérivé de l'empirisme et de l'utilitarisme. En fin de compte, ce sont les choses elles-mêmes qui font le tri entre ce qui *tient* (le vrai, l'efficace) et ce qui ne *tient pas* (le faux, l'inefficace). La vérité n'est pas un idéal perdu dans un ciel supérieur mais simplement la marque d'une idée qui a pu victorieusement affronter les épreuves du réel. Et ce sont ces épreuves qui jouent finalement le rôle de preuve.

La force de la philosophie pragmatique réside en bonne partie dans la jonction qu'elle parvient à opérer entre la théorie et la pratique, c'est-à-dire entre la théorie de la théorie et la théorie de la pratique. Car, de même qu'une idée vraie est celle qui finit par réussir (la preuve que les calculs sont exacts, c'est que le module lunaire s'est posé à l'endroit prévu), une idée juste est celle qui finit par triompher. Les pragmatistes considèrent par exemple que la meilleure réfutation du communisme est apportée par son échec économique.

La crise des fondements

Au début du XXe siècle, à la suite d'une part de l'extraordinaire gonflement des connaissances dans le domaine mathématique et de la dispersion qui s'en est suivie, d'autre part de l'introduction de la théorie des ensembles par Cantor, un certain nombre de mathématiciens et de logiciens éprouvèrent le besoin de mettre de l'ordre dans le château, de peur que celui-ci ne soit de cartes. David Hilbert avait donc fixé pour programme la fondation de l'ensemble des mathématiques sur la base des règles de l'axiomatique.

Qu'est-ce qu'une axiomatique ?

Une axiomatique est un ensemble d'axiomes – les axiomes étant des propositions considérées comme vraies bien qu'indémontrables, et formant la base à partir de laquelle d'autres propositions, démontrables celles-là, pourront être déduites. Le terme d'axiome a fini par remplacer celui de postulat et celui de « notion commune » utilisés à l'âge classique. Une axiomatique repose sur les règles de :

- non-contradiction (il est exclu que deux axiomes se contredisent au sein d'une même axiomatique) ;
- suffisance (il convient d'introduire tous les axiomes nécessaires) ;
- non-redondance (aucun axiome ne peut être dérivé d'un autre car il perdrait ainsi son caractère principiel).

Les mathématiciens se battent comme des chiffonniers

Un résultat démontré en mathématiques met évidemment tout le monde d'accord. Cette universalité est une marque spécifique de scientificité : les philosophes se disputent entre eux parce que, finalement, nul d'entre eux n'a totalement raison. On n'a jamais vu de mathématiciens se battre à propos d'un théorème et ce n'est pas pour défendre sa théorie des groupes que le génial et malheureux Évariste Galois est mort bêtement à l'âge de 21 ans dans un duel au pistolet.

Cela dit, dès qu'il est question de déterminer la nature des mathématiques, ses méthodes, ses finalités, bref, dès qu'il est question de philosophie ou d'épistémologie des mathématiques, les mathématiciens se chamaillent comme de vulgaires philosophes ! Bertrand Russell – qui fut aux premières loges durant cette crise des fondements – est allé jusqu'à dire que les mathématiques sont un domaine où l'on ne sait pas ce que l'on fait ni si ce que l'on dit est vrai !

Il y eut donc des courants divergents comme en philosophie. Trois camps séparaient les mathématiciens :

- les réalistes (on dit aussi les platoniciens parce que leur conception remonte à Platon) pensent que les êtres mathématiques ont une existence objective au même titre que le Soleil ou que l'atome de phosphore ;
- les intuitionnistes pensent que les objets mathématiques, quelque abstraits qu'ils soient, reposent toujours sur une saisie intuitive de l'esprit ;
- les formalistes et les constructivistes pensent, quant à eux, que les objets mathématiques sont de nature conventionnelle et que les mathématiciens construisent un langage artificiel.

Gödel déçoit Hilbert

Dans les années 1930 du siècle dernier, un logicien du nom de Kurt Gödel ruine définitivement l'espoir que Hilbert avait placé dans une refondation totale des mathématiques sur une base axiomatique. Il démontre par des moyens logiques qu'un système formel (comme l'arithmétique) ne peut pas être totalement fondé (déterminé comme non contradictoire) avec ses propres moyens mais que des moyens plus puissants (exemple : l'algèbre par rapport à l'arithmétique) sont nécessaires. En d'autres termes, aucun système ne peut trouver en lui-même de quoi démontrer sa propre cohérence. Les théorèmes de Gödel ont eu un impact considérable : si les mathématiques elles-mêmes ne peuvent pas être fondées dans l'absolu, comment croire encore à la vérité absolue ?

Deuxième tremblement de terre : la révolution quantique

Un autre séisme de grande magnitude (la pensée aussi est une riche terre) a secoué le deuxième grand continent scientifique : celui de la physique. Depuis Newton, les sciences physiques reposaient sur des principes aussi indiscutables que les postulats de la géométrie. Les concepts de masse et d'énergie, d'espace et de temps avaient une solidité de granit.

La théorie de la relativité d'Einstein constitue une première secousse. Mais si les concepts tremblent, l'édifice tient bon. Einstein était un révolutionnaire conservateur, un moderne doublé d'un classique. Il croyait avec assurance à l'ordre objectif des phénomènes de la nature. Spinoza était son philosophe de référence et il pensait que le principe de Lavoisier ne souffrait pas d'exception. Mais la mécanique quantique qu'il a lui-même contribué à établir met à mal ses convictions. D'après les principes d'incertitude de Heisenberg, il y aurait une indétermination objective dans les choses à l'échelle microscopique. Einstein refusait cette dimension de hasard: Dieu est malin mais il est honnête, disait-il (les lois de la nature sont parfois un peu compliquées à débusquer, mais elles existent).

La physique ultérieure n'a pas donné raison à Einstein: Dieu joue aux dés, non aux échecs, et on peut aller jusqu'à soupçonner que parfois il triche!

Les restaurateurs sauvent les meubles

Comment les philosophes ont-ils réagi à ce double coup du sort? Après un bombardement, trois stratégies sont possibles:

- celle des fatalistes conservateurs qui s'efforcent de rendre les ruines habitables;
- celle des restaurateurs qui tentent de retrouver l'aspect de l'ancien à partir de ce qui peut être sauvé;
- celle des démolisseurs qui achèvent de mettre à bas ce qui est encore resté debout.

Ce sont les restaurateurs et les démolisseurs qui sont les plus intéressants pour la philosophie, car ils sont sortis de la plainte ou du déni.

Repenser la connaissance et la vérité en tenant compte des progrès et des bouleversements de la science, suivre une voie moyenne entre une vision étroite (et, pour tout dire, despotique) de la raison et le scepticisme désabusé – telle est l'œuvre des restaurateurs reconstructeurs.

Karl Popper: une épistémologie moyenne

Karl Popper a fréquenté le cercle de Vienne. Il en partage les thèses principales: rejet de la métaphysique et des pseudo-sciences (le marxisme et la psychanalyse en particulier), conception modeste de la vérité.

La Logique de la connaissance scientifique, qui est l'ouvrage majeur de Popper, part du constat que, entre une confirmation (une hypothèse est validée par une observation) et une infirmation (une hypothèse est invalidée par une expérience), il n'y a pas de symétrie. Car si une infirmation est définitive (le phlogistique que Stahl avait supposé pour expliquer le feu n'existe pas et on ne reviendra jamais là-dessus) une confirmation est provisoire. On peut présenter des millions de merles noirs à l'appui de la thèse que les merles sont noirs, mais rien ne nous dit à l'avance qu'il ne se cache pas quelque part un merle blanc qui suffirait à flanquer par terre l'hypothèse.

Une proposition vraie ne l'est donc que provisoirement (la nature a plus d'un tour dans son sac). En outre, une proposition ne peut être dite vraie que si elle a surmonté victorieusement l'épreuve de l'expérience. Conséquence directe : une théorie qui ne peut soutenir cette épreuve (au risque d'être démentie) ne peut être dite ni vraie ni fausse. Elle n'est tout simplement pas de nature scientifique.

Le communisme et la psychanalyse ne passent pas l'épreuve du feu

Aux yeux de Popper, le marxisme et la psychanalyse entrent dans la catégorie des pseudo-sciences : ce sont des théories fermées sur elles-mêmes, de structure totalitaire car, non seulement elles rendent leur réfutation impossible (quelle expérience peut être opposée à l'idée d'inconscient ou à celle de lutte des classes ?), mais elles sont ainsi faites que le contradicteur est immédiatement englué dans ce même système d'explication sans espoir de sortie critique (ainsi l'opposant au marxisme est-il renvoyé à son origine petite-bourgeoise tandis que le sceptique de l'inconscient est déclaré tout de go inhibé sexuellement).

Gaston Bachelard, le philosophe du non

L'œuvre de Bachelard comprend deux versants :

- une série d'ouvrages traitant principalement des révolutions épistémologiques modernes ;
- une série d'ouvrages analysant le travail de l'imaginaire à partir des quatre éléments (l'eau, l'air, la terre et le feu).

La question de l'unité ou de la dualité de ce travail divise encore les spécialistes (même si la plupart penchent pour l'unité).

Bachelard est le philosophe de la discontinuité : une science n'existe qu'à partir du moment où elle tourne le dos à tout ce qui était censé être connu et compris auparavant. Ainsi l'astronomie n'est-elle pas une astrologie perfectionnée mais la négation de la rêverie proprement antiscientifique de l'astrologie (il en va de même avec la chimie dans son rapport à l'alchimie). Il n'y a de connaissance scientifique que lorsque les mythes et les rumeurs, les opinions et les croyances sont détruits ou écartés. C'est ce que Bachelard appelle la rupture épistémologique.

Pareillement, dans son histoire, le cours d'une science n'est pas celui d'un progrès sans heurt : chaque discipline secrète sa propre inertie, ses propres dogmes, ses obstacles épistémologiques spécifiques : ainsi a-t-il fallu se faire à l'idée que la géométrie euclidienne n'était pas *la* mais une géométrie, de même que la physique newtonienne n'est pas *la* mais une physique.

François Dagognet : le meilleur congé à la métaphysique

Il s'est trouvé au XXe siècle bien des philosophes qui n'ont pas cessé de congédier la métaphysique à la manière de ces amoureux incapables de rompre ou de ces anciens croyants qui dépensent leur temps à insulter ce qu'ils vénéraient. La métaphysique a été la tête de Turc de la plupart des philosophes du XXe siècle : les philosophes analytiques, Heidegger, Derrida, pour des raisons divergentes, ont pris la métaphysique pour leur ennemie personnelle et ils ont fini par la voir partout.

Or, le véritable athée n'est pas celui qui passe son temps à contredire Dieu : il n'en parle, il n'y pense tout simplement pas. Tel fut le point de vue de François Dagognet, philosophe des choses mêmes. Il n'y a pas d'ordre caché des choses, pas d'intériorité secrète et définitive car tout ce qui existe, même le plus enfoui, aussi bien dans la nature que dans le psychisme humain, finit par transparaître au dehors. La science et la technique sont des mises au jour en même temps que des mises au point.

Thomas Kuhn : la théorie des paradigmes

Thomas Kuhn appelle paradigme une théorie scientifique qui forme système et qui gagne à elle, pendant un temps déterminé, la quasi-totalité de la communauté scientifique. Ainsi le modèle héliocentrique de Copernic et la physique de Newton ont-ils constitué des paradigmes, respectivement en astronomie et en physique. Aux yeux de Kuhn, les paradigmes sont incommensurables entre eux – comme des langues dont on dirait qu'elles ne peuvent pas être traduites.

Cette théorie participe de cet effort de reconstruction modeste qui a suivi les cataclysmes de la science moderne : la vérité existe, mais elle est relative au système dont elle fait partie.

Le côté des démolisseurs

Il y a d'abord ceux qui se promènent joyeusement dans les décombres. Ils jouent à cache-cache derrière les pans de murs écoulés. Le palais de la connaissance est démoli – qu'on n'attende pas d'eux un quelconque travail de restauration.

Une épistémologie dadaïste : Paul Feyerabend

Nietzsche faisait remarquer que le mythe de la science désintéressée venait de ce que l'on n'interrogeait jamais le *travail* des hommes de science. On nous fait admirer le produit achevé (le bel édifice) mais les traces de plâtre ont été essuyées et les échafaudages ont disparu.

La sociologie de la connaissance observe les ouvriers et les outils dans le processus même de leur travail et non plus seulement lorsque le travail est terminé. Les philosophes de l'âge classique faisaient comme si la connaissance était une affaire exclusive qui se traitait entre un esprit et ses idées. L'argent, les manœuvres, les relations d'influence et de pouvoir (avec chantage, intimidation), tout cela passait à la trappe. La science était pure, car la vérité idéale.

Feyerabend est l'un de ceux qui ont vendu la mèche. Beaucoup de philosophes l'ont pour cette raison traité de voyou – un titre qu'il revendiquait pour son épistémologie dadaïste qui s'efforçait de faire droit au hasard échevelé et à la fantaisie culottée (et même déculottée). « Tout est bon » est son mot d'ordre. On entend cela aussi dans les *think tanks* de certains conseils d'entreprise. On avait fait de la connaissance le résultat d'un *programme* de techniciens et d'ingénieurs. La bonne blague ! La « vérité » se découvre au petit bonheur la science. L'ouvrage le plus célèbre de Feyerabend s'intitule *Contre la méthode*. La méthode est une castration neurophysiologique qui, en voulant éviter les accidents (les grossesses non désirées), aboutit à l'impuissance.

Michel Foucault : la vérité est un effet de pouvoir

Les disciplines auxquelles Michel Foucault s'est intéressé sont des *disciplines* justement : le terme en français a le sens de connaissance particulière (une discipline scientifique) et celui de contrôle de soi et d'autrui (le maintien de la discipline dans une classe, s'imposer une discipline).

À cet égard, la psychiatrie réalise jusqu'à la caricature cette confusion des genres : son projet depuis sa naissance fut de traiter les maladies mentales comme des phénomènes physiques, naturels, objectifs. En fait, elle a toujours participé d'une *police* des corps et des esprits, dont il convient d'analyser les dispositifs. Foucault pousse jusqu'à son aboutissement le soupçon terrible qu'avait fait peser Nietzsche sur la vérité et qui, en un sens, va beaucoup plus loin que le doute sceptique qui se contente de détourner la tête : la vérité est le plus gros des mensonges.

La force des analyses de Foucault vient de l'idée que la vérité n'est ni une valeur logique ni une action psychologique mais un effet politique (est politique tout ce qui a rapport au pouvoir dans une société donnée). Or, la politique n'est pas la chose du gouvernement seul. Le pouvoir non plus n'est pas une chose – ce que tendent à nous faire croire et penser les expressions communes de conquête et de détention du pouvoir. Le pouvoir est diffus comme le langage. Le dirigeant ne « détient » pas davantage le pouvoir que le locuteur ne détient la langue.

À la différence des herméneuticiens, Foucault ne congédie pas la valeur logique de vérité pour lui substituer celle, compréhensive, de sens. En fait, pour lui, il n'y a pas davantage de sens que de vérité dans les dispositifs qui distribuent les récompenses et les châtiments, les incitations et les inhibitions dans la société.

Le sexe n'est pas la vérité de l'être humain

À travers ses derniers travaux interrompus par une mort prématurée et consacrés à l'histoire de la sexualité en Occident, Foucault n'a pas cessé d'affirmer que, contrairement à ce que cherchait avec obstination, à travers ses pratiques de la confession, la religion chrétienne et qui fut confirmé avec d'autres mots par la psychanalyse, le sexe ne constitue pas la « vérité » de l'être humain, mais une dimension de celui-ci repérable seulement à travers les discours que l'on peut tenir de lui et les aveux que l'on peut tirer de lui. En d'autres termes, le sexe est moins affaire d'organes que de discours. Cette dénaturalisation de la sexualité eut sur nombre de chercheurs actuels, spécialement aux États-Unis, un impact considérable.

L'herméneutique : de la jouissance de la vérité au plaisir du sens

L'herméneutique comme art ou « science » de l'interprétation a une origine religieuse. Les trois monothéismes ont distingué pour un même texte sacré plusieurs couches de sens, donc plusieurs lectures. Quand il effectue une lecture métaphorique de plusieurs passages de la Bible dans son *Traité théologico-politique*, Spinoza fait déjà un travail d'herméneutique. On considère néanmoins que l'herméneutique au sens moderne du terme commence avec le théologien et philosophe allemand Schleiermacher parce qu'il fut le premier à considérer que le sens vient du regard du lecteur et non du texte lui-même.

À la fin du XIXe siècle, Wilhelm Dilthey enclencha les travaux et réflexions de l'herméneutique contemporaine à partir de sa distinction centrale entre « expliquer » (*erklären* en allemand) et « comprendre » (*verstehen* en allemand).

Cette dualité entre deux modes de travail de l'esprit aboutit à la séparation rigoureuse entre les sciences de la nature d'un côté et ce que Dilthey appelle les sciences de l'esprit de l'autre et qui correspond globalement à ce que l'on comprendra plus tard sous le nom de sciences humaines.

Les termes en français ont une étymologie plus parlante que leurs homologues allemands : l'ex-plication est un point de vue en extériorité : on explique la marée haute ou basse par le mouvement de la Lune autour de la Terre ; la compréhension est un point de vue en intériorité : on comprend les raisons ou les motivations d'un révolté ou d'un assassin en s'efforçant de saisir les valeurs et les finalités qui ont abouti à son comportement ou à son action. Alors qu'un phénomène physique naturel s'explique, un phénomène humain se comprend.

Une action, un discours, une œuvre ne pourraient donc pas être traités comme des choses. Cette thèse déclencha en Allemagne à la fin du XIXe siècle une « querelle des méthodes » qui vit s'opposer ceux qui, comme Dilthey, pensaient qu'il y avait irréductibilité entre les deux types de sciences et ceux qui, à la suite des positivistes, pensaient qu'il ne saurait y avoir plusieurs régimes de vérité.

Une interprétation, à la différence d'une explication, n'est en effet jamais unique : lorsque deux explications se contredisent, l'une des deux au moins est fausse tandis que le conflit des interprétations, loin de condamner la faiblesse de l'esprit humain, témoigne pour la richesse du sens, qui n'est pas aussitôt épuisable.

Jacques Derrida, le déconstructeur édifiant

La philosophie de Derrida a été identifiée à une méthode dont le nom passablement énigmatique de *déconstruction* lui a servi à la fois de devise et d'écran, de drapeau et de linceul. Le terme est une traduction littérale de l'allemand *Abbau* dont Heidegger se sert dans son maître livre *Être et Temps.*

À la différence de l'*analyse*, qui se contente de décomposer un ensemble en ses éléments constituants et de la *critique* qui ne fait que juger, la déconstruction est un démontage consistant à mettre à nu ce qui dans une pensée, un texte, en constitue le point aveugle, impensé — encore un terme issu de Heidegger.

La théorie de la déconstruction a fait sentir son influence bien au-delà des cercles restreints des disciplines littéraires et philosophiques. Aux États-Unis, une école dite déconstructionniste entend promouvoir une architecture résolument contemporaine (sans la nostalgie des postmodernes) qui prend acte de la fin d'un certain art de bâtir, comme Derrida a pris acte de la fin de la métaphysique.

Une pensée d'après la métaphysique

Le cœur de la métaphysique comme expression de l'opposition entre une apparence trompeuse et une essence véridique a été mis au jour par Nietzsche. Récuser la métaphysique, c'est esquiver toutes les dualités qu'elle détermine (essence/apparence, esprit/corps, vérité/erreur, etc.). Derrida montre comment la métaphysique continue de travailler à l'insu de ceux qui prétendent la dépasser (les structuralistes, par exemple). En fait, comme le mot le dit bien dans son usage automobile, le dépassement implique que l'on est sur la même voie et que l'on prend la même direction. Une critique entend dépasser son objet, la déconstruction vise à le subvertir.

À l'origine, le non-sens

Tous les textes, toutes les traditions visent à colmater le vide du non-sens de l'origine : aussi prétendent-ils se rapporter à la parole d'un dieu, au secret révélé par un génie. À l'origine, il n'y a pas de sens et c'est cette absence qui est refoulée. Mais c'est parce qu'aucun fondement ne vient assurer le discours de son éternelle certitude que le sens ne cesse de s'éparpiller… en tous sens. C'est ce processus que Derrida appelle dissémination. Le sème est l'unité de signification et dans la dissémination, il y a la semence qui fait le séminaire.

Avec Derrida, l'herméneutique elle-même est frappée d'impossibilité. Le sens s'évanouit dans une dispersion qui n'a pas de fin. Mais il s'y épanouit aussi : l'impossibilité de l'herméneutique fait la nécessité de la lecture. Reste le reste – que Derrida appelle trace et dont l'écriture marque la présence.

L'écriture précède la parole

La tradition, que Derrida après Heidegger appelle du nom uniforme de métaphysique, a toujours présenté l'écriture comme dérivée de la parole : comme celle-ci dépend de la pensée, l'écriture n'est plus que la représentation d'une représentation.

Derrida subvertit cette théorie pour redonner à l'écriture sa nature de présence. Présence paradoxale au demeurant car elle existe sur fond d'absence : personne n'écrit, tout a déjà été écrit, celui qui écrit n'est jamais là. Et pourtant, c'est par ce qu'il a écrit (parce qu'il a écrit) qu'il est là (vous suivez ?). On comprend qu'avec Derrida le modèle directeur de la philosophie soit, contre la science (dominante de Platon à Hegel en passant par Descartes et Kant), la littérature.

Des mots-valises pour voyager loin et longtemps

Derrida use et abuse des mots emboîtés les uns dans les autres comme avec cette « circonfession » où se télescopent la confession et la circoncision. Cette pratique, totalement dépourvue d'humour au demeurant (remarquons-le en passant) est assez éloignée des jeux de mots par lesquels Lacan s'efforçait de mimer le travail de l'inconscient. Il existe néanmoins un point commun entre ces deux usages : dans les deux cas, ce dont il s'agit, c'est bien de ruiner l'idée qu'il puisse exister un sens attaché aux mots, aux choses ou à la pensée et qu'il n'y aurait qu'à extraire ou à exprimer comme un trésor caché dans la terre ou bien encore comme la moelle de l'os. Avec Derrida, quand on tombe sur un os, il n'y a pas de moelle.

Chapitre 25

La mise au jour de l'inconscient

Dans ce chapitre :

- Freud, seul non-philosophe à pouvoir être traité à l'égal d'un philosophe
- Le rôle spécial de la sexualité
- La psychanalyse, plus qu'une histoire de fesses

Les découvertes de Freud

Les trois blessures narcissiques infligées à l'homme

Freud a rencontré l'hostilité avant le succès. Histoire banale. Le rejet de la psychanalyse, qui n'a d'ailleurs à aucun moment cessé, s'appuie sur plusieurs raisons et arguments : l'idée du caractère central de la fonction sexuelle choquait, et pour une biologie qui ne veut croire qu'aux zones cérébrales et aux substances chimiques, l'idée d'un inconscient est bien mystérieuse. On récusait aussi l'idée d'un déterminisme qui aboutissait paradoxalement à faire de l'enfance la période la plus importante de l'existence humaine.

Freud a dit lui-même que la psychanalyse représentait la troisième blessure narcissique (celle qui atteint l'estime de soi) infligée à l'orgueil de l'homme. La première blessure est la conséquence des découvertes en astronomie à la Renaissance (Copernic) : la Terre a perdu sa place centrale dans le système du monde, elle était ravalée au rang de planète. Ainsi la maison de l'homme n'avait-elle plus aucune place centrale dans l'univers. La seconde blessure a été la théorie de l'évolution (Darwin) : depuis la Bible, l'homme s'imaginait être le roi de la création, situé à un rang infiniment supérieur à celui des animaux. L'histoire naturelle montrait à présent l'étroite parenté qui unissait l'homme aux animaux, au point d'en faire un animal lui-même, dont le seul privilège était d'être arrivé un peu plus tard que les autres.

Délogé de sa position centrale dans l'univers et de son rang supérieur dans la création vivante, l'homme se consolait en pensant qu'il avait une conscience grâce à laquelle il connaissait et agissait à volonté. Patatras ! La psychanalyse décentre l'homme en révélant la force primordiale de l'inconscient sur la conscience.

Qu'est-ce que la psychanalyse ?

Étymologiquement, « psychanalyse » signifie « analyse du psychisme ». La psychanalyse, comme toute médecine, comprend une dimension théorique et une dimension pratique. En tant que théorie, elle est la discipline (que Freud revendiquait comme scientifique) qui a pour objet le psychisme et le comportement inconscient de l'homme. En tant que pratique, la psychanalyse (dite aussi, plus simplement, analyse) est la thérapie qui s'efforce de soulager et de guérir les névroses.

Névrose et psychose

Freud distingue deux grandes catégories de dysfonctionnements psychiques, les névroses et les psychoses. Les névroses sont le produit du refoulement. Elles placent l'individu dans une situation pénible qui peut s'accompagner de grandes souffrances. Les psychoses sont infiniment plus graves, elles correspondent à ce que la langue commune appelle « folie » (la schizophrénie, la paranoïa sont des psychoses). La psychanalyse interprète les psychoses selon la logique de l'inconscient qu'elle a mise au jour. En revanche, elle n'est d'aucune aide pour les soigner. La thérapie psychanalytique repose, en effet, sur la libre parole du patient, chose que la psychose rend impossible.

De l'hypnose à la méthode d'association libre

Au début de sa carrière de médecin spécialisé dans ce que l'on appelait alors (fin du XIXe siècle) les « maladies nerveuses », Freud, à la suite du docteur Charcot dont il avait suivi les leçons à l'hôpital de La Salpêtrière, pratiquait l'hypnose : le patient (le plus souvent une patiente) cessait de manifester ses troubles durant le temps de son sommeil artificiel.

L'inconvénient d'une telle méthode venait de ce que les symptômes (tremblements, paralysie, etc.) reprenaient aussitôt après que l'hypnose fut achevée. Contre l'opinion de nombre de médecins de l'époque, Freud ne pensait pas qu'il avait affaire à des simulatrices. Même un malade imaginaire doit être pris au sérieux. Et d'abord, il convient d'entendre ce que le patient a à *dire*. D'où l'introduction du procédé dit des associations libres, matérialisé par le fameux divan : étendu sur un divan sans voir l'analyste lui-même, le patient, guidé par celui-ci, raconte tout ce qui lui passe par la tête.

L'impact philosophique de la psychanalyse tient pour une bonne part à ce geste décisif : l'attention accordée au langage. Il n'y a pas de trouble psychique ou comportemental auquel le langage soit étranger.

L'énigme de l'hystérie

Tout est parti de l'observation des cas d'hystérie que la médecine matérialiste du XIXe siècle résolvait ou bien par l'hypothèse de facteurs organiques (des causes physiques cachées) ou bien par le soupçon d'une stratégie de dissimulation. Freud va peu à peu découvrir que les patientes expriment par leur corps, sous forme de paralysie, de cécité, etc., ce qu'elles ne veulent pas ou ne peuvent pas exprimer par des mots. L'inconscient a ce pouvoir de prendre les mots au mot. Lorsque nous disons « je ne veux pas voir cela ! », ces termes sont pour nous une façon de parler imagée, qui ne prête pas à conséquence, comme on dit. L'hystérique prend au sérieux le refus de voir et devient ainsi aveugle sans qu'aucune cause physique le détermine.

L'inconscient, autre monde intérieur

Le doute en soi inoculé par le rêve

Freud avait fait un rêve qui l'avait perturbé : il s'était senti presque joyeux, soulagé à la mort de son père, alors même qu'il en était profondément et sincèrement affecté. Comment peut-on ainsi éprouver des affects contraires ? Normalement, ils devraient s'exclure (la joie exclut la tristesse). Découverte primordiale : l'inconscient ignore la contradiction. La contradiction n'est exclusive qu'au regard de la raison consciente.

Pour illustrer la logique irrationnelle de l'inconscient qui entasse les contraires au lieu de les exclure, Freud rapporte l'histoire suivante.

Un paysan traîne son voisin au tribunal parce que celui-ci lui a rendu troué le chaudron qu'il lui avait emprunté. L'accusé se défend devant le juge de cette manière : primo il n'a jamais emprunté le chaudron ; secundo il l'a rendu intact ; tertio il était déjà troué lorsqu'on le lui a prêté.

Je suis deux

L'inconscient correspond à la découverte du caractère partagé de l'être humain. Ce que nous voulons, remarquait déjà saint Augustin, nous ne le voulons jamais d'une volonté totale. Même nos projets les plus chers, ceux dont nous croyons que leur réalisation nous rendra heureux, traînent après eux une suite d'objections et de restrictions. Le philosophe chrétien y reconnaissait le signe du mal, du péché originel.

Exemple du champion

Soit un athlète. Dans les mois qui ont précédé l'épreuve olympique, il a suivi un entraînement intensif. Tout dans sa volonté consciente est tendu vers la victoire. Mais, dans les replis de son psychisme, un secret désir de perdre ne l'a jamais quitté. Les raisons de cette déraison apparente ne manquent pas : admiration trop grande pour l'adversaire principal (comment faire perdre celui que l'on aime ?), agressivité pas assez développée (vaincre, c'est tuer), sentiment d'infériorité, désir d'humiliation même. Ainsi s'élucidera la psychologie des éternels seconds en sport, ceux chez qui la volonté (consciente) de vaincre est moins forte que le désir (inconscient) de perdre.

Exemple du candidat

Autre exemple : le candidat à l'examen. Lui aussi s'est longuement préparé pour le succès final. Il *veut* réussir et tout le monde autour de lui l'accompagne dans cette pensée. Mais il *désire* également échouer, et là aussi ce ne sont pas les raisons qui font défaut : rester dans l'enfance, retarder l'échéance de l'entrée dans la vie active, ne pas dépasser un frère ou une sœur admiré(e), continuer à être pris en charge par les parents, etc. Nombre d'échecs à l'examen correspondent en réalité à un désir satisfait mais inavouable.

Exemple du malade

La guérison est la fin logique de la maladie et tout est mis en œuvre, semble-t-il, pour l'obtenir. C'est compter sans le désir inconscient de rester malade. Là encore, les bonnes raisons ne manquent pas, depuis la fuite devant le travail et les responsabilités, jusqu'au plaisir d'être choyé et plaint, en passant par le désir de punition. L'enfant s'aperçoit tôt qu'il est plus et mieux aimé lorsqu'il est malade : dès lors, quelques douleurs et incommodités pourront être le prix à payer pour des caresses et des baisers supplémentaires. Si la maladie ne comportait que des dommages, on ne verrait pas tant de gens s'y installer comme à demeure.

L'inconscient a ses raisons que la raison ne connaît pas

Pour la raison, c'est l'évidence même que la victoire est préférable à la défaite, le succès préférable à l'échec, la guérison préférable à la maladie. Or la victoire, le succès et la guérison n'ont pas que des avantages. Et leurs contraires n'offrent pas que des inconvénients. Dans cette lutte que la volonté et le désir, la conscience et l'inconscient se livrent en nous comme en un champ clos, il arrive que ceux-ci l'emportent sur celles-là. Pascal avait dit : le cœur a ses raisons que la raison ne connaît pas. Remplaçons le cœur par l'inconscient et nous avons la psychanalyse.

Parce qu'elle nous prive de multiples possibilités de plaisir, la raison devient une ennemie au joug de laquelle nous nous arrachons avec joie.

– Freud

La fonction centrale du complexe d'Œdipe

Pourquoi un adulte endeuillé peut-il sentir en même temps en lui un soulagement joyeux ? Parce que les affects de notre existence se sont accumulés en lui sans s'éliminer. Imaginons une ville qui n'aurait jamais connu de destruction mais aurait simplement ajouté à côté des anciennes ou au-dessus ou autour d'elle des constructions nouvelles ; tel est notre psychisme. Notre enfance n'est pas seulement du passé révolu et presque entièrement oublié. Elle est aussi une dimension de notre moi actuel.

L'histoire d'Œdipe est la plus célèbre qui mette en scène le destin et son inéluctable pouvoir sur l'existence humaine.

Le mythe de l'oracle fatal

D'origine grecque, cette histoire a été très souvent adaptée au théâtre. Les versions varient d'un auteur à l'autre, mais la trame générale est la suivante. Laïos, roi de Thèbes, se désole de n'avoir pas de fils. Il va consulter à Delphes la pythie. L'oracle avertit le roi que s'il avait un fils, de lui viendraient de grands malheurs : il tuerait son père et épouserait sa mère. Ce sont là les deux crimes les plus horribles qu'un homme puisse commettre : le parricide et l'inceste. Toute culture, toute civilisation repose sur ces deux interdits, ces deux tabous.

Malgré ces fatales prédictions, Jocaste, la reine, donne naissance à un fils. Mais effrayée par la sentence de l'oracle, elle décide de se débarrasser du nouveau-né et de le faire exposer sur le mont Cithéron après lui avoir percé les chevilles avec une aiguille et les lui avoir liées avec une cordelette. Seulement, au lieu de mourir de faim et de soif ou d'être dévoré par les bêtes de la forêt, le bébé est recueilli et sauvé par un berger. Celui-ci l'appela Œdipe, ce qui signifie « pieds enflés » en grec.

Or, dans le royaume voisin de Corinthe, le roi Polybos se désolait lui aussi de n'avoir pas de fils. Le berger, trop pauvre pour élever lui-même le nouveau-né, le présente au palais de Corinthe où il est accueilli avec joie. Œdipe est adopté. Il grandit ainsi au palais, ignorant sa véritable naissance, croyant être le fils de Polybos et de Périboéa, roi et reine de Corinthe.

Les années passent. Œdipe est à présent un jeune homme. Un jour, quelqu'un dit à Œdipe qu'il n'est qu'un enfant trouvé. Intrigué par cette révélation, Œdipe va consulter l'oracle de Delphes, lequel répète l'horrible prédiction faite jadis à Laïos : « Tu tueras ton père et tu épouseras ta mère. » Le piège du Destin est en place : bouleversé par ce qui lui a été annoncé, Œdipe décide de quitter à jamais Corinthe, de ne plus revoir ses « parents ». Ainsi, pense-t-il, les deux crimes prédits ne pourront avoir lieu. Mais en croyant fuir son destin, en quittant ceux qu'il croit être ses parents, il retrouve ses parents réels. On songe à l'histoire du rendez-vous de Samarkand (voir chapitre 9, p. 180).

Dans un défilé, non loin de Delphes, Œdipe, qui est de tempérament fougueux, se prend de querelle avec un inconnu et le tue en coupant le timon de son char. Ainsi s'accomplit la première partie de la prédiction : l'inconnu, on l'aura deviné, n'est autre que le roi Laïos, le véritable père d'Œdipe. Poursuivant sa route, Œdipe parvient aux portes de Thèbes et rencontre un monstre terrifiant avec un corps de lion, une tête et un buste de femme : le Sphinx dévore les voyageurs incapables de donner la bonne réponse à son énigme.

Il est intéressant de noter que le Sphinx de la légende d'Œdipe avait été envoyé dans la campagne de Thèbes pour punir cette cité du crime commis par le roi Laïos, lequel avait enlevé un jeune homme pour en faire son amant. Ainsi Œdipe paie-t-il pour les deux fautes de son père : celle-là et la désobéissance à l'oracle qui lui avait enjoint de ne pas avoir de fils.

L'énigme que propose le Sphinx est si obscure que personne n'a pu la résoudre jusqu'à ce que Œdipe, à la question de savoir quel animal marche le matin à quatre pattes, sur deux le midi et le soir sur trois, donne la réponse juste : l'homme. Un oracle – un autre ! – avait prédit au Sphinx qu'il mourrait le jour où il rencontrerait quelqu'un qui pourrait percer son énigme : l'oracle, ainsi, ne dit pas seulement ce qui arrivera ; il fait arriver les choses. Désespéré par la bonne réponse d'Œdipe, le Sphinx se jette du haut d'un rocher et se tue.

Ainsi le pays de Thèbes se trouve-t-il délivré de la terreur. Voici Œdipe promu au rang de héros. Le trône de Thèbes est vacant, ainsi que le lit de la reine puisque Laïos a été tué par un inconnu dans la campagne et que Jocaste se trouvait veuve. Œdipe, accueilli en bienfaiteur, monte sans le savoir sur le trône de son père et dans le lit de sa mère, accomplissant ainsi la deuxième partie de l'oracle.

Les années passent. Œdipe est un roi juste. Il conçoit avec sa femme, c'est-à-dire sa mère, quatre enfants, qui sont ainsi à la fois ses fils et ses demi-frères, ses filles et ses demi-sœurs. Le propre de l'inceste est de brouiller l'ordre naturel des générations. Ces enfants auront tous une destinée tragique (Antigone est la plus célèbre): le destin se transmet aussi sûrement que le patrimoine génétique.

Quelques années plus tard, la peste s'abat sur Thèbes. Dans l'Antiquité, on pensait que la peste était déclenchée par le dieu Apollon pour châtier les hommes d'un crime particulièrement grave. À Thèbes, on va, par conséquent, consulter l'oracle. Le verdict tombe: «Il faut expulser de la ville le meurtrier de Laïos.» La ville de Thèbes protège dans ses murailles le meurtrier de l'ancien roi et ce crime impuni a provoqué la colère du dieu. Œdipe, dont on a dit le caractère juste, fait le serment que le criminel sera retrouvé et puni et dirige lui-même l'enquête qui va le perdre. Bientôt, les révélations embarrassées du devin Tirésias permettent au héros de deviner l'affreuse vérité.

De honte, Jocaste se pend. Œdipe songe d'abord à s'ôter la vie, mais pensant que c'est là un châtiment encore trop bref eu égard à l'énormité de ses crimes, il se crève les yeux avec la broche de sa mère et, chassé de Thèbes, il erre en mendiant dans la contrée, accompagné de sa fille Antigone, la seule à lui être restée fidèle. Au soir de sa vie, l'infortuné Œdipe trouve asile en Attique, puis à Colone, un petit bourg situé près d'Athènes et là, les Érynnies (puissances divines, ces trois femmes sont l'instrument de la vengeance des dieux) l'entraînent dans la mort. Toutefois, Thésée, le roi d'Athènes, accorde une sépulture au corps de cette victime de la plus inexpiable des fatalités, car il était dit que le tombeau d'Œdipe serait plus tard un gage de victoire pour le peuple athénien.

Le sens du mythe: ne pas savoir qui on est

L'histoire d'Œdipe est une succession d'événements qui s'enchaînent les uns aux autres dans un ordre inéluctable. Tous les personnages sont des jouets ou des instruments aveugles du Destin: le père, sans lequel rien de tout cela ne serait arrivé; le berger, car si le bébé avait trouvé la mort sur les pentes du Cithéron, rien ne se serait passé; les parents adoptifs, qui ont commis l'erreur de ne pas dire la vérité à leur fils trouvé dans la montagne, etc. Il n'y a pas de liberté, il n'y a plus que des rouages. Les hommes accomplissent une action en croyant poursuivre et atteindre tel ou tel objectif; en fait, à leur insu, c'est une tout autre partie qui se joue.

L'épisode du Sphinx possède une singulière profondeur, qui en fait peut-être le centre, le nœud de toute l'histoire. Car Œdipe ne connaît rien de lui-même, ni son origine, ni même son nom (Œdipe est un sobriquet). Tous les hommes savent répondre aux plus faciles des questions: qui suis-je? Comment est-ce que je m'appelle? Qui sont mes parents? Œdipe, lui, ne le sait pas. Mais aucun homme avant lui n'avait su résoudre l'énigme du Sphinx, dont la réponse est, justement, l'homme. Donc, là où chacun connaît sa singularité (qui je suis, moi), mais non le concept (l'homme), pour Œdipe, c'est l'inverse : aveuglement absolu sur la singularité de son moi, mais clairvoyance unique sur le concept générique. Manière aussi de signifier que cette connaissance par concept ne donne rien si le savoir immédiat de soi n'est pas présent.

Tout le monde s'appelle Œdipe

On comprend dès lors pourquoi Freud a choisi Œdipe pour nom et symbole du célèbre complexe : non seulement parce que le héros tragique viole les deux tabous du parricide et de l'inceste, mais aussi parce qu'il est proprement le héros de l'inconscient, l'inconscient personnifié. Lorsque Œdipe tue l'inconnu au carrefour, il ne sait pas que c'est son père, et lorsqu'il couche pour la première fois avec la reine veuve, il ne sait pas que c'est sa mère. Lorsqu'il fait rechercher le criminel qui suscite la colère du dieu, il ne sait pas que c'est lui-même qu'il recherche et qu'il finira par trouver.

Freud a appelé complexe d'Œdipe (c'est le seul complexe qu'il reconnaîtra, le fameux complexe d'infériorité n'est pas de lui mais de son disciple dissident, Alfred Adler) l'ensemble corrélé des deux désirs contradictoires (libido pour la mère et pulsion de mort pour le père chez le petit garçon, libido pour le père, pulsion de mort pour la mère chez la petite-fille), qui se met en place vers l'âge de 5 ans chez l'enfant.

Ainsi l'histoire d'Œdipe, qui paraît exceptionnelle jusqu'à la monstruosité, devient-elle la plus banale de toutes : l'apparente exception est la règle. Œdipe, c'est importe lequel d'entre nous, lorsque nous étions petits enfants. Œdipe est par conséquent le héros (héraut, aussi, en tant que porte-parole) de l'inconscient, au sens rigoureux du terme, car il accomplit dans la réalité, sa vie, ce que chacun de nous a imaginé en secret il y a longtemps. On songe à la phrase de Platon, qui trouve ici son éclatante confirmation : la différence qui existe entre un honnête homme et un criminel, c'est que le premier se contente de rêver ce que le second fait en réalité.

Le cadavre d'Œdipe bouge encore

Normalement, le complexe d'Œdipe est « détruit » : en grandissant, l'enfant doit renoncer à ses premiers désirs. Pourtant, le complexe d'Œdipe continue, plus ou moins intensément, à marquer notre psychisme : ainsi Freud explique-t-il l'homosexualité (l'attachement au père ou à la mère est si intense que tout affect vers une personne de même sexe que lui ou elle s'en trouve interdit) ou le choix amoureux (nous sommes inconsciemment attirés par des hommes ou des femmes qui présentent des traits analogues à ceux de notre père ou de notre mère). Pas plus qu'Œdipe, nous ne serions libres de décider de nos choix : nous croyons être libres car nous sommes conscients de ces choix, mais nous n'en connaissons pas la raison.

La religion serait la névrose obsessionnelle universelle de l'humanité ; comme celle de l'enfant, elle dérive du complexe d'Œdipe, des rapports de l'enfant au père.

– Freud

Les manifestations de l'inconscient

Comment peut-on savoir qu'un trou noir existe puisqu'à cause de sa colossale densité il retient la lumière captive et l'empêche de rayonner ? Par l'effet observable autour de lui, à commencer par le vide. L'inconscient est un trou noir psychique. Il possède une fantastique gravité et ne peut s'observer directement. Pourtant, sa présence se signale par un certain nombre d'effets. L'inconscient est l'hypothèse que rendent nécessaire certains comportements humains, lesquels resteraient inexplicables sans elle.

L'inconscient est exprimé (objectivé) par quatre types de phénomènes :

- les rêves ;
- les symptômes des troubles et dysfonctionnements psychonévrotiques ;
- les actes manqués ;
- les mots d'esprit.

Le rêve : la voie royale pour accéder à l'inconscient

Avant Freud, les rêves avaient été interprétés de deux manières :

- comme des songes prémonitoires envoyés par l'au-delà pour avertir les hommes ;
- comme des symptômes de troubles physiques.

Freud ne rapporte le rêve ni aux dieux ni au corps mais au psychisme. La clé du rêve n'est ni dans le futur ni dans le présent mais dans le passé. Sa thèse est que le rêve est l'expression d'un désir réalisé, à commencer par le désir de dormir (c'est ainsi qu'en transformant le bruit de mon réveil en grelot de cheval de traîneau, je gagne quelques secondes supplémentaires de repos ou de paresse).

Les enfants font des rêves réalistes : ils rêvent d'une glace que leurs parents leur ont refusée durant la journée. Le réalisme du rêve ne disparaît pas complètement chez l'adulte : ainsi puis-je « voir » ma voisine aux gros seins toute nue alors que je n'ai jamais osé lui adresser la moindre parole. Mais la plupart du temps, le rêve est obscur, camouflé derrière un ensemble de déformations qui en rendent l'interprétation difficile. En effet, la censure que l'individu subit durant la vie éveillée ne cesse pas toujours totalement : Freud découvre un lexique (un ensemble des signes qui sont volontiers symboliques) et une syntaxe (un ensemble de règles d'association entre ces signes), bref un langage. Le rêve est le langage de l'inconscient qui, comme n'importe quel langage, a ses mots et sa grammaire.

Et vous, rêvez-vous ?

Les expériences ont formellement démontré que Freud avait raison sur ce point : tout le monde rêve (même les chats, même les oiseaux) et tout le monde fait plusieurs rêves durant son sommeil. La question de savoir si l'on rêve n'a de sens que parce qu'il est difficile de se souvenir de ses rêves (ceux qu'on prétend se rappeler ne laissent en nous que des bribes).

Le poète anglais Coleridge se demandait : si un homme traversait le paradis en songe, qu'il reçût une fleur comme preuve de son passage et qu'à son réveil il trouvât cette fleur dans sa main, que pourrions-nous croire ? Le poète se dirait que cet homme a vu le paradis. Le psychanalyste pensera que c'est inversement la fleur cueillie avant le rêve ou pendant le sommeil qui a suscité les images du paradis.

Le passé le plus proche est celui de la journée qui a précédé le rêve : il se retrouve à l'état de traces (un mot, un sourire, une impression fugitive). Mais il y a également le passé le plus lointain, qui peut aller jusqu'à la prime enfance. L'inconscient ignore le temps, comme il ignore la mort et la négation. Pour lui, cinquante ans sont comme une heure.

Le sommeil de la raison engendre des monstres

Un dessin de Goya montre une belle jeune fille endormie dans son lit et, surgissant de sa tête, un monstre grimaçant, avec cette légende : le sommeil de la raison engendre des monstres. Les images du rêve sont parfois tellement fantastiques et terrifiantes que l'on comprend bien que les hommes autrefois ne pouvaient pas croire spontanément qu'elles venaient d'eux-mêmes. Ce que le rêve manifeste, en effet, est la part obscure de notre être. Dans certains de nos rêves, nous ne sommes plus si éloignés de la monstruosité d'un tueur en série que nous avons pourtant du mal à considérer encore comme notre frère.

Le langage des symptômes

L'hystérique, nous l'avons vu, parle avec son corps. Elle devient aveugle au lieu de dire « je ne veux plus voir cela », elle vomit au lieu de dire « je désire un enfant ». Comme les rêves, les symptômes psychiques révèlent la nature spontanément symbolique de l'inconscient : derrière le phénomène physique constatable (la manie de se gratter l'oreille ou de s'entortiller les cheveux autour du doigt), il y a un sens attaché à nos désirs, souvent (mais pas toujours) sexuel.

Les actes manqués ne le sont que pour la conscience

Les journaux ont déjà fait état d'automobilistes qui avaient, sur un parking d'autoroutes de vacances, « oublié » une grand-mère ou un enfant et ne s'étaient aperçu de la chose que bien des kilomètres plus tard… Le ridicule et le grotesque de la situation ne doivent pas nous masquer son caractère dramatique. La société ne peut pas admettre la reconnaissance de désirs aussi crus que celui d'abandonner un parent, un enfant, donc de les faire mourir – aussi dispose-t-elle d'alibis en béton précontraint : la fatigue, la distraction, le hasard. On bouscule telle personne ? C'est la fatigue. On oublie tel rendez-vous ? Qu'est-ce qu'on peut être distrait ! On renverse tel vase ? C'est la faute à pas de chance ! Trois manières d'écarter le sens psychologique de ces actes manqués, dont Freud disait qu'ils ne sont manqués que pour la conscience, mais que pour l'inconscient, ils ne sont que trop bien réussis.

Nous sommes dans ce que nous avons

Les objets sont les otages de nos désirs. Outre leur fonction pratique, utilitaire (une montre sert à connaître l'heure, un manteau sert à se protéger du froid, etc.), ils sont revêtus d'une nappe de sens symbolique qui témoigne de la relation affective que nous pouvons entretenir avec eux. Si ma montre m'a été donnée par une relation chère ou si je l'ai héritée d'un parent, elle sera pour moi beaucoup plus qu'un moyen pratique pour connaître l'heure : le symbole d'une affection, celui d'une personne absente ou disparue. C'est pourquoi un cambrioleur ne connaîtra jamais tout le mal qu'il peut faire : il croit ne prendre que des valeurs marchandes, alors qu'avec elles, ce sont d'abord des signes irremplaçables qu'il dérobe. Le vol est toujours un viol, mais il n'y a pas de compagnies d'assurances pour les dommages psychologiques.

Autrui joue toujours dans la vie de l'individu le rôle d'un modèle, d'un objet, d'un associé ou d'un adversaire.

– Freud

Les mots d'esprit

Qui aurait cru que l'innocente histoire drôle pouvait avoir un sens analogue à celui du rêve, du symptôme ou de l'acte manqué ? Un désir a été refoulé, il s'exprime malgré tout par une voix détournée. On comprendra ainsi pourquoi les histoires drôles tournent inlassablement autour de ces deux pôles : le sexe et la mort (des hantises mais aussi en même temps des objets de refoulement). Alors l'inconscient suggère ses ruses. Il est toujours plus facile de raconter une histoire salace que de parler de manière salace.

La seconde topique : la triade du moi, du ça et du surmoi

Freud avait d'abord divisé le psychisme en trois « parties » :

- la conscience ;
- l'inconscient ;
- le préconscient (la part de l'inconscient qui peut devenir consciente).

C'est ce que l'on appelle la première topique (du grec *topos*, qui signifie « le lieu »). Une topique est une détermination des lieux, ici il s'agit des lieux symboliques du psychisme. À la fin de sa vie, Freud s'est arrêté sur une autre topique (la seconde topique) :

- le moi ;
- le ça ;
- le surmoi.

Le moi est la couche la plus superficielle du psychisme. Il comprend la conscience mais aussi des dimensions inconscientes (comme l'idéal du moi qui peut animer le sujet à son insu). Le ça est le siège des pulsions. Il est entièrement inconscient. Le surmoi correspond à ce que l'on appelait conscience morale – à cette différence capitale qu'il est inconscient lui aussi. Il représente en nous la force de censure.

Ce serait, en effet, une erreur grave que de croire que les forces d'empêchement qui interdisent à l'être humain de satisfaire ses désirs, donc d'être heureux, viennent nécessairement de l'extérieur (la société, les parents, la religion, la loi, etc.). La plupart du temps, du moins dans les sociétés démocratiques modernes, la police la plus sévère est intérieure à l'individu lui-même.

Quelle place pour la conscience ?

La conscience règne mais ne gouverne pas, dira Paul Valéry. Est-ce à dire que le pauvre moi, ballotté par des forces obscures et contradictoires, n'a plus son mot à dire ? La psychanalyse est un discours sur l'inconscient, mais c'est évidemment la conscience qui le tient. L'âme pense toujours, disait Descartes, et même quand elle pense qu'elle ne pense pas toujours, c'est encore elle qui le pense.

De quoi l'inconscient est-il constitué ?

Il y a la part primitive innée, constituée par les pulsions, et la part acquise, formée par les désirs refoulés.

Instincts et pulsions

Les pulsions sont ce qui, en l'être humain, marque peut-être le mieux l'inséparabilité de son corps et de son psychisme. Freud en a distingué deux : la libido (ou pulsion sexuelle) et la pulsion de mort. Les pulsions humaines peuvent évoquer les instincts des animaux – leurs origines sont sans doute communes – mais elles se définissent d'abord par ce qui fait justement qu'elles ne sont pas des instincts.

L'homme, en effet, a des pulsions, mais pas d'instincts. Qu'est-ce qu'un instinct ? Un programme de comportement destiné à assurer la vie ou la survie d'un individu ou d'une espèce. On peut prendre ici programme au sens informatique : un ensemble d'opérations ayant une finalité bien déterminée. Il est facile de voir que rien, dans le comportement tant social qu'individuel de l'être humain, ne correspond à l'instinct. Ce n'est pas l'instinct qui dicte à l'homme le choix de son partenaire sexuel, de son métier ou de ses goûts. On a parlé de l'instinct de survie, mais comment expliquer la fréquence du comportement suicidaire chez tous les êtres humains, même chez ceux qui n'auront jamais l'occasion, et c'est heureux, de passer à l'acte ?

La pulsion a une souplesse que l'instinct n'a pas et la variété des modes de satisfaction de celle-là diverge de la simplicité des voies de celui-ci : l'instinct sexuel de l'animal n'est satisfait que par le coït, tandis que la pulsion sexuelle chez l'être humain peut se satisfaire d'une infinité de manières, depuis la relation sexuelle jusqu'au rêve en passant par la rêverie, la lecture des livres ou le film pornographique.

Ceci nous conduit à une autre distinction essentielle : alors que l'instinct, génétiquement inscrit dans une espèce donnée, est de nature exclusivement biologique, la pulsion n'existe totalement qu'à travers une variété indéfinie de représentants psychiques. Il n'y a pas, chez l'être humain, de purs besoins, c'est-à-dire des forces biologiques qui ne seraient que physiques et qui court-circuiteraient le travail de la pensée : même la pulsion brutalement ressentie (faim, besoin sexuel) est passée au crible de tout un ensemble de représentations. Le violeur est en fait davantage victime de ses pensées que de son corps.

Le déni de la pulsion de mort

Pour son éthique, Aristote partait du principe que tous les hommes veulent être heureux. C'était oublier la pulsion de mort. L'être humain, selon Freud, est un champ de bataille partagé entre deux pulsions, la libido (pulsion sexuelle) et la pulsion de mort. Tantôt ces deux pulsions s'opposent (comme la vie s'oppose à la mort, l'amour à la haine), tantôt elles se composent et deviennent copines comme cochonnes.

Pourquoi les campagnes de prévention contre le sida échouent-elles globalement ? Parce que ni les pouvoirs publics ni les associations privées n'osent mettre en garde les individus contre leur propre pulsion de mort : le postulat implicite sur lequel nos sociétés démocratiques de masse reposent est que tous les hommes veulent vivre, être heureux et trouver en toute occasion l'avantage maximal. Erreur fatale.

Les désirs refoulés

L'inconscient n'est pas seulement constitué par les pulsions et par les désirs qui sont leurs représentants psychiques (et qui peuvent être conscients). Il y a également les désirs refoulés. Un désir non satisfait – la plupart des désirs le sont – n'est pas détruit comme par enchantement. Englouti dans la part obscure, immergée du moi, il n'en continue pas moins de mener une existence de taupe, resurgissant à l'occasion sous forme de rêve, d'acte manqué ou de symptôme. Que fait un enfant à qui on a opposé un refus à son désir lorsqu'il a fini de pleurer ? Il rêve, et son rêve est une revanche inconsciente sur la vie. De ce point de vue, il n'est pas d'adultes qui ne soient restés des enfants.

Le destin des pulsions

Si la pulsion est inconsciente, le désir manifesté qui en dérive est, par définition, conscient (pas besoin d'insister là-dessus). Qu'arrive-t-il au désir ?

Une première bifurcation s'offre à lui : ou il est satisfait ou il ne l'est pas. Le désir sexuel par exemple est satisfait par l'acte sexuel. Seulement, la satisfaction est toujours partielle et éphémère. Beaumarchais déjà avait noté que ce qui distingue les hommes des bêtes est de boire sans soif et de faire l'amour en tout temps.

L'homme est une création du désir et non pas une création du besoin, dira Gaston Bachelard. Alors que le besoin dit « Assez ! » (normalement, on ne boit plus quand on n'a plus soif), le désir crie « Encore ! ». Ainsi comprend-on que l'insatisfaction soit la règle et la satisfaction l'exception.

Maintenant, qu'arrive-t-il lorsqu'un désir n'est pas satisfait ? Il y a deux possibilités : ou bien le désir est refoulé (n'y pensons plus, cette femme n'est pas pour moi) ou bien il est sublimé. Le refoulement est un pis-aller car, comme nous l'avons vu, le désir ainsi entravé peut resurgir sous forme de symptôme. Le refoulement met à mal la machine humaine. La sublimation est une solution idéale dans les deux sens du mot, car elle déplace vers le haut le désir en le satisfaisant sur un plan supérieur.

Le travail, par la simple dépense d'énergie qu'il représente, constitue le moyen le plus habituel de la sublimation. Mais il y a aussi l'art, la religion… Toulouse-Lautrec, infirme depuis qu'il s'est cassé les deux jambes dans l'escalier du château de son enfance, peint des acrobates et des écuyères : le monde virevoltant du cirque et du music-hall exalte tout ce que lui ne peut pas faire. Stendhal, complexé par son physique et malheureux en amour, se projette dans les figures juvéniles et séduisantes de ses héros : Julien et Fabrice sont ses autres moi qui prennent par substitution une revanche imaginaire sur la vie réelle.

Le cœur est une sublimation du sexe

Que l'amour soit une expression idéalisée de la sexualité, cela tout le monde le sait désormais. En revanche, tout le monde continue en toute innocence à faire des dessins « sentimentaux » sans avoir conscience de leur obscénité. Savez-vous ce qu'est en réalité un cœur transpercé d'une flèche (il y en a gravés sur des milliers d'arbres et tatoués sur des milliers de bras) ? Cherchez bien ! Avez-vous déjà vu un cœur ? A-t-il la forme d'un as de pique inversé ? Chercher plus bas, encore plus bas et vous trouverez. Quant à la flèche, suivez-la…

Regards sur Freud et la psychanalyse

Freud était-il un obsédé ?

Le grand public a surtout retenu l'importance que la psychanalyse accorde à la sexualité et il est vrai que cette « science » n'a pas été pour rien dans le changement de regard que le XXe siècle a porté sur cette dimension de l'existence. Ce serait pourtant commettre une grossière erreur (mais je suis sûr que, tout nuls que vous puissiez être, vous n'êtes pas dans ce cas) que de s'imaginer que Freud n'a établi qu'une théorie du sexe (les paragraphes précédents vous ont convaincus, j'espère, qu'il n'en n'est rien).

Un malentendu pèse sur ces questions. En montrant la nature essentiellement psychique de la sexualité, Freud a fait de celle-ci une réalité proprement humaine. Une bonne part du scandale suscité par la psychanalyse vient de là. Avoir sorti la sexualité des ténèbres physiologiques fut un geste que beaucoup n'admettent toujours pas.

La sexualité humaine – à la différence de l'animale – est inextricablement physique et psychique. Point de passage pour les marchandises importées (les aliments, les paroles) et les marchandises exportées (les paroles encore, les excrétions et les déchets), le corps a son poste de douane : la censure. La peur de l'impuissance sexuelle induit l'impuissance réelle, laquelle renforce la peur, en un cercle sans fin.

Qu'est-ce qu'être normal ?

On avait demandé à Freud ce que c'est qu'être normal. Sans se défiler, Freud avait répondu par deux mots simples : aimer et travailler. Aimer, parce que c'est le rapport entre les individus ; travailler, parce que c'est le rapport entre l'individu et la réalité. Le névrosé est celui qui ne peut aimer et travailler qu'avec difficulté ; le psychotique, celui qui ne peut plus avoir de relation ni avec autrui ni avec la réalité commune.

L'expansion de la psychanalyse : les successeurs de Freud

Dès sa naissance, la psychanalyse s'est répandue dans les directions les plus diverses, s'étendant en tous les domaines, au point d'apparaître parfois comme une conception générale de l'homme. Mais ce mouvement d'expansion (vers l'enfant, les sociétés primitives, la culture) est allé de pair avec une certaine marginalisation : bien des psychologies et bien des thérapies, surtout d'origine américaine, ne veulent rien savoir de la psychanalyse et de l'inconscient.

Parmi ceux qui ont illustré la psychanalyse après Freud, celui qui développera le plus profondément ses implications et qui intéressera le plus la philosophie (au point que son travail peut apparaître beaucoup plus philosophique que scientifique) fut Jacques Lacan.

Lacan était-il un imposteur ? À cette question, bien des psychologues et philosophes répondent oui sans hésiter. L'homme a été dans sa jeunesse marqué par le surréalisme (il connaissait bien Dali) : son attitude de psychanalyste est celle d'un gourou qui n'hésite pas à utiliser les moyens les plus frivoles pour fasciner son auditoire et ses disciples (cigare en tire-bouchon au bec, voix de fausset pendant les séminaires, discours hermétique – mais après tout, pour celui qui jugeait le rapport sexuel impossible, l'imbitable est le mode normal d'énoncé).

Cela étant, par-delà les jeux et les provocations – qui avaient, ne l'oublions pas, une fonction mimétique, dramaturgique : mettre l'inconscient et ses formations en scène – Lacan fut l'un des penseurs les plus prodigieux du siècle. Il suffit d'ouvrir au hasard l'un quelconque de ses *Séminaires* (d'accès plus facile que les *Écrits*) pour s'en rendre immédiatement compte.

L'inconscient structuré comme un langage

Lacan s'est toujours présenté comme un continuateur fidèle de Freud. Sa théorie constitue en effet une vigoureuse réaction contre l'affadissement subi par la psychanalyse outre-Atlantique où elle était devenue une espèce de gestion du moi (cette manie qu'ont les Américains de tout vouloir gérer). En fait, ce qui était oublié dans certains courants de la psychanalyse, c'était ni plus ni moins l'inconscient.

Être et penser

« Je pense, donc je suis » (Descartes). « Je est un autre » (Rimbaud). « Parfois, je pense ; et parfois, je suis » (Paul Valéry). « Je suis où je ne pense pas, je pense où je ne suis pas » (Jacques Lacan).

L'inconscient nous échappe comme peut échapper la langue à celui qui parle. Qui, en parlant, veut appliquer des règles de grammaire ? On parle même en dormant, même en état d'ivresse, preuve que se joue là quelque chose de plus fort que nous. Si l'inconscient est structuré comme un langage, cela signifie aussi qu'il *est* un langage. Qu'est-ce qu'un rêve ? Un être de langage. Qu'est-ce qu'un symptôme ? Un signe de langage. La psychanalyse de Lacan est l'application du structuralisme à la philosophie de l'inconscient.

Qu'est-ce que le structuralisme ?

Le linguiste Ferdinand de Saussure est considéré comme l'initiateur de ce qui sera plus tard appelé structuralisme et qui sera une conception et une méthode fédératrices de la plupart des sciences humaines. Une structure est une charpente (le mot vient de l'architecture), un plan, une ossature. Elle est caractérisée par sa stabilité et par le fait que les éléments qui la constituent sont dépendants les uns des autres. Le structuralisme en tant que méthode privilégie l'agencement interne des éléments aux dépens de leur histoire.

Ferdinand de Saussure compare la linguistique structurale (qu'il veut promouvoir) au jeu d'échecs. On peut comprendre l'état actuel d'une partie d'échecs en cours sans connaître le détail des coups joués depuis le commencement : il suffit pour cela de connaître les règles du jeu. En revanche, l'observateur qui arriverait en cours d'une partie de bridge serait incapable de la suivre, car l'état présent du jeu dépend de tous les plis qui ont été faits depuis le début.

Pour Ferdinand de Saussure, l'étude scientifique du langage doit privilégier le point de vue synchronique (celui des relations structurales, les échecs) aux dépens du point de vue diachronique (celui des évolutions, le bridge) : ainsi la fonction du mot « père » en français tient-elle à la relation qu'il peut avoir avec les mots « mère », « homme » et « enfant » et non du fait qu'il dérive du latin *pater*.

La structure contre le sujet

Dans les sciences humaines, la structure est une réalité objective contraignante sur laquelle la conscience du sujet n'a pas de prise. Ainsi comprend-on que, philosophiquement parlant, le structuralisme soit allé de pair avec un anti-humanisme résolu.

Une critique radicale de la psychanalyse : Gilles Deleuze

Gilles Deleuze part de la critique que Nietzsche fait de l'illusion de l'identité : les philosophes croient détenir avec leurs concepts des essences stables dont les mots sont les étiquettes. Or, ces essences présupposent l'identification de toutes les différences : parler d'homme, par exemple, c'est supposer une nature identique et stable par-delà les différences dont il est fait abstraction. Si l'on considère que ce sont ces différences qui constituent la nature même des êtres et des choses, alors ce qui est perdu avec le concept, c'est la réalité.

La critique est ancienne : elle est au cœur du nominalisme médiéval et les Mégariques dans l'Antiquité (voir chapitre 6, p. 101-104) avaient imaginé leurs plus extravagants sophismes en niant la validité du principe d'identité.

Deleuze est un philosophe de la vie et du désir, et qui cherche dans le cadre de la philosophie une langue qui soit aussi forte que celle de la littérature pour traduire la singularité. Car qu'une réalité ne soit pas réductible à un concept général ne suffit pas pour en conclure qu'elle soit impensable. Seulement, il convient de faire un autre usage des concepts.

Deleuze reproche à la psychanalyse d'avoir méconnu la véritable nature du désir qui est inventivité infinie, agencement toujours remodelé, production littéralement *poétique*. En partant du postulat que le désir est manque (l'objet du désir, pour Freud, est toujours déjà perdu), la psychanalyse ne fait qu'actualiser les vieilles lunes du platonisme et du christianisme, donc également de la métaphysique et de la religion. Il n'est pas étonnant dès lors qu'elle ait fonctionné comme une machine répressive, enfermant le désir dans le carré infernal du pipi-caca-papa-maman. La schizanalyse que Deleuze (avec son compère Guattari) appelle de ses vœux dans *L'Anti-Œdipe* est une psychanalyse subversive, qui aggrave les différences au lieu de les gommer (d'où le rôle de modèle dévolu à la schizophrénie négatrice d'unité).

Chapitre 26

Conscience, être, existence

Dans ce chapitre :

- L'indépendance de la philosophie à l'égard des sciences triomphantes
- Bergson, le philosophe de la durée créatrice
- Husserl, fondateur de la phénoménologie
- Heidegger, le philosophe de l'être
- Sartre, le maître de l'existentialisme

Bergson, philosophe de la durée créatrice

La philosophie de Bergson naît en réaction à la tendance dominante des sciences positivistes et matérialistes de la fin du XIXe siècle à traiter les phénomènes de la vie et de la conscience comme des choses physiques. Loin de saisir la réalité dans sa vérité, l'objectivité dont se prévaut la science finit par n'être plus qu'un schéma ou une maquette sans commune mesure avec ce que la vie et la conscience ont d'essentiel : le mouvement et la créativité.

Un précurseur : Maine de Biran

Au début du XIXe siècle, un philosophe français eut cette particularité de construire toute sa pensée à partir de l'observation minutieuse de ses états intérieurs. Contemporain des idéologues qui entendaient constituer une véritable science des idées en traitant celles-ci comme des réalités aussi objectives que la chute des pommes sur la tête de physiciens, Maine de Biran était leur exact opposé : pour lui, il y a une spécificité du monde intérieur vis-à-vis du monde extérieur, une idée n'est pas une chose.

Parti du sensualisme de Condillac, Maine de Biran avait été conduit par fidélité à son expérience vécue à affirmer l'existence du moi comme une force « hyperorganique », c'est-à-dire supérieure au corps, manifestée par le sens de l'effort et retentissant à travers toutes les activités motrices et psychiques. Par ailleurs, le moi selon Maine de Biran ne se saisit pas dans le mouvement abstrait du « je pense » mis en avant par Descartes, le moi n'est pas une pensée mais l'expression d'un sentiment dont le plus important en l'occurrence est celui de l'effort.

C'est cette espèce de métaphysique expérimentale que Bergson retrouve par l'analyse des données immédiates de la conscience lorsque, critiquant le parallélisme psychophysiologique mis en avant par la science, il montre que la conscience et la mémoire sont plus riches que le corps qui les conditionne.

La science fait son cinéma et nous l'impose !

Lorsque nous regardons un film, non seulement nous oublions que c'est une fiction, mais nous oublions aussi qu'en fait ce ne sont pas les images fixées sur la pellicule qui bougent. Le mouvement du cinéma, en effet, est une *impression*, une illusion produite par notre cerveau à partir du défilement rapide d'images (fixes par définition) un peu différentes les unes des autres.

Le flux continu des choses de la vie : serpent plutôt qu'oiseau

William James disait de la vie de la conscience humaine qu'elle ressemble à celle d'un oiseau : tantôt elle vole de branche en branche, tantôt elle se pose.

Une autre image figure l'opposition du continu et du discontinu : la trace d'un serpent dans la poussière et celle d'un moineau. Le serpent a rampé, le moineau a sautillé (un physicien a dit que la matière classique rampe comme le serpent tandis que la particule quantique sautille comme un moineau).

Bergson est, à l'instar de Leibniz, un philosophe du continu. Rien dans la réalité naturelle ou physique ne nous montre ces vides et ces ruptures que l'intelligence croit y trouver et qu'elle a en fait introduits elle-même.

L'illusion du mouvement au cinéma vient d'un mécanisme physiologique appelé rétention : lorsque nous voyons se succéder des scènes, notre œil garde pendant une fraction de seconde le souvenir de la précédente. Aussi fait-il spontanément le lien entre les images qui se succèdent rapidement. Si notre cerveau n'avait pas cette mémoire, nous verrions le film comme ce qu'il est matériellement, à savoir une succession d'images fixes.

Bergson se sert de cette comparaison avec le cinéma (à la naissance duquel il a assisté) pour illustrer le décalage qu'il peut y avoir entre la réalité mouvante, continue, et sa traduction statique, discontinue.

D'une manière générale, la réalité est ordonnée dans l'exacte mesure où elle satisfait notre pensée. L'ordre est donc un certain accord entre le sujet et l'objet. C'est l'esprit se retrouvant dans les choses.

– Bergson

La durée s'oppose au temps comme l'intuition à l'intelligence

Parce qu'il est matérialisé dans les horloges et les calendriers, le temps de la science est immédiatement pris comme le temps lui-même – alors qu'il n'en est qu'une traduction, une objectivation discontinue, à la manière des images de cinéma. L'aller et retour du balancier, le tic-tac de la montre, aujourd'hui le remplacement soudain d'un chiffre par un autre sur l'écran électronique, tout fait signe pour nous suggérer que le temps s'égrène au lieu de couler.

Bergson appelle *durée* le temps concret, continu de la vie et de la pensée, par opposition au *temps* de la science qui n'en est que la projection dans l'espace. Notre lecture du temps scandée par les nombres se déploie nécessairement dans l'espace. Même les horloges atomiques (que Bergson ne connaissait évidemment pas) sont des mises en espace de la durée.

L'intelligence, qui selon Bergson a une fonction pratique plutôt que théorique, quantifie et spatialise les phénomènes. Face à elle, l'intuition est mieux à même d'épouser la durée dans ce qu'elle a de qualitatif, de continu et d'inexprimable.

Où l'on retrouve le vieil Achille et la non moins âgée tortue

Les arguments de Zénon d'Élée (voir chapitre 2, p. 34-35) sont, aux yeux de Bergson, caractéristiques de la façon dont l'intelligence se débarrasse du mouvement, donc de la durée, au profit du seul espace. Les paralogismes de Zénon viennent, en effet, de ce que la course d'Achille et le déplacement de la tortue sont traduits seulement en intervalles spatiaux qui peuvent, à partir de là, être fractionnés à l'infini.

C'est dans le moule de l'action que notre intelligence a été coulée.

– Bergson

La durée est créatrice

La science a imposé l'idée que le temps est une dimension objective indifférente aux événements qui y prennent place. Cette image du *prendre place* indique bien à quel point le temps a été changé en espace. Tout se passe comme si on imaginait le temps comme un contenant, une boîte dans laquelle les événements viendraient effectivement se ranger. Or, la durée est créatrice, que ce soit celle de la vie des espèces (une forme nouvelle d'animal n'est pas contenue dans la précédente, elle n'est pas déduite d'elle), celle de la conscience ou celle de l'histoire. L'expression d'*élan vital* utilisée par Bergson a pour fonction d'écarter la conception mécanique que la biologie, qui avait pris modèle sur la physique, avait introduite.

Dans l'histoire des sociétés humaines, cet élan est celui des héros et des saints qui inventent des formes d'existence, comme l'élan vital a inventé pour les espèces des formes de vie. L'opposition de la morale close (celle de la tradition) et de la morale ouverte (celle du héros et du saint), l'opposition de la religion statique (celle des rites et des dogmes qui fondent l'ordre social) et de la religion dynamique (celle de l'amour) retracent dans leur domaine propre l'opposition de l'instinct, qui est la retombée de l'intelligence dans l'inertie (on songe à une coulée de lave volcanique qui s'est arrêtée, refroidie et solidifiée) et de l'intuition qui épouse le mouvement même de la vie dans ce qu'elle a de libre et d'unique.

Un intellectuel à la fois actif discret et efficace en politique

Bergson, que les photographies représentent en petit monsieur poli et discret et dont on ne peut s'empêcher de penser qu'il devait être bien ennuyeux, fut chargé durant la Première Guerre mondiale d'une importante mission : il s'agissait de convaincre les États-Unis d'entrer en guerre aux côtés des Alliés. Dans le cadre de cette mission officielle (couronnée de succès), l'auteur de *L'Évolution créatrice* fut également l'un des inspirateurs de la Société des Nations (SDN) dont l'objectif était de prévenir la guerre.

La phénoménologie : retour aux choses mêmes

En découvrant cette devise, « retour aux choses mêmes », les mauvaises langues diront peut-être : il était temps !

« Phénomène » est un terme d'origine grecque signifiant « ce qui apparaît ». La métaphysique avait tendance à rabattre l'apparition sur l'apparence, donc sur une espèce d'ombre inconsistante au-delà de laquelle il convenait de chercher la véritable réalité. « Phénoménologie » signifie « étude des phénomènes » — le mot avait déjà été utilisé par Hegel (voir chapitre 20, p. 362).

Qu'est-ce que la phénoménologie ?

La phénoménologie, qui est le nom que son fondateur Edmund Husserl donne à cette philosophie nouvelle dont, au début du moins, il voulait faire une science rigoureuse, repose sur une double récusation :

- celle de l'attitude naturelle, empirique, psychologique ;
- celle de l'attitude cartésienne, physicaliste, objectivante.

Il s'agit avec la phénoménologie de se tenir également éloigné de l'opinion et de la science – ce qui, après tout, est la place même de la philosophie en tant que travail de la pensée.

> *Quiconque veut vraiment devenir philosophe devra une fois dans sa vie se replier sur soi-même et, au dedans de soi, tenter de renverser toutes les sciences admises jusqu'ici et tenter de les reconstruire.*
>
> – Husserl

Toute conscience est conscience de quelque chose !

Husserl a tiré de Franz Brentano l'idée de l'intentionnalité de la conscience. Toute conscience est conscience de quelque chose : cet apparent truisme (rien à voir avec une pensée cochonne) doit s'entendre comme : la conscience n'est pas une chose, une substance, mais une activité, une dynamique. Brentano posait que l'intentionnalité constitue la marque spécifique de l'activité mentale : tous les phénomènes mentaux en sont pourvus tandis qu'aucun phénomène non mental n'en est accompagné (il n'y a pas d'intentionnalité chez le lièvre qui court ni dans le volcan qui entre en éruption).

La phénoménologie récuse les oppositions constitutives de la métaphysique classique : le sujet et l'objet, le moi et le monde. Elle n'est ni réaliste (il n'y a selon elle pas de phénomènes sans conscience) ni idéaliste (les phénomènes selon elle ne sont pas réductibles à la seule représentation). Mais on pourrait tout aussi bien dire que la phénoménologie est à la fois réaliste (il y a un monde qui n'est pas une simple image de la conscience) et idéaliste (il n'y a de phénomènes que pour une conscience intentionnelle).

La saisie des essences

Si la phénoménologie doit devenir une science rigoureuse, elle ne saurait se contenter des descriptions empiriques (telle est la tâche propre de la littérature) ni des catégories logiques. Comment penser et connaître philosophiquement le monde tout en échappant aux contingences de la psychologie empirique et aux nécessités de la logique mathématique – tel est le difficile programme de la phénoménologie. Pour réaliser ce programme, il convient d'opérer une double réduction.

La *réduction eidétique (eidos* en grec signifie forme, idée, espèce, essence) est le processus grâce auquel la conscience dépouille la chose de ses éléments empiriques (l'apparence singulière) afin de dégager l'essence. L'expérience du morceau de cire chez Descartes (voir chapitre 11, p. 228) est une réduction eidétique. La phénoménologie est définie comme une science des essences.

La *réduction phénoménologique* (Husserl utilise aussi le terme grec d'*épokhé* signifiant suspension de jugement) est plus radicale encore puisqu'elle met entre parenthèses le monde (sans douter le moins du monde de son existence à la manière sceptique) afin de dégager le sujet pur (c'est-à-dire non empirique) que Husserl nomme *ego transcendantal.* (Pour ce qui est du sens de transcendantal, je renvoie les rescapés parmi les nuls au chapitre consacré à Kant.)

La Terre ne se meut pas !

Tel est le titre provoquant d'un texte de Husserl. Retour à Ptolémée ? Copernic renvoyé à ses beuveries (il était Polonais…) ? On savait que la philosophie pouvait être réactionnaire, mais à ce point !

En fait, il ne s'agit évidemment pas d'effacer d'un trait de plume les découvertes de la science moderne mais de rappeler que le monde dans lequel nous vivons n'est pas celui dont la science nous donne l'image. La phénoménologie a refondé ce *sens du monde* (en quelque sens que l'on prenne l'expression) sans lequel l'existence humaine serait tout bonnement inenvisageable.

La dernière grande entreprise (inachevée) de Husserl, *La Crise des sciences européennes et la phénoménologie transcendantale* (la *Krisis*, simplement, pour les intimes) analyse la façon dont la science physique moderne, à partir de Galilée, a remplacé le monde par une image mathématique qui est à celui-ci ce qu'un nombre peut être à une chose. En nous redonnant le sens du monde, la phénoménologie lutte contre une insouciance et un oubli. En cela, Heidegger sera bien un phénoménologue.

Il est absurde de considérer la nature comme étrangère en elle-même à l'esprit et ensuite d'édifier les sciences de l'esprit sur le fondement des sciences de la nature, avec la prétention d'en faire des sciences exactes.

– Husserl

Une école de pensée particulièrement féconde

La phénoménologie partage avec la philosophie analytique la gloire d'avoir été la philosophie la plus influente du XXe siècle. Son impact fut non seulement philosophique mais aussi littéraire et artistique.

Merleau-Ponty, le philosophe de la chair des choses

Les deux principaux ouvrages de Maurice Merleau-Ponty, *Phénoménologie de la perception* et *La Structure du comportement*, ont le même sens fondamental : il faut mettre un terme aux dichotomies par lesquelles la philosophie, relayée par la science, croyait pouvoir rendre compte des phénomènes. Il n'existe pas d'un côté un œil qui perçoit et de l'autre une chose perçue, séparés l'un de l'autre par un abîme infranchissable – de même qu'il n'y a pas d'un côté un être vivant et de l'autre un milieu dans lequel il aurait à inscrire sa vie. Le comportement, comme la perception, manifeste l'*entrelacs* ou le *chiasme* (deux mots utilisés par le philosophe) briseur de dualité. Le terme même de sensible renvoie à cette réversibilité du contenant et du contenu, puisque l'adjectif concerne aussi bien le sujet qui sent que l'objet qui est senti. Il n'y a pas d'un côté une conscience seule active et de l'autre un monde qui attendrait passivement d'être saisi par elle.

Merleau-Ponty appelle *chair* cette réalité de l'englobement que ni l'empirisme englué dans la matière, ni l'intellectualisme perdu dans les abstractions n'avaient su (ou même voulu) traduire. La perception est déjà une interprétation, le comportement, déjà une stratégie. Ils sont (pour reprendre une expression de Heidegger) configurateurs de monde.

Paul Ricœur, la conscience avertie

La démarche de Ricœur, durant sa longue existence de philosophe, est caractéristique de la manière dont, à notre époque, se constituent la plupart des philosophies : non pas un ensemble ordonné de thèses développées de livres en livres, mais l'analyse patiente, méticuleuse, de problèmes précis dont chacun dérive de l'autre comme résidu – la question de la volonté conduisant à poser celle de la volonté mauvaise, donc du mal, puis de l'inconscient, ce dernier problème ouvrant sur la question plus générale du sens et de l'interprétation, et ainsi de suite.

En même temps, Ricœur est un philosophe décalé par rapport au temps contemporain, un « mécontemporain » pour reprendre une expression célèbre. Il ne fut pas de ceux qui sacrifièrent la minimale exigence de rigueur que l'on est en droit d'attendre d'un philosophe au fracas de la radicalité et de l'originalité à tout prix qui enferme la pensée dans la provocation d'une pose artiste.

Le grand concept déployé par Ricœur est celui d'identité narrative : un individu ou un collectif constitue son identité à partir de ce qu'il en exprime par des récits. Ainsi l'une des principales découvertes de la philosophie du langage se trouve-t-elle appliquée en des domaines qui peuvent aussi bien être ceux de la psychologie individuelle que ceux des sciences sociales.

Levinas : de la phénoménologie à l'éthique

La conscience phénoménologique n'est pas isolée, à la différence du *cogito* cartésien. Elle est engagée au milieu des autres dans le monde. « Être avec » (*Mitsein* en allemand) est une expression utilisée par les phénoménologues pour signifier le caractère essentiellement solidaire de la vie des consciences.

Emmanuel Levinas a donné au rapport à l'autre un sens neuf et radical. Son ouvrage maître *Totalité et infini* fait jouer l'infini (autrui irréductible au moi et au concept) contre la totalité (la logique englobante, identificatrice) et accorde au premier une supériorité incomparable sur la seconde. La philosophie, depuis les Grecs, s'est mue dans l'espace de la totalité : un système vise à embrasser la totalité de l'être dans un réseau de concepts. Pour Levinas, Autrui (qui a ce privilège d'être écrit avec une majuscule comme s'il était un nom propre, une personne, la Personne par excellence) rend impossible la totalité, car il ouvre sur son flanc une plaie qui ne pourra jamais se refermer.

D'origine juive lituanienne, Levinas, savant versé dans les études talmudiques, aura été de ceux qui ont accordé à l'autre homme la transcendance qui traditionnellement qualifie le seul Dieu. Ainsi opère-t-il une jonction assez extraordinaire entre, d'une part, le monde du mythe qui est celui dans lequel s'inscrivent les textes bibliques et leurs commentateurs talmudiques et, d'autre part, la phénoménologie dont le sens, on ne l'a pas oublié, est de revenir aux choses mêmes telles qu'elles apparaissent à la conscience.

Une phénoménologie du visage

Un philosophe n'invente pas toujours un mot pour désigner un nouveau concept. Nous venons de le voir avec Merleau-Ponty qui s'est servi du terme de *chair* pour lui donner un sens qui n'était plus celui de l'usage courant. Il en va de même avec le *visage* dont parle Levinas, même si l'attache empirique, commune, du mot n'est pas perdue comme avec la « chair ». Un visage n'est pas une face (objective). Il est ce qui, tout en venant de moi, ne m'appartient pas (je ne vois pas directement mon visage) mais est destiné à l'autre. L'autre m'apparaît d'abord comme un visage : celui-ci est le signe d'une transcendance unique (les animaux, même familiers, n'ont pas de visage) à la fois infinie et vulnérable. Le sens du visage est celui d'une *injonction* que je ne peux méconnaître. La première de toutes les injonctions est celle du « tu ne tueras pas » ; c'est pourquoi on met un bandeau noir sur les fusillés – comme si avant l'exécution matérielle le supplicié avait été sur le plan symbolique une première fois mis à mort.

Heidegger : tout d'abord l'être et ensuite rien que lui

Issue de la phénoménologie, la philosophie de Heidegger s'en démarque nettement par plusieurs traits essentiels : l'intentionnalité de la conscience disparaît, la quête de l'être remplace celle des essences.

La thèse fondatrice de la pensée de Heidegger est que la philosophie, à partir des présocratiques, s'est fourvoyée lorsqu'elle a abandonné son rapport à l'être au profit des différents domaines particuliers, ces « étants » que sont Dieu, le monde, le sujet. Heidegger dit et répète que la métaphysique est l'oubli de l'être au profit des étants (telle est la fameuse *différence ontologique :* l'écart qui sépare les étants de l'être). Il s'agit donc de revenir, par-delà plus de vingt siècles d'histoire de la pensée, à ce sens originel de l'être que les présocratiques avaient su cultiver et les poètes chanter.

L'homme est le berger de l'être.

– Heidegger

La poésie jouée contre la science

En somme, la philosophie selon Heidegger doit retrouver le sens de l'être dont les poètes nous donnent un équivalent lorsque, par les mots, surgit une *présence* qu'aucune re-présentation n'a encore occultée. Le modèle de pensée qui se trouve dans cette démarche révoqué avec la plus grande énergie est la science qui ne fait que plaquer son écran sur les choses.

C'est ainsi que l'on doit comprendre la célèbre thèse, qui a fait scandale : la science ne pense pas. Heidegger ne veut pas dire que la science est bête ou bien qu'elle est sans conscience morale (ce n'est pas là une préoccupation chez ce philosophe) – il veut dire que le savoir perd le sens de l'être parce qu'il place le langage dans une fonction purement instrumentale. Ce qui différencie un poète d'un politicien, c'est qu'il ne prend pas le langage comme un outil mais comme le mode d'apparition de l'être – car, par les mots du poème, les sources et les bois, le ciel et la chaumière *sont*. Le langage, dit Heidegger, est la maison de l'être. Le philosophe devrait être un homme de l'être au lieu d'être un homme de lettres.

La vérité comme dévoilement

On ne sera pas étonné d'apprendre que Heidegger récuse les conceptions formalistes et constructivistes de la vérité en honneur dans les épistémologies modernes. Reprenant l'étymologie grecque, Heidegger définit la vérité comme *dévoilement* de l'être. Il ne saurait évidemment être question d'une invention : la vérité est la *découverte* même.

La conscience disparaît au profit du Dasein

Dasein est un mot courant de la langue allemande et signifie « existence ». Heidegger l'utilise de manière tellement particulière que ses traducteurs français ont choisi pour la plupart d'entre eux d'adopter la transposition littérale d'« être-là ».

Dans *Être et Temps*, son grand œuvre, Heidegger n'utilise pas les termes d'homme ou de conscience : *Dasein* en tient lieu, mais il n'est ni la pensée ni l'être humain. Il est la relation particulière, unique, que cet étant qu'est l'homme entretient avec l'être, car si le *Dasein* n'est pas l'homme, jamais le terme ne pourrait être utilisé à propos d'un autre étant.

Être et temps analyse les structures fondamentales du *Dasein*, c'est en cela que consiste l'*analytique existentiale*. L'adjectif « existential » est un néologisme forgé par Heidegger : il s'oppose à l'existentiel qui concerne l'existence empirique d'un individu. Heidegger dira toujours que sa pensée n'est pas existentialiste, que les existentialistes (Sartre tout le premier) l'ont mal compris en se réclamant de lui. L'existentiel est de l'ordre du vécu, de l'émotionnel, du sentimental : la peur, par exemple, est un état existentiel. L'existential est une structure fondamentale qui signale le rapport du *Dasein* vis-à-vis du néant, ce manque à être. Alors que la peur est toujours la peur de quelque chose, l'angoisse n'a pas d'autre objet que la relation au néant. Heidegger reprochait à Sartre d'avoir édulcoré en états existentiels ce qu'il avait compris comme des existentiaux.

Un exemple d'existential : le souci

Un enfant passe un examen. Dans l'attente des résultats, ses parents ressentent du souci. Le terme renvoie à un état existentiel déterminé, éprouvé par des sujets sensibles en rapport à une situation définie. Lorsque les résultats seront connus, quelle qu'en soit l'issue, le souci disparaîtra avec cette connaissance, de la même façon que le trac de l'acteur ne dure que le temps de l'attente du spectacle.

Le souci que Heidegger analyse dans *Être et Temps* va bien au-delà. Il n'a pas besoin d'être qualifié par son objet empirique – lequel change évidemment en fonction de plusieurs critères. Le sens du souci n'est pas à chercher du côté de l'objet (qui n'est qu'un prétexte), ni du côté de la psychologie du sujet (dont on sait qu'il peut être de nature plus ou moins inquiète), mais dans cette donnée fondamentale que le *Dasein*, à la différence de la pierre ou de l'animal, est sans cesse décalé par rapport à lui-même, donc par rapport au présent. Ce décalage le met soit en arrière soit en avant de lui. Le *Dasein* ne colle pas à soi. L'homme est l'être des lointains, dit Heidegger.

C'est ce décollement par rapport à soi qu'exprime la curieuse façon d'écrire l'ek-sistence utilisée par Heidegger et qui fait ressortir l'étymologie grecque du mot, la préposition ek- (transformée en ex- par les Latins) signifiant « hors de ». Le *Dasein* ek-siste, ce qui veut littéralement dire qu'il est hors de lui. Pas besoin d'être en colère, donc, pour être hors de soi !

La technique signe le triomphe de la métaphysique !

Pour l'opinion commune, rien de plus opposé et divergent que la métaphysique et la technique. La spéculation abstraite d'un côté, l'action utilitaire de l'autre. Qu'est-ce qui peut donc faire dire, comme Heidegger le répète, que la technique est l'accomplissement de la métaphysique ?

Souvenons-nous (ce n'est pas si ancien) : la métaphysique est oubli de l'être. Tout ceux qui, comme Nietzsche, ont prétendu la dépasser ou la renverser n'ont en réalité fait que la prolonger. Qu'est-ce, en effet, que la volonté de puissance, sinon un moyen de congédier l'être en prétendant donner un nom pour la totalité de l'étant ?

La technique n'a pas affaire à l'être non plus mais aux étants. Contrairement à ce que nous pourrions croire sur la foi de l'identité du nom, le barrage sur le Rhin n'a pas affaire au même fleuve que celui pour lequel le poète Hölderlin avait écrit un hymne, de même que la lune chantée par Li Tai Po n'est pas celle sur laquelle les Américains ont débarqué un jour d'été. En instrumentalisant les étants, la technique aggrave par sa violence l'oubli de l'être caractéristique de la métaphysique.

La philosophie de Heidegger est-elle nazie ?

La question de savoir si Heidegger était nazi ne se pose pas, car la réponse est évidente : non seulement Heidegger s'est inscrit au parti nazi mais son engagement a, jusqu'à sa mort, été beaucoup plus profond qu'il n'a bien voulu l'admettre et surtout, beaucoup plus profond que ses disciples et dévots en France n'ont voulu se l'avouer. C'est de France, en effet, qu'est venu le grand mouvement de réhabilitation qui, après 1945, aboutit à ne plus voir dans l'engagement politique du philosophe qu'une donnée tout à fait indifférente à sa philosophie.

Le nazisme de Heidegger est une vieille affaire. Déjà, en 1944, on reprochait à l'existentialisme de s'inspirer d'un philosophe nazi – ce à quoi Sartre répondait (un peu faiblement sans doute) que Heidegger était un grand philosophe mais qu'il n'avait pas de caractère... Aujourd'hui, la querelle sépare deux camps extrêmes : d'un côté, ceux qui pensent que le nazisme de Heidegger est quelque chose de tout à fait étranger à sa pensée : si l'homme Heidegger a été nazi, sa philosophie ne l'est pas. D'un autre côté, ceux qui pensent, à l'inverse, que la philosophie de Heidegger est foncièrement nazie et que derrière ces abstractions que sont l'être, le *Dasein*, etc., ce sont des thèmes idéologiquement nazis qu'il convient de dénoncer.

Une interprétation moyenne refuse à la fois de négliger (ou de sous-estimer) l'engagement nazi du philosophe et de réduire l'ensemble d'une pensée exceptionnellement riche et complexe à une idéologie spécialement marquée par sa brutale pauvreté. En d'autres termes, il n'y aurait entre la philosophie de Heidegger et le nazisme pas de commune mesure, mais il y aurait aussi de larges espaces de connivences et de rencontres.

Parmi ceux-ci, on pourrait exhiber l'antihumanisme résolu du philosophe. C'est un point qui est resté très largement occulté en France parce que la plupart des philosophes en vogue, à partir des années 1960, n'ont pas cessé de se dire eux aussi antihumanistes. Leur propre antihumanisme leur a littéralement interdit de reconnaître que l'antihumanisme de Heidegger pouvait être le lieu de rendez-vous avec le nazisme. Les chantres de la mort de l'homme ou de son dépassement devraient regarder avec plus d'attention leurs inquiétants alliés.

De fait, l'occultation de l'homme jusque dans son titre d'homme dans les écrits de Heidegger au profit de l'être et du *Dasein* répond comme en écho philosophique à cette occultation autrement violente que le nazisme a promue au nom du Peuple et de la Race.

Enfin, ce que le nazisme de Heidegger peut nous enseigner en guise d'avertissement involontaire, c'est l'incroyable faiblesse de la philosophie et, au-delà d'elle, d'une intelligence sans morale. La preuve que la philosophie n'est pas digne d'une admiration sans partage, c'est qu'on peut l'illustrer d'éclatante façon et n'être qu'un beau salaud. La remarque vaut, d'une manière plus générale, également pour l'intelligence. On peut être à la fois un génie et un méprisable salaud.

Sartre : une conscience engagée

La pensée philosophique de Sartre s'éveille au contact de la phénoménologie allemande, qu'il découvre tôt, dès les années 1930, et qui lui donne des armes théoriques pour récuser la tradition philosophique française, rationaliste et idéaliste. Avec la guerre de 1939-1945 qui marque un tournant important dans la vie du philosophe, c'est l'histoire avec ses tragédies qui fait irruption. Le problème constant de la philosophie de Sartre fut de penser la liberté absolue du sujet avec les conditions de l'histoire, ce que traduit le concept d'engagement rendu célèbre grâce à lui. Sartre est un homme révolté qui a toute sa vie pensé une révolution qui finalement n'arrive jamais. Sa philosophie de la liberté n'est pas seulement une philosophie, elle est aussi un modèle d'existence – en quoi elle renoue avec cette conception complète de la philosophie qui était celle de l'Antiquité et que la pratique universitaire depuis deux siècles a progressivement fait perdre de vue.

Si l'on ne donne pas sa vie pour quelque chose, on finira par la donner pour rien.

– Sartre

L'angoisse, l'épreuve de la liberté, la preuve de la liberté

L'idée que l'angoisse est le signe de la liberté vient de Kierkegaard. Révolution pas toujours nettement aperçue dans l'histoire des idées : les états pathologiques font alors une entrée fracassante dans la philosophie moderne. Ainsi la conscience ne reste-t-elle plus enfermée dans les normes implicites du bien-être qui avaient été les siennes depuis les Grecs.

Sartre avait d'abord songé à intituler son roman *Mélancholia* d'après la célèbre gravure de Dürer où l'on voit un homme pensif entouré des symboles du savoir. C'est son éditeur Gallimard qui a eu cette trouvaille qui allait faire date dans l'histoire de la pensée : le roman s'appellera *La Nausée*. Il pose les bases à partir desquelles *L'Être et le Néant* pourra construire sa théorie : l'existence est contingente, il n'y a entre la conscience et l'être des choses aucune commune mesure.

> *En face d'un enfant qui meurt,* La Nausée *ne fait pas le poids.*
>
> – Sartre

La conscience n'est pas une chose mais une action

Dès ses premiers textes philosophiques sur l'imagination et sur l'émotion, Sartre définit la conscience par l'intentionnalité mise en avant par la phénoménologie : la conscience n'est pas une chose ou un être, à la manière d'un agent, elle est une activité qui donne du sens aux choses du monde en se projetant sur elles de telle ou telle façon. Imaginer, ce n'est pas regarder en spectateur une espèce de film intérieur mais *exister* d'une certaine façon. La néantisation, c'est-à-dire la capacité pour la conscience de trouer l'être des choses par du vide est le signe le plus net de la force de cette conscience : imaginer ses prochaines vacances, c'est néantiser ses soucis actuels ; trembler d'émotion face à l'examinateur d'oral, c'est néantiser la difficulté actuelle, etc. Dans *L'Être et le Néant*, le néant est la conscience (appelée pour-soi par Sartre) face à la chose (l'en-soi). Exister (ici Sartre reprend Heidegger), c'est ne pas être ce qu'on est et être ce qu'on n'est pas. Seul l'homme *existe*, car il est l'être par lequel le néant advient.

> *La conscience est un être pour lequel il est dans son être question de son être en tant que cet être implique un être autre que lui.*
>
> –Sartre

(Ce n'était pas uniquement pour vous embêter, mais pour vous donner un exemple de ce que peut un philosophe lorsqu'il se laisse aller.)

La liberté sans limite est le propre de l'existant

La liberté est le versant positif de la contingence : à la différence d'un objet manufacturé, l'homme n'a pas été d'abord pensé par un concepteur. L'existentialisme sartrien exclut la possibilité même de Dieu, qui serait la synthèse de l'en-soi (la compacité de l'être) et du pour-soi (le surgissement de la conscience).

La philosophie de Sartre n'est pas *contre* Dieu – ce qui eût été une autre façon de se déterminer par rapport à lui mais *sans* Dieu, ce qui représente la véritable définition de l'athéisme. C'est ce que signifie cette phrase passablement énigmatique : l'existence précède l'essence.

Chaque être possède ces deux dimensions : il existe et il a telle nature. Sur chaque être, deux questions sont possibles : existe-t-il ? De quoi est-il constitué ? Telles sont l'existence et l'essence. Si l'on se place dans le cadre du monothéisme, Dieu a pensé l'homme avant de le créer : l'essence (l'idée) de l'homme figure dans l'intellect de Dieu avant d'être incarnée – l'essence précède l'existence. L'homme se trouve alors dans la position d'un objet manufacturé par rapport à son fabricant : il faut penser l'objet avant de le réaliser. L'essence précède l'existence. Mais si Dieu n'existe pas, il n'y a nulle part une idée d'homme qui précéderait l'existence de l'homme et la déterminerait. L'existence précède l'essence.

Assumer ce que l'on fait

Dans *Les Mouches*, Sartre donne une forme littéraire et philosophique à ce qui deviendra un lieu commun dépassant très largement le cadre de ce qu'il est convenu d'appeler l'existentialisme : être libre, c'est assumer son acte comme étant le sien, comme étant une part essentielle et inaltérable de soi-même. Après avoir vengé son père en tuant sa mère, Oreste dit à Électre sa sœur : j'ai agi et cet acte était bon. Je le porterai sur les épaules comme un passeur d'eau porte les voyageurs, je le ferai passer sur l'autre rive et j'en rendrai compte. Et plus il sera lourd à porter, plus je me réjouirai car ma liberté, c'est lui. Hier encore, je marchais au hasard sur la terre et des milliers de chemins fuyaient sous mes pas car ils appartenaient à d'autres. Aujourd'hui, il n'y en a plus qu'un, et Dieu sait où il mène : mais c'est mon chemin.

Assumer ce que l'on est devenu

L'existentialisme est une philosophie de la liberté. C'est dans la ligne de cette pensée que Simone de Beauvoir, la compagne de toujours du philosophe, sa mémoire et sa critique vivantes, pourra écrire cette phrase exorbitante mais profondément juste et qui allait avoir des implications culturelles considérables : on ne naît pas femme, on le devient.

Tous les ouvrages que Sartre a consacrés aux écrivains s'efforcent de répondre à cette question : comment Mallarmé est-il devenu Mallarmé, comment Genet est-il devenu Genet, comment Flaubert est-il devenu Flaubert ? Sartre a toujours reproché à la psychanalyse d'enfermer l'individu dans la prison des déterminations de son passé. C'est le projet fondamental qu'il se donne lui-même qui détermine l'existant humain et non le poids de son passé qu'il serait condamné à traîner toute sa vie.

> *L'homme est condamné à être libre.*
>
> – Sartre

La liberté est toujours en situation

Est-ce à dire que la liberté est sans condition ? Sartre connaît aussi bien que quiconque le poids des circonstances, mais celles-ci n'ont par elles seules aucun pouvoir de détermination. La meilleure preuve en est donnée par la diversité des stratégies d'existence. Un enfant est battu, un ouvrier est exploité. Réagiront-ils par la passivité (le fatalisme), la révolte, la fuite dans l'imaginaire ? Ces sens divergents ne sont pas fournis par le contexte (même si des données dominantes sont statistiquement repérables) mais dérivent de la manière dont la conscience se situe par rapport à lui.

Le regard croisé

Cet invraisemblable strabisme divergent qui a fait la « laideur » de Sartre (les guillemets ne sont pas là pour neutraliser ce que le terme de laideur peut avoir de politiquement incorrect mais pour lancer un point d'interrogation sur la *réalité* même de cette laideur) pourrait être vu comme le signe symbolique de sa pensée qui n'a pas cessé, à partir de la guerre, de considérer la conscience dans et par le collectif (groupe, société, histoire) et le collectif dans et par la conscience. En somme, la philosophie de Sartre aura été une tentative pour penser ensemble Hegel ou Marx avec Kierkegaard.

La *Critique de la raison dialectique*, l'autre grand ouvrage philosophique de Sartre (le premier étant *L'Être et le Néant*), tâche de répondre à cette difficile question, manquée, selon le philosophe, par les sciences humaines : comment peut-on à la fois comprendre les agents et expliquer leurs actes, comment peut-on rendre compte d'une subjectivité et d'un collectif, qui sont l'un par rapport à l'autre dans une situation d'englobant/englobé (l'individu comprend le groupe qui le comprend) ?

L'enfer, c'est les autres

La pièce de théâtre *Huis clos* met en scène trois personnages qui se retrouvent après leur mort dans une chambre d'hôtel (l'enfer sans diable ni fournaise). Être mort, c'est être réduit à l'ensemble de ce que l'on a fait sans rien pouvoir y changer. La mort, dit Malraux en un sens analogue, change la vie en destin.

La phrase fameuse « L'enfer, c'est les autres », sortie de son contexte, a été comprise de manière triviale sur le mode « La vie avec mon mari est devenue un véritable enfer ! » En fait, ce que Sartre voulait dire, c'est que la mémoire des vivants est le seul au-delà des morts (être mort, c'est être en proie aux vivants, dit-il ; être mort, c'est n'être plus en situation de pouvoir donner du sens, un autre sens à ce que l'on a dit, fait, été).

Sartre n'a-t-il été qu'un philosophe ?

L'ambition de Sartre jeune fut d'être à la fois Spinoza et Stendhal, philosophe et écrivain. Les ennemis de Sartre, qui sont nombreux (mais plus un philosophe est proche de nous dans le temps, plus il a d'ennemis – Héraclite, par exemple, n'a aucun ennemi) suggèrent qu'il ne fut ni l'un ni l'autre.

L'œuvre de Sartre est colossale et touche tous les domaines : essais, traités, nouvelles, romans, pièces de théâtre, articles. L'écriture foisonnante, proliférante (Sartre la compare parfois à un cancer) trouve son principe d'unité dans le style. Mais il existe également une profonde unité de pensée. C'est justement en n'étant pas « seulement » philosophe que Sartre a été philosophe et l'un des plus grands : le *Saint Genet*, *L'Idiot de la famille* ne sont pas des livres « de philosophie », mais ces ouvrages d'une stupéfiante richesse de pensée contiennent bien davantage de philosophie que le soixantième livre sur l'ontologie de Descartes.

Sartre s'est-il beaucoup plus trompé que n'importe qui ?

C'est à propos de son engagement politique et surtout au début des années 1950, au moment de son compagnonnage avec le Parti communiste, que l'on a dit et répété jusqu'à en être saoûl que Sartre s'est trompé.

Sartre était un violent. Il appelait un chat un chat et comme tout écrivain il lui arrivait d'y voir un tigre. Pas de grande philosophie sans imagination et pas d'imagination sans risque. Sartre a beaucoup risqué en écrivant autant.

Mais que signifie au juste « se tromper » en philosophie ou en politique ? Dire quelque chose de faux ? La pensée est très rarement de type mathématique et ne porte pas souvent sur des faits avérés. Dire quelque chose de mauvais ? Quels sont les critères du bon et du mauvais ?

Lorsque Sartre dit : « La liberté de critique est totale en Union soviétique », il profère une énormité qui va bien au-delà de l'*erreur*. Mais lorsqu'il prend la défense du communisme contre la politique américaine au moment de la guerre de Corée, est-ce que cela a un sens de dire qu'il s'est *trompé* ? Le gauchisme peut être déclaré dangereux, idiot, ludique, fou, absurde, tout ce qu'on veut, mais peut-il être dit *faux* ? Sartre s'est-il *trompé* en se déclarant solidaire des étudiants en 1968 ? S'est-il trompé lorsqu'il a créé, avec Bertrand Russell, le tribunal destiné à juger les crimes de guerre commis par les Américains au Vietnam, en déplorant que le tribunal de Nuremberg n'ait pas été définitivement constitué comme une conscience mondiale permanente ?

Chapitre 27

Le tournant linguistique de la philosophie analytique

Dans ce chapitre :

- Parler avant de penser
- Un problème de logique qui renouvelle la philosophie moderne
- Wittgenstein et le programme d'élucidation des problèmes

On appelle philosophie analytique le courant de pensée issu des travaux logiques et philosophiques de Bertrand Russell et de Ludwig Wittgenstein. Pourquoi philosophie *analytique* ? Par défiance envers les grands mots et les grandes entités où ne résonnent sans raisonner que des idées vides.

On ne change pas de langage comme de chemise

Les philosophes ont mis longtemps à s'aviser que le langage n'est pas le vêtement de la pensée mais son corps. Certes, le moraliste La Rochefoucauld avait déjà écrit au XVIIe siècle qu'il y a des gens qui n'auraient jamais été amoureux s'ils n'avaient jamais entendu parler de l'amour – preuve que l'on savait que les mots peuvent faire bien des choses. Mais nul n'avait tiré de conséquence générale de ce constat : la langue n'est pas une fenêtre ouverte sur le monde mais un écran sur lequel ce sont ses propres images qui se projettent. Aristote ne sait pas qu'il parle et écrit en grec – dont nous savons, nous, que la structure syntaxique détermine pour une bonne part la pensée logique : il ne le *sait* pas au sens où il adhère spontanément, naïvement à la langue grecque. Tous les Grecs, même les plus cultivés, sont convaincus que les peuples qui ne parlent pas grec sont des barbares.

L'ordre des choses, des idées, des mots

Dans une conception harmonique de la réalité, qui fut celle des pythagoriciens, des platoniciens et des stoïciens, puis celle du christianisme (qui l'attacha à son principe créateur, Dieu), l'ordre des idées est une traduction, un reflet, la vérité est adéquation au réel. Et puisque les mots sont les représentants justes des idées, l'ordre des mots peut traduire l'ordre réel des choses. La logique qui est l'art de bien penser reflète le système de la nature et la grammaire qui est l'art de bien parler reflète le système de la logique. Pas d'excès ni de résidu dans le passage d'un ordre à l'autre, puisque l'ordre des choses, celui des idées et celui des mots sont foncièrement le même ordre, qui est en fin de compte celui de la Nature ou celui de Dieu.

La philosophie contemporaine commence avec le soupçon du caractère irréductible de l'ordre symbolique (pensée et langage) par rapport à l'ordre des choses. Par des moyens différents (et dans un style différent), Nietzsche et Wittgenstein furent les maîtres de ce soupçon.

Hegel, voilà l'ennemi !

Il y eut, dans l'Angleterre de la fin du XIXe siècle, tout un courant de pensée philosophique qui, par réaction contre l'empirisme, l'utilitarisme et le matérialisme dominants, fit retour à la grande spéculation incarnée par Hegel. Ce courant dit *néohégélien* fut principalement représenté par F. Bradley et Bernard Bosanquet. Pour Bradley comme pour Hegel, seul le tout est le vrai. C'est contre ce « totalisme » que Bertrand Russell réagit avec force.

L'idée selon laquelle seul l'élément correspond à une donnée sinon objective, du moins claire, dérive du nominalisme. Un énoncé a du sens à partir du moment où chacun de ses éléments possède lui-même un sens. La question de savoir quel sens peut avoir une théorie globale comme une religion ou une philosophie est elle-même dépourvue de sens.

Le choix de l'extension aux dépens de l'intension

Le primat accordé à l'analyse sur la synthèse gouverne la conception de la définition des mots.

La métaphysique depuis Platon considère un nom commun comme la désignation d'une essence, d'une nature : définir un cheval ou la justice, c'est énoncer l'essence du cheval, la nature de la justice. Cette essence, on l'appelle *intension* (rien à voir avec l'intention qui ne s'écrit pas de la même façon).

Lorsque Hippias, le sophiste dont Platon se moque le plus, définit la beauté en disant que c'est une belle fille, sa définition concerne le domaine d'application du terme : on dit *extension*. L'extension de la beauté, c'est l'ensemble de toutes les choses qui peuvent être dites belles.

La conception métaphysique, platonicienne, de la définition est *intensionniste* (elle cherche l'idée), la conception analytique, logique, issue de Gottlob Frege et reprise par Bertrand Russell et ses successeurs, est *extensionniste* (elle cherche les objets auxquels le terme peut être appliqué).

C'est ici qu'intervient la fameuse théorie des ensembles introduite en mathématiques par Georg Cantor. Un ensemble est un objet logique défini par les éléments qu'il contient et les relations qu'il englobe ou entretient. Si la beauté a un sens, on doit pouvoir déterminer l'ensemble des objets auxquels cette qualité peut s'appliquer (la philosophie analytique donne donc raison à Hippias contre Platon). L'essence est indéterminée, vague, elle dépend de l'humeur de chacun. S'il en va de même avec le domaine d'application, alors on prendra pour guide l'usage courant (on se demandera, par exemple, ce qui dans la langue commune peut être qualifié de « beau » et est effectivement qualifié ainsi).

Ainsi les problèmes philosophiques peuvent-ils être résumés à des questions de logique. Tels sont du moins l'espoir et l'ambition de Russell et de ses successeurs. Un problème qui échapperait à ce test de réduction logique pourra être déclaré dépourvu de sens. Entrent dans cette catégorie les problèmes métaphysiques comme : l'âme est-elle créée par Dieu ou par les géniteurs de l'enfant ?

Une difficulté à propos de la théorie des ensembles

La théorie des ensembles serait par conséquent susceptible de constituer un cadre logique afin de résoudre les problèmes de fondement et de vérité qui sont, depuis toujours, ceux de la philosophie.

Or, cette théorie des ensembles, qui était aussi considérée comme capable d'unifier les mathématiques, présente elle-même des difficultés et donc des faiblesses logiques. Ce fut une importante découverte de Russell de montrer que cette théorie ne saurait être complète – c'est-à-dire englober sous ses règles l'ensemble des objets possibles. La théorie des ensembles bute en effet sur le paradoxe de l'autoréférence, dont le Menteur constitue l'expression classique fameuse.

Il existe des énoncés et des situations qui laissent la raison interloquée et mettent à mal la valeur de vérité. On les appelle indécidables. L'énoncé indécidable le plus simple est « je mens ». Car si je mens en disant « je mens », je dis la vérité. Mais si je dis la vérité, alors je mens puisque j'ai dit « je mens ». Conclusion : je dis la vérité dans la mesure où je dis « je mens », et je mens dans la mesure où je dis la vérité.

D'où vient cette aporie ? De la confusion des deux plans de l'*énoncé* (ce qui est dit) et de l'*énonciation* (l'action de dire). Dire « je mens », ce n'est pas nécessairement mentir (un menteur ne ment pas toujours) : je peux donc ne pas mentir en disant « je mens ». Cela dit, je ne dispose d'aucun critère pour savoir si, en ce moment même, celui qui parle ment ou pas.

Le plus grand des ensembles n'existe pas !

Bertrand Russell raisonne ainsi : si la théorie des ensembles est complète et cohérente, il devrait pouvoir y avoir un ensemble de tous les ensembles. Demandons-nous si cet ensemble se contient lui-même ou pas. On peut, en effet, distinguer les ensembles qui se contiennent eux-mêmes (comme un livre qui mentionne son propre titre dans sa table des matières) et les ensembles qui ne se contiennent pas eux-mêmes. L'ensemble de tous les ensembles devrait contenir l'ensemble de tous les ensembles qui ne se contiennent pas eux-mêmes. Seulement, et c'est là que s'est faufilé un gros lézard, il devient impossible pour cet ensemble et de se contenir lui-même et de ne pas se contenir lui-même. Si, en effet, l'ensemble de tous les ensembles qui ne se contiennent pas eux-mêmes se contient lui-même, alors il ne devrait pas se contenir lui-même. Mais, s'il ne se contient pas lui-même, alors il devrait se contenir lui-même puisqu'il contient les ensembles qui ne se contiennent pas eux-mêmes. (Voir aussi le paradoxe du barbier dans le chapitre « Les dix paradoxes », p. 508).

Comment Russell se tire-t-il de ce guêpier logique ? En établissant qu'il n'y a pas, qu'il ne saurait y avoir un ensemble de tous les ensembles, que ce monstre logique n'est pas viable. Il construit par ailleurs une théorie des types destinée à classer et à hiérarchiser les classes, de manière à éviter les paradoxes de l'autoréférence. Le résultat en est qu'un énoncé ne peut se prendre lui-même pour objet car alors nous aurions affaire à deux « types » différents. On ne confondra donc pas le discours avec le discours sur le discours ni le discours sur le discours avec le discours sur le discours sur le discours.

Ne pas tirer de plan sur la comète !

L'empirisme a toujours été d'une méfiance extrême à l'endroit de l'induction, ce raisonnement qui prétend tirer une loi générale à partir d'un nombre forcément limité de cas particuliers. Il est clair que l'induction ne va pas sans risque. C'est un pari, en effet, que la raison fait lorsqu'elle énonce une loi à validité universelle, un pari sur la cohérence et l'homogénéité du réel. Car il est toujours possible que dans l'univers, telle donnée qu'on ignorait, tel paramètre auquel on n'avait pas pensé vienne brouiller les cartes. Or, il suffit d'un seul contre-exemple pour jeter à bas un énoncé universel : nous l'avons vu avec les milliards de merles noirs qu'un seul petit merle blanc suffirait à éliminer.

Pour montrer les limites et les risques de ce mode de raisonnement, Bertrand Russell a parlé de l'induction que pourrait faire à juste titre le poulet qui découvre une relation constante entre la main de la fermière et le beau grain doré – jusqu'au jour où la main nourricière lui tord le cou !

Exemple assassin de raisonnement par récurrence

On dira l'histoire cruelle, mais pas inutilement, parce qu'elle illustre à merveille le raisonnement par récurrence. À Bagdad un sultan, ayant découvert la félonie de l'une de ses maîtresses, décide d'éliminer de sa ville toutes les femmes infidèles. Ordre est donc donné aux maris trompés de tuer leurs épouses en cas de culpabilité. Chaque homme connaît la fidélité ou l'infidélité de toutes les femmes de Bagdad, excepté la situation de sa propre épouse (on suppose, pour la beauté du raisonnement, que tous les hommes de Bagdad sont monogames), lui seul a pourtant le droit de tuer son épouse en cas de d'infidélité. Par ailleurs, un héraut annonce chaque soir s'il y a encore, ou non, des femmes infidèles à Bagdad : ce héraut est, de tous les hommes de la ville, le seul à connaître la fidélité ou l'infidélité de toutes les femmes et l'on suppose qu'il n'est pas marié.

Le héraut annonce 82 soirs de suite : « Il y a encore des femmes infidèles à Bagdad ! » Mais, le 83e soir, il peut proclamer : « Il n'y a plus de femmes infidèles à Bagdad ! » La question est de savoir combien il y avait de femmes infidèles à Bagdad et ce qui s'est passé.

Pour résoudre ce problème, il convient d'utiliser le raisonnement par récurrence. Et donc de commencer par l'hypothèse la plus simple. Imaginons qu'il n'y ait qu'une seule femme infidèle à Bagdad. Tous les hommes de la ville la connaissent, excepté le mari trompé. En entendant dire le premier soir qu'il y a une femme infidèle à Bagdad, cet homme en déduit que c'est la sienne, et il la tue. Ainsi le deuxième soir le héraut pourra-t-il dire qu'il n'y a plus de femmes infidèles à Bagdad.

Imaginons à présent qu'il y ait deux femmes infidèles à Bagdad. Les hommes de la ville connaissent deux femmes infidèles, excepté chacun des deux maris trompés, qui n'en connaît qu'une, celle de l'autre. Le premier soir, le héraut dit : « Il y a des femmes infidèles à Bagdad ! » Chacun des deux maris pense alors : en entendant cela, le mari trompé, qui ne doit connaître aucune femme infidèle, en conclura que sa femme l'est et il la tuera. Donc, rien ne se passe le premier soir. Mais lorsque le second soir, le héraut dit : « Il y a encore des femmes infidèles à Bagdad ! », alors, chacun des deux maris trompés se dit : puisque le mari de la femme infidèle que je connais n'a pas tué celle-ci, c'est qu'il en connaît une autre qui ne peut être que la mienne, puisque moi je n'en connais pas d'autre. Aussi, le second soir, les deux maris trompés tuent leurs épouses en même temps et le héraut pourra annoncer le troisième soir qu'il n'y a plus de femmes infidèles à Bagdad.

Le même raisonnement peut être poursuivi autant de fois que l'on voudra. Si le héraut a annoncé le 83e soir qu'il n'y a plus de femmes infidèles à Bagdad, cela signifie que la veille 82 maris ont tué en même temps leur malheureuse épouse et ce en fonction d'un raisonnement impeccablement logique.

Un travail insensé sur le sens

Le logicien philosophe G. Frege fut le premier moderne à mettre de l'ordre dans la question du sens, passablement embrouillée. Les usages de ce terme dans la langue commune aboutissent à des incohérences. Frege appelle *sens* la façon dont nous désignons un référent, c'est-à-dire un objet extérieur. Deux expressions peuvent avoir le même référent et deux sens différents : tel est le cas de « l'étoile du matin » et de « l'étoile du soir » qui toutes deux renvoient à un même objet, la planète Vénus.

Est absurde ce qui, en vertu d'une incohérence interne ou d'une inadéquation entre l'énoncé et son référent, contrevient aux règles élémentaires de la logique et de la grammaire. « Demain j'étais mort », « le cadavre exquis boira le vin nouveau », « la stérilité est une maladie héréditaire », « le premier qui dort réveille l'autre » sont des énoncés absurdes (à condition de supposer, pour la dernière phrase, que celui qui dort ne ronfle pas). Bertrand Russell donne comme exemple d'énoncé absurde : « le roi de France est chauve ». Cet énoncé, en effet, n'est pas vrai ; mais il n'est pas faux non plus (cela signifierait que le roi de France a plein de cheveux). Il n'a seulement pas de sens dans le réel tel qu'il se présente puisqu'il n'a pas de référent (il n'y a pas de roi de France actuellement) ; il est absurde en effet d'affirmer un prédicat d'un sujet qui n'existe pas.

Cela a poussé les logiciens de l'école dite empirisme logique à considérer que les propositions métaphysiques sont dépourvues de sens : « Dieu a créé l'homme libre » est un jugement qui, pour les tenants de cette école, n'a pas de sens. Mais que signifie « n'avoir pas de sens » ? Lorsque nous lisons *Alice au pays des merveilles* écrit par un écrivain féru de logique, Lewis Carroll, nous en comprenons toutes les phrases : preuve qu'il y a déjà une cohérence grammaticale. Les situations et les scènes de ce conte sont impossibles, comme sont impossibles les bonds prodigieux que ne cessent de faire ou de subir les héros de dessins animés : mais alors, c'est cet impossible même qui devient le sens principal de ce non-sens. « Le roi de France est chauve » n'a pas de référent ; mais cette phrase a une signification, alors que « peignoir peste Louis XIV descendu petit » n'en a pas.

Wittgenstein ou la fin d'un ton grand seigneur

L'expression « ton grand seigneur en philosophie » vient de Kant et visait ceux qui, sous couvert de philosophie, adoptent une posture de prophète. Mais ne fut-ce pas la posture de tous les philosophes, Kant inclus, puisque la prétention exorbitante qui anime la philosophie depuis ses origines jusqu'à aujourd'hui, c'est de dire enfin la vérité de tout ? Wittgenstein a cette particularité, entre autres : il est le premier philosophe à penser sans référence philosophique. Tout se passe comme si, avec lui, il n'y avait pas d'histoire de la philosophie.

Mais ce philosophe sans l'histoire ne fut pas pour autant un homme sans histoires. Après avoir été dans la même classe primaire qu'un certain Adolf Hitler, et avant d'enseigner à l'université, Ludwig Wittgenstein, issu d'une très riche famille autrichienne, a été tour à tour dans le désordre ermite en Norvège, mécène d'artistes sans le sou, combattant volontaire de l'armée austro-hongroise durant la Première Guerre mondiale, prisonnier de guerre en Italie, jardinier dans un couvent, maître d'école dans des villages de Basse-Autriche, architecte, étudiant (à l'âge de 40 ans), serveur dans une cantine, portier, brancardier dans un hôpital londonien, technicien dans un laboratoire d'analyses médicales.

Névrosé obsessionnel grave, il vivait dans un nuage d'insecticide et lavait les sols à la feuille de thé. Grand, osseux, il avait une démarche tellement dégingandée que dans la campagne il affolait les troupeaux. Homosexuel malheureux, il était hostile au vote des femmes sous prétexte qu'elles étaient toutes idiotes et pensait souvent au suicide. Il disait qu'on ne peut être professeur d'université et en même temps sérieux ou honnête. Il se vantait de ne pas avoir lu les œuvres des autres philosophes. Il se fâcha avec pratiquement tout le monde.

Éclaircir plutôt qu'élucider

La philosophie n'est pas plus une science que le strip-tease n'est un art. Elle dévoile les choses, elle n'en donne pas la vérité. Le but de la philosophie, selon Wittgenstein, est la clarification logique de la pensée. La philosophie n'est pas une doctrine mais une activité. Le résultat de la philosophie ne consiste pas dans un ensemble de propositions mais dans le fait que des propositions sont rendues claires.

La juste méthode de la philosophie : ne rien dire sinon ce qui peut se dire. La plupart des propositions et des questions qui ont été écrites sur des matières philosophiques ne sont pas fausses mais dépourvues de sens. Il est impossible de répondre aux questions de ce genre ; tout ce que nous pouvons faire, c'est d'établir qu'elles sont dépourvues de sens.

Tout ce qui peut être dit peut être dit clairement; et ce dont on ne peut parler, on doit le taire.

– Wittgenstein

La question du second Wittgenstein

C'est une question récurrente en histoire de la philosophie : faut-il privilégier l'unité, la cohérence systématique d'une pensée ou bien, à l'inverse, mettre l'accent sur les inflexions, voire les points de rupture et les palinodies ? Lorsque Heidegger parle de tournant (*Kehre*) à propos de sa pensée après *Être et Temps*, faut-il le croire sur parole ? Le Kant précritique n'a-t-il réellement rien à voir avec le Kant de la maturité ?

Wittgenstein n'a publié qu'un seul livre durant toute sa vie ; le *Tractatus logico-philosophicus*. Tous les textes écrits ensuite semblent marquer une inflexion. Alors que dans le *Tractatus* Wittgenstein réfléchissait à une idéale correspondance entre les mots et les faits, dans les *Recherches philosophiques* il fait du langage de tous les jours, du langage ordinaire, l'objet principal de sa pensée. Une bonne partie des énoncés de la langue courante ne consistent pas en dénomination d'objets (exemples : « Va-t'en ! », « Aïe ! », « Au secours ! », « Du poivre ! », « Excellent ! »). Les critères logiques formels sont inopérants lorsqu'il s'agit d'évaluer des énoncés qui répondent bien plutôt à des besoins, à des exigences interprétables à la lumière de critères pratiques qui ne sont ni univoques ni universels. Ce qui est en jeu ici n'est plus le primat de la structure ou de la substance logique du langage mais l'usage d'un monde dans le langage, qui donne sa signification.

On peut se demander, au demeurant, si ce tournant n'est pas, psychologiquement, un retour au point de départ. Wittgenstein a lui-même confié que dans sa famille les actes importaient peu : vous auriez pu tuer quelqu'un, disait-il, seule comptait la manière d'en parler ou le fait d'en parler ou pas. N'est-ce pas le message implicite de cette philosophie ?

La prison du langage

Le langage représente ce que Karl Jaspers appelait un englobant : ce qui rend impossible toute position en extériorité. Il n'est pas possible d'être *contre* le langage, car celui qui fait un long discours contre les longs discours fait un long discours. Le silence lui-même est un piège à mots ! Le langage dessine le contour de notre monde comme si nous étions pris dans une prison linguistique, y compris dans l'expression de nos sentiments les plus intérieurs, situation dont il nous faut pourtant essayer de nous extraire afin d'atteindre ce que Wittgenstein appelait la mystique et qui correspondait pour lui aussi bien à l'éthique qu'à l'esthétique.

Implications de cette pensée du langage

Un empirisme logique

Dans les années 1920-1930 se réunirent à Vienne (cercle de Vienne) et à Berlin (cercle de Berlin) des logiciens, philosophes, mathématiciens, physiciens qui partagèrent les mêmes idées de base dérivées des travaux de Bertrand Russell et de Wittgenstein. On appelle néopositivisme, positivisme logique ou encore empirisme logique ce courant caractérisé par le refus radical de la métaphysique (rejetée comme dénuée de sens) et par la volonté de refonder le système des sciences sur les deux seules bases qui avaient été reconnues par Hume et Condillac : la cohérence logique et l'observation empirique – d'où la désignation d'empirisme logique donnée à cette école de pensée dont Rudolf Carnap fut le principal et le plus célèbre représentant.

La connaissance n'est plus considérée comme une peinture de la réalité mais comme une composition (le grand ouvrage de Carnap s'intitule *La Construction logique du monde*). D'où l'attention portée à la logique et à la syntaxe puisque, évidemment, il ne saurait y avoir de construction rigoureuse sans règles.

Quand dire, c'est faire

La philosophie analytique est une nébuleuse plus qu'une école ou un courant de pensée. C'est l'attention portée à la question du langage qui constitue son centre commun. Mais, à partir de lui, on repère, évidemment, une diversité et une dispersion extrêmes.

Parmi les travaux des philosophes de cette nébuleuse, ceux de J.-L. Austin et en particulier les conférences réunies sous le titre *Quand dire, c'est faire* (la traduction littérale du titre anglais est plus explicite encore : *Comment faire des choses avec des mots*) ont eu un impact considérable. Ce sont eux qui ont introduit la célèbre distinction entre les énoncés constatifs et les énoncés performatifs.

Lorsque je dis « il fait beau », « le chat a attrapé une tourterelle », « Lula est le président du Brésil », je me contente de constater ce qui existe dans le monde. Ces énoncés sont dits constatifs. Lorsque je dis « je te prête ma voiture », « je te donne 50 euros », « viens ici ! », « va au diable ! », je ne me contente pas de dire ce qui est, j'agis d'une certaine manière (par des mots seulement) et réellement je change quelque chose à la configuration du monde. Prêter, donner, commander, insulter, c'est faire quelque chose avec des mots. Inversement, il n'est pas possible d'accomplir sans mots ces actions (je ne peux ni prêter, ni donner, ni commander, ni insulter sans le moyen du langage). Austin appelle performatifs les énoncés qui sont des modes d'action sur le réel.

Un énoncé performatif : le négationnisme

« Les nazis n'ont gazé que des poux à Auschwitz » a l'apparence d'un constat. Certes, ce constat est faux, et même bien davantage que faux : aberrant. Mais en tout cas, il paraît difficile, pour reprendre la distinction d'Austin, d'appeler performatif un énoncé de ce genre.

Et pourtant ! La politique d'extermination des juifs par les nazis devait rester secrète pour d'évidentes raisons : le secret garantissait le succès de l'entreprise. Mais il y avait davantage que cela : dans la conception totalitaire du monde qui était celle des nazis, les juifs *n'auraient jamais dû exister*. Les éliminer, c'était donc constituer le réel tel qu'il aurait dû être depuis toujours. L'effacement des traces, le crime une fois accompli, n'obéissait pas seulement à l'intérêt pratique de l'assassin : il correspondait à son *fantasme d'inexistence* des juifs. Cette inexistence annule du même coup le crime : il ne s'est rien passé à Auschwitz (Hitler prévoyait de transformer l'emplacement en jardin d'enfants).

Un négationniste aujourd'hui qui dit : les juifs n'ont pas été gazés à Auschwitz est donc, de fait, le *complice* du crime puisque son déni en fait intrinsèquement partie. Dès lors, le négationnisme n'est pas « seulement » une opinion (sous-entendu : comme une autre), il est une véritable *action*. C'est pourquoi il est juste qu'il tombe sous les coups de la loi.

Chapitre 28

Les avatars de la justice

Dans ce chapitre :

- Des penseurs qui n'ont pas renoncé à l'idée de justice
- Hannah Arendt, l'une des grandes figures philosophiques du siècle
- Tous ensemble ou chacun pour soi ?

Les derniers feux du marxisme

Le marxisme au XXe siècle n'a pas seulement été l'histoire d'une épouvantable catastrophe, même si l'on ne peut (et l'on ne doit) l'oublier. Comment le rêve a-t-il pu tourner au cauchemar ? Cette question est aussi de nature philosophique, et pas seulement historique. Doit-on considérer que les philosophes qui ont pensé dans le cadre théorique du marxisme se sont fourvoyés sous prétexte qu'ils ont été aveugles aux horreurs qu'ils légitimaient ? Plus radicalement encore, doit-on considérer que l'Histoire a jugé une fois pour toutes et que la lutte des classes, la dialectique et le communisme n'ont rigoureusement aucun intérêt philosophique ? Ce serait négliger l'ampleur de ces esprits, hélas oubliés, que sont György Lukács, Ernst Bloch, Antonio Gramsci et Louis Althusser, pour ne citer que ces quatre noms.

Le Hongrois György Lukács a été hégélien avant d'être marxiste. Ses travaux d'esthétique figurent parmi les meilleurs du siècle. L'Allemand Ernst Bloch, dans son *Principe espérance*, a tenté de réconcilier la pensée marxiste avec l'esprit d'utopie, élargissant le matérialisme vers l'horizon du possible. L'Italien Antonio Gramsci, le seul grand intellectuel marxiste à avoir eu de grandes responsabilités politiques en Europe occidentale, a accordé à la culture – ravalée au rang de simple superstructure par la vulgate en cours – une fonction historique et sociale décisive.

Le Français Louis Althusser, enfin, a tenté de redonner toute sa vigueur intellectuelle à une doctrine édulcorée et neutralisée d'un côté par la dogmatique sclérosée du stalinisme et, de l'autre, par l'humanisme « bourgeois ». Sa relecture de Marx – qui a souvent été mise en parallèle avec la relecture de Freud par Lacan – a abouti à séparer nettement une période de jeunesse marquée par Hegel (les *Manuscrits de 1844*) et une période de maturité où Marx aurait rompu avec cet humanisme contre lequel le structuralisme sera lancé comme machine de guerre.

De tous les philosophes marxistes contemporains, Althusser est le plus pathétique. Sans tomber dans les rapprochements arbitraires, on pourrait néanmoins se demander s'il n'y a pas un lien entre les graves crises psychiques que le philosophe a connues toute sa vie – et qui ont culminé avec l'assassinat par étranglement de sa femme adorée – et la colossale dépression dans laquelle le marxisme historique a fini par être englouti.

L'école de Francfort, branche dérivée du tronc marxiste

À Francfort, un petit groupe de penseurs radicaux, regroupés autour de Theodor Adorno et de Max Horkheimer, entreprit de constituer une théorie critique de l'Histoire et de la société à partir des données fournies par les sciences sociales et la psychologie. Même après la fermeture de l'école à l'arrivée des nazis au pouvoir, le groupe, réfugié aux États-Unis, continua de s'appeler école de Francfort.

Le vrai est le tout, avait dit Hegel. Le tout est le non-vrai, répond en écho Adorno. La dialectique hégélienne est contestée en tant que machine à tout justifier. Les horreurs du nazisme et de la Seconde Guerre mondiale confortèrent Adorno dans son radical pessimisme : l'Histoire n'est certainement pas cette révélation du bien et du juste que la raison nous promettait depuis deux siècles. On croyait aux lendemains qui chantent, Adorno déchante.

Ce qu'il appelle *dialectique négative* est destiné à faire pièce (au sens de mettre en pièces aussi) à un réel qui n'a certes pas le besoin d'être justifié. L'écriture fragmentaire, aphoristique, a pour fonction de déjouer la totalité mystificatrice. La critique qu'Adorno opère est radicale en ce sens qu'elle remonte à la racine des malheurs du temps, qui n'est autre, selon lui, que la raison des Lumières. En imposant son ordre comme nécessaire, à la fois inéluctable et excellent, la raison n'aurait fait que préparer le militarisme et le despotisme modernes, c'est-à-dire, via la science et la technique, la mise en esclavage et la mise à mort de l'humanité.

À titre d'exemple, la poésie est-elle encore possible après Auschwitz ? Adorno soutenait que non. Or il y a encore eu des poètes. Mais qu'est-ce que signifie la poésie aujourd'hui ? Il n'y a plus guère que les rappeurs de banlieue pour continuer à croire à la vertu des rimes plates.

La raison est-elle coupable du pire ?

La mise à la raison est une mise au pas, la raison serait du côté du pouvoir et de la violence. Violence sur les choses de la nature, violence dans le monde des hommes. Tout un courant de pensée contemporain a accusé la raison des pires méfaits.

Pour la défense de la raison dont le sommeil, on le sait, engendre des monstres, sans doute convient-il de rappeler l'importante distinction établie par le sociologue Max Weber entre la rationalité des moyens (le rationnel de la technique, par exemple) et la rationalité des fins (le raisonnable de la morale humaine, par exemple). L'un des drames de notre temps tient à l'écart, jusqu'à la contradiction, entre ces deux rationalités : il est arrivé que les projets les plus délirants (les grands travaux du stalinisme, la solution finale des nazis) soient réalisés à l'aide de moyens rationnels. Mais leur usage ne suffirait pas à saper les bases de la rationalité en général.

Il y a rationalité et rationalité

N'allons pas confondre la rationalité avec la systématicité. Une ville systématiquement rasée par les bombes n'est pas une ville rationnellement déconstruite. Héliogabale, l'empereur romain fou, qui finit tué dans les égouts, avait invité à l'un de ses banquets huit bossus, huit boiteux, huit chauves, huit goutteux, huit sourds, huit Noirs, huit Blancs, lui maigres et huit gros. Il serait difficile d'y reconnaître le triomphe de l'esprit logique. En un sens, il n'y a rien de plus rigoureusement cohérent que le délire d'un paranoïaque ; cela n'empêche pas qu'il soit le comble de l'irrationalité. Le plan des camps d'extermination nazis était d'une parfaite rigueur géométrique. Tout ce qui est rationnel n'est pas nécessairement raisonnable.

Marcuse, le philosophe des campus de 1968

Herbert Marcuse bénéficie et souffre (tout dépend évidemment du camp dans lequel on se situe) de la réputation d'avoir été, de Berkeley à Nanterre, l'inspirateur des mouvements étudiants de 1968. C'est sans doute très exagéré, car peu d'étudiants de l'époque avaient lu *Éros et Civilisation* ou *L'Homme unidimensionnel*. Il ne reste pas moins vrai que Marcuse fut l'un des tout premiers penseurs à percevoir ce que pouvait contenir d'aliénation profonde ce régime de liberté que la démocratie occidentale, triomphatrice dans son combat contre le totalitarisme, se targuait d'être.

Installé aux États-Unis après avoir fui l'Allemagne de Hitler, Marcuse analysa avec toute sa force critique ce qu'il appelait la *désublimation répressive* et qui peut être compris comme un autre nom pour le nihilisme annoncé et redouté par Nietzsche : lorsqu'on ne désire plus croire à rien d'autre que son propre bonheur (la société de consommation), ce n'est même plus qu'on est mûr pour l'esclavage, on est déjà esclave.

Habermas, le flambeau de l'universel

Le principal représentant de la seconde école de Francfort, né une génération après les membres de la première, Jürgen Habermas, fait partie de ces philosophes qui se refusent à croire que l'Histoire est terminée ou a dit son dernier mot dès lors que la pire des catastrophes est arrivée. À une époque tentée de cultiver le relativisme sur les débris de tous les idéaux, Habermas fut l'un des rares à continuer de penser dans la lignée de l'universalisme ouverte par Kant. Sa *Théorie de l'agir communicationnel*, largement nourrie de références puisées dans les travaux effectués par les différentes sciences sociales, établit une typologie des actions pour mieux dégager la spécificité de cette action communicationnelle sans laquelle il ne saurait y avoir de monde commun ni au sein d'une société ni, *a fortiori*, à échelle du monde.

Alors que l'action communicationnelle se caractérise par l'égalité des interlocuteurs et l'exigence de vérité des discours qu'elle engage, l'action stratégique (la propagande en est un exemple) et l'action symbolique (comme un spectacle de théâtre), qui sont deux autres types d'action collective, présupposent une foncière inégalité entre les parties et une certaine indifférence, lorsque ce n'est pas, dans les cas extrêmes, comme avec la publicité, un franc mépris à l'égard de la vérité.

Notons, pour finir, un scrupule rare en philosophie : après les attentats du 11 septembre 2001 qui ont peut-être inauguré un temps de terrorisme nihiliste global (le seul sens de ce type d'action étant de viser la destruction complète du monde), Habermas a déclaré qu'il se demandait si toute sa théorie n'était pas en train de sombrer dans le ridicule. Que peut, en effet, signifier une théorie de la communication élargie aux dimensions de l'humanité entière si une fraction, même ultraminoritaire de celle-ci, hait cette communication au point de rêver à une destruction physique de tout ?

Hannah Arendt pense le totalitarisme

L'histoire des idées n'a pas bonne presse en philosophie : elle y est volontiers considérée comme un travail d'essayiste au mieux, de journaliste au pire. Les travaux d'Hannah Arendt montrent que la compréhension philosophique des questions ne saurait aller sans une certaine épaisseur historique.

Les deux courants dominants du XXe siècle en philosophie ont, en effet, plutôt cultivé l'amnésie historique : que l'on se porte aux choses mêmes (la phénoménologie) ou aux manières de dire (la philosophie analytique), point n'est besoin de remonter au temps passé : on peut philosopher sans avoir lu un seul livre de Hegel (ce fut sans doute le cas de Husserl et de Wittgenstein).

Paradoxalement, le seul philosophe à avoir à notre époque porté dans son esprit la quasi-totalité de l'histoire de la philosophie fut Heidegger, le philosophe de l'être.

Spinoza croyait qu'en matière politique tous les régimes possibles avaient été déjà réalisés, si bien que la tripartition grecque en monarchie/aristocratie/démocratie avait quelque chose d'indépassable. Hannah Arendt fut l'une des premières à comprendre qu'avec le totalitarisme quelque chose d'entièrement inédit avait fait irruption dans l'Histoire.

La théorie politique disposait de plusieurs termes pour désigner ce que, depuis Platon, on interprétait comme une corruption du régime monarchique : on parlait tantôt de tyrannie, tantôt de dictature, tantôt de despotisme. On avait aussi forgé le mot d'absolutisme pour désigner un certain type de monarchie en vigueur en Europe aux XVIIe et XVIIIe siècles. Hannah Arendt comprend que, avec le nazisme et le communisme stalinien, nous avons affaire non pas à de simples dictatures qui n'auraient avec les anciennes que des différences de degré mais véritablement à des régimes d'un type inédit dont il s'agit de déterminer les caractères.

S'inspirant de Montesquieu qui avait défini chacun des régimes par un principe spécifique (l'honneur pour la monarchie, la crainte pour le despotisme, la vertu pour la république), Hannah Arendt voit dans la terreur et plus précisément la terreur continuée le principe sur lequel repose le régime totalitaire.

Certes, la terreur n'est pas quelque chose de nouveau dans l'Histoire : l'homme n'a évidemment pas attendu le XXe siècle pour agir de manière cruelle. Le terme de terreur a d'ailleurs pris un sens politique en 1793 en France lorsqu'il fut revendiqué par les révolutionnaires qui entendaient par ce moyen défendre « la patrie en danger ». Seulement, il y a une différence de taille : pour Saint-Just et Robespierre, le régime de Terreur était conçu comme provisoire, un état d'exception. Avec le totalitarisme, la terreur devient l'exercice normal du pouvoir. Loin de constituer une exacerbation triomphale du politique, le totalitarisme représente sa plus radicale destruction.

La controverse sur la totalitarisme

Le concept de totalitarisme a été l'objet de multiples critiques, d'abord de la part des communistes qui n'acceptaient pas que l'on pût ranger dans une même catégorie un régime socialisé de production (soviétique) et un régime capitaliste (nazi), un pouvoir fondé sur un idéal d'égalité et un autre reposant sur la violence raciale.

Pour ceux qui, comme Hannah Arendt, pensent qu'il existe une effectivité objective du concept de totalitarisme, les points communs l'emportent sur les différences entre l'Allemagne de Hitler et l'Union soviétique de Staline (terreur permanente, régime de parti unique, culte démentiel du chef, destruction de l'existence privée, etc.).

Du côté libéral, le triomphe de l'utilitarisme

En un sens, il n'est pas excessif de soutenir que la philosophie dominante de notre monde est l'utilitarisme. L'utilitarisme n'a pas bonne presse chez ceux qui croient que l'idéal doit nécessairement se trouver du côté de la gratuité, en quelque sens que l'on entende le terme.

Les grandes idées de Bentham

À l'opposé des morales du principe, de filiation platonicienne et religieuse (le bien défini de manière absolue, en soi, ou par un dieu suprême), l'utilitarisme est une morale conséquentialiste, c'est-à-dire qu'elle définit le bien comme le bon et le bon comme ce qui donne à l'individu un maximum d'avantages. Le principe d'utilité permet de juger toute action en fonction de l'augmentation ou de la diminution de plaisir qu'elle procure.

L'utilitarisme dérive de l'empirisme. Selon lui, l'homme est naturellement gouverné par le plaisir qu'il cherche à atteindre et par la douleur qu'il cherche à fuir. Le plaisir et la douleur sont les deux indicateurs infaillibles de nos actions présentes et futures. Ainsi la morale, telle que la conçoit Bentham, est-elle identifiée à une arithmétique des plaisirs et des peines (l'expression est de lui) : une vie heureuse est celle qui contient le maximum de plaisirs et le minimum de peines.

Cette arithmétique, qui place implicitement chaque individu dans la position d'un banquier de sa propre existence (il convient de faire le plus de bénéfices et d'éviter les déficits) a une application et une extension politiques, par où l'utilitarisme rejoint le libéralisme : la société la meilleure est la plus heureuse et la plus heureuse est celle dont le plus grand nombre de citoyens est heureux et le plus petit nombre malheureux (Aristote avait déjà dit quelque chose d'approchant). L'utilitarisme, comme le libéralisme, se méfie des grands idéaux qu'il juge abstraits et inapplicables sans contrainte : ainsi, dès le départ, a-t-il été d'une grande sévérité à l'encontre d'aventures comme la Révolution française.

Jeremy Bentham (1748-1832), fondateur de l'utilitarisme, a introduit dans la langue commune anglaise un grand nombre de néologismes qui ont fini par devenir dans d'autres langues que l'anglais des mots d'usage courant : notons seulement « déontologie » ou encore plus connu, « international ».

John Stuart Mill, un démocrate exemplaire

Esprit encyclopédique marqué par le positivisme et l'utilitarisme de Bentham et de son père, James Mill, lui aussi philosophe, John Stuart Mill fut le second grand nom de cette philosophie. Il eut en particulier l'insigne honneur (on ne se bousculait pas trop du côté des penseurs) d'avoir été le premier philosophe à avoir réclamé l'extension du droit de vote aux femmes ! Loin de justifier l'égoïsme, l'utilitarisme de Mill légitimait l'idéal de justice sociale, le bien-être de chaque individu dépendant pour une bonne part de celui des autres.

Pour ceux qui s'inquiétaient de ce que l'utilitarisme pouvait ravaler l'homme au rang de la bête, John Stuart Mill précisait qu'il vaut mieux être un homme mécontent qu'un pourceau satisfait, être Socrate malheureux plutôt qu'un imbécile content et que si l'imbécile et le pourceau sont d'un autre avis, c'est qu'ils ne connaissent qu'un seul côté de la question.

John Rawls fonde une nouvelle théorie de la justice

La théorie de la justice comme équité de John Rawls vient en grande partie d'une réfutation de l'utilitarisme dominant dans la société et la pensée américaines. Rawls reproche à l'utilitarisme de justifier le sacrifice de la minorité au nom de l'intérêt du plus grand nombre. Ce qui est acceptable pour l'individu ne peut être transposé à l'échelle de la société tout entière : chacun de nous, par exemple, accepte spontanément de sacrifier un avantage immédiat pour un avantage à venir jugé plus grand (il est rationnel de se priver de cinéma pour réviser ses examens). En revanche, il n'est pas admissible, aux yeux de Rawls, que l'intérêt de quelques-uns, sous le prétexte qu'ils ne forment qu'une minorité, soit sacrifié au nom de l'intérêt général.

La théorie de la justice comme équité tente de tracer une voie moyenne entre le libéralisme qui livre la société aux seules régulations du marché (l'État étant réduit à des fonctions de police) et l'interventionnisme de type keynésien, celui qui, dans le sillage de la crise des années 1930, fonda le *Welfare State* (État providence). D'un côté, le collectif est sacrifié à l'individu ; de l'autre, l'individu est sacrifié au collectif. L'équité telle que la conçoit Rawls doit pouvoir concilier la liberté individuelle et la justice sociale. Elle n'est pas égalitariste au sens communiste du terme (l'inégalité n'est pas considérée par Rawls comme mauvaise en soi), le système le plus juste est celui qui, tout en préservant la liberté de chacun, accorde aux plus démunis la situation la meilleure.

La fiction du voile d'ignorance

La pensée de Rawls s'inscrit dans la tradition des philosophies du contrat social : l'ordre politique n'est pas une donnée de nature, spontanée, il est le résultat d'une volonté collective, même si celle-ci n'a pas été explicitement formulée.

Le voile d'ignorance est une expérience de pensée imaginée par Rawls et qui tient lieu d'état de nature dans sa théorie contractualiste. Sous ce voile d'ignorance, il faut se représenter les hommes comme ne sachant rien de leur situation sociale (ils ne savent pas en particulier à quelle couche sociale ils appartiennent). Dans cette situation, ils choisiraient nécessairement, selon Rawls, des principes de justice qui garantiraient à tous la liberté ainsi que le sort le plus favorable aux plus démunis.

Critiques de la théorie de la justice comme équité

La *Théorie de la justice* est devenue en vingt ans l'ouvrage de philosophie le plus lu et celui sur lequel le plus grand nombre d'articles a été écrit pour le XXe siècle.

Dès sa parution, il a subi les attaques conjuguées et divergentes des libéraux qui estimaient que Rawls légitimait le pouvoir de l'État contre la liberté de l'individu et des communautariens qui lui reprochaient son caractère abstrait.

Pour les libéraux, la justice ne peut naître que du libre jeu des intérêts privés : toute intervention extérieure ne peut manquer d'être tyrannique. Les libéraux jouent la règle contre la loi, aussi accordent-il au contrat bilatéral la toute première place, tant dans les affaires privées que dans les relations internationales.

Pour les communautariens, un homme qui n'est défini ni par le sexe, ni par l'âge, ni par la culture, ni par la religion, ni par l'éducation, ni par le milieu social n'est qu'un fantôme. L'universel n'est lui aussi qu'une idée sans contenu mais ouverte à toutes les dérives despotiques. La justice consiste à garantir à chaque communauté le libre exercice de ses usages et coutumes. Il n'y a pas un idéal du juste qui serait valide pour tous.

Michael Walzer a, comme Rawls, tenté de trouver un moyen terme entre un État qui prétendrait définir le bien pour tous et une multitude d'individus séparés comme des atomes et n'ayant entre eux que des relations contractuelles. Il n'y a pas, selon Walzer, de justice (ou d'égalité) générale mais différentes sphères de justice largement autonomes les unes par rapport aux autres. Les types d'égalité ne sont équivalents ni objectivement ni subjectivement : par exemple, l'égalité des chances, l'égalité des traitements et l'égalité des satisfactions non seulement ne coïncident pas mais chacune des trois joue souvent contre les deux autres. Il ne saurait, par conséquent, y avoir dans la société un seul système distributif.

S'inspirant de Pascal qui définissait la tyrannie comme l'empiétement d'un ordre sur un autre (la chair, l'esprit, le cœur devant rester autonomes),

Michael Walzer pose que la justice ne se définit pas comme la distribution égale de tous les biens mais comme la sauvegarde de l'autonomie, voire de l'individualité respective des différentes sphères les unes par rapport aux autres.

Hans Jonas, le premier philosophe de l'écologie

Dans son premier grand travail philosophique, qu'il consacra à la gnose, Hans Jonas montra l'impact que put avoir pour la suite de l'histoire des idées ce courant de pensée, volontiers ravalé au rang anecdotique d'hérésie éphémère. En fait, analyse Jonas, la civilisation occidentale, par la violence de sa technique, repose sur la dualité irréductible de l'esprit et de la nature, le premier devant soumettre et réduire la seconde. La domination sans partage de l'être humain sur un milieu considéré comme purement matériel, indifférent, inerte, est la conséquence lointaine de cette position désastreuse qui devrait conduire à une catastrophe globale si aucune prise de conscience n'intervient pour y mettre fin. Témoin direct des apocalypses politiques, Hans Jonas laissa son nom à l'analyse d'une autre catastrophe dont le péril n'est pas moindre.

Juif allemand, Jonas quitta son pays à l'arrivée de Hitler au pouvoir. Son engagement antinazi le conduisit à porter l'uniforme et à combattre contre son propre pays. Un exemple à méditer et à suivre pour faire contrepoids à l'imbécile dicton anglo-saxon : « *Right or wrong, my country.* »

Le principe responsabilité

Le grand œuvre de Jonas, *Le Principe responsabilité*, constitue la première tentative philosophique d'envergure (trente ans après, elle reste la seule, c'est dire si les philosophes sont conscients de leur monde…) pour penser la situation actuelle de l'homme marquée par une inédite vulnérabilité. La puissance technique désormais acquise par l'homme met celui-ci en mesure de bouleverser toutes les conditions qui jusqu'à une date récente étaient encore considérées comme éternelles. L'environnement – totalement négligé par la science économique – et l'être humain lui-même peuvent, pour la première fois de l'histoire, être radicalement mis en question par l'action de l'homme même.

C'est Hans Jonas qui a le premier théorisé le principe de précaution : devant une menace globale, qui risquerait d'anéantir le cadre de vie ou la nature présente de l'homme, il est nécessaire de s'abstenir de faire ce qu'il serait techniquement possible de faire.

Le principe de précaution a connu un tel succès médiatique qu'il a été ensuite utilisé à tort et à travers par des politiques désireux de persuader leurs derniers électeurs de l'infinie sollicitude qu'ils ont pour eux. Ainsi a-t-on parlé de principe de précaution à propos de la vache folle ou de la canicule comme si le terme de prudence ne suffisait pas amplement. Rappelons donc que, pour garder tout son sens, le principe de précaution ne doit être invoqué que là où l'existence collective de l'humanité est en jeu.

L'heuristique de la peur

S'inspirant d'une idée de Hobbes, qui, au lieu de chercher les conditions du régime idéal en matière politique, détermina tout d'abord ce qu'un ordre politique devait éliminer en priorité (la réponse du philosophe anglais fut : la peur d'être tué), Jonas dit que c'est au moment du plus grand péril que nous pouvons savoir ce qui est pour nous le plus important. Or, aujourd'hui, le milieu naturel et l'intégrité physique de l'être humain sont menacés : la pollution risque de détruire l'environnement et les biotechnologies risquent de bouleverser l'être humain (Jonas fut le premier philosophe à évoquer le clonage, à l'époque où personne n'en parlait encore). Loin d'être cette émotion aveugle et irrationnelle qui inhibe ou rend fou, la peur peut être, contrairement à ce qu'affirme le dicton, bonne conseillère.

La nécessité d'une nouvelle morale

La morale classique, celle religieuse du christianisme ou celle philosophique de Kant, était une morale du *prochain :* elle concernait ici et maintenant l'action qui engageait autrui avec l'agent. Or, la puissance technique de l'homme moderne fait désormais sentir ses effets très loin dans l'espace (à l'autre bout de la terre ou l'atmosphère entière pour un accident nucléaire, par exemple) et très loin dans le temps (des déchets peuvent rester radioactifs durant des centaines de milliers d'années) et, de plus, elle peut toucher des hommes qui n'existent pas encore et dont on ne peut même pas avoir idée. D'où la nécessité de repenser la responsabilité. Pour la première fois dans l'Histoire, l'homme peut accomplir des actions dont les effets échappent presque totalement à sa connaissance.

Le monde partagé entre universalisme et différentialisme

Le XXe siècle aura assisté à l'effondrement théorique des deux universels sur lesquels la pensée philosophique reposait depuis vingt-cinq siècles : l'universel de la vérité et l'universel du bien. Scepticisme du côté de la théorie, relativisme du côté de la pratique. Les deux guerres mondiales avec ces traumatismes absolus que représentent Auschwitz et Hiroshima – la possibilité d'une destruction physique totale de l'humanité – ont évidemment accentué ces tendances, d'autant que plus d'un penseur a cru voir dans la raison prétendument universelle la responsable de ces drames irréparables.

L'individualisme en mouvement depuis la Renaissance n'a cessé de gagner tous les secteurs de la vie humaine et toutes les sociétés du monde. Identifié à la valeur de liberté, il ne pouvait que cultiver la différence au nom de l'identité et rejeter l'universel au nom du particulier.

La différence aura été l'un des grands mots (maux ?) de ce dernier demi-siècle. Différence irréductible, inexplicable – dans l'oubli de ce que le monde pouvait encore, malgré les drames, avoir de *commun*. Ce n'est pas que le commun ait disparu mais il n'est plus communiste, c'est-à-dire mondial, il est communautariste. « Entre nous » remplace « nous tous ».

Dans *Le Différend*, Jean-François Lyotard montre qu'entre les parties au tribunal il ne saurait y avoir de langage commun. Les traducteurs, de plus en plus idéologues et de moins en moins écrivains, *creusent les différences* (une expression qu'ils chérissent) pour finir par avouer qu'un texte en fait ne saurait être traduit. Avant eux, seuls des religieux croyaient cela (une langue sacrée comme l'arabe d'Allah ne saurait être traduite). Les sciences humaines qui l'ont été de moins en moins (humaines) ont renchéri : chaque culture est un monde opaque aux autres. Terrible défaite de la raison, qui croyait pouvoir tout expliquer, à défaut de pouvoir tout comprendre.

Le différentialisme aujourd'hui s'est déporté de la race et de la classe (points de vue plombés par les totalitarismes) à la culture et au *genre*. Il n'y a plus d'hommes, mais des Chinois et des Espagnols ; il n'y a plus d'hommes, mais des hommes et des femmes. Or, le contexte de cela, c'est un puissant mouvement de mondialisation et d'uniformisation. La philosophie peut-elle encore nous aider à le comprendre ?

Chapitre 29

Mort et transfiguration : la philosophie au XXIe siècle

Dans ce chapitre :

- Champ de ruines ou bien chantier ?
- Les directions possibles de la pensée philosophique future

La situation de la philosophie

Les maux de la fin, les mots de la fin

Depuis un bon siècle, les philosophes ont annoncé des fins plutôt que des commencements. Les soubresauts violents de l'Histoire y ont puissamment aidé : ont été tour à tour proclamées la fin de l'histoire, la mort de l'art, la fin des idéaux, la fin des idéologies, la mort de Dieu, la fin du sujet, la mort de l'homme, la fin de l'humanité (par un homonyme qui n'est autre que moi-même). Bref, la fin des haricots, la fin de tout.

Pourtant, ça continue de tous côtés. Il y a encore des œuvres, des actions et des événements. Il y a encore des idées et des livres. Il n'y en a même jamais eu autant !

La mondialisation de la philosophie

La mondialisation n'est pas seulement une affaire de banquier. Il ne faudrait tout de même pas oublier qu'elle a commencé avec la philosophie, il y a longtemps, dans la Grèce ancienne. Ce qui est nouveau aujourd'hui, c'est la dispersion géographique et culturelle des philosophes : de même qu'un athlète des Philippines ou du Zimbabwe peut aujourd'hui gagner une médaille d'or à une épreuve des jeux Olympiques (encore naguère dominés par une petite poignée de pays), des philosophes travaillent actuellement un peu partout dans le monde. On ne les connaît pas encore car, le plus souvent, on ne les traduit pas, mais toujours est-il qu'ils existent.

Internet, à la fois vecteur et signe d'une mondialisation qui ne fait que naître, donne à la philosophie une existence publique qu'elle n'avait jamais eue auparavant. Des milliers de bloggers anonymes lancent des idées dans cet océan de signes, se réunissent en forums de discussion, échangent leurs arguments. Jamais dans toute l'histoire passée on n'aura autant philosophé qu'aujourd'hui.

La philosophie est aussi dans la rue

Si l'histoire de la philosophie nous enseigne quelque chose, c'est que cette pratique que l'on appelle philosophie depuis Pythagore a été exercée de manière si diverse, si contradictoire (on peut faire de la philosophie en prophète, en savant, en poète, en écrivain, en professeur, en amateur, en rêveur, en provocateur, en politique…) qu'aucune modalité ne peut *a priori* être décrétée impossible. C'est probablement en cela que la philosophie se différencie nettement des sciences et des techniques.

Donc, ils sont bien drôles ces censeurs qui haussent les épaules dans un mouvement de mépris agacé lorsqu'ils entendent parler des cafés philo – comme si la répétition des mots de Plotin, qui résonne (raisonne ?) encore dans les amphithéâtres était la seule façon de philosopher !

Qu'en sera-t-il ?

Que peut-il en être de la pensée ?

Extraordinaire paradoxe : les philosophes ont presque toujours défini l'homme par la pensée (l'homme est un animal pensant, l'animal ne pense pas). Or, c'est probablement la part « animale » de l'homme qui est la plus humaine. On a fabriqué des machines qui calculent, déduisent, comparent, bref qui pensent. Le jeu d'échecs, unanimement considéré comme un pur exercice d'intelligence, peut aujourd'hui être plus efficacement conduit par un ordinateur que par un cerveau. Quant au calcul, n'en parlons pas. Si la pensée peut être accomplie par une machine, qu'est-ce qui est humain, et rien qu'humain ? Le sentiment ? Le sexe ? Nous voici déportés vers l'animal.

Le mind-body problem : retour au point de départ ?

« *What is mind ?,* demande le matérialiste.

– *No matter*, répond l'idéaliste.

– *What is matter ?* réplique le matérialiste.

– *Never mind* », répond l'idéaliste.

Pour dire « qu'est-ce qu'il y a ? », « de quoi s'agit-il ? », l'anglais dit « quel est l'esprit ? » ou « quelle est la matière ? », indifféremment. Pour dire « rien », « cela n'a pas d'importance », l'anglais dit « pas de matière » ou « jamais d'esprit », indifféremment.

La distinction du corps et de l'esprit fait partie des évidences communes. Le droit pénal établit la séparation de la violence physique et de la cruauté mentale. Victor Hugo disait que Beethoven est la meilleure preuve de l'existence de l'âme : sourd dans ses oreilles de chair, Beethoven entendait encore sa musique. Qu'est-ce qui fait avancer une voiture ? Le moteur ou la volonté du conducteur ? Les deux évidemment. Tout en étant situées sur des plans différents, la cause matérielle et la motivation humaine concourent au même but. Ni le moteur seul, ni la volonté seule ne pourrait faire rouler la voiture. Les rapports du corps et de l'esprit peuvent être compris sous ce modèle.

Influence du corps sur l'esprit ? Nietzsche dit du pessimisme qu'il est une question de digestion. La maladie, le vieillissement sont de formidables coups de butoir que notre corps, ce bélier, frappe contre les portes de notre âme. Combien croient penser, qui ne font que traduire l'état de leurs glandes ou de leurs nerfs ! Dans le gain de force ou dans l'affaiblissement, toute partie du corps vaut pour tout le reste : la calvitie naissante serait mieux vécue si elle ne symbolisait, pour celui qui la subit, la castration.

Inversement, le pouvoir que notre psychisme peut exercer sur notre corps ne paraît pas moins grand. En témoigne le placebo : ce remède n'est pas un médicament, il ne contient aucun principe chimique actif, mais du fait qu'il est absorbé avec l'idée qu'il est un médicament, il possède un taux d'efficacité non négligeable (un tiers, en France, en moyenne). Avec le placebo, c'est l'idée du soulagement qui soulage, l'idée de guérir qui guérit. Spinoza interrogeait : qui sait ce que peut un corps ? Nous interrogeons : qui sait ce que peut une pensée ?

Que peut-il en être de la société ?

Hölderlin avait prévenu il y a deux siècles : ce qui a fait de l'État un enfer, c'est que l'homme a voulu en faire un paradis. Après l'effondrement historique du communisme, celui qui s'aviserait de vouloir changer la société, ou pire, fonder une société idéale serait immédiatement (et peut-être à juste titre) soupçonné de connivence totalitaire. La société ainsi est redevenue, après une courte parenthèse de quelques siècles, ce qu'elle a toujours été : une donnée de fait, au même titre qu'un phénomène de la nature.

Pendant ce temps, avec la mort des derniers dinosaures (Pierre Bourdieu par exemple), la sociologie a repris sa petite musique d'accompagnement : un sociologue aujourd'hui est un spécialiste qui confirme à quel point les gens ont raison de se comporter comme ils le font. Qui prétendra dès lors qu'il n'y a plus là matière à pensée ?

Que peut-il en être de l'Histoire ?

Francis Fukuyama avait fait quelque bruit, il y a une quinzaine d'années lorsque, reprenant l'expression qu'Alexandre Kojève avait forgée pour traduire la pensée de Hegel, il avait fait état de la fin de l'Histoire. Après l'écroulement du mur de Berlin, l'économie de marché et la démocratie parlementaire n'avaient plus d'ennemis. Un ordre universel s'établit désormais sur la terre. Hegel avait en effet déjà énoncé cette idée difficilement réfutable : que peut-on vouloir au-delà de la liberté universelle ?

Or, il existe ce négatif de taille : il n'est pas impossible que la pulsion de mort finisse par l'emporter. L'homme est loin d'avoir encore tout inventé en matière de pire et, là aussi, il serait étrange, plus qu'étrange, que la philosophie restât indéfiniment muette. Nous sommes à une époque paradoxale où la vérité devient relative et le mal, absolu.

Que peut-il en être de Dieu ?

Une inscription loufoque de mai 1968 : « Dieu est mort. Signé Nietzsche. Nietzsche est mort. Signé Dieu. » On nous en aura parlé, du retour du religieux ! On aura même prêté à Malraux cette phrase idiote (preuve qu'elle n'est pas de lui) : le XXIe siècle sera religieux ou il ne sera pas.

Un personnage de Dostoïevski avait dit : si Dieu n'existe pas, tout est permis. Nombre d'auteurs ont vu dans cette phrase le condensé du nihilisme contemporain. Vieille crainte : déjà au XVIIe siècle, on jugeait impossible une société d'athées – et ceux qui la craignaient prévoyaient une société d'assassins. Aujourd'hui, force est de constater que l'on continue à beaucoup égorger au nom du Dieu clément et miséricordieux. Mais cela change-t-il quelque chose au diagnostic de Nietzsche ?

Dieu est mort. Mort et enterré, bel et bien. Aucune des valeurs dominantes de notre civilisation mondiale (utilité, performance, vitesse, efficacité, exactitude, précision...) n'est religieuse. On dit les Américains profondément religieux mais y a-t-il parmi eux un seul banquier fervent chrétien qui accepterait d'être remboursé seulement dans l'au-delà ? Y a-t-il un cinéma de l'âme ? On n'y voit que des corps ! Les confessions de la télévision ont-elles quelque chose à voir avec ce que l'on appelait de ce mot naguère ? Y a-t-il une dimension sacrée dans le rap ? On n'y entend que des imprécations. Le monde mondialisé est athée, foncièrement, tranquillement athée, et c'est justement cela qui fait enrager les fous d'Allah. Puisque la partie est désormais perdue pour eux, reste à détruire l'échiquier. Là encore, la philosophie n'aurait-elle rien à offrir, ne serait-ce qu'une certaine résistance ?

Que peut-il en être de l'homme ?

L'être humain s'est défini traditionnellement par opposition à Dieu et par opposition à l'animal. Puisque Dieu a été exclu du jeu et que l'animal a été reconnu comme un frère, un troisième pôle a émergé : la machine.

C. H. Turner a observé que ceux qui se prennent pour des machines sont des fous, alors que ceux qui disent que l'homme est une machine sont considérés comme de grands savants. La crise psychologique de l'homme moderne est plus grave encore que la crise morale (après tout, l'homme moderne n'est pas foncièrement pire que son ancêtre, il dispose seulement de moyens autrement terribles pour exercer sa bêtise et sa méchanceté). De plus en plus d'hommes sont en état de souffrance psychique et, selon toute vraisemblance, les choses ne feront que s'aggraver. Face à ce défi, la pharmacie semble l'avoir définitivement emporté sur la psychanalyse : entre le comprimé que l'on avale et les paroles que l'on débite, il n'y a pas de commune mesure.

L'homme est fatigué et il a de moins en moins envie que les choses continuent. En dehors de toute apocalypse possible, la succession indéfinie des générations ne peut désormais plus être considérée comme assurée. Aussi l'homme se prend-il à rêver d'une sortie qui ne serait pas une échappée illusoire vers le haut de la transcendance (les croyances religieuses). Les sciences et techniques font miroiter l'espoir d'un posthumain qui serait à nous ce que nous sommes au singe. Déjà les sportifs, drogués jusqu'à la moelle des os et les actrices remodelées des lèvres aux fesses par la chirurgie nous montrent la voie à suivre : l'être humain tel qu'il est n'a plus de raisons de s'aimer assez pour continuer à vivre indéfiniment ainsi.

Le passé n'est plus source d'admiration (les génies, les héros et les saints ne sont déjà plus de notre monde) mais de récrimination. L'homme qui est mort n'est pas celui dont Foucault exhibait avec délices le certificat de décès à la fin de *Les Mots et les Choses* (une certaine idée d'homme forgée par les sciences humaines depuis deux siècles), non, l'homme qui est mort est peut-être cette réalité physique qui occupe la planète Terre depuis un certain nombre de millénaires et qui s'apprête à abandonner définitivement la partie.

Maintenant, chers Nuls, qui parmi vous oserait encore prétendre que la philosophie est terminée ? À vos claviers ! Le réel ne cesse pas de se modifier et de se créer sous nos yeux. Tous, à vos pensées ! Le travail est loin d'être fini, et il y a peut-être urgence !

Sixième partie

La partie des dix

Dans cette partie…

Vous allez lire un certain nombre d'histoires amusantes ou exaspérantes, qui ont pour point commun de titiller la pensée et de l'inciter à ne pas s'endormir. Dix sophismes qui trompent involontairement et dix paralogismes qui trompent sans le vouloir.

Chapitre 30

Dix sophismes

Dans ce chapitre :

- Un crocodile et un rat
- Un chauve et un paresseux
- Le raisonnement en folie pour le pur plaisir de tromper

Le sophisme crocodilien

Ce raisonnement nous est présenté par Quintilien, un auteur latin du Ier siècle, dans son *Institution oratoire*, qui est un traité de rhétorique.

Un crocodile attrape un enfant qui jouait sur la berge d'une rivière et dit à sa mère : « Si tu me dis la vérité, je te rendrai ton enfant, mais si tu me dis quelque chose de faux, je ne te le rendrai pas. » La mère, habile dialecticienne, punit le crocodile en le mettant dans une situation impossible. Elle dit au reptile : « Tu ne me rendras pas mon enfant ! »

L'animal se trouve alors en effet dans l'impossibilité d'adopter une quelconque attitude sans tomber dans la contradiction. Car si la mère dit la vérité en disant : « Tu ne me rendras pas mon enfant », alors le crocodile devra le lui rendre puisqu'elle a dit la vérité ; mais comme elle a dit : « Tu ne me rendras pas mon enfant », elle n'a pas dit la vérité, et alors l'animal ne devra pas rendre l'enfant. Or, en ne rendant pas l'enfant, le crocodile fera que la mère aura dit la vérité, auquel cas…

La phrase prononcée par la mère est dite *indécidable*. Elle est de type sui-falsificateur, c'est-à-dire qu'elle contredit elle-même ses propres conditions de vérité : elle est vraie dans la mesure où elle est fausse et fausse dans la mesure où elle est vraie…

Le sophisme de l'homme de paille

Cette expression traduit celle, anglaise, nettement moins compréhensible, de *straw man fallacy*. Un homme de paille est un prête-nom, un écran officiel pour couvrir des opérations louches. Le sophisme de l'homme de paille n'est pas de nature logique comme le sophisme crocodilien, mais de nature pragmatique, il concerne les conditions pratiques de la discussion. Il constitue la transgression d'une règle implicitement admise dans toute communication entre êtres raisonnables et qui, du point de vue moral, peut être désignée comme l'honnêteté intellectuelle.

Le sophisme de l'homme de paille, très couramment pratiqué par les responsables politiques, consiste à réfuter une thèse indûment attribuée au contradicteur. Ainsi objecte-t-on aux écologistes qui critiquent l'usage des OGM ou bien l'énergie nucléaire qu'ils veulent « revenir au Moyen Âge » ; aux adversaires du port du voile dans les établissements scolaires qu'ils veulent rallumer les guerres de religion, etc.

Le sophisme des questions multiples

Ce sophisme consiste à présenter sous la forme d'une question unique plusieurs questions, si bien que répondre à cette question, c'est donner implicitement à son corps défendant une réponse positive aux autres questions sous-jacentes.

Le sophisme des questions multiples a été inventé par les Mégariques dans l'Antiquité grecque. Le plus célèbre est : « Avez-vous cessé de battre votre père ? » Si l'on répond oui à cette question, on admet implicitement que l'on battait son père. Si bien que celui qui n'a jamais battu son père ne peut répondre (ni par oui ni par non) à cette question. Le sophisme des questions multiples est une question biaisée.

L'usage en est si commun – quoique de forme moins apparente, plus subtile – que l'on peut se demander si ce sophisme n'est pas l'habitude des sondages d'opinion. Demander par exemple si tel ministre semble sympathique, c'est déjà supposer, si l'on accepte d'y répondre, que la question a un sens (quelle importance cela peut-il avoir, qu'un ministre soit « sympathique » ou « antipathique » ?). Un peu comme si l'on demandait s'il joue de la bonne musique, alors même qu'il ne joue pas du tout de musique. Demander encore lequel de ces cinq ministres ferait le meilleur Président, c'est admettre comme plausible que chacun des cinq peut le devenir…

Le sophisme du chauve

Inventé par le Mégarique Eubulide de Milet, ce sophisme est si connu qu'on l'appelle simplement le chauve.

On arrache un cheveu à la tête d'un homme. Celui-ci est-il devenu chauve ? Bien sûr que non. Enhardi, on arrache donc un deuxième cheveu. Cela ne suffit pas davantage à rendre chauve le bonhomme. Puis un troisième cheveu est arraché, et ainsi de suite, dans une espèce de progression sauvage ignorant tout frein moral. À partir de quel moment peut-on dire que le type est devenu chauve ? S'il faut attendre le dernier cheveu, alors personne n'est réellement chauve (il reste toujours quelque herbe folle sur la tête des plus systématiquement dégarnis). Mais, d'un autre côté, si l'on est chauve malgré quelques cheveux restants, quel est au juste le cheveu (son rang dans la série) qui permet d'établir la distinction entre le chauve et le chevelu ? Si l'on dit par exemple qu'avec 25 cheveux on est chevelu, mais qu'avec 24 on est chauve, alors un seul cheveu (le 25e d'après notre exemple) arraché suffirait à rendre chauve. Mais on entre alors dans une contradiction car, jusqu'à présent (c'est-à-dire lorsqu'on a entrepris ce travail assez fastidieux et passablement cruel d'arracher les cheveux), on avait reconnu qu'un seul cheveu ne changeait en rien l'état de la tête.

Le sophisme du chauve, qui semblera particulièrement tiré par les cheveux à plus d'un bénévole, met aussi en évidence la rupture et même l'étrangeté qui existent entre le vocabulaire de la quantité (un, deux, trois…) et celui de la qualité (grand, petit, chauve, pas chauve). Dans la vie quotidienne, nous désignons par des mots simples des évidences sensibles telles que : untel est grand, celui-là est chauve. Nous serions évidemment bien en peine de fixer la limite exacte qui à nos yeux sépare le grand du petit et le chauve du pas chauve. Pourtant, cette limite doit bien exister.

Le sophisme du cornu

Comme le sophisme du chauve, le sophisme du cornu a été inventé par les Mégariques et lui aussi il était connu sous le simple nom le cornu (rien à voir avec un mari trompé). Il était plus célèbre encore que le chauve, à telle enseigne qu'on a pendant des siècles utilisé l'expression générique d'argument ou raisonnement cornu pour désigner toute espèce de sophisme.

Ce sophisme se présente sous la forme d'un raisonnement déductif : « Vous avez ce que vous n'avez pas perdu. Or vous n'avez pas perdu de cornes. Donc vous avez des cornes. »

Le caractère burlesque de ce sophisme vient du caractère intuitif mais faux du principe « vous avez ce que vous n'avez pas perdu ». Car s'il est vrai que tout ce que l'on possède n'a par définition pas été perdu, le fait de n'avoir pas été perdu n'est qu'une condition nécessaire (mais non suffisante) pour qualifier la possession. Le second énoncé, « vous n'avez pas perdu de cornes », n'a de sens que pour celui qui a ou aurait eu des cornes. La perte implique une possession présente ou passée : on n'a pas davantage perdu de cornes qu'on a perdu la toute-puissance, le troisième œil ou les plumes.

Le sophisme du joueur

On dit aussi le *paralogisme* du joueur (un paralogisme est faux comme le sophisme mais, à la différence de celui-ci, il n'est pas présenté avec l'intention de tromper l'interlocuteur) ou encore le sophisme de Monte-Carlo. Il s'agit d'une illusion très commune chez ceux qui jouent aux jeux de hasard mais ne se résignent pas à admettre que seul le hasard, précisément, joue et que la seule chose que nous puissions connaître en ce domaine nous est donnée par le calcul des probabilités.

Au jeu de pile ou face, admettons que pile soit sorti cinq fois de suite. Nombre de joueurs penseront alors qu'au sixième coup, face aura plus de chances de sortir, comme si pile, après une série de cinq, avait épuisé ses propres chances. Le calcul des probabilités nous dit que, au sixième coup, même après cinq pile (à condition, bien sûr, que la pièce ne soit pas pipée), pile a toujours une chance sur deux de sortir, ni plus ni moins qu'auparavant.

Le sophisme du joueur consiste à imaginer implicitement, sans le savoir, une sorte de mémoire dans la chose. Cette illusion est très commune : quel joueur de loto aurait l'audace de cocher sur sa grille les numéros qui viennent tout juste de sortir ? Ces six-là ont pourtant toujours la même chance qu'avant mais personne, ou presque, ne le croira.

Le sophisme du rat

Énoncé simplement, ce sophisme est on ne peut plus enfantin : « "Rat" est composé de trois lettres. Le rat mange le fromage. Donc trois lettres mangent le fromage. »

La forme latine de cette idiotie est plus convaincante car en latin les articles n'existent pas : la confusion entre le mot « rat » et l'animal était donc moins tirée par les cheveux. Évidemment, personne de sensé, semble-t-il, ne se laisserait prendre à un piège aussi grossier. Et pourtant, le sophisme du rat illustre une erreur très commune : la confusion entre l'ordre symbolique des mots et l'ordre réel des êtres et des choses. Exemple très simple : un lecteur de dictionnaire oublie (à condition qu'il l'ait su, ce qui n'a rien d'évident) qu'il lit des définitions, c'est-à-dire des traductions d'un mot en d'autres mots, et croit qu'il a affaire à des présentations de choses. Ce n'est pas l'animal réel qui est défini à l'article « onagre : âne sauvage », mais le mot « onagre » dont on propose l'équivalent lexical « âne sauvage ».

Le sophisme du tas

Ce sophisme, inventé par les Mégariques, est analogue au sophisme du chauve. Il est également appelé sorite. Il consiste à demander si un tas de blé reste encore un tas lorsque l'on enlève un grain. Si l'on répond oui, on admet implicitement qu'un seul grain ne suffit pas à faire la différence entre un tas et une absence de tas. On réitère donc la question ainsi que l'opération : si l'on retire un deuxième grain du tas, le tas subsiste-t-il ou bien est-il supprimé ? Normalement, jusqu'à l'ultime grain, on devrait admettre que nous sommes toujours en présence d'un tas de blé puisque nous avons accordé dès le départ qu'un seul grain ne suffit pas à faire la différence entre un tas et une absence de tas.

Si, d'un autre côté, il y a un grain susceptible de créer la différence entre un tas et une absence de tas, quel est ce grain ? Où se situe-t-il dans la série ordinale des nombres ? Deux grains font-ils un tas, ou en faut-il trois, ou quatre ? Quatre grains en pyramide feraient bien un tas, mais pourquoi refuser ce terme de tas pour deux grains qui seraient superposés ?

Comme le sophisme du chauve, le sophisme du tas montre l'impossibilité d'analyser les notions qualitatives en termes quantitatifs, ainsi que le caractère arbitraire de l'opposition quantitative du peu et du beaucoup. À partir de quand un changement de degré (quantité) aboutit-il à un changement de nature (qualité) ?

En fait, la physique résout aujourd'hui ce type de problème de seuil (celui qui, par exemple, délimite l'état liquide et l'état solide, en glace, de l'eau). La moderne logique du flou (qui étudie les relations de plus ou moins complète appartenance) traite également de ce type de paradoxe : le sorite est un paradoxe du flou.

Le sophisme naturaliste

L'erreur de raisonnement dénoncée par le philosophe anglais G.E. Moore (1873-1958) dans le domaine de la philosophie morale est l'illusion selon laquelle le bien serait définissable par des attributs, comme s'il était un objet : « naturaliser » la morale, c'est faire comme si elle avait le même type de réalité qu'un objet physique et faire comme s'il était possible de parler d'elle en termes physicalistes. Naturaliser la morale, c'est, par exemple, faire comme si une action honnête avait le même degré d'objectivité que la chute d'une pomme par terre et faire comme s'il était possible de décrire une action honnête de manière aussi précise et rigoureuse que la chute d'une pomme. En affirmant qu'il n'y a pas de phénomènes moraux mais seulement une interprétation morale de certains phénomènes, Nietzsche avait par avance dénoncé le sophisme naturaliste.

D'une manière plus générale, le sophisme naturaliste consiste à déduire le devoir-être à partir de l'être, c'est-à-dire un certain nombre de propriétés normatives à partir de propriétés naturelles. Dire, par exemple, qu'il est normal que les hommes dominent les femmes car ils l'ont toujours fait dans toutes les sociétés, c'est prétendre déduire une norme (« il est normal que ») à partir d'un constat (« ils l'ont toujours fait »), un devoir-être (« il est juste que cela soit ainsi ») à partir de l'être (« cela a toujours été ainsi »). Le sophisme naturaliste ignore ce que David Hume appelait le grand partage et qui est la dualité du « doit » (*ought to* en anglais) et du « est » (*to be* en anglais).

Le sophisme paresseux

C'est l'expression par laquelle Leibniz désigne le raisonnement fataliste : si je suis malade, ou bien je guérirai nécessairement, ou bien je ne guérirai pas. Faire venir le médecin est donc inutile car cela ne changera rien à mon sort.

Le sophisme paresseux consiste à concevoir l'événement futur comme prédéterminé (déterminé à la manière d'une page déjà écrite de livre), donc comme entièrement indépendant de notre action. Ceux qui aujourd'hui pensent que le réchauffement climatique de la Terre est un processus irréversible, inéluctable, qui s'aggravera quoi qu'on fasse, tiennent un raisonnement de ce type : à quoi bon s'agiter dans les angoisses d'apocalypse ou se priver de quelque avantage présent, puisque de toute manière ce qui doit arriver arrivera ?

Chapitre 31

Dix paradoxes

Dans ce chapitre :

- L'infini, une valeur sûre ?
- Être ou ne pas être… acteur !
- Un barbier barbant
- Rajeunir entre Paris et New York

Le paradoxe de la grandeur : entre le zéro et l'infini

Si l'on considère la pluralité impliquant la division, ou bien les éléments auxquels aboutit la division sont sans grandeur (mais alors une somme d'éléments sans grandeur ne saurait être elle-même pourvue d'une grandeur : une addition de zéros donne toujours zéro), ou bien ces éléments possèdent une grandeur et dans ce cas, puisqu'ils sont divisibles à l'infini, ils sont en nombre infini, et une suite infinie d'éléments doit donner une somme infiniment grande. D'un côté, le néant, de l'autre, l'infini.

Ce paradoxe a été mis au jour par Zénon d'Élée pour montrer à la fois l'impossibilité de penser la pluralité et la nécessité de penser que l'unité est le fond de toutes choses. Dès que l'unité est éclatée en pluralité, la pensée tombe dans ce genre d'impasse. Les paradoxes d'Achille et la tortue et le paradoxe de la flèche (voir chapitre 2, p. 34-35) sont des illustrations de ce paradoxe de la grandeur.

Le paradoxe de Sancho Pança : assurance sur la mort

L'historiette à été imaginée par Cervantès dans son grand roman *Don Quichotte*. À l'entrée d'un pays, des soldats demandent à l'étranger : « Pourquoi venez-vous ici ? » S'il dit la vérité, il peut aller librement, mais s'il ment, il est aussitôt pendu (un gibet marque l'emplacement de cette inquiétante douane).

Un jour, un voyageur plus malin que les autres déclare aux soldats : « Je viens ici pour être pendu. » Les soldats se regardent, ôtent leur casque, se grattent la tête : que faire de l'étranger ? Car s'il dit la vérité, il faut le pendre puisqu'il a dit : « Je viens ici pour être pendu. » Mais ne sont pendus que ceux qui mentent. S'il ment, alors il doit être pendu comme tous ceux qui mentent. Cela dit, s'il est pendu, il aura dit la vérité en disant qu'il est venu ici pour être pendu…

Ce type de paradoxe, comme celui du menteur (voir chapitre 6, p. 102) est à la fois autoréférentiel (l'énoncé est à lui-même sa propre référence) et suifalsificateur (il annule lui-même les conditions de sa propre vérité). L'énoncé du voyageur n'est ni vrai ni faux ; il est indécidable. Cet exemple montre qu'il n'est pas vrai que les énoncés sont ou bien vrais ou bien faux. Il existe toute une catégorie d'énoncés qui ne peuvent être dits vrais ou faux.

Le paradoxe du comédien : moins on sent, plus on fait sentir

Diderot, l'inventeur de ce paradoxe, disait « paradoxe sur le comédien » (un texte de lui porte ce titre). Ce paradoxe tient au contraste existant entre l'expression évidente du corps (mimiques, gestes, attitudes exprimant des émotions violentes, amour, haine, joie, désespoir, etc.) et l'absence d'émotion ressentie de la part de l'acteur. Celui-ci joue sans éprouver. Il rit sans être gai, pleure sans être triste. Il se sert de son corps comme d'un instrument. Le paradoxe peut aller jusqu'à l'affirmation qu'un bon acteur est précisément celui qui est capable d'exprimer des émotions qu'il ne ressent pas. Il est par conséquent dans la position du calculateur ou encore dans celle du manipulateur, la marionnette en l'occurrence étant le corps lui-même.

Cette conception est aux antipodes de celle qui considère l'action dramatique comme une identification hystérique (l'acteur fait plus que jouer son rôle, il l'habite, le vit, l'incarne). À la limite, dans cette théorie, il n'y a plus de jeu (lequel suppose un écart – voir le sens du mot en menuiserie lorsque l'on dit que le bois *joue*).

Le paradoxe du comédien met en évidence l'écart qui peut exister entre le corps et le psychisme. Il sert d'argument aux adversaires de la théorie physiologique des émotions, qui voient dans celles-ci des impressions ressenties à partir des expressions objectives du corps (ainsi, selon William James, qui fut un défenseur de cette théorie, la peur est l'impression consécutive à un mouvement de fuite ou de protection déjà esquissé par le corps).

Le paradoxe du vote : préférer celui que l'on aime le moins, éliminer celui que l'on préfère !

Trois candidats se présentent à une élection. Appelons-les Lenoir, Leblanc et Lerouge. Des sondages font apparaître que Lenoir est préféré à Leblanc, Leblanc préféré à Lerouge et Lerouge préféré à Lenoir. Impossible ? Non. C'est en cela que consiste le paradoxe du vote dit encore paradoxe de Condorcet (c'est ce mathématicien et philosophe qui l'a mis au jour le premier).

Normalement, les préférences sont transitives : si je préfère Rembrandt à Rubens et Rubens à Raphaël, alors je préfère Rembrandt à Raphaël. L'ordre du pouvoir est également transitif : si le président de la République a autorité sur le ministre et le ministre autorité sur le préfet, alors le président de la République a autorité sur le préfet. Cette logique simple de la transitivité est celle des grandeurs : si A est plus grand que B et B plus grand que C, il s'ensuit que A est plus grand que C. Mais il arrive que cet ordre soit violé. On l'a observé par exemple dans certaines relations entre animaux. Une poule dominante donne des coups de bec (sans en recevoir) à la poule dominée. Soit un trio de poules Cocotte, Coquette, et Caquette. Cocotte becquette Coquette, laquelle becquette Caquette. Mais celle-ci becquette Cocotte : les relations de domination forment ici une boucle au lieu de constituer une chaîne, comme on aurait pu s'y attendre.

Condorcet a découvert que, si lors d'un vote le nombre de possibilités est supérieur à deux, alors on peut se retrouver devant ce résultat paradoxal : le candidat C préféré à A alors même que A est préféré à B et B à C. C'est pour éviter un tel lézard que les démocraties modernes ont imaginé leur mode de scrutin (l'uninominal à deux tours ou la proportionnelle coupent court au paradoxe du vote). Cela dit, aucun système de choix collectif n'est parfaitement équitable.

Les paradoxes de l'infini : nous pouvons compter sur lui

Combien y a-t-il de points dans le segment AB ? Une infinité. Combien y a-t-il de points dans le segment CD, double du segment précédent ? Une infinité. Comment est-il possible qu'une même infinité existe dans deux grandeurs dont l'une est double de l'autre ? Galilée en avait conclu que l'infini n'est pas un objet mathématique.

Le plus troublant de l'affaire est que l'on peut *montrer* qu'il y a autant de points dans le segment AB que dans le segment CD, double de celui-ci. D'un sommet O part une demi-droite Ox qui réunit les extrémités A et C des deux segments. Faisons pivoter Ox de manière qu'elle balaie l'intégralité des deux segments et qu'elle réunisse les extrémités B et D. Tous les points de AB, ainsi que tous les points de CD auront été parcourus. Bien plus, c'est-à-dire bien pire (et c'est en cela que consiste le paradoxe), à chaque point de AB (a, b…) correspond un point (a', b'…) et un seul de CD, et inversement. On dira aujourd'hui qu'il y a application bijective. Ox balaie autant de points sur deux segments dont l'un est le double de l'autre !

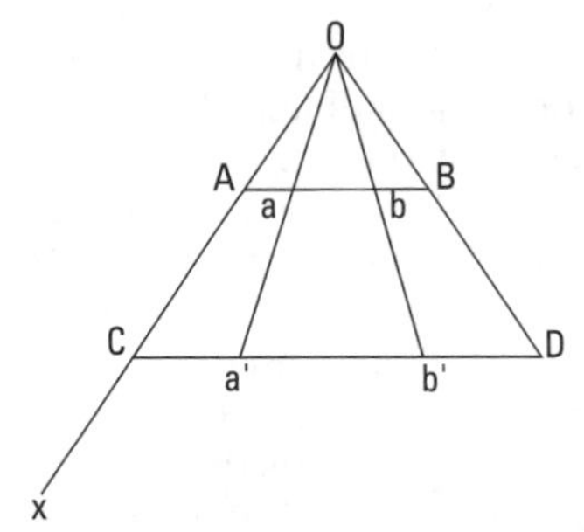

Figure 31.1 : L'application bijective.

Des quantités égales dont l'une est le double de l'autre, cela normalement ne veut rien dire. Pendant des siècles, les mathématiciens en tireront deux conclusions : que l'infini n'est pas une quantité et que tous les infinis sont égaux.

Prenons un autre exemple, celui du demi-cercle.

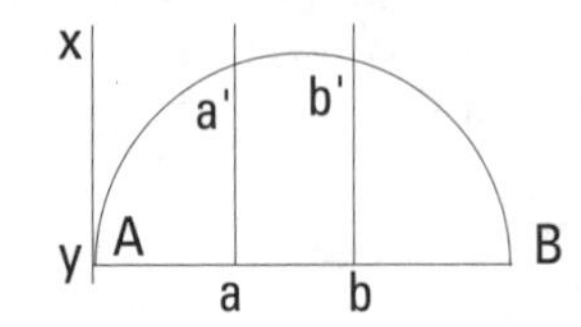

Figure 31.2 : L'égalité de la demi-circonférence et du diamètre.

La demi-circonférence d'un cercle est π/2 fois plus grande que le diamètre de ce cercle. Et pourtant, si une droite xy perpendiculaire au diamètre balaie celui-ci de A à B, elle fera correspondre chaque point de ce diamètre (a, b…) à un point et à un seul (a', b'…) de la demi-circonférence. Il y a autant de points sur une droite et sur une courbe.

Le paradoxe de l'infini a une illustration arithmétique. Nous savons que la suite des entiers positifs est infinie : 1, 2, 3, 4, 5,…, n, n + 1. Les nombres pairs ne représentent que la moitié de ces entiers. On peut d'ailleurs les obtenir en doublant chacun de ceux-ci : 1 correspond à 2, 2 correspond à 4, 3 correspond à 6, 4 correspond à 8, etc. Mais justement, puisqu'à chaque nombre entier correspond, par bijection, un nombre pair, la suite des nombres pairs sera, elle aussi, infinie. Voilà par conséquent deux ensembles égaux dont l'un pourtant est le double de l'autre. L'axiome d'Euclide selon lequel le tout est nécessairement plus grand que la partie est violé : il y a des parties qui paraissent équivaloir au tout !

Il faudra attendre le XIXe siècle avec Bolzano (qui justement a écrit un ouvrage sur les paradoxes de l'infini) et Cantor (le créateur de la théorie des ensembles) pour que la logique et les mathématiques acceptent de traiter l'infini comme un objet à part entière.

La théorie de Cantor donne aux paradoxes de l'infini les solutions suivantes : l'infini peut être quantifié, il y a une hiérarchie des infinis déterminée par leur puissance (ainsi l'infini des nombres réels est-il d'une puissance supérieure à l'infini des nombres entiers). Ce qui arrêtait les mathématiciens comme une impossibilité (la violation de l'axiome euclidien du tout et de la partie) est considéré comme la marque propre de l'ensemble infini : un ensemble infini est celui qui peut être en application bijective sur l'une de ses parties propres (théorème de Dedekind) : il y a autant de nombres pairs que de nombres entiers.

L'infini conduit à bouleverser les règles des opérations élémentaires. Le mathématicien David Hilbert a, pour l'illustrer, imaginé un hôtel de l'Infini comprenant un nombre infini de chambres, numérotées de 1 à l'infini. Toutes les chambres sont occupées. Un client arrive. Le réceptionniste lui dira-t-il que l'hôtel est complet ? Non, car il connaît les grandes lignes de la théorie de Cantor. Toutes les chambres ont beau être occupées, l'hôtel de l'Infini n'est pas complet. Le réceptionniste fait déplacer tous les clients : chacun sera désormais dans la chambre dont le numéro succède immédiatement au sien : le client de la chambre numéro 1 occupera la chambre numéro 2, celui de la chambre numéro 2 occupera la chambre numéro 3 et ainsi de suite à l'infini. Tous les clients par conséquent retrouvent une chambre et la chambre numéro 1 étant libérée, le nouvel arrivant peut l'occuper.

Mais il y a plus et pire. Voici maintenant qu'arrive à l'entrée de l'hôtel de l'Infini le car de l'infini transportant un nombre infini de passagers. Le chef du groupe demande à l'accueil s'il y a de la place pour tout ce monde. Le réceptionniste, toujours excellent logicien, lui dit : « Bien entendu ! Il reste autant de place que vous en voulez ! » Car l'hôtel de l'Infini a beau déjà loger une infinité de clients, il reste encore de la place pour une deuxième infinité de clients.

La solution imaginée est simple : chaque client de l'hôtel changera encore une fois de chambre, il occupera désormais la chambre dont le numéro correspond au double de celui de sa chambre actuelle : ainsi le client de la chambre numéro 1 occupera la chambre numéro 2, le client de la chambre numéro 2 occupera la chambre numéro 4, et ainsi de suite à l'infini. Seront ainsi libérées les chambres à numéro impair (1, 3, 5, etc.) lesquelles, sont, comme on sait, en nombre infini : l'infinité des nouveaux arrivants y logera donc sans difficulté…

Les mathématiques de l'infini ont cela de commun avec le cinéma burlesque ou le dessin animé : ce qui paraît impossible est réel.

Le paradoxe du barbier : à nous la couper !

Il existe à Séville un barbier différent des autres : il ne rase que ceux qui ne se rasent pas eux-mêmes et il est le seul à le faire. Aussi tous ceux qui ne se rasent pas eux-mêmes doivent-ils aller chez ce barbier unique. Maintenant, la question qui embrouille est la suivante : ce barbier peut-il se raser lui-même ?

La première réponse est catégoriquement non : le barbier de Séville ne peut se raser lui-même pour la bonne raison qu'il ne rase que ceux qui ne se rasent pas eux-mêmes. En se rasant, il échapperait à la catégorie de ceux qu'il doit raser.

Seulement, si notre barbier ne se rase pas, il entre alors dans la catégorie de ceux qu'il doit raser. Conclusion : le barbier ne peut se raser lui-même dans la mesure où il se raserait lui-même et il devrait se raser lui-même dans la mesure inverse où il ne se raserait pas lui-même. (Aucune aire de repos n'est prévue pour les lecteurs qui n'auraient rien compris.)

Il existe des variantes de cette histoire pénible. D'après le droit coutumier, le veilleur d'un village doit réveiller les habitants qui ne se réveillent pas eux-mêmes et il est le seul à avoir ce droit. De plus, il n'est pas permis au veilleur de réveiller les villageois capables de se réveiller eux-mêmes. Le problème est de savoir ce que peut faire le veilleur car qu'il ne se réveille pas ou bien se réveille seul, il est dans une situation impossible. En effet, s'il ne se réveille pas, le veilleur est obligé de se réveiller puisqu'il est par convention astreint à réveiller ceux qui ne se réveillent pas eux-mêmes, mais, s'il se réveille, alors, en vertu de cette même convention, il n'en a pas le droit puisqu'il ne peut réveiller que ceux qui ne se réveillent pas eux-mêmes. Vraie histoire à dormir debout !

D'où vient l'embrouille ? Un paradoxe provient toujours de la rencontre entre deux énoncés ou deux événements qui sont issus de deux mondes différents et n'auraient jamais dû se rencontrer. Bertrand Russell, le philosophe logicien anglais qui a imaginé l'histoire du barbier, a pointé par celle-ci une difficulté de la théorie des ensembles et donc montré par là son caractère incomplet.

S'il existe un ensemble de tous les ensembles, cet ensemble devra englober les ensembles qui se comprennent eux-mêmes et les ensembles qui ne se comprennent pas eux-mêmes, c'est-à-dire ceux qui se comprennent à titre d'éléments (par exemple un catalogue de livres qui se mentionne lui-même comme livre) et ceux qui ne se comprennent pas à titre d'éléments (par exemple, un catalogue de livres qui ne se mentionne pas lui-même comme livre).

Mais quel peut être le statut logique de l'ensemble de tous les ensembles qui ne se comprennent pas eux-mêmes : cet ensemble se comprend-il lui-même ou non ? S'il se comprend lui-même, il ne le devrait pas parce qu'il ne comprend que les ensembles qui ne se comprennent pas eux-mêmes, et s'il ne se comprend pas lui-même, alors il devrait se comprendre lui-même car il ferait partie de la bonne catégorie. Le paradoxe du barbier et celui du veilleur de nuit transposent cette double impossibilité.

Il n'est pas impossible que Bertrand Russell ait avec humour songé au rasoir d'Occam en imaginant son étrange barbier. La solution qu'il donne du paradoxe coupe court à cette difficulté. Elle consiste à dire que les expressions comme « ensemble de tous les ensembles », « ensemble des ensembles qui ne se comprennent pas eux-mêmes » n'ont en fait pas de sens. On ne peut, d'un même objet logique, faire à la fois un ensemble et un élément : c'est ce que l'on appelle la théorie des types.

Revenons à notre barbier : il n'existe pas davantage que le chat du Chester imaginé par Lewis Carroll dans *Alice au pays des Merveilles*, il ne fait partie d'aucun monde possible. Ou alors nous dirons qu'il n'existe que comme personnage du paradoxe de Russell. L'existence, en effet, est plutôt bonne fille, elle accueille l'imaginaire mais il convient, pour le reconnaître, de dépasser la sphère de la seule logique.

Le paradoxe de l'autoréférence : c'est celui qui dit qui n'y est pas

On se souvient de l'insupportable menteur qui ne ment pas dans la mesure où il ment et qui ment dans la mesure où il ne ment pas. Le paradoxe de Grelling est comme le menteur un paradoxe de l'autoréférence issu du fait qu'un énoncé, parce que situé sur deux plans, se contredit lui-même.

Grelling divise les adjectifs en autologiques et en hétérologiques. Les adjectifs autologiques possèdent eux-mêmes la propriété qu'ils décrivent. Ainsi, « bref » est bref, « pentasyllabique » a cinq syllabes. En revanche, « long » n'est pas long, « bisyllabique » n'a pas deux syllabes. Ils sont hétérologiques.

Maintenant, on se pose la question de savoir si « hétérologique » est autologique ou hétérologique. Si « hétérologique » est hétérologique, alors il est autologique puisqu'il possède la propriété qu'il décrit, mais si « hétérologique » est autologique, alors il est hétérologique puisqu'il ne possède pas la propriété qu'il décrit. « Hétérologique » est autologique dans la mesure où il est hétérologique et hétérologique dans la mesure où il est autologique.

Essayons donc, après cela, de dormir tranquille !

Le paradoxe des jumeaux de Langevin

Comment fausser compagnie à celui qui a toujours fêté son anniversaire le même jour que soi ? Le physicien Paul Langevin a été l'un des premiers à faire connaître en France la théorie de la relativité. Parmi les résultats les plus ébouriffants de celle-ci, il y a l'idée que le temps dépend de la vitesse. En physique classique, cette proposition n'a rigoureusement aucun sens : la vitesse est un rapport de temps et d'espace, le temps et l'espace sont considérés comme des absolus, seule leur mesure peut être dite relative. La théorie d'Einstein bouleverse cela : lorsqu'un référentiel (une planète, par exemple) est animé d'un mouvement très rapide (d'une vitesse proche de celle de la lumière) par rapport à un autre référentiel, le temps pour ce premier référentiel ralentit par rapport au second.

Langevin a imaginé l'histoire suivante. L'un de deux jumeaux s'embarque à bord d'un vaisseau spatial et voyage à une vitesse relativiste (proche de celle de la lumière). Il emporte avec lui une horloge qui lui permet de compter en jours terrestres la durée de son voyage. Après un an de voyage, il revient sur Terre. Son frère, pourtant né le même jour que lui, est mort très âgé, depuis longtemps. Le temps du vaisseau aura ralenti par rapport à celui de la Terre. Une équation simple permet de rendre compte mathématiquement de cette merveille $t = \frac{t'}{1-\sqrt{\frac{v^2}{c^2}}}$ dans laquelle t représente le temps de la terre, t' celui du vaisseau, v la vitesse du vaisseau et c celle de la lumière.

Imaginons t' égal à un an et v égal aux 9/10 de la vitesse de la lumière. Nous aurons : $t = \frac{1}{1-\sqrt{\frac{(0,9)^2}{1^2}}}$ soit $t = \frac{1}{1-0,9} = \frac{1}{0,1} = 10$. Il se sera écoulé dix ans sur Terre pendant que le vaisseau aura voyagé durant un an seulement. L'équation nous montre que lorsque v (la vitesse du vaisseau) tend vers c (la vitesse de la lumière, qui est un absolu) $\frac{1}{1-\sqrt{\frac{v^2}{c^2}}}$ tend vers l'infini. Avec une vitesse égale à 99 % de la vitesse de la lumière, une année de voyage correspondra à cent années terrestres, avec une vitesse égale à 999 pour 1000 de la vitesse de la lumière, une année de voyage correspondra à 1000 années terrestres, etc.

Cela dit, cette expérience ne sera jamais réalisée pour des raisons qui tiennent à la physique – la masse augmentant avec la vitesse (relation prévue par la théorie), il faudrait une énergie colossale pour accélérer un vaisseau jusqu'à le faire mouvoir à une vitesse proche de celle de la lumière. Bien évidemment, aucun corps d'astronaute ne pourrait supporter un tel traitement. Les jumeaux de Langevin sont une belle illustration de ce que l'on appelle une expérience de pensée : une expérience que l'on peut imaginer mais que l'on ne peut pas réaliser concrètement.

Cela dit, l'allongement du temps avec la vitesse se vérifie même sur un banal voyage en avion. Seulement, la vitesse de l'avion est tellement petite par rapport à celle de la lumière (des centaines de milliers de fois inférieure) que l'allongement de la durée sur un trajet Paris-New York ne dépasse pas une fraction infinitésimale de seconde. Ce n'est donc pas de ce côté qu'il faudra chercher le secret de l'éternelle jeunesse…

Le paradoxe de la loterie, ou comment mettre de son côté toutes les chances de perdre

Le paradoxe tient dans le contraste existant entre la probabilité presque nulle qu'a chaque ticket (sur un grand nombre) de gagner et la certitude que l'un de ces tickets sera gagnant. Il est d'ailleurs à noter que les joueurs de jeux de hasard (qui ne croient pratiquement jamais au hasard) exagèrent considérablement leurs chances de gain et donc annulent implicitement ce paradoxe. C'est sur cette illusion que la publicité joue pour attirer les alouettes dans son miroir (« 100 % des gagnants ont joué »). Qui, parmi les joueurs de loto, sait qu'il a beaucoup plus de risques de mourir écrasé par une voiture que de chances de gagner le gros lot (une chance sur 15 millions environ) ?

L'ignorance des probabilités dans le grand public est liée à son refus de considérer le hasard comme un fait objectif. En fait, les gens ne croient pas au hasard et c'est pourquoi ils ne jouent pratiquement jamais *au hasard* aux jeux de hasard. Qui, parmi eux, aurait le culot de cocher les six premières cases (1, 2, 3, 4, 5, 6) sur une grille de loto ? Cette combinaison a pourtant rigoureusement autant de chances de sortir que n'importe quelle autre ! La superstition est une réaction magique face aux risques et au hasard.

On raconte l'étrange histoire suivante. Il y a une vingtaine d'années, à l'époque où il y avait eu une série de détournements d'avion par des terroristes, un homme fut pris au contrôle de l'aéroport avec une bombe dans son sac de voyage. Soupçonné de vouloir préparer un attentat, il fut arrêté. Mais lors de l'interrogatoire, la police eut la stupéfaction d'apprendre que le suspect n'avait en fait rien à voir avec le terrorisme.

Il en concevait, à l'inverse, une telle frayeur qu'il s'était fait le raisonnement suivant : la probabilité pour que je me retrouve avec des terroristes dans un avion est certes faible (des milliers d'avions circulent chaque jour) mais elle existe et avec la chance que je me connais, je risque de tomber sur celui-là. La probabilité pour qu'il y ait deux bombes dans l'avion est encore beaucoup plus faible – s'il y a une chance sur six de sortir le six aux dés, il y a une chance sur 36 (6 x 6) de sortir un double 6. Donc il n'y a qu'un risque sur plusieurs millions pour que dans le même avion il y ait deux bombes. Notre homme avait donc emporté avec lui une bombe, comme si celle-ci annulait l'éventuelle bombe des terroristes !

Le paradoxe de la violation de loi interne

L'expression la plus célèbre de ce paradoxe est le slogan le plus célèbre de mai 1968 : « Il est interdit d'interdire. » Voilà une loi (« il est interdit ») que le contenu (« interdire ») contredit. Ce type de paradoxe est dit sui-falsificateur car, s'il est interdit d'interdire, il devrait logiquement être interdit de dire qu'il est interdit d'interdire.

Autre exemple : « Toutes les généralités sont fausses. » Or, cet énoncé se présente lui-même comme une généralité. Donc, en tant que généralité, la proposition « toutes les généralités sont fausses » est fausse. Dernier exemple : « Je vous ordonne de désobéir ! » Par là, on demande à l'autre d'obéir à une injonction, qui est de désobéir. Mais s'il obéit, il désobéit à l'ordre de désobéir, mais s'il désobéit à cet ordre, alors il lui obéit car l'ordre lui dit de désobéir…

Comment rendre fou ?

Des psychologues américains de l'école de Palo Alto (Californie) ont étudié l'impact de troubles subis par les enfants dans leur milieu familial lorsqu'ils sont placés devant cette double contrainte (*double bind* en anglais). « Sois libre » est aussi autocontradictoire que « désobéis-moi », car inciter un enfant à être libre, c'est l'enchaîner dans le temps même où l'on prétend le délivrer de ses liens. Par-delà le jeu logique, le paradoxe de la violation de loi interne pourrait être bien plus commun qu'on ne pense. Ces appels répétés à la liberté et à la responsabilité dans les sociétés démocratiques contemporaines mettent les individus dans une situation impossible : un pouvoir plein de sollicitation et de sollicitude prie, abjure les hommes d'être libres et responsables, mais cette sollicitude, cette sollicitation rendent justement problématiques cette liberté et cette responsabilité.

Bibliographie sélective

La philosophie a la réputation d'être accessible aux seuls philosophes. C'est vrai de nombreux livres de philosophie, mais pas de tous. Même parmi les grands classiques, il y a des livres que tout le monde peut lire et comprendre avec un minimum d'effort d'attention.

Voici une liste de quelques grandes œuvres parmi les plus fondamentales et d'un abord aisé, dont un débutant pourra prendre connaissance. Sauf mention contraire, les ouvrages cités ont été publiés dans la collection de poche Garnier-Flammarion, qui a publié la plupart des grands classiques de la philosophie.

Les Présocratiques

Les Présocratiques (J.-P. Dumont, collection «Folio», Gallimard) est un ensemble de fragments, parfois très courts (une ligne), d'une rare densité de pensée et d'une grande force poétique. La plupart des grandes idées de la philosophie occidentale y trouvent leur source. Profitez de cette exceptionnelle opportunité: en quelques heures, pouvoir lire les œuvres complètes d'une dizaine de philosophes!

Platon

Les ouvrages de ce philosophe écrivain sont pour la plupart particulièrement agréables à lire. On peut commencer par les trois textes qui racontent le procès et la mort de Socrate: *L'Apologie de Socrate*, *Criton*, *Phédon*. Parmi les autres œuvres, on lira avec plaisir *Le Banquet*, *Phèdre*, ou encore *Critias* qui décrit l'Atlantide. Le livre VII de *La République* contient le célèbre mythe de la caverne.

Aristote

La Poétique (Livre de poche) est un ouvrage fondamental d'esthétique. *La Politique* et *L'Éthique à Nicomaque* sont aisément accessibles. *La Métaphysique* (Vrin, en deux volumes) est un ouvrage assez ardu mais libre à vous d'en lire un chapitre au hasard.

Les philosophes hellénistiques

Les paroles des cyniques ont été réunies sous le titre *Les Cyniques* (Livre de poche). Les textes des épicuriens sont d'un abord assez aisé.

Épicure : ses *Lettres* (à Hérodote et à Ménécée) sont des petits textes classiques très connus sans difficulté particulière de compréhension. Lucrèce : *De la nature* est un des plus beaux textes de la littérature universelle, la meilleure introduction à la philosophie épicurienne en même temps qu'un grand poème. La littérature stoïcienne peut également être abordée par n'importe quel débutant. Épictète : ses *Entretiens* et son *Manuel*, qui en présente le résumé (Gallimard, collection « Tel »), sont des textes centrés sur l'éthique et ne présentent guère de problèmes d'interprétation. Marc Aurèle : *Pensées pour moi-même*, un grand classique de la pensée stoïcienne écrit par un empereur philosophe.

La fin de l'Antiquité et le début du Moyen Âge

Le petit livre écrit par Jacques Lacarrière, *Les Gnostiques* (Gallimard), constitue la meilleure introduction à la pensée de ces originaux. Les *Confessions* de saint Augustin : le premier grand texte de la pensée et des expériences intimes. Splendide.

Le Moyen Âge chrétien

La *Consolation de la philosophie* de Boèce (Payot) est un beau et profond livre, qui se lit comme un poème. Du côté des grands scolastiques, osez ouvrir l'un des quatre gros volumes de la *Somme théologique* de Thomas d'Aquin. Reportez-vous à la table des matières et choisissez l'article qui vous intéresse. Vous trouverez des choses passionnantes à la portée de n'importe quelle masse de matière grise.

La philosophie arabe

Le *Traité décisif* d'Averroès ne présente pas de difficulté particulière.

La philosophie juive médiévale

Le *Guide des égarés* de Maimonide (Verdier) est un ouvrage qui ne doit pas vous impressionner par sa grosseur (vous pouvez lire le chapitre qui vous attire le plus). Des extraits du *Zohar*, le livre de la Kabbale, sont disponibles (Seuil).

Machiavel

Le Prince. Un grand classique de la littérature politique. Lecture très abordable.

Thomas More

L'Utopie se lit comme un récit d'aventures. (C'en est d'ailleurs un!)

Descartes

Le *Discours de la méthode* («je pense, donc je suis») est accessible, malgré les difficultés qui peuvent provenir de la langue classique de l'époque. Les *Lettres* sont d'une particulière richesse de pensée et d'un abord assez facile.

Spinoza

Les *Lettres* sont sans doute la meilleure porte d'entrée. On peut également lire le *Traité de la réforme de l'entendement.*

Leibniz

Les *Nouveaux Essais sur l'entendement* sont une reprise critique des *Essais concernant l'entendement humain* du philosophe anglais Locke. Cet ouvrage permet donc de saisir les principes de la pensée de Leibniz ainsi que ceux de l'empirisme dans une langue toujours vivante.

Pascal

Le caractère dispersé des *Pensées* donne au lecteur une grande liberté d'approche, comme pour les fragments des présocratiques. Parmi les opuscules, la *Préface du Traité du vide* et *De l'esprit géométrique* sont les plus intéressants pour un lecteur moderne.

Locke

On lira avec plaisir le *Second Traité du gouvernement civil.*

Hume

Le *Traité de la nature humaine* est un grand classique de la philosophie, qui ne présente pas de difficultés techniques particulières.

Beccaria

Des délits et des peines est un chef-d'œuvre clair et concis de philosophie du droit.

Rousseau

Le *Discours sur l'origine et les fondements de l'inégalité parmi les hommes* est plus facile que *Du contrat social.*

Kant

Pour ceux qui veulent prendre connaissance d'une pensée particulièrement difficile, la *Dissertation de 1770* et les *Prolégomènes à toute métaphysique future* constituent les meilleures introductions.

Les *Fondements de la métaphysique des mœurs*, d'une lecture facile, permettent d'aborder la pensée morale de Kant. Les *Leçons d'éthique* et les *Leçons de métaphysique* (Livre de poche) permettent d'aborder par le meilleur biais la pensée du philosophe. La lecture des *Opuscules*, et en particulier de l'*Idée d'une histoire universelle du point de vue cosmopolitique*, est profitable et beaucoup plus aisée que celle des trois *Critiques*.

Hegel

Les cours de Hegel sont ce qui permet d'aborder le plus aisément cet immense auteur : *L'Esthétique*, les *Leçons sur la philosophie de l'histoire* (en particulier son introduction intitulée *La Raison dans l'histoire*). Pour ce qui concerne le système hégélien dans son ensemble, on pourra lire les additions des articles des trois volumes de *L'Encyclopédie des sciences philosophiques* (Vrin) : ce sont des éclaircissements écrits à la suite des articles (particulièrement difficiles à comprendre, eux) destinés aux étudiants du philosophe. Dans le troisième volume (*La Philosophie de l'Esprit*), vous trouverez des trésors de pensée à portée d'œil et de cerveau.

Auguste Comte

Son *Discours sur l'esprit positif* est une bonne introduction à sa philosophie.

Kierkegaard

Le Concept de l'angoisse ou *Les Miettes philosophiques* (Gallimard) sont peut-être la meilleure porte d'entrée à la pensée de ce philosophe. On peut lire *Le Journal d'un séducteur* (Gallimard) comme un grand texte littéraire.

Marx

Les Manuscrits de 1844, *La Question juive*, le *Manifeste du parti communiste* (Livre de poche). Pour prendre avec tout le sérieux qu'il mérite ce très grand philosophe.

Schopenhauer

Le Monde comme volonté et comme représentation. L'ouvrage est considérable mais, écrit dans un style lumineux, il ne présente pas de difficulté globale de compréhension. Son découpage permet une lecture partielle.

Nietzsche

Ecce homo est une présentation de Nietzsche par lui-même, écrite dans un style allègre. Il est peut-être la meilleure introduction à la pensée d'un philosophe difficile. On pourra aussi lire avec plaisir *Le Gai savoir*, composé de courts chapitres séparés (aphorismes). Les deux volumes des *Œuvres* de Nietzsche en collection «Bouquins» chez Robert Laffont comportent un index très utile: cherchez un thème qui vous intéresse et reportez-vous à ce que Nietzsche en a dit!

Gaston Bachelard

Ses ouvrages consacrés à l'imaginaire (*L'Air et les Songes*, *L'Eau et les Rêves*, *La Psychanalyse du feu*, *La Terre et les Rêveries de la volonté*, *La Terre et les Rêveries du repos*, tous édités aux PUF) sont d'une lecture aisée et toujours passionnants à découvrir. Parmi les ouvrages épistémologiques, *Le Nouvel esprit scientifique* (PUF) est peut-être le plus abordable.

François Dagognet

Essayez *Le Cerveau citadelle* et *Le Corps multiple et un* (Les Empêcheurs de penser en rond) parmi un ensemble proliférant d'œuvres remarquables par leur exceptionnelle probité d'écriture.

Michel Foucault

La Volonté de savoir et *Le Souci de soi* (Gallimard), qui sont les deux premiers volumes de *L'Histoire de la sexualité*, qui devait en comprendre six, sont compréhensibles par un lecteur moyen. Par ailleurs, ils traitent d'un sujet plus affriolant que la théorie de la connaissance.

Freud

La meilleure introduction à la psychanalyse reste l'ensemble des conférences que Freud prononça lui-même et qui furent réunies sous le titre d'*Introduction à la psychanalyse* (Payot). Mais vous pouvez aussi ouvrir n'importe quel ouvrage de Freud : à l'opposé extrême de Lacan (qui se disait son fidèle disciple...), Freud avait à cœur d'être compris de tous.

Lacan

Les *Séminaires* (Seuil, une douzaine de volumes sont parus) sont passionnants à lire (grâce en partie à l'extraordinaire dramaturgie de la parole du maître) et infiniment plus faciles à comprendre que les *Écrits*.

Bergson

En dehors de *Matière et Mémoire*, les livres de Bergson ne présentent pas de difficultés techniques particulières. On lira avec profit *Les Deux Sources de la morale et de la religion* et *L'Évolution créatrice* (PUF).

Heidegger

Les Concepts fondamentaux de la métaphysique (Gallimard) est peut-être l'ouvrage le plus abordable de l'auteur. En même temps, il présente l'avantage de constituer un exposé synthétique de sa pensée.

Sartre

Les *Réflexions sur la question juive* (Gallimard) constituent avec la conférence *L'Existentialisme est un humanisme* (Nagel) des introductions convaincantes à la pensée existentialiste. On sera également intéressé par *Les Mots* (Gallimard, collection « Folio »), ouvrage dans lequel Sartre dit comment et pourquoi il est devenu écrivain philosophe. Pour les plus téméraires, qui ne sont rebutés ni par l'épaisseur de l'ouvrage ni par la petitesse des caractères, *L'Être et le Néant* (Gallimard) n'est pas, disons pas toujours, si difficile qu'on l'a dit. On peut en lire des extraits ou des chapitres au hasard.

Wittgenstein

Le *Traité logico-philosophicus* (Gallimard) peut dérouter par son style lapidaire mais des néophytes ont été littéralement saisis par lui dès la première lecture. Les *Remarques philosophiques* peuvent être lues de manière vagabonde.

Hannah Arendt

Les Origines du totalitarisme, en trois volumes (Seuil, collection «Points») ne présentent pas de difficultés de compréhension particulière. On les lira aussi comme des livres d'histoire. *Condition de l'homme moderne* et *La Crise de la culture* (tous deux publiés chez Pocket) se signalent par leur exceptionnelle richesse de pensée.

Index

C

D

E

F

I

J

K

L

M

N

O

P

Q

R

S

T

U

V

W

X

Z

Achevé d'imprimer par NIIAG
en septembre 2006
pour le compte de France Loisirs, Paris

Imprimé en Italie